LA ELEFANTA QUE NO SABÍA
QUE ERA UNA ELEFANTA

Laurel Braitman

La elefanta que no sabía que era una elefanta

Historias de psicología animal que dicen mucho de los humanos

Traducción de Núria Martí Pérez

indicios

Argentina – Chile – Colombia – España
Estados Unidos – México – Perú – Uruguay – Venezuela

Título original: *Animal Madness – How Anxious Dogs, Compulsive Parrots and Elephants in Recovery Help Us Understand Ourselves*
Editor original: Simon & Schuster, Nueva York
Traducción: Núria Martí Pérez

1.ª edición Febrero 2015

Nota: algunos nombres y rasgos identificativos de personajes han sido cambiados.

Copyright © 2015 *by* Ediciones Urano, S.A.
    Aribau, 142, pral. – 08036 Barcelona
    www.indicioseditores.com

ISBN: 978-84-15732-09-9
E-ISBN: 978-84-9944-806-0
Depósito legal: B-26.779-2014

Fotocomposición: Ediciones Urano, S.A.
Impreso por: Romanyà-Valls – Verdaguer, 1 – 08786 Capellades (Barcelona)

Impreso en España – *Printed in Spain*

A todos los animales que he amado,
en especial a Lynn, Howard *y* Dr. Mel

«Bueno —prosiguió el gato—, tú sabes que un perro gruñe cuando está enojado y mueve la cola cuando está contento. Pues bien, yo gruño cuando estoy contento y muevo la cola cuanto estoy enojado. Por tanto, estoy loco.»

El Gato de Cheshire a Alicia, en Lewis Carroll, *Alicia anotada*

Allí, no más abajo, ni más arriba,
se juntará conmigo alguna vez.
Ahora él ya se fue con su pelaje,
su mala educación, su nariz fría.

Pablo Neruda, «Un perro ha muerto»

Índice

Prólogo
Locura animal

Cuando estudié medicina, nos hacían aprender fisiología disecando pequeños animales, atados vivos sobre su espalda, contra una mesa. Era muy difícil utilizar el escalpelo en el vientre de esa pequeña cobaya. Cuando el animal gritaba, muchos alumnos dejaban de intervenir rechazando hacer sufrir al animal. Entonces, un profesor de biología nos explicaba que los animales eran insensibles: «Cuando tu bicicleta rechina, decía tranquilamente, ¿piensas acaso que sufre?»

Probablemente, había leído demasiado a Descartes, y había asimilado el dogma de que un animal no tiene emoción ni un mundo mental, y que todo se permite ante esa cosa viva.

Cada vez menos gente piensa así porque la etología ha ido instilando en nuestra cultura que esos seres vivos pueden sentir emociones. Su mundo íntimo es distinto del modo mental humano, pero es un mundo mental muy superior al de las máquinas.

Los animales no pueden volverse locos, decían ciertos filósofos, ya que para tener problemas psíquicos hay que tener una psique. Los animales solo tienen sus instintos y algunos problemas biológicos. ¿Acaso crees que pueden considerar que son Napoleón o que escuchan voces que les dicen que deben salvar al mundo de la corrupción de los políticos? Mucha gente piensa así, inclusive grandes filósofos como Michel Foucault, para quien la locura es un privilegio de la condición humana.

En la Edad Media, se le atribuía un alma a las bestias y hasta se las personificaba. Cuando un perro salvaba a un niño de ahogarse o evitaba que los zorros se acercasen al gallinero, lo condecoraban en las fiestas del pueblo, y cuando un jabalí mutilaba a un niño, le hacían un juicio criminal y luego lo colgaban de la plaza pública (no sé si se lo comían luego, o no).

Laurel Braitman no piensa acerca de la locura animal en esos términos. Para ella, se trata de una carencia relacional que altera el desarrollo de ciertos animales. Ha entrevistado a científicos y veterinarios que le han hablado de la angustia de la separación. Describe los problemas de su propio perro, que no pudo adaptarse a su nueva vida y que al perder su «base de seguridad» saltó por una ventana. Ella vivió su propio duelo, y ¿cómo no hacerlo? ¿Cómo se puede vivir con alguien, cuidarlo, jugar con él y atenderlo sin establecer un vínculo?

Todos nuestros niños aman a los animales, los cuidan y protegen y les hacen partícipes de su propia educación. Los animales así criados participan de un entorno humano. En una familia donde hay un animal se habla más, se ríe y comentan las cosas que ha hecho el «pequeño hermano» y todo el mundo se entiende mejor.

Sin embargo, a veces el animal manifesta lo que los humanos llamamos trastornos. Muerde a sus amos, es violento o no responde como debe a las órdenes que le damos, o a las interacciones que les enseñamos. Los veterinarios actualmente miran qué tipo de relación existe entre los animales y sus dueños para reeducar al animal mal criado.

Lo que provoca los mayores trastornos es la carencia afectiva. Un gran número de animales que la sufren se autoagreden, se muerden las uñas, se quitan las plumas, se lamen hasta causarse dermatitis graves. Nosotros los humanos reaccionamos de forma similar. Ser privados de afecto en los primeros meses de vida a causa de una desgracia maternal (enfermedad, violencia conyugal, guerras...) influye tanto en los pequeños humanos como en los animales, y unos unos y otros tienden a autoagredirse cuando las emociones son muy fuertes. Pero amar no es someterse, y nuestro amigo de cuatro patas debe aprender a hacer su parte del esfuerzo.

Laurel Braitman decidió entonces recorrer el mundo para entrevistar a etólogos que le mostraron monos autoagresivos, bonobos expulsados de sus grupos por su conducta insoportable, elefantes que se enfrentan en duelo, perros traumatizados que se sobresaltan al menor ruido.

La autora evita la antropomorfización y se cuida mucho de aplicar a los animales categorías de diagnóstico propias de los humanos, nada de megalomanías narcisistas en los gatos, ni compensaciones imaginarias en un mono huérfano. Sin embargo, sí que compartimos los mismos sufrimientos aunque los expresemos de forma diferente.

Cuando los gatos están en celo y se cortejan, no hablamos de «orgías» como si fuesen jóvenes excitados por una fiesta sorpresa. No hablamos de «monos lujuriosos» porque vemos callos en sus nalgas. Un animal no es un humano, a pesar de compartir un enorme patrimonio. Sin embargo, mientras más descubrimos de los modos mentales animales, más entendemos el mundo de los humanos, a veces por analogía, otras por diferencia.

La autora nos lleva en un viaje por todo el mundo para responder a estas preguntas: ¿Qué hemos hecho para haber vuelto locos a los animales? ¿Qué podemos hacer para que recobren la salud psíquica? ¿Qué podemos aprender de los animales?

Este es un libro muy claro, muy bien documentado, y a menudo emotivo, que nos invita a un apasionante viaje filosófico y biológico para responder a estas preguntas.

Boris Cyrulnik, 2014

Introducción

Mac, el burro enano, puede ser muy puñetero. Agita las pestañas, dirige aduladoramente hacia ti sus largas orejitas peludas, a modo de antenas de televisión y pega la barriga contra tus muslos. Pero en cuanto te ha conquistado con su pequeño y fornido cuerpo, y su aroma silvestre a artemisa y alfalfa, le sale de dentro una fuerza oscura y desconcertante y, tensándose de golpe, echa la cabeza atrás y te da un buen bocado en la parte huesuda de la espinilla sin soltarte. O se encabrita para pisarte con todas sus fuerzas los dedos de los pies con las pezuñas, o te propina una violenta coz. Si no doliera tanto sería gracioso, porque *Mac* es al fin y al cabo del tamaño de una cabra. Pero como no puedes saber cuándo se le cruzarán los cables, también puede asustarte un poco. *Mac* pasa de ser un burro de lo más cariñoso y mimoso a convertirse en un animal violento y agresivo en un abrir y cerrar de ojos, transformaciones que no parecen estar causadas por nada en particular, por eso algunas personas le han acabado poniendo el mote de «burro esquizofrénico».

Aunque yo no sea una de ellas, estoy segura de que sufre algún trastorno mental, pero *Mac* no tiene la culpa, al menos al cien por cien. Su madre, una estoica burra enana sarda, vivía en el rancho donde yo crecí. Como murió a los pocos días de nacer *Mac*, me lo dieron para que lo criara. En aquella época yo tenía doce años y para mí este menudo burrito era como un animal de peluche. Me pasé horas dándole el biberón y jugando con él, hasta que me distraje con los libros de *Ana, la de Tejas Verdes* y con el chico del que me enamoré cuando hacía séptimo, un niño tostado por el sol que se deslizaba con su monopatín detrás del local del McDonald's. *Mac* fue destetado prematuramente y exiliado a un corral sin una mamá que le enseñará cómo funcionaba todo, un ser pequeño e inseguro entre adultos indiferentes. A otro burro esto tal vez no le habría afectado, pero *Mac* no era un burro como cualquier otro. Al final acabó siendo objeto de sus propios ataques, arrancándose el pelo a mordiscos cuando se sentía frustrado o estallando en violentos arrebatos de ira contra las personas y otros animales, arrebatos que le privaron de las muestras de afecto que tanto parecía anhelar. Ahora, al cabo de más de veinte años, sé que las experiencias traumáticas de *Mac* y los problemas conductuales que le causaron son más habituales de lo que parecen.

Los seres humanos no somos los únicos animales del planeta que sufrimos tormentas emocionales que nos complican la vida y a veces incluso nos la hacen imposible. Charles Darwin ya lo descubrió hace más de un siglo. Estoy convencida de que los animales también pueden sufrir enfermedades mentales que se parecen mucho a las nuestras. Me lo han demostrado las experiencias de muchos animales que he conocido, desde *Mac* hasta una serie de elefantes asiáticos, pero el que sobre todo me abrió los ojos en este sentido fue un boyero de Berna (perro de montaña bernés) que mi esposo y yo adoptamos, al que llamamos *Oliver*. Sus miedos, zozobras y compulsiones eran tan exagerados que me hicieron ver la realidad de golpe y me empujaron a investigar si los animales podían sufrir también enfermedades mentales. Este libro es el relato de lo que descubrí, la historia de mis propios intentos de ayudar a *Oliver* y el viaje que inspiraron, una búsqueda para aprender lo que la locura de los animales puede enseñarnos a los humanos.

En el campo de la veterinaria, la psicología, la etología (la ciencia que estudia el comportamiento de los animales), la neurociencia o la ecología, no existe ninguna parte dedicada a investigar si los animales pueden sufrir trastornos mentales. Este libro, basado en pruebas procedentes de las ciencias veterinarias y de estudios farmacéuticos y psicológicos, contiene relatos directos de cuidadores de zoológicos, adiestradores de animales, psiquiatras, neurocientíficos y propietarios de mascotas; observaciones de naturalistas del siglo diecinueve, de biólogos y etólogos contemporáneos, y de muchas personas comunes y corrientes que simplemente tenían algo que decir sobre animales de su entorno que se comportaban de forma extraña. Al unir todos esos cabos sueltos podemos ver que en muchos sentidos los animales se parecen más a los humanos de lo que muchos nos imaginábamos en lo que respecta a estados mentales y conductas anormales, ya que tanto nosotros como ellos podemos sufrir un miedo cerval en determinadas situaciones sin que haya una razón aparente, ser objeto de una tristeza paralizante de la que no sabemos cómo desprendernos o sentir la compulsión de lavarnos las manos sin cesar o de lamerse ellos las patas. Esta clase de conductas anormales pertenece al campo de las enfermedades mentales cuando le impiden a un ser —sea humano o no— llevar una vida normal, ya se trate de un perro obsesionado en lamerse la cola hasta dejarla sin pelo y descarnada, un león marino empecinado en nadar en interminables círculos, un gorila demasiado triste y retraído como para jugar con los miembros de su grupo, o un ser humano al que las escaleras mecánicas le aterren tanto que ni siquiera se atreva a pisar un centro comercial.*

Cualquier animal con capacidades mentales puede sufrir algún trastorno mental de vez en cuando. A veces viene de haber sufrido abusos o maltratos, aunque también puede ser por otras razones. He conocido a gorilas deprimidos e inquietos, caballos, ratas, burros y focas compulsivos, loros obsesivos, delfines autodestructivos y perros con demencia, y muchos de ellos compartían sus síntomas, sus hogares o sus hábitats con otros seres que no sufrían los mismos trastornos mentales. También he conocido ballenas curiosas, bonobos seguros de sí mismos, elefantes llenos de alegría, tigres satisfechos y orangutanes

---

* En este libro me refiero a la conducta anormal del mismo modo que la interpretan las personas que pasan tiempo con esta clase de animales: como locura, enfermedades mentales, evidencias de trastornos mentales, demencia y otras dolencias. Son palabras genéricas desplegadas como un paraguas agujereado que abarca una multitud de conductas consideradas anormales. Salta a la vista que no son capaces de describir ni las pautas siempre cambiantes de la mente de un animal, ni mucho menos aún las expectativas sociales de lo que se considera *normal* en los humanos y en otros animales. La locura es un espejo que necesita la normalidad para existir. Y esta distinción puede ser muy opaca.

agradecidos. El mundo de los animales está lleno de conductas anormales, ya sean animales cautivos, de compañía o salvajes, y de pruebas de recuperaciones, solo hay que saber dónde y cómo encontrarlas. *Oliver* fue mi guía en este sentido, aunque estuviera demasiado ocupado lamiéndose compulsivamente las patas como para advertirlo.

Ver los paralelismos relacionados con la salud mental que existen entre los seres humanos y los animales se parece un poco a reconocer la capacidad para comunicarse, el uso de herramientas y la cultura en otras criaturas. Es decir, echa por tierra la idea de que los seres humanos somos los únicos animales del planeta que sentimos o expresamos emociones de formas complejas y sorprendentes. Y también es antropomórfico: la proyección de emociones, características y deseos humanos a otros seres o cosas. Pero podemos elegir antropomorfizar *bien* para hacer de ese modo unas interpretaciones más exactas del comportamiento y la vida emocional de los animales. Así el antropomorfismo, en lugar de ser una proyección egocéntrica, reconocerá rasgos y cualidades humanas en otros animales, y viceversa.

Identificar las enfermedades mentales en otras criaturas y ayudarles a recuperarse también arroja luz sobre nuestra propia humanidad. La relación que mantenemos con los animales que sufren nos hace ser mejores personas y nos ayuda a empatizar con nuestros perros, gatos y cobayas, nos transforma en psiquiatras de bonobos o gorilas, o inspira a los más entregados de entre nosotros a encontrar refugios para gatos o reservas naturales para elefantes.

Ver que muchos animales también tienen enfermedades mentales que pueden curarse al igual que las nuestras es para mí una noticia muy reconfortante. Cuando los humanos nos sentimos tremendamente inquietos, compulsivos, asustados, deprimidos o furiosos, también estamos demostrando ser, por sorprendente que parezca, como otros muchos seres con los que compartimos el planeta. Como el padre de Darwin le dijo a este: «Entre la cordura y la locura hay una perfecta gradación… [1] Todos perdemos la cabeza en algún momento de nuestra vida». Y a los otros animales también les pasa lo mismo.

1

La punta de la cola del iceberg

«Un perro de caza aúlla en la niebla, corretea temeroso y desconcertado porque no ve nada. Ningún rastro en el suelo excepto el suyo propio, y olfatea en todas direcciones con su fría nariz roja y el único olor que percibe es el de su propio miedo, un miedo que le abrasa por dentro como vapor caliente.»

Ken Kesey, *Alguien voló sobre el nido del cuco*

Un perro se arroja por la ventana al quedarse solo en casa

En una cálida tarde de mayo del 2003 un niño al que nunca llegué a conocer estaba haciendo los deberes en el solario contiguo a la cocina de su casa, en Mount Pleasant, un barrio arbolado de Washington D. C. La parte trasera de nuestro apartamento daba a su casa y mientras hacía las tareas escolares se puso a mirar la hilera de patios urbanos que se extendían a lo largo del sendero, separados por una valla de tela metálica o por pequeñas tablas combadas de madera. Aquel sábado, mientras el niño estaba con la vista alzada, *Oliver*, nuestro boyero de Berna de ojos negros, se arrojó por la ventana de la cocina de nuestro apartamento situado en la cuarta planta del edificio.

Nadie lo vio asomarse por ella, aunque le debió de llevar mucho tiempo apartar el aparato del aire acondicionado y hacer un agujero en la malla de la mosquitera lo bastante grande como para meter por ella su enorme cuerpo de 55 kilos. El cuidador de mascotas que habíamos contratado para que lo vigilara lo había dejado solo durante dos horas para ir al mercado local de verduras. Seguramente, *Oliver* empezó a golpear y mordisquear la mosquitera tan pronto como se dio cuenta de que estaba solo. En cuanto hizo un agujero lo bastante grande, se arrojó al vacío desde una altura de más de 15 metros.

«¡Mamá!», gritó el niño. «¡Un perro ha caído del cielo!»

Más tarde su madre nos contó que creyó que su hijo se lo estaba inventando, pero al notar su asustada voz fue a comprobarlo y encontró a *Oliver* tendido en el patio trasero de nuestro edificio. Había ido a parar al hueco de la escalera del apartamento del sótano.

Nunca olvidaré la llamada telefónica que le siguió. En ese momento yo sostenía un *gin-tonic* y me había estado preocupando por las manchas de sudor en mi vestido nuevo. Jude se estaba tomando una cerveza y tenía los pantalones empapados de sudor en la parte de las rodillas. Habíamos ido a Carolina del Sur para asistir a la fiesta de casamiento de uno de los primos de Jude y en ese momento estábamos dando vueltas por ahí, incómodos por el bochorno que hacía. Cuando sonó el móvil de mi marido, los camareros acababan de anunciar la apertura del bufé.

La mujer nos dijo que se había encontrado a *Oliver* en el suelo hecho un ovillo. Cuando los vio a ella y a su hijo entrar por la puerta del patio trasero, intentó levantarse meneando débilmente la cola. Tenía los labios y las encías descarnados y ensangrentados por haber agujereado la mosquitera de metal, y no podía andar. Lo metieron en el coche y se lo llevaron a toda prisa al hospital veterinario del barrio. Para tratarlo, en el hospital les pidieron un depósito de 600 dólares. La mujer les extendió un cheque por esa cantidad y luego volvió con el coche hasta donde vivíamos y fue llamando a todas las puertas del edificio para averiguar a quién pertenecía aquel extraño y maltrecho perro.

«Cuando lo dejamos en el hospital el veterinario no conocía el alcance de las lesiones», le explicó la mujer a Jude al llamarnos por el móvil, «pero nos dijeron que nunca habían visto a un perro sobrevivir a una caída como aquella».

Abrumados, le dimos las gracias por su generosidad y colgamos. Yo le rogué a Jude que nos fuéramos de inmediato. Pero en Carolina del Sur era casi de noche y, como no habríamos podido coger el último vuelo a tiempo, llamamos al hospital veterinario para preguntar si había alguna novedad sobre el estado de *Oliver* (todavía no había ninguna), y luego seguimos participando en la fiesta nupcial preocupados y asustados.

Cuando tenía veintiún años, un día al ir al lavabo de un bar de una ciudad del norte del estado de Nueva York, conocí a Jude. Nos enamoramos locamente, estábamos tan colados el uno por el otro que nada nos parecía imposible. Al poco tiempo ya habíamos hecho una lista de las diez mascotas que más deseábamos tener en el futuro. Después de hacer un viaje a China y al Tíbet, añadí un par de yaks a la lista y desde el principio quise vivir con un capibara, pero sobre todo soñábamos con tener perros. La lista la encabezaba un boyero de Berna. Esta clase de perros, criados para vigilar ganado y tirar de carros cargados de queso y leche por los Alpes suizos, son bonitos, corpulentos y majestuosos, y tienen una apariencia amigable. Las compañías de comida para perros lo saben, y los fabricantes de automóviles también. Los boyeros de Berna son los supermodelos del mundo canino y salen en anuncios de pienso ecológico, papel absorbente de cocina, perfume, coches todoterreno y ofertas de compañías telefónicas.

Cuando Jude y yo nos mudamos a un apartamento en Washington D. C. donde se nos permitía tener perros, situado junto a las lagunas y las rutas de senderismo del Rock Creek Park, empecé a buscar cachorros.

Y los encontré. Pero me llevé una buena decepción al enterarme de que un cachorro de boyero de Berna costaba casi 2.000 dólares. En aquel tiempo trabajaba para una organización de protección del medioambiente y Jude, un geólogo contratado por el Gobierno, apenas ganaba algo más que yo. No podíamos darnos el lujo de comprar un cachorro tan caro y, aunque nos lo hubiésemos podido permitir, no me parecía bien gastar tanto dinero en un perro. Así que nos pasamos varios meses sintiéndonos como unos pervertidos al ir al parque a mirar a los perros de los vecinos, intentando atraerlos con el montón de chuches que llevábamos clandestinamente en los bolsillos para que se dejaran acariciar. «Veeeen aquí perrito, perrito.»

Y un día de pronto recibí un correo electrónico de un criador con el que me había puesto en contacto hacía unos meses. ¡Me proponía «regalarme» uno de sus perros adultos! Me contó que un boyero de Berna, llamado *Oliver*, de cuatro años, no estaba recibiendo la atención que necesitaba de sus propietarios. Y me señaló que al ser un perro adulto me daría menos trabajo que un cachorro, porque ya no tendría que sacarlo tanto para que hiciera ejercicio.

Quedé para encontrarme con él al día siguiente. Cuando mi marido y yo entramos al centro veterinario para conocer a *Oliver* y a su familia, vimos que una niña paseaba por el césped que había junto a la entrada con un perro gigantesco que agitaba como una bandera la cola con la punta blanca, doblada sobre su lomo. Sus níveas patas eran como las de un león, enormes y anchas, y tenía el pelaje lustroso y vaporoso, al estilo de los peinados de la década de 1970. Con un aire alegre, parecía estar disfrutando del paseo mientras la pequeña lo llevaba de un lado a otro por el césped.

Ahora cuando pienso en la escena me choca ver lo ingenua que fui. La primera cosa que tendría que haberme hecho dudar era adoptar un perro en un centro veterinario y no en la casa de la familia, entre otras muchas cosas más. Pero en aquella época tenía una venda en los ojos.

Oliver estaba viviendo en el centro veterinario porque, por orden judicial, no podía quedarse en el barrio de sus propietarios. Había tenido un altercado con una vecina y su perro y a los propietarios de *Oliver* les habían amenazado con denunciarles. Ahora me parece un asunto muy serio, pero entonces no le di importancia. La madre de la familia, la humana que más se ocupaba de *Oliver*, me contó que «se había entusiasmado tanto al ver al nuevo perro de la vecina que había saltado por encima de la valla electrificada para ir a saludarle». Los perros se empezaron a pelear, la mujer intentó separarlos y entonces *Oliver* la mordió. Ya no necesité oír nada más. Todo el mundo sabe que si intentas separar a dos perros enzarzados en una pelea te pueden dar un buen mordisco, para eso sirven las mangueras del jardín. Además, me dije, seguro que la vecina debe de ser muy quisquillosa. Jude y yo sabríamos controlar a nuestro perro, solo necesitaría que lo adiestráramos un poco.

Ahora, al verlo en retrospectiva, sé que la historia del mordisco no era más que la punta del iceberg o la punta de la cola de un perrazo, pero en aquel momento no me di cuenta, estaba demasiado ilusionada.

Nos enamoramos de *Oliver* a primera vista. Fue más bien una sensación física que una decisión consciente. No nos lo pensamos ni por un segundo. Aquella misma tarde nos lo llevamos a casa.

Los primeros días, *Oliver* nos dio muy buena impresión y luego empezó a adquirir una rutina con Jude y conmigo y se volvió muy cariñoso. Nos pasábamos horas jugando con él al escondite en casa y en el parque, retorciéndole los bigotes juguetonamente, preguntándonos en voz alta cómo sería su voz si pudiera hablar y llenando bolsas y más bolsas de basura con el pelo que se le caía al cepillárselo. Fue al cabo de varios meses de haberlo adoptado cuando empezó a manifestar un comportamiento extraño. Pero tan pronto como lo hizo se fue extendiendo como una mancha de aceite viscosa y pegajosa, inexorablemente, sin que pudiéramos hacer nada para contenerla.

La primera señal de que nuestro perro tenía un problema la vi por casualidad. Jude se había ido a trabajar y yo, tras despedirme de *Oliver*, cerré la puerta de casa para ir a mi trabajo. Pero cuando estaba a punto de coger el coche me di cuenta de que me había dejado las llaves. Mientras volvía a casa para ir a buscarlas oí a varias manzanas de distancia unos lastimeros aullidos, no eran felinos ni humanos, ni tampoco venían del Zoo Nacional. Eran ladridos que salían de nuestra casa, parecían los chillidos de un animal demasiado grande como para chillar (al menos eso era lo que creía antes de conocer a varios elefantes).

En cuanto llegué el porche los ladridos cesaron de golpe y fueron reemplazados por un ruido extraño. Mientras subía la escalera que llevaba a la planta superior, el ruido fue aumentando por momentos. De pronto me di cuenta de que eran las uñas de *Oliver* chocando contra el suelo de madera mientras corría como un loco de arriba abajo por nuestro apartamento. Al abrir la puerta me lo encontré jadeando y con los ojos desorbitados. Se puso a dar saltos ante mí como si yo acabara de volver de una expedición después de haber estado meses sin verlo, en lugar de hacer tan solo cinco minutos que me había ido. Cogí las llaves del coche, lo acompañé a su cama, le acaricié un poco y me fui. Al salir a la calle me senté en el porche y esperé. Al cabo de diez minutos al no oírle me levanté aliviada. Pero de pronto, en cuanto di varios pasos, volví a oír esos aullidos, chillidos y ladridos. Una y otra vez. Al alzar la vista vi la gigantesca cabeza de *Oliver* pegada a la ventana de nuestro dormitorio, con las patas apoyadas en el alféizar. Me estaba mirando con la lengua colgando. Había esperado a que yo saliera del porche para ponerse a ladrar. Como iba a llegar tarde al trabajo si seguía preocupándome por él, me dirigí al coche girando de vez en cuando la cabeza. *Oliver* se había ido a la ventana de la sala de estar para poder verme alejándome por la calle. Cuando doblé la esquina, se puso a ladrar con más fuerza, y mientras conducía para ir a trabajar, no me pude sacar de la cabeza los ladridos de mi perro durante todo el trayecto.

Aquella noche, al volver Jude del trabajo, se encontró con que *Oliver* había agujereado a mordiscos dos toallas de baño por el centro y convertido las dos almohadas de nuestra cama en una montaña de plumas de ganso y de jirones de tela. En el vestíbulo también había una misteriosa pila de virutas de madera, y delante de las ventanas, en el suelo, unos arañazos que parecían las marcas de un fantasma en una pizarra. Curiosamente también tenía las patas delanteras bastante mojadas.

—¿Crees que hay algo que su antigua familia no nos haya dicho? —me preguntó Jude más tarde arrimándose a mí mientras estábamos en la cama con la cabeza apoyada en unos jerséis doblados a modo de almohadas.

Sentí la silenciosa presencia de *Oliver* junto a nosotros en la oscuridad. Por la noche siempre se quedaba hecho un ovillo delante de la puerta del dormitorio, y cuando notaba que nos habíamos dormido, se iba a su cama, al lado del sofá, un cojín redondo con la imagen impresa de un coche Smart. Respiraba apaciblemente.

—Me cuesta creer que nos hayan mentido —le respondí.

Pero pese a haber dicho estas palabras, sentí la duda aflorando en mí como el sedimento del fondo de una laguna asomando a la superficie al agitarse el agua.

Lo que Darwin sabía

No era fácil intentar comprender qué idea le estaría pasando por entre sus peludas orejas cuando *Oliver* roía las toallas o aullaba pegado a la ventana al quedarse solo en casa. En muchos sentidos siempre ha sido muy difícil intentar comprender la relación entre lo que un animal piensa y lo que hace.

En 1649, el filósofo francés René Descartes sostuvo que los animales eran autómatas carentes de sentimientos y de autoconciencia que actuaban inconscientemente a modo de máquinas. Para él y para muchos otros filósofos, la autoconciencia y los sentimientos eran atributos exclusivos del ser humano que nos unían con Dios y demostraban que nos había hecho a su imagen y semejanza. La idea de ver a los animales como máquinas[1] acabó arraigando y duró mucho tiempo, y durante siglos se estuvo esgrimiendo para demostrar la superioridad de la inteligencia, el razonamiento, la moralidad y otras facultades humanas. En el siglo veinte todavía se tendía a tachar de ingenuos o irracionales a los que afirmaban que los otros animales no humanos, al igual que nosotros, también tenían emociones y eran conscientes de sí mismos.[2]

El golpe más duro que recibió esta idea sobre la excepcionalidad del ser humano, al menos en los círculos científicos occidentales, se lo dio Charles Darwin, primero en *El origen de las especies* y más tarde en *El origen del hombre* y, por último, en la profusión de detalles citados en *La expresión de las emociones,* publicado en 1872. Este libro presentaba sus últimos argumentos para demostrar su teoría de mayor alcance sobre que los humanos solo eran otra clase de animales. Creía que la similitud que nuestras experiencias emocionales tenían con las de otras criaturas del planeta[3] era una prueba más de que nosotros compartíamos con ellas los mismos antepasados.

En *La expresión de las emociones* describió a chimpancés hoscos, desdeñosos o indignados, a monos paraguayos asombrados, y a perros amando a otros perros, a gatos o a personas. Tal vez lo más sorprendente que sostenía era que muchos de esos seres eran capaces de vengarse, actuar con valentía y expresar impaciencia o desconfianza. A Darwin le impresionó mucho el comportamiento de su perra terrier, que después de que le hubieran quitado y matado a sus crías, «intentó satisfacer[4] su gran instinto maternal volcándolo en él [Darwin] y deseando lamerle las manos con una pasión insaciable». Darwin también estaba convencido de que los perros sufrían decepciones y abatimiento.

«Cerca de mi casa»,[5] escribió, «hay un sendero que se bifurca a la derecha para llevar al invernadero, que suelo visitar durante un rato para contemplar mis plantas experimentales. Cuando *Bob*, mi perro perdiguero, descubría que yo tomaba ese camino, se llevaba un buen chasco, porque no sabía si seguiría paseando, y era muy gracioso ver cómo le cambiaba la cara en cuanto me dirigía a él (a veces yo lo hacía como un experimento). Todos los miembros de mi familia conocían la expresión que el perro ponía y la llamaban «*cara de invernadero*».

Según Darwin la decepción perruna era inconfundible: cabizbajo, «hundía ligeramente el cuerpo y se quedaba quieto, con las orejas gachas y el rabo entre las piernas, había de pronto dejado de menearlo... Su aspecto revelaba un abatimiento lastimoso y sin esperanzas». Y, sin embargo, «cara de invernadero» no fue más que el principio para Darwin.

Siguió documentando sobre elefantes apesadumbrados, gatos domésticos, pumas, guepardos y ocelotes contentos (que expresaban su satisfacción ronroneando), y también sobre tigres que, según él, cuando se sentían felices en lugar de ronronear lanzaban un «peculiar resoplido[6] al tiempo que entornaban los ojos». Escribió sobre los ciervos del Zoo de Londres que se acercaban a él porque creía que sentían curiosidad. Y habló del miedo y la rabia de bueyes almizcleros, cabras, caballos y puercoespines. También estaba interesado en la risa. «Las crías de orangutanes al hacerles cosquillas... sonríen, se ríen entre dientes y les brillan los ojos», señaló Darwin.

Pero no fue hasta publicar la edición revisada de *El origen del hombre* en 1874 cuando Darwin opinó directamente por primera vez sobre la demencia en otros animales. Escribió:

Creo que hasta aquí se ha demostrado que el hombre y los animales superiores,[7] en especial los primates, poseen unos cuantos instintos en común. Todos poseen los mismos sentidos, intuiciones y sensaciones (similares pasiones, afectos y emociones, incluso las más complejas, como celos, sospecha, emulación, gratitud y magnanimidad; practican el engaño y son vengativos; a veces son susceptibles al ridículo, e incluso tienen sentido del humor; muestran admiración y curiosidad; poseen las mismas facultades de imitación, atención, deliberación, elección, memoria, imaginación, asociación de ideas y razón, aunque en grados muy diversos. Individuos de la misma especie varían en intelecto desde la imbecilidad absoluta hasta la máxima excelencia. También se hallan expuestos a padecer locura, aunque con menos frecuencia que en el caso del hombre.

Darwin no parece haber realizado ninguna investigación[8] al respecto. Se limita a citar a William Lauder Lindsay, un médico naturalista escocés que creía que los animales no humanos también podían volverse locos. Lindsay escribe en un artículo publicado en 1871 en la revista científica *Journal of Mental Science:* «Espero demostrar que[9] tanto el hombre como otros animales tienen en esencia la misma mente, tanto si funciona con normalidad como de forma anormal».

Lindsay sabía mucho sobre este tema, sobre todo en lo que respecta a la demencia humana. Había sido nombrado médico de la Institución Real de Murray para los Dementes en Perth en 1854 y se dedicó a este trabajo durante veinticinco años. Mientras tanto siguió con su pasión por la botánica y en 1870 publicó un libro que tuvo mucho éxito sobre los líquenes británicos, y al igual que Darwin, también era miembro de la Royal Society, que le concedió una medalla por «ser una eminencia en historia natural». Lindsay combinó su interés por la historia natural y su experiencia en tratar a los enfermos mentales en *Mind in the Lower Animals,* una obra maestra en dos volúmenes publicada en 1880 que trataba sobre moralidad y religión, lenguaje, los trastornos psíquicos de los niños y los «salvajes», y sobre muchos otros temas. Pero *Mind in Disease,* el segundo volumen, es verdaderamente excepcional.

Como Darwin, Lindsay también creía que la mente de los dementes,[10] los criminales, los no europeos y los animales se parecían. Las personas locas se podían reconocer por «usar los dientes para morder con saña» y por sus «sucios hábitos». Lindsay escribió que muchas personas dementes «"comían y bebían como bestias", comían carne cruda a dentelladas, bebían agua a lametazos, y se atracaban y atiborraban de comida al igual que ciertos animales carnívoros». También creía que muchas de ellas preferían estar con otros animales en lugar de con personas, adquiriendo a veces una especie de lenguaje animal que les permitía comunicarse con sus compañeros no humanos. Señaló que un «idiota» italiano conocido como el Hombre Pájaro se desplazaba saltando a la pata coja, extendía los brazos como alas y escondía la cabeza en el sobaco. También piaba cuando se asustaba o veía a desconocidos.

Lindsay escribió además sobre niños salvajes[11] como el Niño Lobo de la India, del que decían que se había criado entre lobos. Los clasificó como un subtipo de lunáticos que caminaban a cuatro patas, trepaban a los árboles, merodeaban por los alrededores por la noche, bebían el agua a lametazos como los bueyes, olfateaban la comida antes de ingerirla, roían los huesos, se negaban a cubrirse con ropa y carecían de lenguaje, del sentido de la vergüenza o de la capacidad para sonreír. Lindsay, como las generaciones de médicos que le antecedieron, interpretaba el proceder de sus pacientes estableciendo analogías con otros animales.

En el famoso Hospital Real de Bethlem de Londres, el lugar de donde viene la palabra inglesa *bedlam* («casa de locos») por el caos que reinaba en él, los locos también eran comparados a[12] animales y tratados como tales. Antes de que el hospital prohibiera la entrada al público en general en 1770, Bethlem era un espectáculo muy popular. Ir a ver a los enfermos mentales, como el paciente que se pasaba todo el día cacareando como un gallo, se consideraba una buena diversión, junto con otros pasatiempos, como la prostitución, que prosperó en el interior y en los alrededores del hospital. Bethlem, además de servir como una colección de humanos locos, también alojaba a personas cuerdas que habían sido ingresadas a la fuerza por ser molestas o demasiado excéntricas para sus familias. Como en un zoológico, a los pacientes más incontrolables los encadenaban desnudos por el cuello o por el tobillo a la pared. No es de extrañar que el olor nauseabundo y las condiciones inhumanas del hospital, así como la extraña conducta de muchos de sus pacientes, les recordara a la gente a una perrera o a un circo. Con el paso del tiempo las condiciones del hospital mejoraron, pero un visitante afirmó en 1811 que todavía se seguían usando cadenas y grilletes, y que a algunos de los pacientes incurables «los mantenían encadenados a todas horas como fieras salvajes».[13]

Lindsay era una persona muy interesante porque, aunque trabajara como médico en otro manicomio británico, no se dedicó solo a estudiar a humanos locos comportándose como animales, sino que además se negó a ver a los animales como bestias descerebradas. Para él, los animales *también* podían enloquecer. Incluso estaba convencido de que algunos humanos lunáticos[14] eran mentalmente más degenerados que los perros o los caballos. En *Mind in Disease*, una especie de manual práctico victoriano de las enfermedades mentales, describió muchos tipos de trastornos mentales en los animales, desde la demencia y la ninfomanía hasta las alucinaciones y la melancolía.

Lindsay también estaba convencido de que los animales eran capaces de sufrir muchas clases de «heridas emocionales» y relató una historia tras otra al respecto. Como la de una cigüeña que prefirió que la «quemaran viva»[15] antes que abandonar a su polluelo, y la de un perro terranova que después de que le riñeran, le pegaran ceremoniosamente con un pañuelo y le dieran con la puerta en las narices cuando intentaba salir de la habitación para ir tras la niñera y los niños de la familia (sus compañeros habituales), le invadió una tristeza tan profunda que «intentó ahogarse dos veces lanzándose a una zanja, aunque sobrevivió... y entonces dejó de comer». Al poco tiempo murió.

Todas estas historias le resultaban muy instructivas a Lindsay no solo porque estaba convencido de que las enfermedades mentales de otros animales se parecían mucho a las de los humanos, sino porque además eran peligrosas. «Los defectos o trastornos mentales», como él los llamaba, en los caballos, los bueyes o los perros podían ser aterradores. La causa de la conducta violenta o agresiva de esos animales era desconcertante y misteriosa, e inspiraba miedo porque en aquellos tiempos todo el mundo vivía a diario rodeado de caballos, perros y ganado, incluso en las grandes ciudades. En la época de Lindsay y hasta algún tiempo después, los bueyes enfurecidos con tendencias asesinas o los caballos enloquecidos con la pulsión de cocear o pisotear a quien se les pusiera a tiro constituían un peligro para la salud pública.

Un resquicio de esperanza

Al día siguiente de arrojarse *Oliver* por la ventana de nuestro apartamento, Jude y yo tomamos el primer vuelo rumbo a Washington D. C. y fuimos directos con el coche al hospital de animales. Una auxiliar de veterinaria nos acompañó al fondo de la clínica y nos dijo: «Sinceramente es la primera vez que vemos a un perro sobrevivir a una caída como esta. Hemos pedido a los estudiantes de veterinaria que fueran a verlo porque es un caso fuera de lo común». Nos acompañó a una sala donde había un montón de jaulas alineadas junto a la pared del fondo y añadió que *Oliver* se encontraba un poco atontado, aunque despierto.

Amodorrado, estaba hecho un ovillo en una jaula en la que apenas tenía espacio para darse la vuelta. En la pata izquierda delantera tenía una zona rectangular en la que le habían afeitado el pelo y su pecoso hocico estaba lleno de cortes irregulares y arañazos. «*¡Fiera!*», exclamé llamándole por su mote.

Oliver alzó la cabeza y nos miró a Jude y a mí a los ojos. Su cola repiqueteó contra el suelo de la jaula débilmente mientras intentaba levantarse. Me sentí aliviada e impotente a la vez, no sabía cómo acariciarle a través de la malla metálica.

El veterinario que nos atendía se acercó para preguntarnos si disponíamos de un momento para hablar. «El resquicio de esperanza es que *Oliver* está demasiado magullado como para intentar volver a arrojarse en cualquier momento por la ventana».

Aunque había caído al suelo de cemento desde una altura de más de quince metros, no se había roto un solo hueso para la gran sorpresa de los veterinarios y los auxiliares del hospital. Estaba magullado y dolorido y tardaría semanas en poder volver a caminar, pero los profesionales de la clínica nos dijeron que se recuperaría del todo, al menos físicamente.

—Transportadlo con una sábana a modo de camilla a la planta baja cada varias horas para que pueda hacer sus necesidades —nos sugirió—. También tendréis que llevarlo a un veterinario conductual. Os daré Valium para que por ahora se calme, pero no es más que una solución temporal.

—¿Y cuál es la solución a largo plazo? —le pregunté.

—Mudaros a un apartamento que esté en un primer piso —respondió, y luego se fue de la sala.

Si hubiéramos sabido en qué fijarnos, Jude y yo habríamos advertido el grado de ansiedad de *Oliver* antes de que se tirara por la ventana. Al mirar atrás ahora me doy cuenta de que en aquella época yo estaba consternada por su agitación y que su problema me sobrepasaba, pero no estoy segura de si veía del todo de lo que el perro era capaz.

Tras pasar el primer año con él, Jude y yo empezamos a notar una conducta más extraña que nunca y seguimos preguntándonos si *Oliver* habría sufrido algún trauma cuando vivía con su familia anterior. Siempre que se quedaba solo en casa su grado de ansiedad se disparaba en cuestión de segundos. Y cuando volvíamos, se ponía a saltar como un loco con unas muestras desmesuradas de alegría, aunque solo hubiéramos ido a la planta baja a sacar la basura a la calle. Por la noche se dedicaba a atrapar moscas inexistentes. Iba siguiendo con la vista a esos insectos invisibles como si fuera un pointer. Cuando lo hacía, entraba en una especie de trance y ni siquiera conseguíamos distraerlo dándole queso, pedacitos de carne o prodigándole mimos. También se estaba convirtiendo en un problema en el parque, porque había empezado a ver el lugar como una especie de bufé canino, y a los perritos salchicha y a los doguillos que correteaban desatendidos por sus dueños, como aperitivos. Todavía no había mordido a otro perro, pero cuando uno de ellos le llamaba la atención, se lanzaba con toda su mole como una apisonadora hacia él, por más lejos que estuviera, y luego se paraba en seco junto al pobre animal, derribándolo como si jugara a los bolos y aterrando a sus compañeros humanos. Pero para él no parecía ser simplemente un juego.

Oliver también engullía una variedad de cosas con fruición, como bolsas de plástico y a veces toallitas de baño, aunque hiciera años que hubiera dejado de ser un cachorro. A Jude y a mí esto nos ponía de los nervios. Una noche, después de contemplar a *Oliver* intentar vomitar durante horas sin lograrlo, lo llevamos a altas horas de la noche al hospital, y al hacerle una radiografía el veterinario descubrió un voluminoso objeto obstruyéndole el intestino grueso.

—Creo que no nos queda más remedio que operarlo —nos anunció—. Pero antes probaré un último recurso, aplicarle un enema. Es muy poco probable que funcione, pero quién sabe.

Una hora más tarde se presentó en la sala de espera una auxiliar de veterinaria y nos mostró lo que a primera vista parecía un acordeoncito de plástico marrón.

—Es la primera vez que le extraemos a un perro algo parecido, pero creemos que es un envoltorio intacto de galletas saladas —dijo la auxiliar.

Oliver además de zamparse el envoltorio, se había tragado la bolsa de plástico con autocierre en la que guardábamos las galletas. Por lo visto su tracto gastrointestinal había comprimido el plástico dándole el aspecto de un instrumento musical curtido por la bilis.

Y también se lamía las patas compulsivamente. Al principio Jude y yo solo advertimos que estaban mojadas, pero enseguida nos dimos cuenta de que tenía la costumbre de lamerse las patas delanteras durante horas. Intentamos cambiarle la dieta, lavarle con distintos champús y llevarlo a pasear por otras rutas para asegurarnos de que no se debiera a una alergia, pero fue en vano. Siguió lamiéndoselas hasta el punto de dejar algunas partes peladas y descarnadas. A veces se dedicaba en su lugar a lamerse obsesivamente la cola hasta que le salían llagas y parecía un pastrami que despedía un tufillo apestoso. El veterinario nos dijo que era una conducta compulsiva y que le teníamos que obligar a llevar un collar isabelino de plástico. *Oliver*, como la mayoría de perros, lo odiaba. Al principio intentó dejarlo atrás. Como lo veía por el rabillo del ojo como una gran molestia de la que no se podía zafar, echaba a correr por la casa a lo largo de varios metros y luego se paraba en seco y miraba nerviosamente hacia uno y otro lado. Pero por más que corriera como un loco de arriba abajo seguía viendo el collar isabelino. Nos dio tanta lástima que se lo sacamos.

A estas alturas la ansiedad de *Oliver* ya me estaba empezando a agotar. Si por la tarde no volvíamos a las cinco o a las seis a casa, sabíamos que habría destrozado almohadas o toallas, o mordisqueado las molduras de madera. Arañaba con tanta fuerza el parquet que parecía que viviéramos con termitas gigantes. Contratar a un paseador de perros para que se quedara con él hasta que volviéramos nos dio un respiro, pero no resolvió el problema, y una tarde cuando el paseador de perros se lo llevó a su casa y lo dejó solo una hora, *Oliver* arañó y mordió la tapicería del sofá cama hasta dejarla reducida a jirones llenos de babas. Jude y yo acabamos coordinando nuestros horarios laborales yendo uno más tarde a trabajar y llegando el otro a casa más temprano para dejarlo solo el menor tiempo posible. Cuando estábamos con él, aparte de atrapar moscas invisibles y asustar a los pobres perros del parque, *Oliver* era la calma personificada. Pero cuando se quedaba solo, se convertía en un auténtico tornado.

Lo descubrí porque le hice un vídeo. Como Jude y yo sentíamos curiosidad por saber por qué algunos días eran peores que otros en esta nueva escala Richter de destrucción, pedí prestada una cámara de vídeo y la dejé encendida para que grabara a *Oliver* cuando se quedaba solo en casa. Por lo visto había una cosa más, aparte de la soledad, que le hacía casi volverse loco de miedo: los truenos. Y cuando estas dos cosas se combinaban, era como si alguien hubiera lanzado una granada de ansiedad en el apartamento. Espumeando por la boca, iba nerviosamente de un lado a otro de la casa y se escondía temblando entre la cama y la pared, para al cabo de unos segundos levantarse e intentar embutir su cuerpazo bajo la mesita del salón. Por desgracia, aquel verano la humedad que flotaba en el aire creaba un día sí y otro no una tormenta eléctrica que llegaba a su punto más violento varias horas antes de volver nosotros a casa. En la otra punta de la ciudad, desde la ventana de mi despacho, yo veía preocupada los relámpagos y sentía los truenos retumbando en mi pecho, y me imaginaba al cuerpo peludo de *Oliver* acurrucado en un rincón temblando como un flan y hecho un manojo de nervios.

En su magnífico libro, *Dog Years,* Mark Doty escribe: «Estar enamorados es nuestra versión más común[16] de lo inefable, todo el mundo parece aceptar que es algo que no se puede experimentar desde fuera, se ha de vivir de primera mano... Y tal vez la vivencia de amar a un animal sea más difícil aún de expresar, porque los animales no nos pueden responder con palabras, ni describirse a sí mismos o corregir las suposiciones que hacemos sobre ellos». Preocuparte por un animal como *Oliver* es algo que no se puede explicar y, sin embargo, el amor que transmite vale más que mil palabras. Los perros en especial nos hacen ser más expresivos en muchos sentidos. Hacen que nos comportemos más como perros, rodando por el suelo o saltando de un lado a otro para que se exciten, en un emocionante juego en el que nos convertimos en una transespecie. Hacen que nos detengamos en los lugares adecuados para orinar. Nos obligan a ir al parque, a fijarnos en el tiempo que hace, a advertir los restos de comida descomponiéndose en el suelo y también las entradas de las madrigueras de animales pequeños. Es decir, hacen que nos fijemos en cosas que, de lo contrario, nos pasarían inadvertidas.

Los perros también son buenos barómetros de las relaciones de pareja y suelen actuar como el tercer ángulo de un triángulo conectando a dos personas que de lo contrario ni siquiera se mirarían. Y *Oliver* no era una excepción en este sentido.

A medida que su ansiedad aumentaba y con ella su necesidad de gozar de una estructura, ejercicio físico, compañía y una rutina, la vida se volvió más estresante para Jude y para mí. También teníamos distintas ideas sobre lo que significaba una estructura y una rutina. Jude había criado a un perro lazarillo y, pese a saber muchas cosas sobre el adiestramiento de canes seguros de sí mismos y apacibles, creo que era poco compasivo con las pequeñas manías y rarezas de *Oliver*. En una ocasión se lo llevó en un viaje de trabajo a las afueras de la ciudad y lo dejó solo todo el día en la casa de un amigo, algo que no habría sido ningún problema para un perro tranquilo y relajado, pero *Oliver* se arrojó por la ventana del salón (por suerte era un primer piso) haciendo que los otros dos perros de su amigo le siguieran. Les llevó horas encontrarlos a los tres. Jude, al ver que no podía volver a dejar a *Oliver* en casa de su amigo, lo llevó a la residencia canina más cercana y lo dejó allí el resto de la semana. Cuando volvió a casa con él, sentí que la ansiedad de *Oliver* había aumentado por haberlo dejado solo. A las pocas semanas se arrojó de nuevo por la ventana de nuestro piso.

Por lo general, Jude tendía más que yo a decir: «Puede manejar la situación, no es más que un perro». Al mirar atrás no sé quién de los dos tenía razón. Creo que ambos estábamos solos en un mar de sistemas particulares que queríamos aplicar. Pero Jude me estaba empezando a parecer más insensible de la cuenta. Y él creía que yo me estaba convirtiendo en la clase de persona que invierte demasiado tiempo y dinero preocupándose por algo que no tiene arreglo y que le echaba la culpa injustamente a él. Sospecho que no solo era poco compasivo con *Oliver*, sino también conmigo. La correa que nos unía se estaba deshilachando.

Mis ideas preconcebidas sobre las mentes no humanas también se estaban desgastando. De pronto empecé a ver por todas partes a *Olivers* y a posibles *Olivers*. Era como si la crisis de mi perro me hubiera hecho poner unas oscuras gafas caninas que me hacían ver el mundo desde la angustiada óptica de un perro. Seguía viendo a perros haciendo cosas de perros, pero ahora los estaba empezando a ver como individuos con un sistema emocional inestable que condicionaba su conducta mientras echaban de pronto a correr como bólidos, jadeaban, se quedaban con la lengua colgando y se encorvaban. Este sistema emocional que tendía a cambiar como el viento de un momento a otro les hacía comportarse de forma extraña. A medida que hablaba en el parque de la desconcertante conducta de *Oliver* con otros propietarios de perros, en las cenas con amigos, con gente que acababa de conocer y con otras personas que conocía hacía años, empecé a reunir también sus historias.

Por lo visto casi todo el mundo se había topado con un animal con problemas mentales en algún momento de su vida y la mayoría de esas personas estaban deseosas de hablar de ello. En los últimos seis años me han llamado aparte prácticamente en todas las reuniones sociales a las que he asistido para contarme historias de gatos que solo meaban en los zapatos que uno se dejaba por casa o que se arrancaban el pelo de la barriga escondidos bajo la cama, y de otros perros que también se habían tirado por la ventana de un piso o que reaccionaban con un miedo mortal a las señales de ¡stop!, o de hámsteres que no dejaban de correr en la rueda de la jaula y de loros que le cogían manía a las personas que llevaban gorras de visera o el pelo largo.

¿Hasta qué punto se *parecen* esas experiencias a las de los humanos? Extrapolar, por ejemplo, la aparente depresión de un mono a la de una persona es relativamente fácil por las similitudes que compartimos con los primates. Pero ¿qué hay de las experiencias emocionales de otros animales? ¿De las de perros como *Oliver*? ¿El miedo que sentía al quedarse solo en casa era como el terror que me invadía de niña cuando me quedaba a dormir en casa de una amiga en una fiesta pijama y en la mitad de la noche me despertaba de una pesadilla sin saber por unos minutos dónde me encontraba y dónde estaba mi madre?

Las vueltas y las llegadas

En muchos sentidos las investigaciones sobre las emociones y la conducta de los animales realizadas en los últimos cuarenta o cincuenta años[17] representan un largo y lento giro científico de 180 grados con respecto a Darwin y sus razonamientos para demostrar que la naturaleza de nuestras experiencias emocionales es la misma que la de otros animales del planeta. Investigadores como Nikolaas Tinbergen y Konrad Lorenz establecieron la base para este cambio de sentido. Tinbergen, un prestigioso conductista que llevó a cabo sus investigaciones entre la década de 1930 y la de 1960, se dedicó a estudiar a las aves y los insectos. Y Lorenz experimentó a lo largo de los mismos años con la conducta innata frente a la aprendida, en peces que luchaban y en pájaros que le seguían como si fuera una mamá oca. Sus estudios representaron una alternativa a las investigaciones de B. F. Skinner y de los conductistas radicales que tendían a ver la conducta de los animales desde la óptica cartesiana, como una serie de respuestas sin sentido. Lorenz incluso describió a una de sus ocas como deprimida[18] cuando dejó de comer o de dar vueltas por el lugar después de cortarle un ala.

Los estudios de estos investigadores y de sus coetáneos crearon el campo de la etología, o de la conducta animal, como se lo conoce en la actualidad, y allanaron el camino a otros científicos como Jane Goodall. Cuando Goodall compartía en la década de 1960 las historias de unos expresivos chimpancés recibiéndola con los brazos abiertos en su vida social en Gombe, estaba ayudando a que la gente cambiara de opinión sobre aquello de lo que los animales no humanos eran capaces. Libros como *Primavera silenciosa* de Rachel Carson, publicado en 1962, también ayudaron a impulsar el nuevo movimiento ecologista, contribuyendo a lo que se acabaría convirtiendo en unas largas y fértiles décadas para que se reconociera que los animales también pensaban y sentían como los humanos.

Este cambio tan radical cogió fuerza en 1976 cuando el zoólogo Donald Griffin publicó *El pensamiento de los animales*, en el afirmaba que los animales tenían una mente consciente. Lo respaldaron las grabaciones de Roger Payne y Scott McVay de cantos de ballenas jorobadas, que ayudaron a que la gente las viera como músicos, en lugar de como autómatas que se dejaban llevar por los instintos, y también los estudios de Dian Fossey sobre los gorilas de Ruanda y las investigaciones de Cynthia Moss, Joyce Poole y Katy Payne sobre los elefantes, unas criaturas conscientes, emocionales y comunicativas, realizados en África entre las décadas de 1970 y 1990. Todo ello sugiere que Descartes es ahora el que está en la caseta del perro, en lugar de los canes.

El neurocientífico Jaak Panksepp[19] es titular de la Cátedra Baily de Ciencia por el Bienestar de los Animales en la Facultad de Veterinaria de la Universidad Estatal de Washington. También es un prominente profesor emérito de psicología e investigador en la Universidad Estatal de Bowling Green y director de las Investigaciones sobre Neurociencia Afectiva en el Centro Falk para la Terapia Molecular en Northwestern. Y además tiene otra titulación algo menos impresionante como «cosquilleador ratonil». Uno de mis vídeos favoritos en YouTube es el del doctor Panksepp con la mano metida[20] en la parte superior de una jaula acariciando a unas ratas rellenitas echadas panza arriba para que les haga cosquillas. «Mediante un transductor llamado detector de ultrasonidos para murciélagos podemos oír sonidos de alta frecuencia que, de lo contrario, no captaríamos», dice mientras la cámara enfoca a los roedores gorjeando de felicidad. «Y al usar este instrumento mientras hacíamos cosquillas a las ratas escuchándolas con atención, descubrimos que estábamos provocando un montón de actividad vocal parecida a la de risas». Las ratas también emiten este sonido cuando se aparean y están a punto de recibir comida, o cuando las madres lactantes se reúnen con sus crías y, sobre todo, cuando dos ratas mansas están jugando. Las ratas emiten un sonido totalmente distinto, que también es inaudible para los humanos, cuando están asustadas, peleándose o acaban de ser derrotadas en una pelea con otra rata. Las crías de rata también lanzan una versión del mismo sonido cuando son abandonadas o separadas de su madre. Panksepp cree que los sonidos de contento[21] equivalen más o menos a las risas humanas y que los sonidos más graves indican angustia o dolor psíquico. Los compara a los gemidos humanos.

Al igual que Lauder Lindsay, Panksepp trabajó en los inicios de su carrera en un manicomio. En uno de sus últimos veranos como estudiante universitario, trabajó por la noche de camillero en la unidad de psiquiatría del hospital de Pittsburg. Este puesto le permitió conocer a todos los pacientes, desde los que tenían problemas relativamente pequeños hasta los enfermos psicóticos más violentos encerrados en celdas acolchadas. En su tiempo libre se dedicaba a leer el historial de sus vidas y a ver cómo los pacientes respondían a los nuevos fármacos psicóticos que acababan de salir al mercado en los años sesenta. «Cuando estaba a punto de terminar los estudios previos a la especialización», escribió «deseaba cada vez más entender cómo la mente humana,[22] sobre todo las emociones, se podían llegar a desequilibrar hasta el punto de estar al parecer destruyendo constantemente nuestra capacidad de llevar una vida feliz en el mundo». Ya como psicólogo clínico y más tarde como neurocientífico se centró en dilucidar los estados emocionales.

Tras haber estado investigando durante décadas, Panksepp está convencido de que la mayor parte de los cerebros de los animales, desde el de *Oliver* hasta el de un ratón al que se le hace cosquillas, tienen también la capacidad para soñar, disfrutar de la comida, experimentar furia, miedo, amor, lujuria, pena, sentirse aceptados por su madre, jugar y ser hasta cierto punto conscientes de sí mismos, un razonamiento que podría haber parecido muy poco científico tan solo cuarenta años atrás. Panksepp cree que la capacidad emocional evolucionó en los mamíferos mucho antes de la aparición de la neocorteza humana y de su enorme potencial cognitivo. Pero aclara que esto no significa que las emociones de todos los animales o incluso de los mamíferos sean las mismas. Y cuando se trata de capacidades cognitivas complejas, cree que el cerebro humano está muy por encima del de todos los demás. Aunque está convencido de que los otros animales tienen muchas capacidades especiales de las que nosotros carecemos, como en el caso de distintos estados emocionales. Las ratas, por ejemplo, tienen una vida olfativa más rica que la nuestra, las águilas tienen una visión portentosa y los delfines perciben el mundo a través de la vista, los sonidos, el sónar y el tacto. Estas capacidades se pueden traducir en una gama más amplia y variada de sentimientos que tienen que ver con las diversas experiencias sensoriales o cognitivas de esos animales. Panksepp cree que los conejos, por ejemplo,[23] tienen una capacidad mayor o distinta para el miedo, en tanto que los gatos tienen una mayor capacidad para sentir agresividad e ira.

Durante los últimos quince años el etólogo cognitivo Marc Bekoff ha estado dando a conocer historias de muchas clases de emociones de animales, desde chimpancés compasivos hasta hienas arrepentidas. El primatólogo Frans de Waal ha escrito sobre el altruismo, la empatía y la moralidad en bonobos y otros simios. Un aluvión de recientes investigaciones sobre perros[24] ha revelado su capacidad para reflejar las emociones de sus dueños, y los estudios sobre las fluctuaciones hormonales de los bonobos[25] después de la muerte de las crías de su grupo han demostrado que el nivel de las hormonas del estrés (glucocorticoides) de las madres se disparó durante un mes, una subida química que indica el proceso de un largo duelo. Una serie de estudios recientes[26] han ido mucho más allá de nuestros parientes más cercanos para sostener que las abejas, los pulpos, las gallinas e incluso las moscas de la fruta también sienten emociones. El resultado de estos estudios está cambiando los debates[27] sobre la mente de los animales de «¿Tienen emociones?» a «¿Qué clase de emociones tienen y por qué las sienten?»

Tal vez esto no debería sorprendernos tanto. Como el neurólogo Antonio Damasio ha sostenido,[28] las emociones son una parte necesaria de la conducta social de los animales. Sea de manera consciente o inconsciente, condicionan nuestra conducta, ayudándonos a huir de los peligros, a buscar placer, a evitar el dolor o a establecer vínculos con otros compañeros adecuados. Tanto los delfines como los loros, por ejemplo, manifiestan síntomas de tristeza y depresión parecidos a los nuestros después de perder a su pareja. A veces dejan de comer o de jugar con los de su misma especie. Otros animales sociales, como los perros, suelen hacer lo mismo. Estas emociones son fruto de un proceso evolutivo muy útil: el de cogerle cariño a otros seres que nos protegerán, alimentarán, divertirán, acicalarán, nos procurarán alimentos o nos harán la vida más agradable o productiva. Los estados afectivos, tal como se conocen las expresiones emocionales de los animales, son útiles tanto si se trata de una marmota colaborando con otra en la ampliación de una galería o de un humano apresurado intentando acordar con su pareja quién irá a comprar la cena de camino a casa al salir del trabajo.

Lori Marino es profesora del Programa de Neurociencia y Biología Conductual de la Universidad de Emory y ha estado investigando durante décadas a los primates y delfines, así como la inteligencia y la evolución cerebral de las ballenas. También ha participado en estudios fundamentales sobre la capacidad cognitiva de los delfines, y ha demostrado, junto con Diana Reiss, que se reconocen a sí mismos en un espejo. «Creo que las emociones —pese a estar sujetas a un proceso de selección natural[29]— son una de las partes más antiguas de la psicología que ya estaba presente en los primeros animales que aparecieron en el planeta», me dijo Marino. «Porque sin emociones un ser no puede actuar ni tomar la clase de decisiones que son vitales para sobrevivir. Naturalmente, como algunas emociones son básicas y otras tienen que ver con procesos cognitivos, unas son más complejas que otras, pero todos los animales tienen emociones».

El etólogo Jonathan Balcombe cree que las emociones[30] probablemente evolucionaron con la conciencia, ya que unas y otra se apoyan entre sí. En la actualidad, los investigadores ya no siguen debatiendo sobre si los otros animales son o no conscientes, sino en *qué grado* lo son. Estudios recientes han intentado demostrar que la autoconciencia no es exclusiva de los humanos, los simios antropoides, los mamíferos o incluso quizá los vertebrados. Se ha demostrado que otro subconjunto de animales también son conscientes de sí mismos en el contexto de experimentos cognitivos y conductuales, es decir, eran capaces de verse como seres separados de otros animales y del resto del entorno. Las pruebas de autorreconocimiento realizadas con espejos son muy habituales en las investigaciones sobre la cognición de los animales: consisten en dibujar o hacer con tinte una marca en el cuerpo de un animal y luego poner un espejo frente a él. Si al mirarse al espejo el animal se toca la zona marcada un número de veces que puede cuantificarse estadísticamente, esto constituye la demostración de que es consciente de sí mismo. Es decir, los animales están usando el espejo como herramienta para explorar la marca que antes no tenían, algo que los investigadores consideran una prueba de que los animales se reconocen a sí mismos en el espejo.

Por ahora los únicos animales que han demostrado ser conscientes de sí mismos[31] de esta forma son los chimpancés, los orangutanes, los elefantes, las orcas, las belugas, los delfines nariz de botella, las urracas y los humanos, aunque estos últimos solo lo sean a partir de los dos años. A los cerdos también les hicieron esta clase de pruebas, pero los resultados no fueron concluyentes. Un cerdo se puso a mirar detrás del espejo para encontrar la comida reflejada en él. Y aunque los loros grises africanos usaran los espejos como herramientas para encontrar comida en los armarios, no era evidente que se reconocieran a sí mismos. Estos experimentos, por útiles que sean, solo demuestran cuáles son los animales que están *interesados* en mirarse al espejo. En realidad, la lista de animales que son conscientes de sí mismos podría ser mucho más larga. Los loros grises africanos, por ejemplo, tal vez supieran que se estaban viendo a sí mismos en el espejo, pero prefirieran usarlo a modo de herramienta para encontrar algo para comer. Que no te importe el aspecto que tienes no es lo mismo que no saber que ese eres tú.

En el 2012 un grupo de destacados neuroanatomistas,[32] neurocientíficos cognitivos, neurofisiólogos y etólogos redactaron la Declaración de Cambridge sobre la Conciencia. La declaración pretendía establecer de una vez por todas que los mamíferos, las aves e incluso algunos cefalópodos como los pulpos son seres conscientes capaces de sentir emociones. Los autores sostuvieron que la evolución convergente de los animales ha dado a muchos seres la capacidad de tener experiencias emocionales, aunque no posean una corteza cerebral o al menos no sea tan compleja como la neocorteza de los humanos.

Y sin embargo, pese a los manifiestos sobre la conciencia y el florecimiento de nuevas investigaciones, los debates sobre las emociones y los sentimientos de los animales son más actuales que nunca. Los investigadores que estudian la cognición, las emociones y la inteligencia animal a menudo disienten sobre cuáles son las habilidades no humanas de los animales y la mejor forma de evaluarlas. Y el pujante campo de la neurociencia afectiva, o neurociencia de las emociones, en lugar de simplificar el tema lo ha hecho mucho más complejo. Los neurocientíficos, conductistas y psicólogos de muchas de las instituciones más importantes del mundo tienen una variedad de teorías sobre cómo los humanos procesamos las emociones, cuántas emociones compartimos con otros animales e incluso qué *son* en realidad las emociones.

Pese a las investigaciones que han llevado a cabo durante siglos[33] historiadores naturalistas, psicólogos y psiquiatras, hasta eticistas, neurocientíficos y filósofos, no existe todavía una definición universal de las emociones o la conciencia. Como ya he dicho antes, una serie de investigadores han coincidido en que los animales comparten la capacidad de sentir miedo y placer. Sin embargo, es muy probable, como el neurocientífico Jaak Panksepp sugiere, que los animales sientan muchas otras emociones más. ¿Qué siente, por ejemplo, una abeja al ver un patrón ultravioleta especialmente agradable dentro de una flor? ¿O un delfín al captar los ultrasonidos de su pareja de la que hacía mucho que no sabía nada? ¿O un pulpo cuando su piel adquiere de repente un color mucho más intenso? Otros animales tienen experiencias fisiológicas distintas a las nuestras que están relacionadas con sus experiencias emocionales. Por eso es difícil crear una lista limitada, ya que ni siquiera existe un consenso sobre las emociones humanas universales. El psicólogo Paul Ekman estableció la lista más famosa[34] de lo que llamó las emociones «básicas» humanas: ira, miedo, tristeza, placer, aversión y sorpresa. Pero ¿y qué hay de la excitación, la vergüenza, el asombro, el alivio, los celos, el amor o la dicha? Intentar reducir todos estos complejos estados emocionales a una mera lista de experiencias tal vez no tenga sentido, sobre todo porque sabemos lo útiles que son.

Los humanos debemos ser muy cuidadosos al atribuir estados emocionales a la conducta de otros animales. Piensa, por ejemplo, en la comadreja empapada de agua que encontré hace varios inviernos agazapada en un cubo de la basura de metal cerca de mi casa en Boston. Era una fría mañana y mientras pasaba por delante oí el sonido de unos arañazos. Una comadreja hembra estaba acurrucada debajo de un trozo de cartón. Supuse que habría caído dentro del cubo la noche anterior y que no había podido trepar por sus lisas paredes para recuperar la libertad. Pero ¿cómo se sintió cuando asomé la cabeza por el cubo de la basura? Debió de ver la silueta de una cara enorme con un sombrero de piel iluminada por el brillante sol matutino hablándole. Es tentador concluir que la comadreja se escondió debajo de un trozo de cartón porque se asustó al verme, y sé que la asusté porque se escondió debajo del cartón. Esta clase de razonamiento circular es[35] una trampa en la que se puede caer. Interpretaría con más precisión el estado emocional de la comadreja basándome en su conducta si conociera la historia de esa comadreja en particular y quizás incluso sus experiencias pasadas. (¿Hacía esto a menudo? ¿Le atraían los cartones o la basura de los humanos? ¿La habría criado un rehabilitador de animales silvestres para soltarla en el bosque cuando creciera y por lo tanto no se asustaba demasiado al ver a una persona?) Los beneficios de conocer tanto la conducta normal como la anormal de un animal en particular es la razón por la que muchos aprendemos primero cosas sobre la vida emocional de los animales de nuestras propias mascotas. Al convivir con perros y gatos pasamos mucho tiempo con ellos y los llegamos a conocer no a nivel de especie, sino de individuos. Pude advertir el miedo, la ansiedad y las compulsiones de *Oliver* porque sabía cómo era cuando no se sentía asustado, ansioso o compulsivo. Cuando se escondía de mí, por ejemplo, no lo hacía por estar asustado, sino porque estaba jugando al escondite conmigo.

A medida que veía que la preocupante conducta de *Oliver* iba empeorando como, por ejemplo, al lamerse sin cesar las patas por la noche, o su terror a que lo dejásemos solo, me preguntaba qué le estaría pasando por la cabeza. Como en el caso de muchos otros animales, era un enigma peludo. Y, sin embargo, descubrir las particularidades de lo que estaba pensando en realidad no importaba tanto para poder ayudarle. La realidad de las heridas que *Oliver* se infligía y mi incapacidad para evitar que su estado empeorara bastaban para decirme que estaba demasiado enfrascado en algo que le estaba haciendo daño. Una noche especialmente mala en este sentido se mordisqueó la rabadilla hasta hacerse un agujero del tamaño de una pelota de tenis. Pero también se lamía otras partes del cuerpo, como una pata, hasta dejarla pelada y descarnada. Lo que yo no sabía, y lo que temía que nadie supiera, era por qué se comportaba de ese modo, pero quería descubrirlo a toda costa.

La ansiedad, el alzhéimer y otros problemas de los animales

La primera persona a la que recurrí para que me ayudara a entender la mente de *Oliver* fue un médico llamado Phil Weinstein. Phil, profesor de neurocirugía y presidente emérito de la Sociedad de Cirujanos Neurológicos de la Universidad de California, en San Francisco (UCSF), ha enseñado a docenas de médicos internos residentes de la UCSF y ha sido el primero en aplicar numerosas neurocirugías para corregir lesiones medulares. También sale a pasear cada mañana y cada noche con *Alf*, el pastor australiano de dieciséis años que comparte con su mujer. *Alf* es independiente y reflexivo y le gusta meter la cabeza en la entrepierna de los visitantes. Nunca se ha sometido a la humillación de ir atado a una correa, jamás lo ha necesitado. Durante años se ha parado a mirar a un lado y a otro antes de cruzar las calles de su barrio y cuando echa a correr nunca se aleja demasiado de Phil y Jill, dando vueltas alrededor de ellos constantemente para asegurarse de que sus humanos están donde deben estar. Al sentarse dobla las patas delanteras la una sobre la otra y ladea la cabeza para escuchar a la gente de su alrededor. Mientras Phil y yo hablábamos una mañana sentados a la mesa de la cocina, *Alf* entró corriendo y se detuvo para mirar a un lado y a otro con aire desorientado. Era como si se hubiera olvidado de por qué había ido a la cocina. Después se puso a dar vueltas trazando amplios círculos. Phil me dijo que *Alf* había empezado a desarrollar alzhéimer canino. Unos movimientos torpes habían reemplazado su atlético estado y de vez en cuando ya no reconocía a las personas conocidas.

Conductualmente, el alzhéimer canino se parece[36] al de los humanos. Nos sentimos confundidos, lo familiar se convierte en desconocido y aterrador, nos mostramos más gruñones o nos frustramos con más facilidad que antes, y de repente ya no reconocemos al cartero ni recordamos dónde dejamos los huesos o las llaves. Psicológicamente, también hay similitudes, sobre todo en que el alzhéimer proviene de la muerte de las neuronas y la pérdida de tejido cerebral. Aunque difiere la forma en que el daño se manifiesta entre los perros y los humanos. En los humanos la corteza y el hipocampo se encogen y la placa, o las agrupaciones anormales de proteínas, se acumulan entre las células nerviosas, reduciendo la mente a una sombra de lo que era. Como los perros tienen una vida más corta, el daño que provoca su confusión y otros signos de demencia es menor: por ejemplo, la placa no dispone del tiempo necesario para acumularse hasta el extremo en que lo hace en los humanos. El alzhéimer canino parece ser el resultado[37] del endurecimiento y estrechamiento de las arterias que irrigan el cerebro. Su cerebro al no recibir suficiente oxígeno ni nutrientes se atrofia y encoje. Debido a estas similitudes, varios estudios recientes han usado a perros con demencia para intentar comprender los efectos de una dieta rica en antioxidantes sobre la función cognitiva en ambas especies. Tal vez los veterinarios aconsejen pronto a los propietarios de perros que añadan arándanos y verduras de hoja verde al pienso de sus mascotas. También hay la opción de adiestrar a los perros ancianos a hacer cosas nuevas, al igual que a las personas mayores se les anima a hacer crucigramas y a aprender nuevos idiomas para evitar la demencia.

Mientras Phil instaba a *Alf* a que dejara de dar vueltas en círculos, le pregunté sobre otras posibles similitudes, en concreto si mi ansiedad se parecía a la de *Oliver*.

«Las estructuras cerebrales que participan en estas respuestas son las mismas», repuso Phil. Prosiguió explicándome que en el reino animal todas las especies tienen las estructuras neurológicas básicas para sentir emociones y que debido a estas similitudes también les pueden fallar.

Para sentir miedo y responder a él son necesarias unas redes neurológicas[38] que envían información sobre ciertos desencadenantes del miedo a las regiones cerebrales que determinan una respuesta emocional en concreto: la de quedarse paralizado, huir, intentar defenderse o, en el caso de *Oliver*, arrojarse por la ventana o morder sin parar una puerta de madera.

Estos procesos neurológicos funcionan de una forma parecida casi en todas las especies, incluyendo las aves e incluso los reptiles. Es decir, las respuestas al miedo no dependen de los lóbulos frontal, temporal y parietal de la neocorteza, las partes del cerebro que nos permiten realizar actos cognitivos propios de los humanos, como escribir novelas o hacer crucigramas. Esta capa de materia gris llena de pliegues que tan desarrollada está en los humanos y en otros simios antropoides, así como en las ballenas, los delfines y los elefantes, nos ayuda a coordinar los procesos cognitivos complejos. Nuestras respuestas al miedo y la ansiedad son distintas y probablemente surgen de las regiones subcorticales del cerebro que compartimos con la mayoría de vertebrados y quizá también con otros seres. Los animales capaces de tener pensa mientos complejos responden de una manera más sutil y coordinada ante un peligro, sea imaginario o real, en cuanto lo captan. Los humanos y otros animales con una gran capacidad cerebral pueden, por ejemplo, idear elaborados planes de fuga, o interpretar sofisticadamente lo que les está perturbando o asustando. Pero la experiencia *emocional* de la ansiedad en sí es similar, sea cual sea el nivel de inteligencia del ser que la sienta.

Estos parecidos constituyen una serie de razones por las que los animales no humanos se han estado usando durante más de un siglo en investigaciones neurofisiológicas con el fin de desarrollar terapias para las personas. A mediados de la década de 1930, John Fulton, un neurofisiólogo de Yale, practicó las primeras lobotomías frontales[39] en *Becky* y *Lucy*, dos chimpancés ansiosos y furiosos. Después de la operación, Fulton afirmó que *Becky* en especial parecía haberse unido a un «culto de la felicidad». Sus resultados inspiraron a otros investigadores a intentar hacer esta clase de intervenciones en humanos. La terapia electroconvulsiva de «choque» también se probó primero en otros seres no como tratamiento para la esquizofrenia animal, sino para determinar cuál era el voltaje seguro para el ser humano. Investigadores italianos indujeron ataques epilépticos en perros y, en 1937, visitaron un matadero porcino en Roma donde aturdían a los cerdos con una descarga eléctrica antes de degollarlos. Si no se morían inmediatamente con la descarga, sufrían la clase de convulsiones que los investigadores esperaban que sirvieran como curas psiquiátricas en pacientes humanos. En 1938 un hombre esquizofrénico conocido como Enrico X recibió una descarga de ochenta voltios que le produjo convulsiones e hizo que palideciera y, por extraño que parezca, que se pusiera a cantar. Después de recibir dos series más de descargas gritó alto y claro en italiano:[40] «¡Cuidado! ¡Si me dais otra, me vais a matar!» A los pocos años la TEC se había convertido en un tratamiento psiquiátrico, primero en Suiza, y luego se extendió como la pólvora por Alemania, Francia, el Reino Unido, Latinoamérica y, por último, por Estados Unidos. En 1947 nueve de cada diez[41] hospitales mentales estadounidenses estaban aplicando algún tipo de terapia por electrochoque a los pacientes.

Le pregunté a Phil si un perro con un collar electrónico que transmite descargas eléctricas se podía considerar que estaba recibiendo una terapia electroconvulsiva. Él se echó a reír, pero me contó algunas de las psicocirugías que había visto que funcionaban en otros animales. «Muchos de las enfermedades mentales más comunes en las personas tienen que ver con respuestas de ansiedad y miedos inadecuados. Lo más probable es que los humanos no sean los únicos animales que de vez en cuando sienten miedo o ansiedad en situaciones en las que no tendrían por qué sentirlos. También es muy probable que otros animales desarrollen trastornos obsesivo-compulsivos y otras clases de enfermedades mentales». Cuando los neurocirujanos operan a pacientes con casos extremos de TOC, por ejemplo, destruyen pequeñas regiones de la materia gris. Durante la intervención el paciente está consciente y cuando el cirujano estimula la región del cerebro que hace que esa persona sienta, por ejemplo, el imperioso deseo de lavarse las manos o de comprobar si ha cerrado la puerta de su casa, cauteriza la pequeña zona de tejido correspondiente. A menudo los síntomas del TOC desaparecen después de la intervención.[42] Nadie ha intentado practicar esta clase de operaciones a perros que se lamen las patas o que se persiguen la cola compulsivamente, pero quizá los veterinarios deberían empezar a hacerlo.

Aunque no sería fácil en animales como *Oliver*, porque el cirujano no podría preguntarle si siente el deseo de lamerse la pata antes de cauterizarle la correspondiente región cerebral. La mayoría de enfermedades mentales de los animales conllevan este problema, es decir, no podemos saber lo que están sintiendo. Pero es posible estudiar de una forma limitada la neurofisiología de las emociones de los animales mapeando la actividad de las redes neuronales mientras se asustan o parecen estar sintiendo placer. Recientes imágenes de resonancia magnética (IRM) de perros[43] reuniéndose con sus dueños o descubriendo comida sugieren que las redes neuronales que procesan estas experiencias emocionales positivas en los animales funcionan de forma parecida a las nuestras.

La mayoría de animales no pueden contarnos a los humanos sus experiencias emocionales y, aunque pudieran (como los monos que se comunican por gestos o los loros que hablan), no tendría por qué ser el mejor indicador de lo que están sintiendo. Existe un cierto paralelismo entre las personas que no pueden, o no quieren, expresar sus respuestas emocionales o sus sentimientos al preguntarles sobre ellos. Por eso precisamente existen la psicoterapia y el análisis, para interpretar el complejo proceso de por qué el corazón nos martillea en el pecho, las palmas de las manos nos sudan y nos invaden sensaciones agradables o desagradables. No siempre *sabemos* lo que estamos sintiendo mientras lo sentimos. Y, sin embargo, se le da mucha importancia a intentar adivinar educadamente las emociones de los animales, sobre todo cuando el resultado podría ser curar su trastorno mental. Se sabe, por ejemplo, como Phil dijo, que el miedo y la ansiedad son los causantes de la mayoría de enfermedades mentales en los humanos, desde fobias debilitantes hasta el trastorno por estrés postraumático (TEPT). Según una reciente estimación realizada por el Servicio Nacional de Salud Pública,[44] la mitad de los problemas mentales en Estados Unidos, aparte de los relacionados con la adicción a las drogas o al alcohol, están causados por trastornos por ansiedad. Como fobias, ataques de pánico, TEPT, trastornos obsesivo-compulsivos y ansiedad generalizada.

Un investigador que intenta comprender los procesos fisiológicos de las enfermedades mentales humanas es Joseph LeDoux, una especie de neurofisiólogo neoskinneriano de la Universidad de Nueva York. LeDoux ha sido galardonado con docenas de premios (como el Premio a las Contribuciones Científicas Distinguidas otorgado por la Asociación Psicológica Americana por «revigorizar el campo de las emociones»). También toca en Amygdaloids, una banda roquera cuyo nombre se ha inspirado en la amígdala, o conjunto de núcleos de neuronas de forma almendrada, asociada con la memoria emocional del cerebro. LeDoux es autor de *El cerebro emocional* y *Synaptic Self,* e investiga el procesamiento y almacenamiento de recuerdos emocionales en el cerebro, en particular los traumáticos. Pero no realiza sus investigaciones con humanos.

En la puerta del despacho de LeDoux en la Universidad de Nueva York hay pegado el recorte de un periódico en el que aparece una cobaya vestida como un duendecillo navideño con antenitas de fieltro. Y también el artículo amarillento de un diario titulado «Rats: From Pests to Pets» («Ratas: de ser una peste a mascotas»), y una tira cómica de *Peanuts* en la que Snoopy está hablando acerca de un desengaño. Sus estanterías están cubiertas de títulos como *Extreme Shyness and Social Phobia*, *Readings in Animal Behavior* y *The End of Stress as We Know It*. También contienen un gran número de libros de texto sobre neurociencia, enciclopedias de ciencia cognitiva y un ejemplar de *La expresión de las emociones* de Darwin.

Las ideas de LeDoux sobre el cerebro humano que aparecen en sus libros y sus numerosos artículos publicados en revistas científicas se basan en las investigaciones que ha estado llevando a cabo durante más de treinta años con roedores. Los últimos experimentos de su laboratorio se han centrado en comprender el sistema noradrenalínico de la amígdala. Sus investigaciones sugieren que los cambios en los niveles de los transmisores reguladores[45] en el cerebro (como la norepinefrina) pueden condicionar si la clase de recuerdos que en los humanos suelen provocar trastornos por ansiedad como el TEPT acabarán volviéndose traumáticos.

Como LeDoux investiga con ratones y ratas en lugar de con humanos, le pregunté si tenía sentido considerarle no solo uno de los expertos en miedo más importantes del mundo, sino un experto en miedo *ratonil*. Me respondió que era indiferente que sus sujetos de edtudio fueran roedores o humanos. «No es la parte ratonil de la rata»,[46] dijo, lo que hace que un estudio animal sea bueno, «sino sus amígdalas, porque son muy similares a las nuestras».

LeDoux cree que los sentimientos, tal como los humanos los interpretamos,[47] son producto del lenguaje. Otros animales también pueden experimentarlos, sostiene, pero nunca lo sabremos, y ese no es el objetivo de sus investigaciones.

Tiene razón al decir que las formas en que describimos nuestros sentimientos son particulares de nuestra propia especie, fruto del lenguaje, la cultura, la química cerebral personal y de nuestras experiencias aprendidas de lo que nos parece divertido, satisfactorio o aterrador. Esto es cierto incluso a nivel individual. A mí las viejas montañas rusas de madera me aterran, pero mi hermano, un bombero paramédico que salta de helicópteros para rescatar a excursionistas lesionados y que saca a los accidentados del interior de vehículos destrozados, las encuentra aburridas. Según lo que sostienen neurocientíficos como Panksepp, el hecho de que usemos el lenguaje para describir esas sensaciones y experiencias no significa que los sentimientos sean exclusivos de los humanos. Y pueden llegar a ser muy personales. Tal vez la versión canina de mi hermano prefiera viajar en la parte trasera descubierta de una camioneta en vez de hacerlo en un taxi, incluso por la autopista. No podemos saber lo que sienten los animales no humanos, pero esto no demuestra que no sientan *algo*. El punto clave está en intentar comprender qué pueden estar sintiendo sin proyectar en ellos nuestros sentimientos.

En mi última visita al despacho de LeDoux, me dijo que experimentar con ratas y ratones les permitía a él y a otros científicos obtener mapas detallados de cómo los animales reconocen un peligro y reaccionan a él, sea real o imaginario. LeDoux y yo, sin embargo, no coincidimos en si sus investigaciones sobre el miedo realizadas con ratas demuestran que estas también pueden sufrir trastornos por miedo o ansiedad. Me dijo que hay que observar a los animales en su hábitat natural para descubrir cómo el miedo y el estrés cambian su conducta. Sin embargo, esos estudios dependen de provocar que los ratones se asusten lo bastante como para alterar ciertos aspectos de su conducta que puedan ser estudiados científicamente. Si esas conductas se dan con una frecuencia o intensidad que les impide llevar una vida normal (un concepto relativo para un roedor de laboratorio), en este caso encaja con la definición de enfermedad mental en humanos. Las ratas que han recibido las suficientes descargas eléctricas como para perder interés por la comida,[48] por ejemplo, o para interactuar alegremente con sus compañeras de jaula, podrían estar manifestando una versión ratonil de una depresión inducida o de un estado parecido. En su versión más extrema, este estado se conoce como «indefensión aprendida», una frase acuñada por los psicólogos Martin Seligman y Steven

Maier en 1967. Los investigadores aplicaron descargas eléctricas a un grupo de perros que acabaron sumiéndose en un estado de indiferencia tan profundo que eran incapaces de reunir la energía necesaria para escapar del dolor o para reaccionar a él, aunque lo único que tuvieran que hacer fuera saltar por encima de un tabique de poca altura para estar a salvo. Simplemente, se rindieron,[49] se resignaron a su suerte. Seligman vio en ello un paralelismo con humanos atrapados en circunstancias terribles más allá de su control. «Esta clase de situaciones incontrolables debilita enormemente el organismo»,[50] escribió, «produce pasividad ante un trauma, impidiendo al que lo sufre ver que responder a él es eficaz, y crea estrés emocional a los animales y una posible depresión a los humanos».

LeDoux tal vez no quiera comparar la depresión humana a la de las ratas porque se cuida mucho de antropomorfizar a los animales (aunque admitió que sabía cuándo su gato estaba contento). Como una pesada correa que arrastran a sus espaldas, el antropomorfismo ha sido evitado y temido prácticamente en todos los intentos de los científicos del siglo veinte para entender la vida emocional de los animales no humanos. Conductistas radicales como B. F. Skinner, psicólogos comparativos, ecologistas y muchos etólogos advirtieron del peligro de atribuir sentimientos a los otros animales y rechazaron las ideas darwinianas sobre las emociones de estos, intentando eliminar lo que consideraban una ciencia que no reunía los requisitos para considerarse como tal. Durante mucho tiempo el antropomorfismo fue una mala palabra en las ciencias conductistas, pese a que en los laboratorios del mundo entero los animales experimentales estaban siendo usados a mansalva como modelos para investigar los fenómenos psicobiológicos humanos.

Y, sin embargo, nadie ha sido capaz de acabar con esta práctica. Millones de personas ven cada año películas protagonizadas por animales con gorros de chef o bañadores que hablan mientras cocinan o conducen. Leemos fábulas de animales a nuestros hijos a modo de lecciones con moraleja y el placer más embarazoso de muchos dueños de mascotas es hablar en nombre de sus gatos o de sus perros. Hace varios meses vi a un tipo saludar a un amigo junto a la puerta de su casa mientras sostenía por el collar a un excitado spaniel salivando. «¡Cómo se alegra *Spooky* de verte!», le dijo el tipo al visitante. «¿No es así, *Spooky*?», le preguntó a su perro. «Síiii, me pirra la gente nueva», añadió en voz baja.

Hay una razón por la que el antropomorfismo se ha negado tercamente a extinguirse, ya que no es problemático en sí. En realidad todo lo que los humanos pensamos sobre los animales es, en cierto sentido, antropomórfico porque somos los que lo estamos pensando. Pero lo más difícil es antropomorfizar bien. La psicóloga e investigadora cognitiva Diana Reiss,[51] que ha estado investigando la comunicación y la cognición de los delfines durante más de treinta años, sostiene que debemos evitar el *antropocentrismo:* la creencia de que los humanos somos únicos en nuestras capacidades y que nuestra inteligencia es la única que cuenta. El perro de Diana[52] —que comparte con su marido, el neurocientífico Stuart Firestein—, un terranova negro llamado *Orson*, es como un yak, cariñoso, tímido y dado al pensamiento mágico. Cada vez que *Orson* vuelve a su apartamento en la planta superior de un edificio de una facultad de la Universidad de Columbia, entra a su casa exactamente de la misma forma. «El ascensor se abre y, en lugar de ir directo a la puerta que queda enfrente, camina siempre un poco más por el pasillo hacia la dirección contraria», dice Diana. Al llegar a una ventana baja, echa un vistazo por ella. Cuando oye el sonido de la puerta abriéndose, da media vuelta y entra al piso. «En algún momento *Orson* debe de haber experimentado la puerta del piso abriéndose justo después de mirar por la ventana. Y ahora se le ha metido en la cabeza que para entrar en él tiene primero que hacer este ritual».

B. F. Skinner escribió sobre la conducta de los animales supersticiosos en 1947[53] cuando, después de meter a un grupo de palomas en una jaula con un aparato que dispensaba alpiste a intervalos regulares, las palomas se empezaron a comportar de forma extraña. Unas pocas se pusieron a trazar círculos, pero solo una determinada cantidad de veces, o a menear en secuencias la cabeza como péndulos a un ritmo trepidante, por lo visto estaban convencidas de que si repetían lo que estaban haciendo la última vez que comieron, fuera lo que fuera, el

alpiste volvería a caer como por arte de magia del aparato. Naturalmente, no solo los terranovas y las palomas manifiestan el pensamiento mágico. Los atletas profesionales son a veces[54] clavados a las palomas de Skinner en este sentido: el nadador olímpico Michael Phelps
mueve los brazos exactamente tres veces hacia delante y hacia atrás
antes de lanzarse al agua para participar en una competición, Michael
Jordan antes de jugar un partido se pone los *shorts* de cuando jugaba
a baloncesto en la universidad debajo de los suyos de profesional, y
Serena Williams, una estrella del tenis, se niega a cambiarse de calceti-
nes en cuanto empieza el torneo. Estos amuletos les funcionan a los
atletas porque les dan confianza y les ayudan a sentirse más cómodos.
Los actos supersticiosos tanto de humanos como de animales no humanos son una función de unos acontecimientos que de lo contrario
no estarían relacionados, que se asocian de forma significativa. Se parece, en cierto modo, a la poca lógica que hay detrás del antropomorfismo ciego. Es decir, depender demasiado de nuestra perspectiva limitada puede animarnos a darle un significado a algo que no lo tiene.

Pero esto se puede evitar negándonos a ver a los otros animales
como prolongaciones nuestras. Ser humildes también ayuda al respecto. En 1906 el naturalista William J. Long escribió en *Briar Patch
Philosophy by Peter Rabbit:* «Es posible... que el tipo sencillo[55] que vive
en medio de la naturaleza y habla en términos humanos que perduran
esté más cerca de la verdad de la vida animal que un psicólogo que viva
en una biblioteca y que hable hoy un lenguaje que mañana se habrá
olvidado». Puede que haya dado en el clavo. Los mejores intérpretes
de la conducta animal suelen ser las personas que están rodeadas de
seres no humanos. Los cuidadores de zoos, los exterminadores, los
adiestradores, los empleados de reservas naturales, los paseadores de
perros, los criadores y el personal y los voluntarios de centros de acogida de animales pasan su vida laboral con animales, a menudo con los
mismos, a diario. Para realizar incluso la tarea más básica que conlleva
su puesto, deben convencer a los animales no humanos a hacer cosas
que tal vez no quieran hacer, como incitar a un gorila a meterse por sí
solo en una jaula de transporte, detener un altercado entre dos jirafas
empeñadas en hacerse la vida imposible la una a la otra, o convencer a

un perro que gruñe de que se deje cortar las uñas de las patas. Estos cuidadores, adiestradores y peluqueros de animales acaban conociendo a fondo los gustos y las preferencias de cada uno, sus manías, los animales con los que prefieren estar, las golosinas con las que ganárselos y cuáles no les harán cambiar de opinión.

José Luis Becerra, un experto en atrapar animales salvajes para sacártelos de casa, está muy solicitado. En su tarjeta de presentación, ilustrada con la foto de un mapache encaramado a la punta de un poste telefónico, se describe como un «apresador humano de bichos». José ha limpiado la mansión de Nicolas Cage en Malibú de mofetas y comadrejas, y conoce los mejores trucos para sacar a familias de mapaches de los altillos. (La mayoría tienen que ver con latas de atún o con comida para gatos). Me contó que tiene en cuenta al animal para el que pone la trampa y luego lo suelta en lechos secos de ríos, cañones y otros lugares secretos de los alrededores del sur de California para que viva con sus compañeros.

«Solo soy bueno en mi trabajo si aprendo a pensar como ellos, si me pongo literalmente en su piel, con sus deseos», me dijo mientras sacaba una mofeta de debajo de la cama de la habitación de mi infancia. La había atrapado con una lata con sabor a atún para gatos exigentes y antes de sacarla se cubrió con una bolsa de plástico grande de basura para que no le impregnara del fétido olor que emiten cuando se sienten amenazadas.

El etólogo cognitivo Marc Bekoff afirma algo parecido. Cuando está intentando averiguar qué es lo que un perro piensa o siente, dice que tiene que ser antropomórfico, pero que intenta hacerlo desde el punto de vista del can. «Aunque diga que un perro está contento o celoso»,[56] escribió, «no significa que esté contento o celoso como los humanos lo estamos... El antropomorfismo es una herramienta lingüística para poder hacer accesibles a los humanos los pensamientos y sentimientos de los otros animales».

Robert Sapolsky, el carismático neurocientífico de pelo alborotado, autor de *¿Por qué las cebras no tienen úlcera?* y *Memorias de un primate,* estudia a los bonobos de la selva de Kenia. Sus investigaciones han demostrado que los cambios en la jerarquía social de estos primates no solo afectan su conducta, sino también su fisiología. Los bonobos más inferiores en la escala jerárquica son objeto de acoso y llevan una vida mucho más estresante que los que ocupan una posición más alta en el grupo. El cerebro de los primates acosados[57] está inundado prácticamente a todas horas por un torrente de hormonas del estrés que, si se prolonga demasiado, les puede provocar lesiones neurológicas. Sapolsky ve a los bonobos que estudia como individuos, y ha escrito extensamente sobre sus manías personales y las distintas formas en las que los cambios de posición en la escala jerárquica afectan su salud emocional y física. La atención que ha puesto a sus psicodramas[58] y sus esfuerzos para conocer la personalidad de cada uno puede que le hayan ayudado a concluir que las respuestas fisiológicas al estrés de los bonobos se parecen a las nuestras. Sus investigaciones han revolucionado la forma de interpretar los efectos del estrés crónico y agudo en el cerebro humano.

Sapolsky ha escrito: «*No estoy antropomorfizando*[59] a los animales. En parte, el reto de comprender la conducta de una especie es que se parecen a nosotros por una razón. Y esto no es proyectar valores humanos, sino «primatizar» las generalidades que compartimos con ellos.

Con todos mis respetos, yo creo que Sapolsky *está* al fin y al cabo antropomorfizando, pero no pasa nada, porque, como él afirma, sus conclusiones se basan en generalidades compartidas y no en proyecciones infundadas. Hemos heredado la costumbre de no querer identificarnos con otros animales, y esta actitud no es útil y ya va siendo hora de descartarla.

Personas, monos, madres

Uno de los casos más famosos de animales con problemas mentales usados para ayudar a los humanos a comprenderse mejor a sí mismos se dio entre las décadas de 1950 y 1960 en el laboratorio de psicología comparativa del doctor Harry Harlow de la Universidad de Wisconsin, en Madison. Se llevaron a cabo una serie de espeluznantes experimentos que cambiaron para siempre nuestra forma de entender el papel del contacto físico y el afecto en el sano desarrollo de los primates de corta edad tanto humanos como no humanos.

Harlow escribió más de trescientos libros y artículos científicos, fundó dos laboratorios distintos de investigación y creó y supervisó uno de los primeros criaderos productivos de colonias de monos en Estados Unidos. Entre 1955 y 1960 él y su equipo criaron las suficientes crías de macaco de la India[60] como para realizar una gran cantidad de pruebas psicológicas para sus experimentos. Fue galardonado con la Medalla Nacional de la Ciencia (1967) y con la Medalla de Oro de la Fundación Psicológica Americana (1973). También fue un torturador de monos.

En una serie de experimentos que en la actualidad se considerarían infames,[61] a los macacos los separaban de su madre al nacer y los metían solos en una jaula en el laboratorio. Podían ver a los otros monos y al personal del laboratorio, pero no les permitían tener ningún contacto físico con ellos. Estas crías de macaco aisladas al poco tiempo empezaban a quedarse con la mirada perdida, a abrazarse a sí mismos, a balancearse repetitivamente, y a morder su propio cuerpo y la jaula. Harlow llevó a cabo una variedad de experimentos con las crías. Una serie de ellos consistía en darles a elegir[62] entre una madre macaco falsa de alambre con una aterradora cabeza de cocodrilo que dispensaba leche, y otra madre falsa de fieltro sin leche con una cabeza redonda con dos ojos, una boca y unas orejas vagamente simiescas. Las crías de macaco se aferraban a la madre de fieltro, aunque hacerlo significara pasar hambre. Esta clase de experimentos se repitieron interminablemente, presentándoles a las crías de macaco todo tipo de madres repulsivas (algunas arrojaban ráfagas de aire, otras tenían púas escondidas) para dilucidar la conexión entre el rechazo maternal y las psicopatologías.

Otro de los experimentos de Harlow demostró[63] que privar a una cría del contacto físico y social causaba daños psicológicos irreversibles. Llamó al instrumento experimental que usaba para hacer sus pruebas «pozo de la desesperación». En esa cámara de acero de paredes lisas de la que era imposible escapar, los monos permanecían hechos un ovillo todo el tiempo. Harlow llamaba a esta conducta «depresión inducida». Luego sacaba a los monos de ese pozo e intentaba que se sintieran menos deprimidos.

Para hacerlo tomaba a los monos que ahora tenían un comportamiento sumamente anormal[64] —se balanceaban, se mordían y movían los labios como si se comunicaran consigo mismos, no se acicalaban ni jugaban, y eran proclives a la agresividad—, y ponía a cada uno en una jaula individual con un mono «terapeuta». Según Harlow, los monos terapeutas (que no se habían criado en un pozo de la desesperación) abrazaban a los temerosos y les ofrecían consuelo y cariño. A las pocas semanas muchos de esos monos que se comportaban de forma extraña empezaban a jugar con su terapeuta. Según los investigadores, al cabo de un año muchos de los monos anormales ya no se distinguían de los otros.

Al mismo tiempo que Harlow experimentaba con crías de mono, los bebés internados en instituciones sufrían a veces un destino parecido, aunque no en un pozo de la desesperación, sino en hospicios y salas de pediatría de hospitales donde pocas veces recibían el calor del contacto físico. Los niños que permanecían en esos lugares con cuidadoras cubiertas con mascarillas y guantes que, en vez de acariciarlos, mecerlos, besarlos o abrazarlos, se limitaban a alimentarlos en abundancia, a lavarlos y a aplicarles los cuidados médicos necesarios no ganaban peso. Tampoco aprendían a caminar, a hablar o a sentarse. Al igual que los monos de Harlow, desarrollaban conductas extrañas como mirar al vacío o mover las manos de forma rara. Como Deborah Blum escribe en *Love at Goon Park*, el techo era el único objeto que los bebés veían todo el tiempo.

En las décadas de 1940 y 1950, el psicoanalista y psiquiatra René Spitz observó[65] a muchos de esos niños internados y documentó cómo se iban debilitando sin desarrollarse con normalidad. Spitz estaba convencido de que el problema no estaba en que el entorno aséptico de esos lugares fuera aburrido, estático y falto de estímulos cognitivos, aunque esto fuera cierto y terrible, sino en que no había nadie que los amara. O como Blum escribe, que les tomara cariño, les sonriera o les abrazara, aunque fuera con indiferencia. Spitz creía que la falta de contacto humano y de afecto[66] hacía que los bebés fueran vulnerables a las infecciones y las enfermedades. Más de una tercera parte de los bebés que estudió murieron, y muchos de los que sobrevivieron seguían internados cuarenta años más tarde, incapaces de cuidarse solos.

John Bowlby, un psicólogo, psiquiatra y analista británico que se carteaba con frecuencia con Harlow, investigó la importancia del afecto en los niños aislados en hospitales durante la misma época y descubrió resultados similares. Le apasionaba la conducta animal y no solo se escribía con Harlow, sino también con etólogos famosos como Konrad Lorenz, Robert Hinde y Niko Tinbergen. Bowlby estaba convencido de que los bebés que no eran sostenidos en brazos ni jugaban con nadie durante su estancia en los hospitales acababan desarrollando, como las crías de mono aisladas, una apatía y depresión que podía llegar a ser mortal. Predijo que esos niños crecerían con trastornos cognitivos y del habla, problemas de atención y dificultades para relacionarse adecuadamente con los demás.

Las investigaciones de Bowlby y Spitz combinadas con los resultados de los experimentos de Harlow[67] ayudaron finalmente a cambiar la idea que tenía la gente de lo que suponía ocuparse de un bebé. En cierto sentido fueron los pobres monos maltratados y aislados de Harlow los que nos enseñaron que algunas cosas son más importantes que la comida y un techo, y que el contacto físico y el afecto son vitales para el desarrollo saludable de los primates, sean humanos o no. Con el paso de los años, al menos en Estados Unidos, los hospicios fueron reemplazados por familias de acogida y hogares comunitarios. Bowlby se hizo famoso por contribuir al desarrollo de la teoría afectiva, que describió como una «conexión psicológica duradera entre seres humanos».[68]

Los monos de Harlow también acabaron ayudando[69] de paso a otros primates cautivos. Hoy día en muchos zoos se les permite a las monas y simias criar a sus retoños gracias a lo que Harlow, Bowlby y Spitz demostraron hace más de cincuenta años. Las simias cautivas aprenden a ser buenas madres viendo a otras o recordando sus propias experiencias al crecer. En por lo menos un caso, a los gorilas de un zoo que formaban parte de un grupo en el que no se había dado ningún nacimiento reciente, les mostraron vídeos de otros gorilas pariendo para que cuando llegara el momento las hembras no se sintieran aterradas por lo que le estaba pasando a su cuerpo. Ese mismo zoo también llevó a la esposa de uno de los encargados del mantenimiento que hacía poco había dado a luz para demostrarles cómo se amamantaba a un bebé. Sentada en silencio, la mujer dio de mamar a su hijo mientras los gorilas la contemplaban con interés por las paredes acristaladas de la jaula. Otros zoos han contratado a comadronas y asesores en lactancia para enseñarles a las simias a amamantar a sus crías y a tratarlas con cariño.

Los zoos han tomado esta medida porque los primates criados por madres disfuncionales o miedosas, como las crías de mona de Harlow, pueden desarrollar problemas cognitivos, de lenguaje y emocionales que les impidan al crecer relacionarse adecuadamente a su vez con sus crías y con otros miembros del grupo. En los orfanatos para crías de gorilas, orangutanes y bonobos que se quedaron huérfanos o sin otros miembros del grupo, al morir estos en el monte a manos de los comerciantes de carne o los cazadores furtivos, las rehabilitaciones de mayor éxito proceden de las relaciones que las crías mantienen con sus madres simias adoptivas que las mecen, acicalan y juegan con ellas. En uno de esos lugares, el Lola Ya Bonobo, una reserva natural de bonobos en las afueras de Kinshasa, en la República Democrática del Congo, las madres adoptivas son mujeres que están las veinticuatro horas del día en contacto físico con las crías para ayudar a los bonobos a ser el día de mañana jóvenes adultos sanos y llenos de confianza en sí mismos que puedan pasar todo el tiempo con los de su especie en el bosque protegido de la reserva.

Pavlov, la personalidad y el TEPT

Mientras se difundían entre mis amigos y familiares las historias sobre la extraña conducta de *Oliver*, empezaron a enviarme artículos de perros que se curaban de una depresión al hacerse amigos de orangutanes, o enlaces de artículos sobre el Overtoun Bridge de Escocia, conocido también como el «puente de los perros suicidas»,[70] donde se dice que una cierta cantidad de perros se han lanzado misteriosamente al vacío (tal vez no estuvieran más que siguiendo el rastro de conejos o zorros). La mayoría de estos artículos los he guardado en una carpeta arrugada con una etiqueta en la que pone «galletitas de animales», pero algunos me llamaron la atención.

Tras la guerra de Iraq y durante el conflicto armado de Afganistán, aparecieron en los medios de comunicación populares artículos sobre canes ansiosos, como: «Los perros del ejército[71] también sufren trastorno por estrés postraumático», «Los perros que participan en la guerra toman Xanax para el TEPT canino», «Más perros del ejército tienen síntomas de padecer estrés de combate» y «Los guerreros de cuatro patas dan muestras de sufrir TEPT». Los periodistas se maravillaron por la novedad de esos perros con heridas psicológicas que habían sobrevivido a una guerra, pero a mí lo único que se me ocurrió fue que esta clase de noticias no constituían ninguna novedad pese a lo que sugerían los periodistas. A Ivan Pavlov, cuya labor de hace casi un siglo se centró en los perros con problemas mentales, no le habría sorprendido ni una pizca.

El fisiólogo ruso estaba interesado en muchas otras cosas aparte de las respuestas condicionadas a los estímulos que hacían salivar a sus famosos perros. Pavlov estuvo estudiando durante décadas las bases fisiológicas de las neurosis humanas y la relación entre los humanos con problemas mentales y la mente canina. Incluso vivió los últimos años de su vida como investigador en una clínica para trastornos nerviosos en un intento de ayudar a los pacientes con trastornos mentales. La labor de Pavlov estableció las bases de la mayor parte de nuestros conocimientos actuales sobre los efectos de los traumas en la conducta, la memoria y la salud mental humana, y es una de las principales razones por las que hoy día podemos decir que los perros que participan en guerras sufren TEPT.

Pavlov se empezó a interesar por las neurosis caninas[72] después de leer los escritos de Freud sobre la paciente Anna O. Esta mujer estuvo cuidando a su padre moribundo, al que amaba con locura, con cara alegre. Lo hizo para no preocuparle, ocultando sus sentimientos de desesperación y pérdida. Freud creía que este conflicto interior fue lo que le había causado a Anna la neurosis.

Pavlov quería simular este conflicto en sus perros para comprender mejor los mecanismos de la neurosis. El primero de sus experimentos caninos, realizado en 1914, fue el siguiente: una mujer condicionaba en el laboratorio a un perro mientras comía dándole una descarga eléctrica en la ijada para que asociara la descarga con la comida. Al final, el perro empezó a salivar al recibir una descarga eléctrica en la ijada. Pero cuando le comenzaron a dar más descargas, esa vez en otras partes del cuerpo, su conducta cambió de súbito. Se volvió apático en lugar de estar alerta. Babeando, permanecía con la cabeza gacha, el rabo entre las piernas y los ojos entornados. Se volvió apático e indiferente y empezó a salivar ante estímulos extraños, como el de ruidos fuertes del laboratorio. En otras ocasiones, el perro, en lugar de estar aletargado, se alteraba tanto que rompía las correas que lo mantenían sujeto. Pavlov estaba convencido de que había creado el modelo experimental perfecto para una neurosis humana como la de Anna O, fruto de un enraizado conflicto entre las señales que les excitaban (campanilla = ¡ñam!, la llegada de comida) y las que les inhibían (descarga eléctrica = ¡ay!, dolor). Estas señales les confundían tanto que les sacaban de quicio.

Pavlov realizó interminables variaciones de esta clase de experimentos en su laboratorio.[73] Uno que llevó a cabo con gatos, en lugar de perros, consistía en aplicar un electrodo a la cola de una gata hambrienta que había estado siendo alimentada durante semanas con ratones. Y luego la metieron en una cámara con un ratón. En cuanto la gata se lanzó sobre él, recibió una descarga eléctrica, por lo que escupió en el acto al roedor y huyó lo más lejos posible. A partir de entonces la gata se quedó asustada e inmóvil en un rincón, y en cuanto veía al ratón el corazón se le desbocaba. En una foto de uno de esos experimentos aparece una gata blanquinegra agazapada en una absoluta inmovilidad, con un ratoncito blanco apoltronado en el lomo como un crucerista tomando el sol en la cubierta.

En 1924 las percepciones de Pavlov sobre las similitudes[74] entre los humanos con problemas mentales y otros animales se confirmaron cuando una violenta tormenta inundó su laboratorio de Leningrado con una tromba de agua causada por el desbordamiento de un río. Él y sus investigadores lograron salvar a los perros, pero en cuanto el agua se retiró y se retomaron los experimentos, unos cuantos estuvieron mucho más alterados de lo que estaban antes durante las pruebas conductuales. Pavlov concluyó que esos perros tenían un «sistema nervioso más frágil» que los otros, unos perros más fuertes a los que no parecía haberles afectado la tormenta. Para verificar su teoría simuló una inundación llenando el suelo del laboratorio de agua mientras observaba la conducta de los perros. Por lo menos uno reaccionó nerviosamente, mirándose las patas, ladrando y moviéndose en círculos en cuanto vio el agua penetrar por el laboratorio. Otros, en cambio, fueron capaces de hacer las pruebas conductuales como antes, incluso en presencia de la inundación simulada. Pavlov concluyó que la personalidad de cada uno, fuera canina o humana, condicionaba la forma de reaccionar a unas experiencias que podían llegar a ser traumáticas. Hoy día discreparíamos con sus tendenciosos términos «débil» o «fuerte» para denotar la personalidad de uno, pero Pavlov se estaba refiriendo a una clase de resiliencia emocional que ahora se da por sentada en gran medida.

Pavlov tenía sus propios detractores,[75] sobre todo en cuanto a su labor de comparar perros perturbados con personas perturbadas. Muchos psicoanalistas y fisiólogos tenían razón al ver con escepticismo que los perros que sufrían confusión, catatonia o problemas mentales por las descargas eléctricas que les habían administrado se pudieran comparar a los humanos con trastornos nerviosos. Dudaban de que los perros que se habían vuelto neuróticos en el laboratorio se parecieran lo bastante a pacientes como Anna O. Estos detractores sugirieron que lo que Pavlov estaba reflejando en sus experimentos no era la neurosis *humana* surgida de dentro, sino una clase de tensión procedente de estar en un ambiente estresante o cerca de algo desagradable.

Otros psicoanalistas sostuvieron que la labor de Pavlov era inferior al psicoanálisis.[76] Pero él no creía que fuera necesario hablar de los problemas de uno, sino que la vida mental de un paciente se podía conocer a través de la observación. Para Pavlov los perros no eran más que versiones simplificadas de los humanos, la mayor diferencia entre la neurosis canina y la humana era que esta última procedía de situaciones más complejas. Además, estaba convencido de que su capacidad para hacer que los perros recuperaran su estado no neurótico normal,[77] administrándoles cafeína para sacarlos de la catatonia o volviéndolos a condicionar cuando estaban a punto de enloquecer con una serie de estímulos y premios más lógicos, podría servir como un mapa para curar la neurosis de la gente.

Las investigaciones de Pavlov establecieron la base para todo un espectro de experimentos sobre las enfermedades nerviosas en otros animales. Sus contemporáneos y sus sucesores intentaron inducir neurosis en ovejas, cabras, cerdos, palomas, ratas y gatos, muchos de los cuales, como los perros de Pavlov, quedaron tocados por las descargas eléctricas repetidas o los estímulos desorientadores. Los animales que se recuperaron fueron vistos como modelos para los soldados que sufrían neurosis bélica, un trastorno que tras la guerra de Vietnam se transformó en el TEPT.

Durante la Segunda Guerra Mundial los médicos y psiquiatras militares se percataron de que los soldados manifestaban síntomas similares a los de los animales neuróticos de laboratorio: el corazón se les aceleraba, sudaban, sufrían fuertes accesos de ansiedad y se sobresaltaban por nada. En 1943 un psiquiatra norteamericano sugirió que la neurosis bélica aguda debía tratarse con los mismos procedimientos descondicionadores que los usados en animales de laboratorio como los perros de Pavlov. Los canes tenían que accionar detonadores que habían aprendido a asociar con descargas eléctricas, pero sin la descarga. Al final descubrieron que ya no tenían por qué temer la aparición del doloroso estímulo. Los militares adoptaron esta clase de ideas[78] y enviaron a una cantidad de soldados seleccionados con trastornos nerviosos a la «Escuela de Ruidos Bélico», situada en el Pacífico Sur, donde los exponían a disparos de fogueo, explosiones controladas de minas y bombardeos aéreos simulados con la esperanza de que aprendieran a responder a la situación sin sentir su paralizante miedo. No sé hasta qué punto la escuela ayudó a esos soldados, pero a partir de entonces las ideas pavlovianas sobre el condicionamiento y el descondicionamiento[79] han influenciado nuestra interpretación de los trastornos nerviosos y de muchas terapias para tratarlos, sobre todo el TEPT.

En la actualidad, el trastorno se caracteriza por la ansiedad derivada de un acontecimiento traumático que hace que los afectados experimenten una combinación de *flash-backs* o recuerdos desagradables que les impiden llevar una vida normal. Pueden también sufrir pesadillas horrendas, reaccionar desmesuradamente a situaciones que les recuerdan el incidente traumático y volverse indiferentes o insensibles emocionalmente. Los afectados de TEPT también experimentan una variedad de síntomas[80] que se parecen a muchos de los documentados en los perros de Pavlov: problemas de concentración, reacciones de sobresalto, hipervigilancia, irritabilidad, ataques de furor, sensación de mareo, pérdida de conciencia, palpitaciones, sudoración, dolor de cabeza y otros síntomas. Si bien diagnosticar los trastornos de ansiedad como el TEPT en humanos es en la actualidad un proceso en gran parte verbal, no siempre fue así. En el pasado los síntomas físicos eran las señales en las que los médicos se basaban para diagnosticar este trastorno. En el siglo diecinueve y a principios del veinte los médicos que trataban a los supervivientes de vivencias traumáticas como accidentes ferroviarios sangrientos o atropellos tenían en cuenta los síntomas fisiológicos de sus pacientes para evaluar su sufrimiento emocional.

Los médicos que trataban a los soldados tras la Primera Guerra Mundial,[81] por ejemplo, de vez en cuando comparaban a los que enmudecían después de ser enviados al frente con los animales que se quedaban paralizados ante la presencia de depredadores. Los soldados que dejaban de hablar después de haber participado en batallas traumatizantes estaban manifestando, según el antropólogo, neurólogo y psiquiatra inglés William H. Rivers, la misma clase de inmovilidad y silencio adoptado por los animales para evitar ser devorados o atacados.

Recientemente, al contrario de esas tempranas observaciones, otros animales también se han estado comparando a los humanos con TEPT. En los últimos años se ha estado diciendo que sufren trastornos derivados de traumas las crías de elefante africano[82] que presenciaron violentas campañas en las que mataron a sus mayores, los perros entrenados para buscar y rescatar víctimas que sobrevivieron a explosiones, a la muerte de sus cuidadores o que fueron obligados a trabajar muchas horas seguidas en condiciones estresantes, y los simios de laboratorio apretujados en jaulas durante años y años.

Los chimpancés que llevan un tiempo en lugares donde son objeto de experimentos[83] tienen pesadillas y lo que parecen ser *flash-backs* de experiencias dolorosas o espantosas. Se pueden volver más agresivos o retraídos, sobresaltarse por nada, y tener dificultad para establecer relaciones nuevas y sanas con otros chimpancés o con sus cuidadores humanos, incluso después de haberlos trasladado a reservas. El etólogo Jonathan Balcombe presenció este tipo de sufrimiento[84] en la Reserva de Fauna de Quebec, en Canadá, un refugio para chimpancés que anteriormente había sido un centro de investigación. Una tarde los cuidadores llenaron un carrito metálico con una remesa de materiales que les habían mandado. Cuando pasaron con el carrito por delante de la jaula de *Tom* y *Pablo*, dos chimpancés, estos chillaron aterrados en cuanto los vieron. Al oírlos, los otros chimpancés de la reserva corrieron a agarrarse a los barrotes de sus jaulas, balanceando sus cuerpos mientras se unían a los chillidos de *Tom* y *Pablo*. Más tarde los cuidadores se dieron cuenta de que aquel carrito, u otro muy similar, había servido para llevar a los chimpancés inconscientes a la sala de operaciones del centro de investigación que había estado experimentando con *Tom* y *Pablo* dos años antes.

Es imposible demostrar si esos animales estaban sintiendo lo mismo[85] que los humanos diagnosticados con TEPT, pero hay que tener en cuenta que no existe una sola experiencia humana del TEPT que sea idéntica a otra. Los humanos que lo sufren tienen síntomas de distintos tipos y en diversos grados. Cómo la gente decide catalogar esos sentimientos y conductas —síntomas como el miedo, la angustia, la depresión, la agresividad o la insociabilidad— no es tan importante como el hecho de estar sufriendo terriblemente. Los signos de sufrimiento son visibles para un observador atento y compasivo. No hace falta hablar con alguien para advertir esos síntomas, por eso a principios del siglo veinte e incluso a finales del diecinueve trastornos como la «fatiga de combate» y la «neurosis bélica»[86] se reconocían observando al paciente, en vez de aplicarle la terapia verbal. Hoy día a veces el

TEPT también se diagnostica en humanos mediante la observación y no a través de entrevistas. A los bebés traumatizados y a los párvulos,[87] por ejemplo, se les puede diagnosticar cuando los psiquiatras ven signos de advertencia en la conducta que muestran mientras juegan o en su forma de interactuar con los miembros de su familia, los trabajadores sociales o los terapeutas.

Oliver tenía sin duda unos niveles de ansiedad anormalmente elevados, desde sobresaltarse por nada hasta ponerse en guardia y luego sentir terror al ver bolsas de viaje o maletas. Dicho esto, no creo que tuviera TEPT. Su ansiedad era leve en comparación con la de muchos supervivientes caninos de desastres naturales como el huracán Katrina, perros que estuvieron acurrucados debajo de mesas o que dejaron de ser mansos y accesibles para volverse fieros y tímidos. Los conductistas y adiestradores que los han tratado creen que sus síntomas se pueden comparar a los del TEPT. Atribuyen los problemas de los canes a su abandono forzado durante y después del huracán, a haber estado atrapados por inundaciones, a haber pasado días o semanas sin comer, a tener que enfrentarse a entornos nuevos y aterradores, o a haber perdido la compañía de sus dueños humanos.

Varios perros de búsqueda y rescate expuestos al ambiente ruidoso, peligroso[88] y desconocido del World Trade Center después de los ataques terroristas del 11-S también se mostraron agitados, deprimidos e irritables y perdieron el interés por el juego. Otros se volvieron hipervigilantes y agresivos. Algunos de ellos ya no participan en las labores de búsqueda y rescate de víctimas.

Lee Charles Kelley es un adiestrador canino interesado en los trastornos de los perros derivados de traumas. Ha escrito novelas policíacas, como *Twas the Bite Before Christmas* y *To Collar a Killer*, sobre un policía de Nueva York que se convierte en adiestrador canino. En la página web de Kelley hay una sección titulada «Adiestramiento canino neofreudiano» y «Grupo de apoyo canino para el TEPT». También ofrece una lista de control para los que están interesados en diagnosticar a sus propias mascotas,[89] con preguntas como: «¿Sabes si alguien ha quemado, cortado, colgado o torturado a tu perro? O: «¿Ha estado tu perro en un accidente grave, un incendio o una explosión?» Si la respuesta es «sí», Kelley hace otras preguntas como: «¿Reacciona tu perro como si estuviera reviviendo una situación o situaciones traumáticas?» o «¿Crees que tu perro está teniendo sueños vívidos o posibles pesadillas?» Kelley cree que hay millones de perros que han sobrevivido a experiencias traumáticas —desde los heridos en peleas con otros perros, y los maltratados por humanos y abandonados en centros de acogida, hasta los que han sobrevivido a accidentes de tráfico o a despliegues militares—. Su propio perro, un dálmata llamado *Fred*, sufre ataques de pánico extremos desencadenados por ruidos nuevos. Kelley descubrió que si le pedía que ladrara[90] cuando le invadía el pánico (le distraía), le ayudaba a tranquilizarse, al igual que si le daba algo para llevar en la boca cuando salían a pasear. Una pelota de tenis es el objeto de transición de uno a otro estado de *Fred*.

Sin embargo, los perros a los que con más frecuencia se les diagnostica el TEPT son esos canes que participaron en guerras que me llamaron la atención por aparecer en primera plana. Los militares estimaron que de los aproximadamente 650 perros del ejército americano desplegados[91] en Iraq y Afganistán, más de un 5 por ciento acabarían sufriendo TEPT canino. El doctor Walter Burghardt, un coronel jubilado de la fuerza aérea y jefe de medicina conductual en el hospital veterinario de perros del ejército en activo, situado en la base de la fuerza aérea de Lackland, en San Antonio (Texas), cree que el trastorno se aplica a muchos perros[92] expuestos a los disparos, explosiones y violencia de los combates. Como sucede con los soldados, no todos los perros aparentemente traumatizados tienen los mismos síntomas, pero muchos manifiestan alguna variación de hipervigilancia, así como una personalidad drástica y cambios conductuales, siendo por ejemplo más proclives a morder, o más tímidos y asustadizos de lo que eran antes de ser reclutados. Estos perros a veces evitan edificios en los que antes entraban sin vacilar, se niegan a olfatear coches en controles o se muestran recelosos al ser abordados por militares con uniformes extranjeros.

Como el hocico de un perro sigue siendo una de las herramientas más eficaces[93] para descubrir artefactos explosivos improvisados hechos con sustancias químicas, sobre todo en Afganistán, donde es común hacerlos con fertilizantes, la cantidad de perros desplegados se ha disparado en los últimos años. También se ha dado el correspondiente aumento en la cantidad de perros que mandan de vuelta a casa por problemas psicológicos. En un intento de prevenir estos problemas, Burghardt ha grabado una serie de vídeos con instrucciones para ayudar a los soldados a reconocer el TEPT en los perros. Se comunica con los encargados de los perros por Skype y les aconseja sobre la conducta de sus canes, y a veces les receta Xanax o antidepresivos. Si los perros se niegan a trabajar, esta conducta puede ser peligrosa para sí mismos y para los humanos del grupo al que pertenecen, por eso el gobierno ha empezado a enviar de vuelta a Estados Unidos a los perros que están a punto de sufrir una crisis emocional para que reciban terapia, un proceso de descondicionamiento basado, al menos en parte, en algunas de las ideas procedentes de las investigaciones de Pavlov y de la Escuela de Ruidos Bélicos para soldados. Si al cabo de tres meses de estar recondicionando conductualmente y adiestrando a los perros siguen escondiéndose debajo de un catre al oír disparos o se niegan a meterse en un coche para olfatear su interior, los retiran a la vida civil. Al igual que les ocurre a los veteranos humanos que intentan adaptarse a la vida cotidiana cuando regresan a su casa, este proceso suele ser difícil. Las familias adoptivas de los perros se esfuerzan en resolver los problemas conductuales y emocionales que los canes han adquirido.

Adiós, *Fiera*

A los dos años de arrojarse *Oliver* por la ventana de nuestro apartamento, Jude y yo viajamos por Navidad a casa de mi familia, al sur de California. Lo dejamos en una residencia canina de las afueras de Boston. A esas alturas la única opción posible era dejarlo en un equivalente canino a una celda acolchada, porque si lo dejábamos en casa de algún amigo podía hacerse daño y destrozar muebles, suelos, ventanas y puertas. Desde que se había arrojado al vacío sabíamos que no podíamos dejarlo en nuestra casa con un canguro canino. Sinceramente, si hubiéramos podido dejar a *Oliver* en un coche una semana con suficiente comida y agua, y alguien que hubiera ido a sacarlo a pasear varias veces al día, probablemente no le habría pasado nada. Le encantaba el coche y nunca se sentía ansioso en él, porque sabía que estar en el asiento trasero significaba que no lo íbamos a dejar en casa. Pero no se puede dejar a un perro solo en el coche una semana, aunque sea el lugar donde más contento se sienta. Conque lo llevamos a una residencia canina, donde lo pusieron en una jaula espaciosa con su cama y varios juguetes llenos de golosinas (aunque los juguetes tanto le dieran, incluso rellenos de queso). Los empleados de la residencia canina lo sacarían dos veces al día a pasear y nos dijimos aliviados que al menos así no intentaría fugarse ni autolesionarse. Pero estábamos muy equivocados.

Pese a nuestros esfuerzos por ayudarle, la ansiedad que sentía *Oliver* cuando lo dejábamos solo no hizo más que aumentar en el año que vivió con nosotros. Su fobia a las tormentas lo reducía a un tembloroso e inconsolable manojo de nervios, y tardaba horas y a veces días en recuperarse. Seguía engullendo cosas que no eran comida si lo dejábamos solo a partir de las cinco de la tarde y cada noche que transcurría parecía cazar moscas invisibles durante más tiempo. Siempre que *Oliver* estaba agitado —lo cual pasaba a menudo—, roía objetos del apartamento. También se volvió más agresivo en el parque e intentó morder a varios niños pequeños. Estábamos agotados. En aquella época Jude y yo ya habíamos probado todo tipo de terapias y tratamientos disponibles para dueños de mascotas. Lo llevamos a un veterinario conductista, le dimos primero Valium y luego Prozac y, por último, ambas cosas. Le aplicamos la modificación conductual y lo adiestramos para que superara su ansiedad. Le hicimos escuchar grabaciones de tormentas para desensibilizarlo al estruendo de los truenos y agitábamos las llaves en el aire incluso cuando no planeábamos salir de casa. Lo sacamos a dar largos paseos y luego largas caminatas. Intentamos que se relacionara con otros perros del barrio. Le dimos juguetes y golosinas. Le dimos afecto. Nos planteamos adquirir otra mascota para que le hiciera compañía, pero al final cambiamos de idea. Intentamos hacer que se sintiera seguro, pero fracasamos.

Cuando llevamos a *Oliver* a la residencia canina aquel diciembre, Jude y yo habíamos pensado dejarlo menos de una semana. Mi familia de California son granjeros y una tarde, cuando no hacía ni tres días que habíamos llegado, Jude, mi madre y yo fuimos a pie a la cima de una colina que hay detrás de la casa. Nos detuvimos en el linde de la propiedad donde la oxidada alambrada de espino se hundía entre los postes como banderines, contemplando los huertos de limoneros que se extendían a nuestros pies. De súbito oí mi móvil. Y luego el de Jude. No recuerdo quién de los dos respondió antes la llamada, pero me acuerdo de lo que nos dijeron: «No hay tiempo que perder», «¡No estamos seguros de si sobrevivirá!», «Ha pasado todo muy deprisa», «Lo sentimos mucho», «No, no sabemos por qué».

Aquella tarde después de salir a pasear con un empleado de la residencia canina, a *Oliver* le dio un ataque de pánico y empezó a mordisquear angustiado el pomo de madera de la puerta de la jaula. Cuando se dieron cuenta de lo que estaba haciendo, ya era demasiado tarde.

«No ha podido estar haciéndolo más de media hora», me dijo el encargado de la residencia. «Pero jadeaba y resollaba. Y entonces me di cuenta de que permanecía de pie».

Oliver estaba sufriendo una torsión gástrica. Este horrible trastorno que probablemente causa un dolor espantoso aparece cuando a un perro se le llena el estómago de aire, fluidos o comida y los intestinos se le giran, presionando los otros órganos internos e impidiendo posiblemente que les llegue la sangre. En estos casos se dispone de unos cuarenta y cinco minutos para operarlo y desenrollar los intestinos antes de que el daño sea irreparable. La dilatación de estómago es famosa por afectar a perros de pecho fornido como los boyeros de Berna, los san bernardo y los basset hound. Me resultaba imposible relacionar la torsión gástrica con la ansiedad, pero creo que fue lo que sucedió en el caso de *Oliver*. Estaba desesperado. El estómago se le había llenado de aire y había tragado astillas de madera. A la angustia se sumó el miedo. Y estaba solo.

Cuando la veterinaria se puso al teléfono, nos dijo que *Oliver* se encontraba en la sala de operaciones. En cuanto llegó al hospital lo abrieron, le desenrollaron los intestinos, se los fijaron a un lado y evaluaron los daños. Nos dijo que estaba en muy mal estado y que no podía garantizarnos que la operación que debía hacerle le ayudara. Añadió que si queríamos que se la hicieran nos costaría, incluyendo los procedimientos que ya habían realizado, de 10.000 a 15.000 dólares.

«Tal vez desee pensárselo un poco», le dijo a Jude, «pero no dispone de demasiado tiempo, porque lo tenemos esperando en la mesa de operaciones».

Contemplé las geométricas hileras de limoneros extendiéndose a nuestros pies y rompí a llorar. Pensé en el mullido cuerpo de *Oliver* tendido en la mesa de acero, con la ijada abierta y su pesada cabeza inconsciente.

Jude me rodeó con los brazos y yo dije algo, pero no recuerdo qué fue. Solo oí la sangre agolparse en mis oídos y sentí una pena muy grande.

Volvimos a llamar a la veterinaria y le dije que lo sacrificara. Nos aseguró que no sentiría dolor alguno, que ya estaba inconsciente. Le hice prometerme que mecería la cabeza de *Oliver* contra su pecho mientras se moría llamándole *Fiera* y diciéndole que le queríamos. Y luego le pregunté sin convicción: «¿Cree que somos unas malas personas?»

Me estaba acordando de la historia de la amiga de una amiga que mientras estudiaba veterinaria trató a un perro labrador con heridas muy graves arrollado por un coche. La familia que lo llevó a la clínica lo quería mucho, pero no podía pagar las operaciones que les habían aconsejado y decidieron sacrificarlo. La estudiante de veterinaria sabía que el perro sobreviviría si recibía el costoso tratamiento. Pero dejó que la familia se despidiera de él y cuando se fueron, operó al perro y lo adoptó. Esta historia me parece espeluznante. Lo bueno que tiene es que al menos el perro sobrevivió. Pero ¿no debería ella haberse ofrecido a operarlo sin cobrarles nada y enviarles el perro de vuelta a casa? Mientras esperábamos la llamada de la veterinaria para que nos dijera que todo había terminado ya, me vino a la cabeza la imagen de *Oliver* saliendo del hospital dando saltos con otras personas más ricas que nosotros. O con la veterinaria de voz melosa. Me lo imaginé girándose, buscándonos en la acera con la mirada y metiéndose luego en el coche de unos desconocidos.

«No», nos respondió la veterinaria, «les entiendo».

Sobre mi escritorio, clavada con chinchetas al lado de un dibujo, hay la tarjeta de felicitación que compré en la tienda de artículos para regalo del Museo de Sigmund Freud de Londres de una ardilla con una camiseta inyectándose heroína. La tarjeta es negra y tiene una frase con letras de color amarillo chillón que dice: «Benditos sean los locos porque ellos dejan entrar la luz». Supuestamente la dijo Groucho Marx, aunque no he encontrado ninguna prueba que lo confirme. Si lo dijo, seguramente no se estaba refiriendo a los perros neuróticos. Pero quién sabe.

Ahora ya hace más de seis años que *Oliver* murió, pero cuando pienso en él todavía me duele. Seguro que a Jude le pasa lo mismo, pero ya no hablamos más de esta clase de cosas. En realidad, ya apenas hablamos. Nos divorciamos al año siguiente de la muerte de *Oliver* y al cabo de varios años dejó de responder a mis llamadas. No puedo decir que rompiéramos por lo ocurrido. Mentiría o al menos no estaría diciendo toda la verdad. Pero creo que si *Oliver* hubiera vivido no habríamos roto cuando lo hicimos. Los perros tienen una forma de unir a las personas, incluso a las que ya se están separando.

Ahora me siento como si fuera por ahí con varios espacios vacíos en mi corazón. Uno tiene la forma de perro, y por lo menos hay otro más con la forma de hombre. Y, sin embargo, a lo largo de los seis años desde que *Oliver* murió me he vuelto a enamorar... de media docena de elefantes, varios elefantes marinos, un grupo de gorilas, una cría de ballena, un par de ardillas que hace mucho que murieron, y un puñado de hombres y mujeres que entraron en mi vida como si los hubieran arrastrado hacia mí con unas correas invisibles.

Aunque no estoy segura de si hubiera conocido a alguno de esos seres de seguir *Oliver* con vida. Las pérdidas y las desapariciones hacen eso por ti si eres afortunado. Antes de que te des cuenta, tu dolor te ha hecho abrirte al mundo. Eso es lo que a mí me ocurrió. Un perro con ansiedad me introdujo en el reino animal. Y todo esto se lo debo a él.

2

Representantes y espejos

«La mayor locura que he hecho en mi vida ha sido actuando bajo las órdenes de otro.»

Pat Barker, *Regeneration*

«Cualquier ser en el mundo
es como un libro y una pintura,
como un espejo para nosotros.»

Alain de Lille, s. XIII

¿Y si *Oliver* hubiera vivido a finales del siglo diecinueve en lugar de a principios del veintiuno? Los transeúntes de la época victoriana al verlo aterrado en la ventana de nuestro dormitorio echando espuma por la boca lo habrían tomado por un perro rabioso y lo habrían matado en el acto de un disparo. Y si hubiera nacido varias décadas más tarde, en los umbrales del siglo veinte, los periodistas, los criadores de perros y los viandantes que le habrían visto saltar por la ventana de nuestro apartamento habrían dicho que se había arrojado al vacío a causa de una mortal añoranza o de la desolación.

Las etiquetas que les hemos estado poniendo a los animales con un comportamiento extraño durante los últimos ciento cincuenta años a menudo son como las que empleamos con los humanos. Al igual que nuestros diagnósticos humanos, nunca han sido estables. Veterinarios, cuidadores de zoos, historiadores, granjeros, propietarios de mascotas y médicos han aplicado palabras tan antiguas como *histeria* y *melancolía*, y tan nuevas como *TOC* y *trastornos anímicos* a otras criaturas. Los diagnósticos llegan y se van como los corsés de barbas de ballena y las gorgueras isabelinas. Es decir, a hombres, mujeres y otros animales los embutían en ellos por más incómodos que fueran, hasta que aparecían otros diagnósticos más acertados o modernos que la gente o los médicos creían que les representaban mejor a ellos o a sus animales.

A principios del siglo veinte los casos de nostalgia y desengaños, por ejemplo, aumentaron junto con una mayor tendencia a medicalizar y tratar la salud mental. A medida que transcurría el siglo, los médicos que trataban las diversas clases de locura[1] se fueron especializando y el proceso terapéutico fue arraigando más en la relación personal entre paciente y médico. En el umbral de la segunda mitad del siglo veinte, a esos médicos se les dio el nombre de «psiquiatras».

Los esfuerzos para interpretar la mente de otros animales reflejan estas cambiantes ideas sobre las enfermedades mentales humanas. La gente usa los conceptos, el lenguaje y los razonamientos que tiene a mano para comprender la desconcertante conducta animal. Trastornos como los desengaños mortales y la nostalgia nos parecen hoy curiosos o pasados de moda, pero en los siglos veintidós y veintitrés la adicción a Internet y los trastornos por déficit de atención actuales nos parecerán anticuados a los humanos. Por eso si observamos ejemplos de locura animal a lo largo de la historia y cómo se han atribuido dolencias como la nostalgia, los desengaños mortales, la melancolía, la histeria y la locura a otros seres, es como sostener en alto un espejo que nos muestra la historia de las enfermedades mentales humanas. Y este reflejo no siempre es halagador.

Elefantes, perros y hombres locos

Durante siglos el origen de la locura en los animales ha sido poco claro y difícil de dilucidar. Hasta la palabra *locura* tiene distintos significados.[2] En el siglo dieciséis *loco* era una palabra muy corriente que equivalía a «perder la razón», pero en el siglo dieciocho adquirió el significado de «rabioso» en Gran Bretaña y más tarde en Estados Unidos. Desde la segunda mitad del siglo diecinueve hasta principios del veinte, cualquier animal que se comportara de forma extraña o agresiva podía ser tildado de loco, tuviera o no la rabia. Solo fue a finales del siglo diecinueve, y en algunos casos a principios del veinte, cuando los animales locos se empezaron a ver como víctimas de una enfermedad física en lugar de una mental.

Los perros rabiosos resultaban en especial aterradores porque la enfermedad al principio era silenciosa, se incubaba durante muchos meses en la persona expuesta, hasta que afloraba de repente causándole un dolor atroz y una muerte cierta. La enfermedad era muy temida porque[3] el principal portador, o al menos eso era lo que se creía en aquel tiempo, era el mejor amigo del hombre. Hoy día es difícil imaginar el miedo al contagio que sentían los ciudadanos de finales del siglo diecinueve. Los perros todavía no eran mascotas de modo uniforme. Algunos se parecían sin duda a los acicalados y controlados perros habituales de nuestros parques urbanos contemporáneos, criaturas cuyas tendencias lobunas han ido transformándose en gran parte hasta convertirse en una obsolescencia de orejas caídas y ojos de gacela, aunque a finales del siglo diecinueve y a principios del veinte los canes podían darse el lujo de campar a sus anchas con mucha más libertad que ahora y de hacer lo que les viniera en gana, incluso a costa de contraer la sarna, de una muerte prematura o de pasar hambre. La posibilidad de que se volvieran rabiosos inquietaba a todo el mundo y era más difícil de contener que ahora. Un perro loco podía salir de cualquier parte,[4] y aunque el miedo fuera desproporcionado con relación al verdadero riesgo que suponía para la salud pública, era con todo un miedo muy real y paralizante.

La inquietud que los perros rabiosos infundían[5] se hacía patente en los enardecedores titulares de los periódicos: «Perros rabiosos corren por los alrededores como enajenados: en Connecticut cunde el pánico a la hidrofobia», «Un perro rabioso se apodera de la casa de sus propietarios», «El pueblo de Lynn vive sumido en el terror», «Los habitantes de las afueras exigen que se sacrifiquen a los perros… Los miembros de una familia se encierran en sus habitaciones mientras los perros rabiosos vagan enloquecidos por los pasillos de la casa».

Solo fue al administrar Louis Pasteur con éxito por primera vez a un niño la vacuna de la rabia en 1885 cuando las extendidas ideas sobre la enfermedad se transformaron en relatos biológicos del contagio. Antes de la vacuna de Pasteur, los síntomas de la rabia se citaban como si fuera un estado de «locura» en vez de las señales de una infección. La historiadora Harriet Ritvo[6] ha afirmado que contraer la rabia no solo se veía como una cuestión de mala suerte, sino también como un castigo que el animal infectado se merecía de algún modo y que se había ganado por ser sucio, comportarse de forma pecaminosa, ser demasiado lascivo o tener demasiados deseos sexuales insatisfechos. En Bretaña se consideraba que las mascotas de los pobres corrían un mayor riesgo a contraer la rabia, aunque a las mascotas mimadas y al parecer corrompidas de las clases altas también les pudiera ocurrir.

También se creía que la infección se transmitía de los perros a otros animales[7] o de otros animales a los perros. A los caballos en especial solían morderlos los perros fieros y cuando eran víctimas de este tipo de incidentes los ponían en cuarentena para ver si manifestaban signos de hidrofobia. Pero a veces los mataban de un balazo sin más. A principios del siglo veinte un burro mordido por un coyote rabioso mató a un mastín, le pegó un bocado en el cuello a un caballo arrancándole un cacho de carne y atacó a un grupo de mineros en el valle de la Muerte. En 1890, a pocos kilómetros de distancia, un lince rabioso atacó a un caballo, mató a un perro y magulló a otro, hirió a varios cerdos, persiguió a un rebaño de vacas y al final una mujer con un mosquete lo mató de un tiro. En otras ocasiones, los incidentes tenían que ver con animales circenses. En Chicago, Mabel Hogle, una niña pequeña, fue mordida por un mono mientras visitaba un museo de objetos curiosos con su padre. Se dijo que al mono le salía espuma por la boca y, al suponer que sufría hidrofobia, lo sacrificaron.

Sin embargo, no todos esos animales habían contraído la rabia. Como tanta gente usaba la palabra *loco* para describir tanto la rabia como un estado de locura, no era fácil distinguir una cosa de la otra. A principios de 1760, cuando Oliver Goldsmith publicó el poema[8] «Elegía a la muerte de un perro rabioso», no se especificaba si el can había enloquecido por la rabia o por cualquier otra clase de locura. Las siguientes estrofas forman parte del poema: «El hombre y el perro al principio camaradas, / acaban riñendo. / El perro se pone rabioso / y al hombre un mordisco le da». Este perro, sea ficticio o no, no estaba rabioso. Mordió a su compañero humano porque este «lo sacó de quicio».

Etiquetar a un perro de loco no solo era una forma de explicar una ira irracional, sino de describir una extraña conducta, agresividad o alguna otra clase de locura de un animal, como la histeria, la melancolía, la depresión o la nostalgia. Se dijo, por ejemplo, que un perro al que encontraron con un cerdo[9] en un bergantín naufragado en medio del océano en 1890 se había vuelto loco por culpa de la soledad. Pero los animales también pueden enloquecer por sufrir maltrato continuo a lo largo de toda su vida,[10] como *Smiles*, el rinoceronte de Central Park del que se dice que enloqueció por esta razón en 1903. La gente sabía que los caballos «trastocados»[11] podían echar a galopar de repente por el Central Park o en Williamsburg (Virginia), o en cualquier parte, llevándose consigo los carruajes o arrastrando a los jinetes por el suelo, a menudo con consecuencias mortales. Con frecuencia, los caballos que sufrían «locura equina» podían, en un instante, revolverse contra los mozos de cuadra o los jinetes y pisotearlos hasta matarlos. La locura también se usaba para explicar otras acciones de los animales aparentemente extrañas. En 1909 *Henry*, el mono mascota de un equipo de béisbol de Nueva Orleans,[12] supuestamente enloqueció cuando los hinchas del equipo contrario lo provocaron hasta el extremo de sacarlo de quicio. Se escapó tras romper la jaula instalada en el estadio y trepó a la tribuna, creando una estampida y haciendo que el partido se suspendiera en la séptima entrada. Y en las décadas de 1920 y 1930[13] seguía habiendo gatos locos maullando en «orgías más locas aún», vacas que enloquecían al llevarlas al matadero, por lo menos un loro perturbado, y varios primates difíciles de controlar de Hollywood. En 1937, pocos meses antes de establecer una alianza con Hitler,[14] Mussolini salió en las noticias internacionales al ser embestido por un buey enloquecido durante un desfile para celebrar su llegada a Libia. Salió ileso del incidente y elogió a los libaneses por su apoyo a la Italia fascista.

Tachar a los animales de locos era algo muy corriente en aquel tiempo, pero muchas de las historias más longevas tienen que ver con elefantes.[15] Un artículo típico de esta clase de sucesos, publicado en el *New York Times* en 1880,[16] contaba la historia de un elefante indio que un día empezó de pronto a aterrorizar a los aldeanos de los alrededores. La policía que lo siguió se encontró con un rastro de casas destrozadas y cadáveres pisoteados, y con una criatura que se giró en redondo para atacar a sus perseguidores. «[El elefante] no solo estaba embravecido, sino "fuera de sí", y era tan astuto y cruel como un tipo que ha perdido la cabeza», escribió el periodista. «Pero la locura en sí misma es un tributo a la inteligencia del animal, pues un súbito ataque de locura indica una gran capacidad mental. Los búhos nunca enloquecen. Pueden volverse "memos" o nacer idiotas, pero como Oliver Wendell Holmes dice, una mente débil no reúne la fuerza necesaria para hacerse daño a sí misma».

Un año más tarde, *Los Angeles Times* publicaba «Elefantes asesinos», un artículo sobre elefantes que enloquecían y mataban a personas.[17] A *Mogul* lo mataron en 1871 al intentar dominarlo, y un elefante llamado *Albert* del circo de Barnum fue muerto a balazos por soldados en New Hampshire después de haber matado a su cuidador. En 1901 *Big Charley* mató a su cuidador en Indiana al arrojarlo a un riachuelo dos veces e inmovilizarlo con sus patas hasta que se ahogó. Algunos años más tarde *Topsy*, una elefanta, fue electrocutada en Coney Island tras matar a tres hombres en otros tantos años, uno de ellos le había dado de comer un cigarrillo encendido. También a *Mandarin*, *Mary Tusko*, *Gunda*, *Roger* y a otros muchos más los mataron a balazos, los electrocutaron, los colgaron y los estrangularon por arremeter contra sus cuidadores, montadores, acicaladores, domadores o contra transeúntes, a menudo por muy buenas razones.

Aunque los elefantes pudieran en teoría contraer la rabia, la mayoría no estaban físicamente enfermos, sino que lo más posible es que se rebelaran contra los malos cuidados o los maltratos. Esos elefantes enloquecidos eran de interés periodístico no solo por destrozar casas o coches, o por pisotear a gente, sino porque solían expresarse de forma espectacular, eligiendo sujetos en los que descargar su ira o vengarse, aguardando a que surgiera el momento más oportuno y devastador para actuar. Los elefantes cautivos son famosos por estallar de súbito en violentos ataques de furor[18] contra sus montadores, cuidadores o domadores. Es tan común que desde el siglo diecinueve se usaban expresiones como *comportarse como un enajenado* en esta clase de sucesos. Esas historias eran muy corrientes en los siglos diecinueve y veinte, y todavía se siguen dando en el siglo veintiuno.

El 20 de agosto de 1994, ante miles de personas comiendo algodón de azúcar y cacahuetes, *Tyke*, una elefanta africana de veinte años apareció en la pista del Blaisdell Arena de Honolulú. Llevaba un tocado con estrellas doradas de cinco puntas. Su domador, Allen Campbell, iba vestido con un mono de color azul chillón. Incluso en la temblorosa grabación de un aficionado se aprecia que *Tyke* estaba agitada. De pronto se puso a trotar en círculos por el borde de la pista iluminada con potentes focos. Campbell frustrado, la empujó y pinchó intentando que dejara de dar vueltas. La elefanta pegando un fuerte bramido, derribó de un trompazo al mozo de cuadra que estaba plantado cerca de la pista. Luego dobló con un rápido movimiento las patas delanteras y lo aplastó contra el suelo con todo el peso de su cuerpo. Después lo hizo rodar y lo pateó como si fuera un tronco de lo más liviano. Campbell intentó detenerla, pero *Tyke* también lo tumbó y empezó a patearlo con más fuerza aún de la que había empleado con el mozo, y luego doblando las patas intentó aplastarlo contra el suelo. Al volverse la elefanta a levantar, Campbell se desplomó en el borde de la pista con el cuerpo desmadejado.[19]

«Era como si la elefanta tuviera un muñeco de trapo atado a la pata por la forma en que sacudía la cabeza del hombre», dijo una mujer que había acudido con su hija al circo, en una entrevista para el episodio especial *Cuando los animales atacan* de un programa televisivo. «De pronto el pánico cundió en la sala. Los espectadores que estaban más cerca de la pista empezaron a darse cuenta de que aquello no formaba parte de la actuación. De que algo iba mal».

En cuanto Allen dejó de moverse, *Tyke* volvió a meterse con el mozo de cuadra, pateándolo y haciéndolo rodar por el suelo una vez más. Allen parecía estar muerto o inconsciente. Los espectadores se pusieron a chillar despavoridos y empezaron a dirigirse en estampida hacia las salidas. *Tyke* arremetió enloquecida contra una de las pesadas puertas de madera del circo, arrancándola de cuajo y lanzándola por los aires con una fuerza tan descomunal que cayó seis metros más lejos. Luego se dirigió al aparcamiento adyacente, seguida de un coche de policía, y fue directa a la calle más cercana, donde detuvo el tráfico. Más policías se dirigieron a toda velocidad al lugar, docenas de coches patrulla llegaron de las calles que rodeaban el circo y los agentes apuntaron con sus armas a *Tyke*.

Mientras Tyler Ralston circulaba con el coche por la calle Waimanu, vio a *Tyke* corriendo directa hacia él. «Al principio me quedé desconcertado», le dijo Ralston a un periodista del *Honolulu Advertiser*. «La elefanta iba directa hacia mí con la policía pegada a los talones».

Ralston se apartó de en medio justo a tiempo para ver a *Tyke* perseguir a un payaso hasta un solar vacío mientras otro empleado del circo intentaba recluirla cerrando un par de entradas con cadenas. Arremetió contra la fina barrera y embistió al hombre con los colmillos destrozándole una pierna. La policía empezó a dispararle. «Entonces fue cuando me dije… "No quiero ver cómo matan a una elefanta". Y lo siguiente que vi fue al paquidermo corriendo ensangrentado hacia mí».[20]

La policía le disparó más de ochenta veces. De todas las personas a las que atacó, solo Alan Campbell murió. Después de que se propagaran las noticias de las muertes de Campbell y *Tyke*, empezaron a salir a la luz más historias sobre la elefanta. Según los informes del Departamento de Agricultura de Estados Unidos y de la policía canadiense, varios años antes *Tyke* había estado actuando en otro circo donde se había visto a su domador golpearla en público hasta el extremo de que la elefanta se puso a chillar arrodillándose sobre tres patas para evitar que siguiera haciéndolo. A partir de entonces, cuando el domador pasaba por su lado, *Tyke* se ponía a chillar apartándose de él. Él afirmó estarla castigando[21] por intentar embestir a su hermano. *Tyke* también se había escapado del circo en dos ocasiones. En abril de 1993 se lanzó contra una puerta del Jaffa Shrine de Pensilvania durante la actuación del Gran Circo Americano, arrancó parte de la pared (causando daños materiales por más de 10.000 dólares) y corrió hacia una terraza de la planta superior. Más tarde sus domadores la obligaron a regresar al circo. Y en julio del mismo año, durante una actuación en la feria estatal de Dakota del Norte, se volvió a escapar de su domador, pisoteando a un empleado del espectáculo de elefantes y rompiéndole dos costillas. *Tyke* pertenecía a la Hawthorn Corporation. La compañía, dirigida por su propietario John Cuneo Jr., se había dedicado a arrendar animales a circos y a otros tipos de espectáculos por todo el mundo durante más de treinta años, como el Circo Vargas y el Circo de los Hermanos Walker. La compañía era conocida por sus terribles violaciones del Acta sobre Bienestar Animal. En el 2003 el Departamento de Agricultura de Estados Unidos le confiscó a Cuneo una elefanta. Era la primera vez en toda la historia que se confiscaba un paquidermo. Se llamaba *Delhi* y estaba cubierta de abscesos,[22] lesiones y graves quemaduras por sustancias químicas: un domador había sumergido sus patas en formaldehído sin diluir. Un año más tarde el Departamento de Agricultura de Estados Unidos[23] acusó a Cuneo de diecinueve cargos más de abusos, negligencia y maltratos, y le obligaron a ceder sus dieciséis elefantes.

Los arrebatos de locura de los elefantes macho, además de estar causados por los maltratos también podrían venir, al menos en parte, del *musth*, un periodo de celo que dura de semanas a meses fomentado por una hormona. Se considera que los machos en celo son más agresivos y tercos, el pene se les pone erecto y de las glándulas de las sienes les rezuma una secreción espesa y pegajosa. Los violentos periodos de celo de los machos se han descrito a veces como brotes pasajeros de locura erótica.

A *Chunee*, un dócil elefante asiático[24] que vivía en Exeter Change, en Londres, a mediados del siglo diecinueve, lo mataron cuando en uno de sus ataques anuales de «excitación sexual» se volvió demasiado violento, inquietando a sus cuidadores. Lo sacrificaron en marzo de 1826 de forma cruel y la ejecución se alargó demasiado. *Chunee* se negó a comer arsénico, los tres escopetazos que recibió solo le enfurecieron más todavía y las repetidas descargas de los mosquetes del grupo de soldados que llamaron a última hora no consiguieron acabar con su vida. Al final un cuidador lo remató con una espada.

Gunda también era un apacible elefante del Zoo del Bronx que se había convertido en la atracción estrella[25] en el umbral del siglo veinte. Pero al llegar a la madurez sexual se volvió «extremadamente problemático y peligroso», según William Hornaday de la Sociedad Zoológica de Nueva York. Sus repetidos «brotes de frenesí erótico» de seis meses le hacían volverse tan violento que cada año durante ese periodo se veían obligados a encerrarlo rodeado de grandes medidas de seguridad. Los neoyorquinos, cautivados por la historia, se entregaron a debates[26] sobre qué se debía hacer con él, y en la víspera de la Primera Guerra Mundial la prensa de Nueva York estuvo salpicada de artículos y editoriales sobre la clase de suerte que debía correr el elefante, si era ético mantenerlo encadenado y su posible ejecución. Al final *Gunda* murió de un disparo a bocajarro en el recinto de los elefantes. Lo ejecutó Carl Akeley, un célebre cazador de elefantes y taxidermista. Se llevaron su piel doblada y deshidratada al Museo de Historia Natural Americano de Nueva York, donde sigue expuesta hasta el día de hoy en una gran estantería metálica debajo del planetario. La ejecución de *Gunda* por mala conducta fue representativa de muchas otras experiencias de elefantes, cuyo derecho a vivir dependía de cómo los humanos encargados de cuidarlos y mantenerlos recluidos percibían su cordura.

Tip: reformarse o morir

El 1 de enero de 1889, *Tip*, un elefante asiático de dieciocho años desembarcó del transbordador de la compañía Pavonia y fue andando hasta la calle Veintitrés de Nueva York. Era un regalo del neoyorquino Adam Forepaugh para los habitantes de la ciudad. Forepaugh, propietario de un circo que rivalizaba con el de P. T. Barnum y el de los Hermanos Ringling, había amasado una fortuna vendiendo caballos al gobierno estadounidense durante la Guerra Civil. Los espectáculos de Forepaugh incluían[27] acróbatas rusos y vaqueros de Wyoming, «cerdos, burros y canes comediantes», batallas de bicicletas, un museo de salvajes y frikis vivientes, un canguro boxeador llamado *Jack* y un elefante blanco conocido como *La Luz de Asia*. En el espectáculo se anunciaban elefantes funambulistas cruzando en triciclo a gran altura sobre alambres y caminando por la cuerda floja, y también noqueando a boxeadores humanos. El espectáculo incluía además a *Tip*, pero por alguna razón ahora lo donaba a la ciudad de Nueva York (Forepaugh aseguró hacerlo movido por su espíritu generoso) para que fuera el primer paquidermo que la ciudad poseía.

Durante los años siguientes *Tip* se convirtió al principio en una encantadora celebridad, luego en un ejemplo de violenta locura animal y al final, supuestamente, en un criminal impenitente que dividió a historiadores, cazadores de caza mayor, coleccionistas de animales y a miles de neoyorquinos en apasionados bandos que se hacían oír. Pero en aquella tarde de Año Nuevo *Tip* parecía ser un apacible elefante cuya presencia estaba a punto de transformar los recintos de los animales de Central Park en un auténtico zoo. Según el hombre que lo ofreció como regalo, *Tip* era «tan manso como un cordero».[28] También valía 8.000 dólares y había sido la estrella del espectáculo de elefantes del circo de Forepaugh. Lo que los primeros artículos de la prensa no cuestionaron era por qué Forepaugh, un sospechoso hombre de negocios que contrataba a carteristas para que robaran a los espectadores de su propio circo, estaba dispuesto a regalar un elefante domado y sano que valía tanto dinero, aunque significara montones de buena publicidad para él. Lo más probable es que *Tip* no fuera dócil ni por asomo.

Forepaugh había adquirido el elefante del legendario coleccionista de animales y zoólogo Carl Hagenbeck, que a su vez se lo había comprado al rey Umberto de Italia. A *Tip* probablemente lo habían capturado como otros elefantes asiáticos de aquella época en la selva, obligándole a separarse de su madre al nacer. O tal vez había nacido de una elefanta cautiva y le separaron de ella en cuanto dejó de mamar. De cualquier modo, sus primeros años de vida y su largo viaje primero a Italia, luego a Alemania y, por último, a Estados Unidos no habían sido un camino de rosas. Lo habían estado separando continuamente de las personas y los elefantes con los que estaba familiarizado. Su dieta había consistido en heno y salvado de avena, o a veces vino, en lugar de permitirse darse el lujo de saborear las hierbas para las que estaba hecho. No había podido revolcarse en el barro ni nadar en ríos, sino que tenía que beber de un cubo o de una manguera y pasar largas horas encadenado en el recinto sobre un duro suelo, trasladando quizás el peso de su cuerpo de una pata a otra para aliviar la presión en sus rodillas y tobillos. Lo domaron a base de amenazas y golpes, y los números que hacía, como el del triciclo, no eran fáciles para un elefante. Cuando las hormonas de la adolescencia empezaron a fluir por sus sienes, avivando su deseo de emparejarse con una elefanta, *Tip* probablemente se sintió incluso más frustrado aún por su rigurosa reclusión.

Durante los primeros años que estuvo en el recinto de los elefantes del Central Park,[29] la vida de *Tip* como atracción fue más bien tranquila. Pero en 1894 el *New York Times* anunció que *Tip* «debía reformarse o morir».[30] El artículo sostenía que, a no ser que el elefante controlara su genio, lo sacrificarían y sus huesos serían enviados al Museo de Historia Natural de Nueva York, en el centro de la ciudad. Su cuidador, William Snyder, era quien con más vehemencia exigía que lo sacrificaran, convencido de que el elefante estaba loco y que tarde o temprano le atacaría porque se le había metido en la cabeza matarle. Snyder tenía razón. Una mañana, cuando fue a darle el desayuno a *Tip*,[31] el elefante rompió las cadenas fijadas al suelo que le sujetaban los colmillos y le dio un potente trompazo, tumbándolo del golpe, y luego intentó pisotearlo hasta acabar con él. Snyder se puso a gritar y un policía del parque llegó corriendo y tiró de él apartándolo de *Tip* justo a tiempo.

El elefante esperó pacientemente tres años para intentar atacar a Snyder de nuevo.[32] Una tarde, antes de terminar su jornada, el cuidador fue al recinto del paquidermo para añadir una cadena más a sus ya pesados grilletes. Snyder notó enseguida que el elefante iba a abalanzarse sobre él, pero antes de que le diera tiempo a apartarse *Tip* lo embistió con los colmillos. Snyder salió volando por los aires y fue a parar contra la pared. El elefante aprovechando que su cuidador yacía boca abajo en el suelo, se apresuró entonces a darle un colmillazo. Pero falló, golpeando la pared del recinto con tanta fuerza que el lugar tembló. Snyder huyó arrastrándose por el suelo y a partir de ese momento su odio por el elefante se volvió tan profundo que decidió no descansar hasta verlo muerto.

Los encargados del Central Park estuvieron deliberando una semana entera para decidir la suerte del elefante. A diario la prensa publicaba artículos cubriendo la difícil situación de *Tip*[33] y los pros y los contras de perdonarlo o sacrificarlo. Aumentó la cantidad de visitantes que acudían al zoo, pendientes de las nuevas noticias, para congregarse ante el recinto del elefante. Hagenbeck, el traficante de animales que había vendido a *Tip* a Forepaugh, estaba a favor de su muerte. Los encargados del Central Park sopesaron la pérdida de la popular atracción del zoo considerando la ganancia que supondría exhibirlo como una excelente pieza en el Museo de Historia Natural de Nueva York. Uno de ellos señaló que mantener a *Tip* encadenado en el recinto de los elefantes durante cinco años podía ser la razón de su violento genio, pero añadió que ahora se había vuelto tan peligroso que ya no le podían quitar las cadenas. Los debates giraron en torno a dos cuestiones muy importantes: no había ningún dato de que *Tip* hubiera intentado atacar a ninguna otra persona aparte de Snyder, pero ¿lo llegaría a hacer? ¿Y se podía culpar a un elefante por querer matar a su cuidador?

Pese al creciente número de artículos tachando a *Tip* de loco, probablemente estaba más frustrado que perturbado. Era muy poco probable que tuviera la rabia. También era posible que estuviera en celo.[34] Tal vez se sentía tan frustrado que intentó cambiar su situación. Quizá pensó que la forma más lógica de hacerlo era matando a su cuidador, el responsable de su extrema reclusión.

Mientras los encargados del Central Park debatían la suerte de *Tip*, el público también los imitaba. Haciéndose eco del reportero que afirmó que los elefantes eran lo bastante inteligentes como para enloquecer, la gente que veía a *Tip* como un ser listo y calculador era la que con más furor pedía su muerte. Esos partidarios de «matad a *Tip*» estaban convencidos de que para querer acabar con la vida de su cuidador, es decir, para poder idear un plan y esperar el momento oportuno para llevarlo a cabo, *Tip* debía de ser consciente de sus propios actos y capaz de razonar. Al exigir que se reformara o muriera, estaban demostrando que creían que el elefante era inteligente y, al mismo tiempo, culpable de sus acciones. Por otro lado, también había grupos recién creados que defendían los derechos de los animales y activistas que pedían a los encargados del parque que vieran a *Tip* como una criatura merecedora de compasión a la que no debían culpar por su conducta. Esta forma de ver el caso se parece, en cierto sentido, al alegato de desequilibrio mental de la actualidad.

A finales del siglo diecinueve y principios del veinte surgió una oleada de sociedades nuevas que defendían los derechos de los animales[35] haciendo campañas a favor de que algunos en especial recibieran un trato más humano, incluyendo los animales salvajes cautivos y los domésticos. Libros como *Belleza negra,* publicado por primera vez en 1877, reflejaban estos cambios de actitud sobre la protección de los animales. En el caso de *Tip,* la gente que quería que lo perdonaran puede que creyera que era demasiado corto de entenderas como para haber enloquecido.

El 10 de mayo de 1894 los encargados del Central Park decidieron por unanimidad[36] que el elefante loco debía morir. Sostuvieron que *Tip* había matado a cuatro personas mientras actuaba en el circo de Forepaugh y que había intentando matar por lo menos a cuatro más en el Central Park. También se mencionó su intento de escapar, su fuerza descomunal, la poca solidez del recinto de elefantes y el testimonio de un empleado del circo de Barnum que dijo que siempre había creído que *Tip* era un peligro para los espectadores.

El parque se llenó de visitantes,[37] todos se congregaron ante el recinto del elefante para despedirse de él o esperando quizás alcanzar a ver su muerte. Las fotos tomadas aquella semana desde el exterior del recinto muestran una multitud de espectadores con bombín y sombreros de fieltro, y chaquetas negras para protegerse del frío primaveral, esperando expectantes la muerte de *Tip*. El primer intento de ejecutarlo se realizó con una manzana vaciada por dentro y rellenada con cianuro. *Tip* se negó a comerla. También rechazó zanahorias y pan impregnados con cianuro. Mientras tanto miles de personas se apiñaban alrededor del recinto esperando ver el dramático desenlace. Los representantes del Museo de Historia Natural que habían llevado rifles querían pegarle a *Tip* un tiro allí mismo, pero el director de la Sociedad para la Prevención de la Crueldad hacia los Animales no se lo iba a permitir. *Tip* solo sucumbió a la treta cuando Keeper Snyder se presentó con una olla enorme llena de salvado fresco. Snyder mezcló cápsulas de cianuro de potasio con el salvado y lo amasó formando una gran bola. *Tip* la engulló ávidamente. En cuestión de minutos se mostró agitado y de la boca le cayó un hilo de sangre. El elefante hizo un último y poderoso intento de escapar por la parte del fondo del recinto hacia el verde césped del parque, rompiendo todas las cadenas que lo sujetaban, salvo una, la de alrededor del tobillo. Esa última cadena le hizo dar un traspié y cayó de bruces al suelo, bramando débilmente mientras moría.

Ciento diecisiete años después de la muerte de *Tip* fui a verlo al Museo de Historia Natural de Nueva York. Tras consultar los libros sobre las adquisiciones de los especímenes, unos volúmenes rectangulares con el lomo rojo desgastado en los que se documentaba cada animal, planta, mineral y artefacto donado al museo desde su fundación en 1869, encontré la entrada de *Tip*. Había llegado al día siguiente de su muerte en 1894 y se convirtió en el espécimen número 3.891. En los registros oficiales se indica que el 3.891 se compone de un cráneo y una mandíbula. Sus colmillos están guardados en la cámara del marfil del museo. Su esqueleto también se encuentra en el museo, aunque en los libros no se anotó su llegada.

Algunos días más tarde seguí al conservador de mamíferos por una estrecha escalera de metal hasta un espacio de almacenamiento bajo el alero de la primera planta. «Los africanos están aquí», me dijo, «y los asiáticos, arriba». Se estaba refiriendo a la colección de cráneos de elefantes del museo. Los cráneos, imponentes y descomunales, reposaban en bandejas a lo largo del suelo, cubiertos con un plástico para protegerlos de las goteras del techo. Las etiquetas de los dos primeros me hicieron sospechar que pertenecían a una madre y su cría muertos por Teddy Roosvelt y su hijo Kermit en 1909.

En la segunda planta colgaba del techo una sola bombilla. El lugar estaba cubierto de una capa tan gruesa de polvo que parecía nieve gris dotada del mismo efecto envolvente. Una larga hilera de cráneos se extendía en el suelo de punta a punta, y entre ellos yacían más de un siglo de fragmentos óseos acumulados, pedacitos de mandíbulas osificadas y cuencas oculares. Los cráneos más altos casi me llegaban a la cintura. Al final de la hilera estaba el de *Tip*. Había adquirido un color broncíneo con el paso del tiempo, y donde antes se encontraban los colmillos había ahora dos cavidades, como en un grito ahogado de sorpresa. Había permanecido allí desde que un equipo de hombres transportó su cuerpo en un carro tirado por caballos a un cobertizo cercano y, bajo la luz de lámparas, le arrancaron la piel y limpiaron su esqueleto para exhibirlo. Al contemplar el cráneo de *Tip*, pensé en su juicio en el parque y en su larga y extraña ocupación tras morir como espécimen. *Tip* no era solo un ejemplar de *Elephas maximus*, sino también de una mente frustrada. No lo tacharon de loco por estar rabioso o demostrar haber perdido la razón, sino por actuar violentamente contra el tipo que intentaba controlarlo, mantenerlo encadenado y reducir su vida sensorial, social, física y emocional recluyéndolo en un pequeño recinto. Su desobediencia causó su locura y su locura reforzó su desobediencia. *Tip* fue víctima de la tendencia humana a castigar lo incomprendido o lo temido. Nueva York era en la última década del siglo diecinueve un mundo donde los elefantes mataban a las personas por venganza y rencor, y donde la locura podía pasar de un animal a un humano. El trato dado a *Tip* por su conducta, su mundo cada vez más limitado y finalmente su ejecución, reflejan la zozobra de los humanos que lo rodeaban, inquietos por las causas de la locura y por quién era propenso a ella.

Una añoranza mortal en gorilas, *geishas* y el resto de mortales

Los animales no humanos también estaban plagados de otras formas de contagiosa locura. Algunas de esas enfermedades han desaparecido, sus diagnósticos son ahora como las palomas mensajeras o los dodos extintos. Dos enfermedades en particular, la añoranza y la nostalgia, se apoderaron de hombres, mujeres y una buena cantidad de otros animales, desde leones marinos confinados en acuarios hasta patos domésticos. Durante el siglo diecinueve y hasta bien entrado el veinte, la añoranza se consideraba una enfermedad física como la tuberculosis o la escarlatina. Se creía que debilitaba, mataba e incluso inspiraba el suicidio. La forma de manifestarse la enfermedad reflejaba los miedos de aquella época por la creciente urbanización, la soledad de quienes acababan de trasladarse a una ciudad lejos de sus familias, los traumas psicológicos derivados de la guerra, y el aumento de la inmigración gracias a los trenes y a los barcos de vapor. La palabra *nostalgia* se podía usar de manera intercambiable con la de *añoranza*,[38] y ambas aflicciones se consideraban potencialmente mortales. Durante la Guerra Civil, por ejemplo,[39] el cuerpo de médicos del ejército unionista diagnosticó a cinco mil hombres que padecían añoranza, setenta y cuatro de los cuales murieron por la enfermedad. En algunos casos, a las bandas militares se les prohibía tocar «Hogar dulce hogar» por temor a que la canción causara a los soldados que la oían una añoranza o nostalgia mortales. Tras la guerra, esta clase de dolencias se volvieron más corrientes a medida que los americanos dejaban las granjas para mudarse a las ciudades y millones de inmigrantes de todas partes del mundo llegaban en masa a Estados Unidos en busca de un mejor futuro, echando una gran parte de ellos de menos su tierra natal.

En aquella época se creía que ciertos grupos de personas, como los afroamericanos, los amerindios y las mujeres[40] de cualquier raza, eran más propensos a sufrir añoranza que el hombre blanco, y muchos psicólogos y comentaristas sociales sostenían que esto era la viva prueba de la teoría darwiniana sobre la evolución de las especies (es decir, los que sucumbían a la añoranza no tenían la cultura necesaria ni los requisitos para formar parte de la sociedad americana, la cual favorecía a los adaptables y tenaces. El empleado de una organización benéfica observó en 1906: «La nostalgia... es la primera y más eficaz ayuda[41] para la selección natural de los inmigrantes deseables».

También se consideró que otros animales podían ser víctimas de la pérdida, la añoranza, el deterioro físico y la selección natural. Los animales les servían a los humanos de prácticos espejos para esta clase de preocupaciones, ya que la mayoría de especies exóticas también se encontraban lejos de sus hábitats naturales. Los animales viajaban en los mismos medios de transporte que les habían permitido a los humanos viajar a finales del siglo diecinueve en una escala inimaginable hasta entonces. La conducta que los animales exhibían en cuanto llegaban a su nuevo hogar le recordaba a la gente la suya.

El gorila nostálgico

Varias plantas más abajo del lugar donde reposan los restos de *Tip*, en el Museo de Historia Natural de Nueva York, se encuentra la colección de mamíferos. Sus corredores se parecen a los típicos pasillos de los institutos. Solo que las taquillas, alineadas contra las paredes, en lugar de libros de texto y cuadernos de álgebra, contienen cráneos de gorilas, pieles de orangutanes y dientes catalogados por especies en cajas de cartón. Al abrir las puertas de las taquillas, sale de su interior un ligero olor a formalina.

Al final de una hilera de la sección de simios antropoides, hay una taquilla cuya etiqueta pone «G. gorila. Restos, zoo. Sin fecha». Es donde se encuentra *John Daniel*. O al menos aquí es donde están las partes suyas que no se exhiben en la sala de los primates, donde los ojos de vidrio de su cuerpo disecado han estado mirando a los visitantes en una especie de postura de simio pensante desde 1921. La extraña y sorprendente vida de *John Daniel*, un gorila de las tierras bajas occidentales capturado en los bosques de Gabón en 1917 y llevado a Londres para que viviera en el escaparate de unos grandes almacenes, es una parábola de la vida real de la forma en que etiquetas como añoranza y nostalgia se aplicaban a los animales no humanos y de por qué, en casos como los de *John*, esto tenía sentido.

John Daniel fue una superestrella. Nadie se acuerda ya de él, salvo algunos historiadores circenses y fans empedernidos de gorilas. (Los últimos se llaman a sí mismos gorilófilos y a veces se van juntos de vacaciones viajando por Estados Unidos para ver gorilas en los zoos.) En la década de 1920, *John Daniel* era famoso por su asombrosa mente y por romper el tópico de simio, de objeto científico y de atracción circense. Su corta y curiosa existencia le sugirió por primera vez al mundo occidental a gran escala que los gorilas no eran seres sanguinarios y brutos, sino criaturas cariñosas e inteligentes que necesitaban recibir buenos tratos y amor, propensas a sufrir el mismo estrés emocional de los humanos cuando se las trataba con brutalidad.

John fue capturado en Gabón después de que un oficial del ejército francés matara a su madre de un balazo en 1915 o 1916. Cuando tenía más o menos dos años, lo embarcaron con rumbo a Inglaterra en compañía de un grupo de monos que el gobierno británico había comprado al traficante de animales John Daniel Hamlyn para experimentar con ellos en los laboratorios. Como era propietario de una tienda de animales en el barrio londinense del East End,[42] se dedicaba a comprar y vender animales exóticos capturados en el Imperio británico. También se le atribuye la invención de las reuniones de té de chimpancés. Los espectáculos de chimpancés vestidos con pantalón y camiseta tomando té en tazas sentados en sillas eran muy corrientes en los zoológicos de Occidente hasta principios del siglo veinte. Se dice que los chimpancés que Hamlyn tenía en su casa como si fueran sus propios hijos,[43] llevaban ropa y comían con él y su esposa en la mesa. Y también que uno de esos chimpancés les abría a los clientes la puerta de la tienda de animales de Hamyln y luego iba a buscar con presteza a un dependiente para que se ocupara de ellos. Cuando el joven gorila llegó de Gabón,[44] Hamlyn le puso enseguida su nombre y lo vendió a los grandes almacenes Derry & Tom's con la idea de que al cabo de varios meses se convirtiera en una excelente atracción navideña.

Una mujer llamada Alyse Cunningham[45] y su sobrino, el comandante Rupert Penny, vieron al gorila en el escaparate de los grandes almacenes. Intrigados por el exótico animal, lo compraron al poco tiempo y se lo llevaron a su casa, en el centro de Londres. El gorila tenía una gripe muy fuerte y Cunningham lo describe como depauperado y enflaquecido. También dijo que se había estado sintiendo muy solo. «Al poco tiempo descubrimos que era imposible dejarlo solo a la hora de acostarse porque ¡la soledad y el miedo lo mantenían chillando durante toda la noche!», escribió Alyse.

Estaba convencida de que esos miedos le venían[46] de las largas noches que había pasado solo en los grandes almacenes cuando los dependientes se iban a su casa. Estos le contaron a Alyse que al prepararse al final de la jornada para volver a su hogar, *John* no cesaba de llorar. Alyse y Rupert supusieron que su terror a quedarse solo por la noche era lo que estaba haciendo que le costara tanto ganar peso y que se comportara tan mal a esas horas. Decidieron construirle una cama para que pudiera dormir en la habitación contigua a la de Rupert. Al gorila le encantó su nuevo lugar para dormir y a partir de aquel día dejó de chillar por la noche. Empezó a desarrollarse adecuadamente y a ganar peso.

Alyse estaba decidida a que *John* se convirtiera en un miembro más de la familia, como si fuera un niño, y empezó a enseñarle a cepillarse el pelo, a comer con tenedor, a usar un vaso para beber, y a abrir y cerrar los grifos y las puertas. Solo tardó seis semanas en aprender a hacer todas estas cosas, y entonces le dejaron campar a sus anchas por la casa.

John era muy maniático con la comida.[47] Alyse no sabía a qué se debía, pero si él hubiera estado con su madre lo más probable es que esta hubiese seguido amamantándolo. Los gorilas maman hasta los tres años aproximadamente. *John* siempre quería tomar leche, montones de leche, y además se la tenían que calentar en la cocina. También le gustaba mucho la mermelada, sobre todo la recién hecha de limón. No comía nada que hiciera más de varias horas que se hubiese cocinado, aunque no se podía resistir a las rosas. «Cuanto más bonitas eran, más le gustaban», escribió Alyse, pero las marchitas nunca se las comía.

A *John* también le encantaban los invitados y se excitaba tanto con la llegada de gente nueva a la casa que los recibía ilusionado como un niño pequeño, yéndolos a buscar a la puerta de entrada y acompañándolos cogido de su mano por el salón andando en círculos. Le encantaba corretear por la casa con los ojos cerrados chocando contra mesas y sillas. Según Alyce, se lo pasaba en grande desparramando el contenido de la papelera. Cuando le pedían que lo recogiera todo, lo hacía con cara de aburrido sin dejar un solo papel en el suelo.

Una tarde Alyse se puso un vestido de color claro para salir. *John* se dispuso a saltar a su regazo como solía hacer, pero ella lo apartó exclamando «¡No!», porque no quería que se lo manchara. Él, ofendido, se echó al suelo y estuvo llorando cerca de un minuto, luego se levantó de pronto, echó un vistazo a la habitación, cogió un diario, lo extendió en el regazo de Alyse y saltó a él. El vestido se le manchó de todos modos con la tinta del periódico, pero ella se quedó demasiado impresionada como para que le importara.

Las historias de las hazañas de *John* aparecieron en los periódicos de Inglaterra y Estados Unidos, y los relatos de su naturaleza humanoide intrigaron a naturalistas famosos como William Hornaday. Como era el director de la Sociedad Zoológica de Nueva York y del Zoo del Bronx, había estado intentando conseguir un gorila[48] para los neoyorquinos desde 1905, y un día recibió una carta de la hija pequeña de un miembro de la Sociedad Zoológica en la que le decía: «Mi padre me ha dicho que tal vez tengamos un gorila. Si es así, me gustaría que le llamara *Queso*».

Por desgracia para Hornaday, no era fácil adquirir un gorila que viviera lo bastante como para exhibirlo en el zoo. Antes de la llegada de *John Daniel* se creía que cualquier gorila cautivo moriría inevitablemente al cabo de poco debido a la añoranza, la nostalgia o una mortal melancolía. Uno de los pocos gorilas que había vivido más de algunos pocos meses[49] era *Dinah*, una joven hembra capturada por el profesor R. L. Garner, un popular naturalista y coleccionista de animales que estaba convencido de que los gorilas podían hablar. Durante un viaje a Gabón en 1893[50] decidió comprobar su teoría. Garnet montó una jaula ideada para el bosque a la que llamó «Fuerte para gorilas», y se metió en ella esperando a que apareciera un gorila dispuesto a charlar con él. Al ver que esto no ocurría, Garner se hizo amigo de un chimpancé al que llamó *Moisés*, e intentó enseñarle a hablar inglés. Pero tampoco le salió como él esperaba, *Moisés* no dijo una palabra. Más tarde, en el siguiente viaje que realizó en 1914, Garner se topó con una cría de gorila hembra a la que llamó *Dinah* y se la llevó a Nueva York. La salud del gorila se debilitó mucho, aunque sobrevivió once meses, el tiempo suficiente para que la llevaran a diario por el Zoo del Bronx en un cochecito, vestida con un gorrito blanco de volantes y mitones rojos. Por lo visto, a aquella cría de gorila le gustaba contemplar a los búfalos.

John Daniel fue el primer gorila que pareció desarrollarse bien entre humanos y a muchos naturalistas les sorprendió que su buena salud no se debiera a la dieta,[51] la temperatura de sus habitaciones, ni a ningún otro aspecto físico de su entorno. Más bien parecía deberse a la afectuosa vida familiar que llevaba. Este hecho les chocó a los científicos occidentales y en especial a los directores de zoos. Solo tres años atrás Hornaday había proclamado[52] que no había ninguna razón para esperar que un gorila sobreviviera nunca en cautividad. Creía que, cuando los capturaban siendo adultos, su «naturaleza salvaje e implacable» hacía que fuera imposible que vivieran cautivos, y que, aunque se lograra «capturar y civilizar» a una cría, lo más probable era que muriera al poco tiempo. Pero *John* contradecía su teoría al gozar de una salud envidiable.

Durante más de dos años Alyse y Rupert fomentaron[53] el buen desarrollo de *John Daniel* desafiando y estimulando su mente sin enseñarle a hacer ningún número circense. «Simplemente adquiría conocimientos», dijo Alyse. Se lo llevaban en tren como un pasajero más, sin enjaularlo, encadenarlo ni llevarlo sujeto por una correa, para ir a la casa de campo. A *John* le gustaba el jardín y los bosques de los alrededores, pero los prados abiertos le daban miedo. También le asustaban las vacas y las ovejas. Sin embargo, las terneras y los corderitos le fascinaban. De vez en cuando se lo llevaban al Zoo de Londres[54] para que viera a los animales y se quedara prendado de los otros visitantes.

John Daniel estaba creciendo y pronto se convertiría en un corpulento gorila macho, o espalda plateada. Alyse y Rupert creyeron que ya no les permitirían que un gorila adulto de casi 150 kilos deambulara suelto por las calles. A *John* tampoco lo podían dejar solo, porque le daban ataques de ansiedad y no paraba de chillar hasta que su familia regresaba. Alyse y Rupert intentaron encontrar a alguien que les ayudara a ocuparse de él, pero acabó siendo imposible, ya que la mayoría de las personas intentaban disciplinar al joven gorila sin conseguirlo. Según Alyse, nunca llegaron a pegarle: «La única forma de manejarlo[55] era decirle que se estaba portando muy mal y apartarlo de un empujón de nosotros, entonces se echaba al suelo y lloraba arrepentido, agarrándonos de los tobillos y poniendo la cabeza sobre nuestros pies».

Alyse y Rupert decidieron que tenían que encontrarle un nuevo hogar. No se sabe con certeza por qué no le encontraron un lugar adecuado para vivir[56] en Inglaterra, pero lo que sí se sabe con seguridad es que apareció un tipo dispuesto a pagar una buena suma por el joven gorila, diciéndoles que representaba a un parque privado de Florida, y que *John* viviría como un rey en medio de un jardín. Pero no fue así. Cuando descubrieron que el comprador era un representante del Circo de los Hermanos Ringling, ya fue demasiado tarde. En marzo de 1921 *John* fue embarcado con rumbo a Nueva York, donde lo alojaron en la torre fría y llena de corrientes de aire del viejo edificio de los jardines de Madison Square para exhibirlo.

Las primeras noticias del deterioro mental y físico de *John Daniel* aparecieron al poco tiempo de su llegada a Estados Unidos. El *New York Times* publicó que el gorila echaba de menos su antiguo hogar y que se pasaba casi todo el tiempo «sentado en silencio en un rincón[57] mirando a la multitud por si reconocía alguna cara conocida entre quienes iban a verle». «Solo dio muestras de animarse cuando vio al señor Benson [el agente que había viajado con él desde Inglaterra], y entonces sacó los dedos por entre los barrotes de la jaula para estrecharle la mano a su amigo».

La soledad y el aislamiento que *John* sintió en su jaula de los jardines de Madison Square debieron de ser horribles. Primero lo separaron de su madre gorila, luego lo criaron como a un peludo niño humano y a los cuatro años estaba tan desarrollado como uno de ellos. Lo que *John Daniel* sintió cuando lo separaron de Alyse y Rupert es lo que un niño de su misma edad hubiera sentido al separarlo de sus padres y del único hogar que conocía para obligarlo a vivir en un frío recinto con la única compañía de la mirada de desconocidos. *John* entendía el inglés. Tenía cultura. Conocía una versión simiesca del amor y el afecto. Y también de la tristeza.

Al poco tiempo tanto los espectadores del circo como la prensa dijeron[58] que el joven gorila se estaba muriendo literalmente de soledad. Alyse decidió viajar a Nueva York en un barco de vapor en cuanto vio lo que le había sucedido a *John*, pero llegó demasiado tarde. *John Daniel* murió a las tres semanas de llegar a Nueva York. Los periodistas del *Times* afirmaron que la añoranza, la reclusión y la negligencia habían acabado con él. Al principio un periodista sostuvo que había muerto de una pulmonía. Es posible que ambas cosas fueran ciertas, porque el sistema inmunológico de *John* seguramente se había debilitado por la soledad y el aislamiento. Varias semanas antes de su muerte[59] se había negado a comer, pasando todo el tiempo echado en su cama de hierro cubierto con una manta, de espaldas a la parte delantera de su jaula y a los visitantes que iban a verle. La mujer de uno de los artistas circenses empezó a pasar tiempo con él, poniéndole compresas calientes en la frente y prodigándole las atenciones que *John* ansiaba, pero ya era demasiado tarde. Un empleado del circo de los Hermanos Ringling que conocía al gorila dijo que lo habían tratado como un espécimen más de un museo y que ahí estaba el problema. «Creo que si le hubieran dejado llevar la vida a la que estaba acostumbrado no habría muerto».

Pero había una razón por la que no se la dejaron llevar: para lucrarse con él. Durante las tres semanas que los Hermanos Ringling exhibieron a *John*[60] en Nueva York, incluso teniendo en cuenta que estaba apático, triste y de cara a la pared —lo cual no era un espectáculo circense demasiado animado que digamos—, la compañía recuperó los 32.000 dólares que había pagado por él. De haber vivido y seguido atrayendo a la misma cantidad de visitantes, *John* les habría hecho ganar unos 500.000 dólares anuales en la década de 1920, una cantidad que equivale en la actualidad a más de 5,6 millones de dólares.

Alyse debió de sentirse desolada por la muerte de su querido gorila. Y, sin embargo, su interés por los simios no disminuyó. Al poco tiempo de la muerte de *John Daniel*, adquirió otra cría de gorila a la que llamó *John Sultan*. A este también se la llevó a su apartamento de Londres y a su casa de campo, pero esta vez no se separó de él. Firmó un contrato con el Circo de los Hermanos Ringling y con el de Barnum y Baley autorizándoles a exhibir al gorila bajo el nombre de *John Daniel II*, aunque estipulando que ella seguiría siendo su propietaria y que además debería siempre viajar con *John*. También exigió que se alojarían juntos en hoteles y que el gorila viajaría con ella como un pasajero más en coches, trenes y barcos, en lugar de hacerlo en una jaula como los otros animales circenses.

John Daniel II y Alyse llegaron a la ciudad de Nueva York el 24 de abril de 1924. *John* tenía tres años. A diferencia del primer *John Daniel*, que había cruzado el Atlántico metido en una jaula, *John Daniel II* compartió un camarote con Alyse. En cuanto llegaron, se alojaron en el lujoso Hotel McAlpin, entre la calle Treinta y cuatro de la parte oeste y Broadway, donde le dejaron jugar en el tejado para que hiciera ejercicio. Al gorila lo exhibieron en el circo como habían hecho con su predecesor, pero esta vez Alyse estaba cerca de él y al terminar la jornada volvían juntos a casa, en taxi. También se lo llevó a visitar el Museo de Historia Natural de Nueva York, donde le mostraron morbosamente el cuerpo disecado del primer *John Daniel*. El famoso primatólogo Robert Yerkes acudió aquel día al museo[61] para conocerle, junto con médicos de la Universidad de Columbia y el famoso cazador de caza mayor y taxidermista Carl Akeley, responsable de los espectaculares dioramas del museo, como el de una familia de gorilas de montaña paralizados ante la pintura de un volcán rodeado de neblina en la sala de los mamíferos africanos. Un periodista del *New York Times* que fue a visitar a *John Daniel II* en el Hotel McAlpin señaló que «William Jennings Bryan no habría ido a verlo, pero que Darwin en cambio habría disfrutado haciéndolo. Porque *John*... era la viva prueba de todo lo que[62] Darwin había afirmado y Bryan negado». El legendario *Juicio de Scopes sobre los monos* en el que el fiscal Jennings Bryan expuso con vehemencia sus argumentos en contra de que en las escuelas públicas americanas se enseñara la teoría de la evolución se celebró solo varios meses después de que *John* volviera a Inglaterra.

Mientras *John Daniel II* estuvo actuando en el circo, viajando por Estados Unidos y luego por Europa, y en los años que pasó con Alyse en Inglaterra, siguió siendo un animalito juguetón de mirada ingenua proclive a sufrir «tensión nerviosa» cuando estaba rodeado de demasiadas personas. Se relajaba jugando con los payasos en los descansos entre las actuaciones, era amable con los niños pequeños y solo mordía a su dueña de vez en cuando.[63] Pese a los cuidados recibidos en Londres de un especialista en medicina tropical a modo de médico personal, *John Daniel II* murió en 1927. No sé dónde reposa su cuerpo ni si Alyse, al saber que su primer gorila había sido disecado y estudiado,[64] decidió no desprenderse de él y enterrarlo en los campos de los alrededores de su casa rural en Gloucestershire.

Casi cien años después de su muerte,[65] los neoyorquinos todavía siguen visitando al primer *John Daniel*. Su cuerpo disecado está en una vitrina de la tercera planta del Museo de Historia Natural de Nueva York, al lado de *Meshie* el chimpancé, otro simio criado como un niño, cuyo «padre» fue el famoso anatomista comparativo y cazador de gorilas Harry Raven. *John* ha estado allí desde su muerte y en su etiqueta, que pone «*Gorilla gorilla*», no se menciona nada sobre su sorprendente vida. En la planta de arriba, en la taquilla de metal donde están guardados su cráneo y sus huesos, hay una cajita naranja de hojalata con una etiqueta escrita a mano. Contiene sus dientes de leche. Supongo que es la misma cajita en la que Alyse los guardó cuando se le cayeron y que donó al museo al morir *John*. La letra en cursiva escrita a mano es hermosa y esmerada. Los pequeños dientes de *John* apenas han amarilleado con el paso del tiempo.

La vida de *John* en Inglaterra y el viaje que realizó después a Estados Unidos tuvieron lugar tras la conclusión de la Primera Guerra Mundial. Los efectos psicológicos de la guerra[66] existían a una escala que antes hubiera sido inimaginable: 3,9 millones de estadounidenses participaron en el ejército y el 72 por ciento de ellos habían sido reclutados. Muchos soldados echaban de menos su hogar y les habían tenido que tratar en el frente por problemas emocionales. Se creía que la añoranza persistente además de ser peligrosa en sí, indicaba la aparición de una inminente crisis nerviosa o de la «fatiga de combate» Durante la guerra y varios años más tarde,[67] los periódicos publicaron historias marcadas por la añoranza o intentaron reunir fondos para comprarles a los soldados que estaban en el frente instrumentos musicales a fin de aliviar su dolor emocional. La añoranza y la nostalgia también se usaban para explicar las deserciones sin verlas como actos de cobardía. Lejos del frente, las esposas recién casadas de los soldados[68] se suicidaban inhalando gas o lanzándose con sus bebés a la bahía de San Francisco al no soportar estar separadas de su marido.

La añoranza no era una nueva dolencia. El *Oxford English Dictionary* la cita por primera vez en 1748, pero a principios de siglo ya se tenía constancia de una oleada de muertes por esta causa, y durante la Primera Guerra Mundial no hicieron más que aumentar los casos diagnosticados. Se creía que los jóvenes campesinos que se mudaban a las ciudades[69] eran especialmente proclives a sufrirla, pero muchas otras personas también podían sentirla, desde las *geishas* llevadas de Japón a la Feria Mundial de 1904 en Chicago, hasta un hombre que echaba tanto de menos su hogar que robó un loro para que le dijera cosas cariñosas.

Otros animales también murieron de añoranza y nostalgia. Un caso en 1892 tuvo que ver con una mula[70] enviada en tren a una granja cerca de la población de Independence, en Luisiana. A las tres semanas se dice que la melancólica mula regresó a Tennessee, recorriendo más de 600 kilómetros para volver a su hogar. Los perros que lloriqueaban de nostalgia[71] eran noticia en la prensa de Chicago y a principios del siglo veinte se decía que *Jocko*, un mono mascota[72] adquirido por la Marina de Estados Unidos durante la guerra contra España, echaba tanto de menos a la tripulación española con la que había vivido que intentó ingerir veneno. Su muerte se atribuyó a la mortífera melancolía que sintió a bordo. El mismo año, *Jingo*, un elefante africano[73] fletado en una caja de madera de Inglaterra a Nueva York para reemplazar a *Jumbo* en el circo de Barnum, se negó a comer y murió a bordo. Su cuerpo fue arrojado al mar y se dijo que su muerte podía haberse debido a un posible caso de añoranza. Y al poco tiempo de morir *John Daniel*, una joven gorila hembra de montaña llamada *Congo*[74] que había sido objeto de extensos estudios por el primatólogo Robert Yerkes, murió en la finca de John Ringling al sur de Florida. El *New York Times* señaló: «Se desconoce la causa de la muerte,[75] pero podría perfectamente deberse a la soledad, la desolación y el deseo nostálgico de estar rodeada de los de su misma especie».

Incluso las aves se consideraban propensas a sufrir esta clase de dolencias. Hacia finales de la Primera Guerra Mundial, la familia de un niño pequeño de San Francisco[76] dejó su casa rural para mudarse a un piso, con lo que el pequeño se vio obligado a desprenderse de *Waddles*, su pata mascota. El niño la llevó al parque Golden Gate y la dejó allí. Después de estar la pata buscándolos durante días sin dejar de graznar, el *San Francisco Chronicle* afirmó que *Waddles* se había muerto de nostalgia al haberse separado de su compañero. El artículo se publicó al lado de otro titulado: «Un soldado se arroja por la ventana abatido por sus heridas».

John Daniel fue embarcado en un arca de Noé abarrotada de animales nostálgicos que echaban de menos su vida anterior, como les sucedía a los humanos de principios del siglo veinte alejados de su hogar a los que tal vez no les resultaría fácil adaptarse a la nueva situación. El hecho de que esos animales pudieran padecer este tipo de dolencias parecía implicar la idea cada vez más extendida de que las mulas, los gorilas y otras criaturas eran conscientes de sí mismas y se daban cuenta de haber dejado atrás una vida más feliz.

Esos relatos de añoranza —y nostalgia— relacionados con la muerte de seres se usaban también a veces para justificar las jerarquías raciales que colocaban al hombre blanco por encima de los demás, tratando con condescendencia al resto de los mortales e intentando injustamente hacer que algunos humanos, así como ciertos animales, parecieran emocionalmente ser más frágiles que otros. Ota Benga, un pigmeo africano[77] llevado a Estados Unidos a principios del siglo veinte y exhibido durante un tiempo en el recinto de los simios del Zoológico del Bronx, fue un ejemplo de ello. Se pegó un tiro en 1916, en

Lynchburg (Virginia). Su muerte fue vista como una prueba de que no se había adaptado a la vida estadounidense por culpa de una nostalgia y añoranza que acabaron siendo mortales.

Osos, hombres y madres con el corazón roto

A finales del siglo diecinueve y principios del veinte un popular diagnóstico que se aplicaba a modo de comodín en las conductas y las muertes desconcertantes era la desolación. Al igual que la añoranza o la nostalgia, la desolación se consideraba un problema médico potencialmente letal que afectaba tanto a humanos como a otros animales. Además, un corazón roto no solo era malo en sí, sino que también podía llevar a la melancolía y a otras clases de problemas mentales. Un tratado de 1888 sobre este tema afirmaba: «Los manicomios de este país y los de cualquier otro[78] están llenos de los destrozos mentales ocasionados por esos ciclones emocionales».

Desde la perspectiva del siglo veintiuno, muchas de las muertes atribuidas a la desolación[79] podrían haber sido suicidios, pero hasta principios del siglo veinte socialmente era mucho más aceptable achacarlas al desconsuelo, y además de ese modo resultaba mucho más fácil cobrar la póliza del seguro de vida del difunto. Pese a los escépticos que se reían de las autopsias que confirmaban la muerte por desolación, la prensa publicaba a diario esta clase de historias, como la de unos amantes cuyos corazones habían dejado de latir[80] a la misma hora, o la de una mujer que se murió de pena al descubrir que su pareja se había fugado con una chica más joven, o la de banqueros que sufrían un infarto al desplomarse el mercado en picado o perder todo el dinero invertido, y la de madres y padres que se quedaban destrozados al ahogarse sus hijos en las aguas congeladas al quebrarse la capa de hielo de la superficie en la que patinaban o al ser arrollados por un tren o secuestrados. Incluso una de las esposas de Brigham Young, el líder mormón, se murió al parecer del disgusto que se llevó cuando su marido la acusó de estar acostándose con otro. Los veteranos deprimidos y los derrotados también sucumbían a esta clase de destino, así como los inmigrantes atrapados en el limbo de la Isla Ellis. Al igual que las mujeres que tenían a su marido cumpliendo una larga condena en la prisión de Sing Sing y por lo menos una princesa india que murió de mal de amores.

El diagnóstico surgió de una idea compleja y moralizadora que tenía que ver con los riesgos de una mala conducta o con el precio del amor. También era una forma conveniente de explicar las conductas extrañas y los efectos fisiológicos del sufrimiento emocional que, a diferencia de ahora, todavía no se medicalizaba como una depresión o un impulso suicida. Y además no hay que olvidar que las historias le resultaban muy amenas a la gente.

Como ocurría con la añoranza, la prensa popular y a veces también la científica hablaban de animales desolados, muchos de los cuales eran perros. Las muertes caninas causadas por el desconsuelo no eran un fenómeno nuevo. Desde la antigüedad las historias de sabuesos leales que se morían de pena y tristeza[81] cuando sus dueños o compañeros abandonaban este mundo se han estado loando como un modelo de fidelidad. *Greyfriars Bobby*,[82] un skye terrier, estuvo al parecer catorce años pegado a la tumba de su dueño fallecido en el Edimburgo de la época victoriana hasta morir. Se dice que otros perros perecieron poco después de morir un animal del que se habían hecho amigos. En 1937, *Teddy*, un pastor alemán, dejó de comer[83] al morir el caballo con el que convivía. Permaneció en el establo durante tres días hasta morir. Los caballos también se mueren de desolación,[84] algo que a las mulas por lo visto no les pasa. Según datos de la Primera Guerra Mundial, un caballo atrapado en un hoyo lleno de agua abierto por un obús «forcejeará y se debatirá para salir de él[85] hasta morir de desolación. En cambio, las mulas no se mueren porque, al no tener imaginación ni la misma visión de la vida, se quedan aguardando con calma y filosofía a que alguien llegue y las saque del lugar».

Además de las historias de a finales del siglo diecinueve y principios del veinte de perros fieles[86] y de otras mascotas, los relatos de animales de zoos y circos que se morían de desolación eran muy habituales en aquella época porque esos seres también vivían cerca de la gente y no estaban destinados a convertirse en la cena de nadie. Tal vez no habría sido tan estimulante reconocer en un futuro bistec o en una pechuga de pollo la capacidad humana de otros seres de morir de desconsuelo. Desde finales de la década de 1880 hasta 1935 también se dijo que animales como *Bomby*, un taciturno rinoceronte del Central Park, un león marino ciego llamado *Trudy*, y un pingüino emperador que se negó a que lo alimentaran a la fuerza tras morir su pareja, murieron en Washington D. C. debido al desconsuelo. También se consideraba que los animales salvajes podían a veces morir por la misma causa,[87] pero sobre todo estaba relacionada con su captura. Y en el siglo veinte la incapacidad de mantener con vida a muchos animales en cautividad, desde leones hasta pájaros cantores,[88] también se atribuía a la desolación. En 1966 una orca llamada *Namu*[89] fue la segunda que se pudo apresar viva. La llevaron al Acuario de Seattle, donde los espectadores la contemplaban mientras embestía con la cabeza el borde del tanque y chillaba desesperada. Sus llamadas eran a veces respondidas por las orcas que pasaban por el estrecho de Puget. Se ahogó después de quedar atrapada en una red, una muerte que el *New York Times* achacó a la desolación. A la cría de orca que acababan de capturar para que le hiciera compañía la enviaron al SeaWorld de San Diego. Se convirtió en la primera orca *Shamu*.

Muchos cuidadores de zoológicos del siglo veinte han relatado los riesgos de la soledad, el desconsuelo y la desolación que habían presenciado en su lugar de trabajo y los problemas psicológicos que según ellos conllevaban. Belle Benchley, directora del Zoológico de San Diego[90] de 1927 a 1953, dijo en una ocasión: «La soledad les provoca melancolía a la mayoría de animales. Se consumen y mueren de pura soledad, lo cual explica muchas de las extrañas amistades que entablan». Una de esas amistades, en el Zoológico de Berlín[91] en 1924, animó a un mono melancólico. Los cuidadores le ofrecieron un puercoespín.

Monarca

Hasta que los objetos expuestos se cambiaron por otros con las renovaciones de 2012, junto a la entrada de la cafetería de la Academia de Ciencias Naturales de California, en San Francisco, había en una vitrina el imponente cuerpo disecado de un oso pardo macho. Los visitantes pasaban por su lado para comprar sopa y porciones de pizza, sin saber que se hallaban ante toda una leyenda. En vida, el oso no tenía ni por asomo un aspecto tan dulce como el de ahora y encima la forma en que el taxidermista lo había disecado era para ponerse a llorar. Le había quitado hasta la última gota de ferocidad para reemplazársela por sangre de horchata, contrayéndole el rostro con una extraña sonrisita forzada, la clase de mueca que uno hace al charlar con alguien al que está deseando perder de vista. Y lo peor de todo es que los osos no sonríen. Las únicas partes de su cuerpo que había respetado eran las garras que, por cierto, estaban armadas de unas uñas corvas demasiado largas. Se ve que era un oso que no hacía demasiado ejercicio que digamos.

Se llama *Monarca* y ha estado expuesto en la Academia de Ciencias Naturales desde que murió en su jaula en el parque Golden Gate en 1911. En los años cincuenta el cuerpo disecado de *Monarca* sirvió como uno de los modelos[92] para rediseñar la bandera de California. Los legisladores del estado decidieron que el oso que figuraba en la original se parecía mucho más a un jabalí que a una majestuosa figura decorativa. Desde entonces se han hecho miles de copias de la imagen de *Monarca*, que ha ilustrado desde bóxers y logos de bancos, hasta tazas para llevar de viaje y tatuajes. Y, sin embargo, son muy pocas las personas que saben que ese oso fue un ser vivo[93] que respiraba y rasguñaba, y menos aún las que recuerdan que en una ocasión se dijo de él que había perdido las ganas de vivir hasta el extremo de correr el peligro de morir de desolación.

Monarca, el único ejemplo conocido de un oso pardo californiano disecado para ser exhibido, es una peluda metonimia de las drásticas transformaciones ecológicas y sociales que tuvieron lugar en el estado durante y después de la fiebre del oro, y una metáfora en forma de oso de las cambiantes actitudes de los sanfranciscanos hacia los espacios naturales que los rodeaban hasta mediados del siglo diecinueve. Los estadounidenses que pasaban por delante de la jaula de *Monarca* o que leían relatos sobre él en el periódico interpretaban su conducta de un modo que reflejaba la época en la que vivían, al igual que ocurrió con *Tip* y *John Daniel*. *Monarca* era el icono de unos espacios naturales que acababan de ser castrados,[94] y la preocupación por su salud emocional reflejaba la nueva actitud romántica de la sociedad estadounidense respecto a las tierras salvajes de la nación, cada vez más «domadas» por medio de la matanza y el exterminio de los nativos americanos y de los temidos depredadores como *Monarca* que las habitaban.

Hasta la segunda mitad del siglo diecinueve, los bosques, los prados y las riberas de California estuvieron plagados de osos pardos. Cuando alguien sabía lo que se hacía, le resultaba muy fácil capturar uno. En 1858 un *sheriff* de Sacramento[95] vendió un oso pardo salvaje por 15,50 dólares, y uno domado por 20,50. Cuando el trampero George Yount llegó a California en 1831 y se asentó en el Valle de Napa, dijo: «Hay osos por todas partes[96] —en las llanuras, los valles y las montañas, e incluso merodeando por los campamentos—, por eso muchas veces en un día he llegado a matar cinco o seis, y en veinticuatro horas es muy normal haber visto cincuenta o sesenta».

En la década de 1850, Grizzly Adams, el famoso cazador de osos[97] y empresario del espectáculo, viajaba con dos osos domados, *Lady Washington* y *Ben Franklin*, y exhibía a muchos más, a docenas, en una especie de zoo en San Francisco. Como a *Ben Franklin* lo habían capturado cuando todavía era un osezno lactante, Adams se lo dio a una hembra de galgo que acababa de tener una camada de cachorros para que lo alimentara, cubriendo las garras del osezno con manoplas de gamuza para que no la lastimara. La perra estuvo dando de mamar a *Benjamin* durante semanas, hasta que Adams empezó a alimentarlo con carne. Ambos osos viajaban cientos de kilómetros con Adams, algunas veces encadenados al carromato, y otras andando sueltos al lado, y de vez en cuando montados en él con Adams y la perra. *Lady Washington* también llevaba una mochila, arrastraba un trineo y movía árboles madereros, y ambos osos ayudaban a Adams a cazar osos pardos y otras piezas de caza que compartían a la hora de la pitanza.

Hasta bien entrada la década de 1860 se podían ver en las estaciones de ferrocarril osos encadenados o enjaulados[98] realizando números circenses o comiendo los dulces y pasteles ofrecidos por los pasajeros que esperaban el tren. Se hablaba de un oso que tocaba la flauta. La gente también compraba entradas para ver a osos enfrentándose a toros. Algunos californianos incluso los adquirían como mascotas. La actriz y bailarina Lola Montez tenía dos descomunales osos pardos encadenados en la entrada de su casa de campo en Grass Valley. Pero a finales del siglo diecinueve a duras penas quedaban osos y los pocos que seguían con vida permanecían en las zonas más profundas de los bosques. Los que no habían sido abatidos[99] se habían vuelto más precavidos y los cautivos ya no abundaban tanto como antes. Los animales que solo hacía varios años se encontraban por todas partes ahora los habían cazado hasta el punto de estar casi en peligro de extinción.

William Randolph Hearst, el excéntrico magnate californiano de la prensa,[100] viendo sagazmente que los osos eran cada vez más escasos, decidió explotar el interés de sus lectores por la inminente extinción de un animal tan carismático. En 1889 contrató a Allen Kelly, un periodista con una cierta experiencia como cazador y trampero, para que capturara a un oso pardo con el fin de convertirlo en la mascota de uno de sus periódicos, el *San Francisco Examiner*, conocido como el «Monarca de los Diarios». Hearst esperaba que las ventas se dispararan al publicar el relato de la captura de uno de los últimos osos pardos del estado. Lo llamaría *Monarca*, como el diario.

Kelly empezó a poner trampas por las colinas que se alzaban detrás de Santa Paula, en el condado de Ventura, pero los osos las eludieron. Las semanas se convirtieron en meses,[101] y seguía con las manos vacías. El director del diario para el que trabajaba lo despidió. Sin embargo, Kelly continuó intentándolo sin inmutarse. A los pocos meses un mexicano que había capturado a un enorme oso pardo[102] en las montañas de San Gabriel del condado de Los Ángeles, le ofreció a Kelly vendérselo. El oso intentó furiosamente escapar de la trampa de madera, mordiendo y rompiendo los barrotes, y embistiéndola con su pesado cuerpo. Se pasó una semana entera enfurecido, negándose a comer.[103] Les llevó todo un día atar una cadena a una de sus patas. Al final lo obligaron tirando de él a subirse a un tosco trineo para que lo transportara un grupo de asustados caballos. El resto del largo viaje a San Francisco lo hicieron en un carromato y luego en tren.

Incitados por los adornados relatos sensacionalistas[104] del *Examiner* sobre su captura, acudieron veinte mil personas a ver a *Monarca* en su primer día en los Jardines de Woodward, un parque de atracciones del distrito de Misión. Vivió allí en una jaula de metal durante cinco o seis años, hasta que los visitantes perdieron el interés por él. Hearst decidió regalar el oso al nuevo parque Golden Gate en 1895. Pero poco tiempo después de la llegada de *Monarca*, los encargados del parque se empezaron a preocupar por una serie de temas más acuciantes que el oso, como las bicicletas, las nuevas máquinas que la dirección del parque temía que asustaran a los caballos o que causaran violentas colisiones. En el informe anual de los encargados del parque no aparecen más que dos escuetos comentarios relacionados con la llegada de *Monarca*. El voluminoso regalo del *Examiner* al principio «estaba descontento con su nuevo entorno e intentó escapar, pero ahora parece haberse resignado a su suerte y es una atracción muy popular».

Con el paso del tiempo, sin embargo, *Monarca* se acabó convirtiendo en algo que deprimía ver. En 1903 se pasaba todo el día metido en un hoyo[105] que había escarbado en el centro de su recinto, entre dos grandes rocas. Con su gigantesca cabeza apoyada sobre sus garras, se pasaba el día entero contemplando el exterior por entre los barrotes de la jaula con la mirada perdida. Tal vez se escondiera para protegerse de las curiosas miradas de los visitantes, o a lo mejor le gustaba sentir el frescor de la tierra recién removida, pero como en febrero en San Francisco todavía no hace calor, ese hecho parecía evidenciar un largo y lento cambio en su conducta. Los encargados del parque declararon que *Monarca* desde hacía un tiempo «no era el mismo de siempre» y que parecía estar sufriendo un caso extremo de hastío vital. También sostuvieron que tal vez echara de menos[106] su antigua vida de oso salvaje, cuando vivía rodeado de sus congéneres, y sugirieron que quizá corriera el peligro de morir de desconsuelo.

Y así fue, ya que en 1903 este oso pardo adulto, que de haber vivido en libertad habría recorrido a sus anchas un área de docenas, por no decir centenares, de kilómetros cuadrados, y que se habría alimentado de una variedad de hierbas, bayas silvestres, roedores, larvas, peces y de vez en cuando algún animal de mayor tamaño, había vivido durante catorce años metido en una pequeña jaula de metal y luego en otro espacio yermo que, pese a ser algo más grande, no dejaba de ser una jaula. El cambio de vida tan extremo de pasar de ser un oso salvaje que cazaba y buscaba los alimentos que le gustaban a convertirse en uno en cautividad con una dieta totalmente distinta sin poder hacer ejercicio, en un lugar repleto de humanos escandalosos en el que solo le llegaba de vez en cuando el olorcillo llevado por el viento de los bisontes del parque, probablemente le bastó para cambiar de conducta. Cómo la interpretaran los visitantes tenía más que ver con ellos mismos que con el oso.

Los sanfranciscanos que pasaban por delante de la jaula de *Monarca* en el parque y que leían historias sobre él en los periódicos e intentaban entender su mirada perdida también estaban cambiando, o al menos lo hacía el mundo que les rodeaba. Durante los años que precedieron a la captura del oso y mientras vivió en cautividad, se construyeron una gran cantidad de carreteras, canales, redes ferroviarias y barcos de vapor. La desmotadora de algodón de Whitney y otras invenciones recientes habían revolucionado la agricultura. Por primera vez en la historia de Estados Unidos había más americanos viviendo en ciudades que en las zonas rurales, y esas ciudades eran lugares inquietantes, plasmados en libros como *La jungla* de Upton Sinclair, publicado en 1906. Las tierras salvajes del Lejano Oeste se habían transformado en prados, granjas y pastizales, y en pueblos y ciudades más grandes; los búfalos habían desaparecido, las manadas de lobos se habían reducido y animales como el oso pardo californiano se habían extinguido. Los nativos americanos, con la población diezmada, fueron expulsados de las tierras que les quedaban sin poder hacer nada para seguir deteniendo la urbanización, la minería, la tala, la agricultura o la adquisición de tierras de pastoreo.

Esos grandes cambios,[107] junto con la minería y la tala intensivas, y la expansión industrial, ayudaron a que Estados Unidos se convirtiera en una potencia económica a finales del siglo diecinueve. En 1896, siete años después de la llegada de *Monarca* a San Francisco,[108] el historiador Frederick Jackson Turner anunciaba el cierre de las fronteras estadounidenses. Sostenía que las fronteras no solo habían hecho que Estados Unidos cambiara, sino que fuera un lugar mejor.

Desde hacía muchos años había un gran número de personas como Thomas Jefferson que se enorgullecían de las tierras salvajes y de la fauna y flora de su país,[109] pero fue solo en las décadas de 1880 y 1890 cuando una creciente cantidad de estadounidenses empezaron a ver que tal vez fuera necesario proteger ese motivo de orgullo. Mientras *Monarca* permanecía con la cabeza apoyada sobre sus garras en el parque Golden Gate, John Muir viajaba por la cadena montañosa del estado y fundaba Sierra Club, el primer grupo conservacionista. Mucha gente se unió a la recién fundada Sociedad Audubon para la conservación de la naturaleza, y Turner, Roosevelt, Muir, Gifford Pinchot y otros lamentaron la pérdida de las tierras salvajes del país y los posibles efectos que podría tener en el carácter nacional, una cuestión sobre todo racista y masculina. Se crearon muchos parques nacionales nuevos, desde el Parque Nacional de los Glaciares hasta el de Yosemite.

La nostalgia por la vida salvaje de los colonos fue lo que inspiró a los hombres que podían darse ese lujo a acampar, cazar y realizar otras actividades al aire libre en las montañas Adirondacks o a explorar con guías las Grandes Llanuras. En 1910, el último año entero que *Monarca* pasó en el parque, Ernest Thompson Seton ayudó a fundar los Boy Scouts de América para enseñar a los jóvenes a desenvolverse en medio de la naturaleza e impedir que se volvieran demasiado urbanitas. Los turistas adinerados procedentes de las ciudades y los deportistas visitaban los nuevos parques nacionales, equipados con hoteles lujosos, balnearios, guardabosques y guardas forestales. Las ideas del Lejano Oeste americano se volvieron cada vez más idílicas.

Pero para asegurarse de que realmente fuera así, se hizo una limpieza de imagen de su historia. Lugares como Yosemite y Yellowstone ahora se podían ver como antídotos[110] de las ciudades cada vez más insalubres y contaminadas, porque los espacios naturales ya no seguían siendo un campo de batalla o un lugar plagado de depredadores. Ahora se podían ver como parajes para renovar las energías, al menos para las personas con poder adquisitivo. Los esfuerzos para proteger y ensalzar esos espacios naturales[111] eran, en cierto modo, un intento de proteger el mito del origen de Estados Unidos y el de los colonos individualistas que lo crearon. No había una mejor figura para las contradicciones inherentes a esta nueva idea de los espacios naturales que *Monarca*. El feroz animal que podía haber devorado fácilmente al típico visitante del parque Golden Gate estaba ahora enjaulado. Su voluminoso cuerpo se había reducido por la falta de ejercicio y sus garras se habían curvado de no usarlas. Visitarlo era divertido, resultaba más económico que ir a un hotel balneario de Montana. Como los osos grises ya no suponían una amenaza para los californianos, *Monarca* era la nostálgica figura del último ejemplar de su especie. Ahora los osos grises, en lugar de inspirar miedo daban pena. Al advertir la apatía, la desgana y la aparente tristeza del oso, los encargados del parque ordenaron la captura de una osa para que la antigua mascota tuviera una pareja.

Por desgracia, como en 1903 ya no quedaban osos grises en libertad en California, se capturó una osa en Idaho. Cuando descargaron la jaula en la que la transportaban en el recinto contiguo al de *Monarca*, él se levantó de pronto, escarbó la tierra y olfateó el aire. Un espectador dijo que la nueva osa «era la viva imagen de la expresión[112] "ser gruñón como un oso". Era feroz y le irritaban los fotógrafos... Tal vez hubiera sido mejor para el viejo *Monarca* llevar la desganada vida de siempre». Pero al final el oso y la osa parda idahonesa congeniaron de maravilla. Se aparearon y justo antes de las Navidades de 1904 nacieron dos oseznos.

Y, sin embargo, los ligeros problemas mentales de *Monarca* no desaparecieron con la gozosa llegada de *Montana*, su «mujer», como la prensa la llamaba, ni con el exultante nacimiento de los oseznos. Al igual que la gente había visto una actitud humana de hastío en *Monarca*, cuando uno de los oseznos murió a los tres días de nacer, el *Chronicle* tachó de mala madre a su pareja: «El pobre osezno ha muerto[113] por una combinación de falta de atenciones y de hastío vital». Era una historia melodramática de una madre fría, egoísta y negligente que se negaba a prodigarle a su hijo ningún tipo de cuidados o de cariño. Los encargados del parque habían intentado enseñar a *Montana* a ser una madre responsable con sus diminutos y peludos retoños, pero al ver que era inútil los retiraron de su lado para hacerse cargo de ellos. Cuando un osezno enfermó y murió al cabo de poco, los periódicos dijeron que «había perdido las ganas de vivir».

Con el paso de los años *Monarca* dejó de ser el centro de atención de la gente, con una sola excepción. Tras el terremoto de 1906 y los violentos incendios que redujeron la ciudad a una pila de humeantes escombros, aparecía en un póster diseñado por un artista el oso suspendido a lo Godzilla sobre las ruinas de San Francisco con una flecha clavada en el lomo y un gruñido en los labios, alentando a los residentes a ser fuertes y reconstruir la ciudad devastada.

Cuatro años más tarde, se confirmó que *Monarca*[114] era el único oso pardo californiano, cautivo o libre, que quedaba, aunque no sería por mucho tiempo. En 1911, tras vivir veintidós años en cautividad,[115] la dirección del parque estimó que *Monarca* estaba decrépito y lo sacrificaron. Se anunció que su piel se expondría el Día del Trabajo en el museo del parque. Su esqueleto, salvo la mayor parte del cráneo disecado, se enterró en las inmediaciones. Más tarde se exhumó, se limpió y se entregó al Museo de Zoología de Vertebrados de la Universidad de California (Berkeley), donde sigue hasta el día de hoy. *Monarca*, como *John Daniel*, *Tip* y otros innumerables animales que le precedieron, se ha convertido en un espécimen. Pero, a diferencia de *John Daniel* y *Tip*, vivió tantos años gracias a su fortaleza, su salud de hierro, su determinación y su buena suerte. No se puede decir que hubiera llevado una vida de ensueño, pero al menos sobrevivió.

De niña, uno de mis libros preferidos era *La telaraña de Carlota* de E. B. White. En el rancho donde crecí vivía *Mac*, el hosco burro enano, pero también había gatos, pollos, alguna que otra cabra, varios conejos, burros de tamaño normal y un poni llamado *Medianoche*. Durante más tiempo del debido estuve convencida de que los animales cuchicheaban y discutían entre ellos cuando yo no podía oírlos. Y que si me acercaba andando de puntillas al corral de los burros o hasta detrás del gallinero, oiría lo que decían. Nunca llegó a suceder, pero estaba segura de que, si los hubiera pillado hablando, habría oído algo como lo que *Wilbur*, el cerdito parlante, dijo sobre que se iba a morir del disgusto.

En una dramática escena del penúltimo capítulo del libro, *Wilbur* está intentando salvar los huevos de la araña *Carlota*, su moribunda amiga. *Wilbur* le suplica a *Templeton*, la egoísta rata, la mala de la novela, que vaya a toda prisa al tejado para rescatar la bolsa de huevos de *Carlota*.

—*Templeton* —dijo *Wilbur* desesperado—,[116] si no dejas de hablar y te pones manos a la obra, todo se perderá y yo moriré del disgusto. ¡Por favor, sube!

Templeton estaba tendida panza arriba sobre la paja. Perezosamente, metió sus patas delanteras bajo su cabeza y cruzó las traseras, en una actitud de completa calma.

—Moriré del disgusto —repitió burlona—. ¡Vaya, vaya, qué enternecedor!

Hasta los animales ficticios han empezado a ser un poco cínicos en cuanto a la idea de sentirse uno desolado.

No me imagino lo que el veterinario conductista me habría respondido si yo, mientras él examinaba el cuerpo dolorido y magullado de *Oliver* tras saltar por la ventana de nuestro apartamento, le hubiera preguntado qué se podía hacer para curar su corazón roto. Me imaginé los titulares sobre *Oliver* en los periódicos: «Perro enfermo de amor al sentirse rechazado se arroja por la ventana de un edificio en busca de su familia», «Durante meses ha estado languideciendo como alma en pena», «A duras penas sobrevive a una espantosa caída de quince metros de altura», «Los dueños están desesperados por las facturas del veterinario».

Curiosamente, mucho después de que a algunos animales se les diagnosticara por primera vez que tenían el corazón roto, la idea se negó tercamente a desaparecer. Todavía se esgrime de vez en cuando como una forma de explicar las muertes misteriosas de animales. Y mientras la mayoría de veterinarios optan por no escribir «corazón roto» en la ficha de sus pacientes, existen historias de animales que se mueren por esta razón, así como relatos de animales aquejados de dolencias más modernas como la depresión, o de trastornos anímicos generalizados.

En el año 2010 dos viejas nutrias macho[117] que habían sido inseparables durante quince años, murieron con una hora de diferencia la una de la otra en el zoo de Nueva Zelanda. Solo una estaba enferma. Sus cuidadores creyeron que la segunda había muerto de pena. El etólogo Marc Bekoff también escribe sobre animales desconsolados. En *La vida emocional de los animales* narra la historia de *Pepsi*, un schnauzer mini[118] que un veterinario le regaló a su padre. El perrito y el anciano se volvieron inseparables, durante años estuvieron compartiendo la misma comida, la misma silla y la misma cama. Pero cuando el perrito tenía ocho años el anciano se suicidó. A partir de entonces *Pepsi* fue debilitándose y encerrándose en sí mismo, sin llegar a recuperarse nunca de la muerte de su compañero, y al final murió. El veterinario estaba convencido de que había fallecido de pena; es decir, tras la desaparición de su dueño, el schnauzer mini había perdido las ganas de vivir.

En marzo del 2011 otra historia de corazones rotos[119] se propagó por Internet. El cabo Tasker, un soldado del Cuerpo Veterinario del ejército británico, murió en un tiroteo en Helmand, Afganistán. *Theo*, su perro, un springer spaniel adiestrado para olfatear explosivos, lo presenció todo. A *Theo* no lo hirieron en el tiroteo, pero a las pocas horas pereció de un ataque epiléptico mortal causado, según los testigos, por el estrés y el dolor por la pérdida de su compañero.

Estas historias contemporáneas, como los relatos anteriores sobre animales desolados, tratan tanto de ellos como de nosotros, los humanos, porque nos ponemos en la piel de un perro o nos imaginamos lo que le está rondando por la cabeza y lo que está sintiendo una nutria. Le damos sentido a su conducta al ver reflejados en los *animales* nuestros propios sentimientos y miedos. Aunque sea sin duda una especie de antropomorfismo, también es muy legítimo atribuírselo. Nos imaginamos cómo, de estar en su misma situación, también podríamos languidecer y morir de pena al perder a un ser querido. La mayoría de personas conocemos a alguien al que le ha ocurrido.

A comienzos de la década del 2000 la cardióloga Barbara Natterson-Horowitz de la UCLA se topó con su primer caso de cardiomiopatía de takotsubo, un síndrome recientemente identificado caracterizado por un fuerte dolor torácico y unos niveles de catecolaminas anormalmente altos. Llevaba a toda prisa a sus pacientes a que les hicieran un angiograma esperando encontrar coágulos de sangre o signos de cardiopatía, pero no había nada que les estuviera taponando las arterias coronarias. Esos hombres y mujeres no estaban teniendo un infarto, la única anomalía de su corazón era unos bultos extraños en forma de bombilla en el ventrículo izquierdo que impedía a los órganos contraerse con fuerza.

Los cardiólogos japoneses llamaron al síndrome[120] a mediados de la década de 1990 «trampa de pulpos» porque el tejido bulboso, en lugar de recordarles la forma de una bombilla, les parecía más bien un *takotsubo,* los recipientes redondos de cerámica con los que los pescadores japoneses capturan a los cefalópodos. El área fofa hinchada del músculo del corazón hace que el ventrículo se contraiga de manera arrítmica y débil, bombeando la sangre en espasmos intermitentes. Esto es lo que les produce un dolor torácico tan intenso a los pacientes que acuden a urgencias después de sufrir un súbito problema cardíaco. Pero lo que más le sorprendió a Natterson-Horowitz fue que el takotsubo no venía de una cardiopatía ni de un defecto congénito en el corazón, sino de un gran estrés y dolor emocional. Los pacientes se presentaban en el hospital sufriendo contracciones débiles tras haber presenciado la muerte de un ser querido, antes de ser enviados a la cárcel, o después de haber perdido los ahorros de toda una vida o de haber sobrevivido a un terremoto. En *Zoobicuidad,* el libro que coescribió junto con la periodista Kathryn Bowers, afirma que este nuevo diagnóstico es la prueba de la poderosa conexión[121] entre la mente y la salud del corazón, confirmando una relación causal que muchos médicos consideraban «más metafórica que diagnosticable». Ella y Bowers señalan varias fascinantes estadísticas sobre salud pública,[122] como un mayor índice de paradas cardíacas entre los israelíes angustiados por los misiles Scud lanzados durante la Guerra del Golfo de 1991, estadísticas que sugieren que el pánico y el pavor que les infundían mataron a muchas más personas que los propios misiles.

Durante los días siguientes a los ataques terroristas del 11-S perpretados por Al Qaeda, en los pacientes estadounidenses con marcapasos se dio un aumento de un 200 por ciento en la cantidad de arritmias que pueden llegar a ser mortales. Y en 1998 cuando Inglaterra perdió la Copa Mundial al ganar Argentina en un emocionante penalti lanzado en el último minuto, la tasa de infartos en el Reino Unido aumentó un 25 por ciento en un solo día. A partir de entonces otros estudios europeos han corroborado la relación entre el estrés de los espectadores y la salud del corazón. Irónicamente, los juegos con finales reñidas y emocionantes[123] son especialmente peligrosos para los fans.

En la primavera del 2005 el veterinario jefe del Zoo de Los Ángeles le pidió por teléfono a Natterson-Horowitz que viniera para consultarle sobre *Spitzbuben*, un tamarino emperador que sufría una parada cardíaca. Esos monitos tienen un enorme bigote blanco a lo Fu Manchú que hace que hasta las hembras jóvenes parezcan unos sabios ancianos. Natterson-Horowitz, entusiasmada por la oportunidad de conocer a uno, intentó establecer contacto visual con el tamarino hembra para tranquilizarla, como habría hecho con un paciente humano. Pero el veterinario le advirtió que no lo hiciera porque le podría provocar una «miopatía por captura», matándola antes de que les diera tiempo a intubarla. Cuando los animales, sobre todo las presas nerviosas como los ciervos, los roedores, los pájaros y los pequeños primates como *Spitzbuben* se descubren entre los dientes de un depredador, atrapados en una trampa o con un veterinario mirándoles fijamente a los ojos, lo cual para ellos es una escena tan aterradora como las otras, son inundados por una oleada de adrenalina y otras hormonas del estrés. Y este torrente hormonal es tan potente que a veces puede dañarles las cámaras de bombeo del corazón, por lo que las contracciones se vuelven tan débiles que la sangre deja de circular y el animal puede llegar a morir. La primera persona en reconocer una miopatía por captura fue un cazador hace más de un siglo. Animales de caza mayor como las cebras o los alces americanos a veces morían después de una larga persecución, aunque los cazadores no hubieran conseguido dar en el blanco. Desde entonces la muerte súbita de animales aterrados[124] se ha estado observando por todas partes del reino animal, desde las langostas de Noruega pescadas en el lecho marino y los caballos salvajes aterrorizados por las rondas de los helicópteros del Departamento de Territorio y Sostenibilidad, hasta la versión del *Tännhauser* de Wagner interpretada por la Orquesta Real Danesa en un parque de Copenhague a mediados de la década de 1990 que hizo que un okapi en cautiverio de seis años que la podía oír a lo lejos caminará nerviosamente de un lado a otro para intentar escapar del recinto hasta que murió. Sus veterinarios citaron la miopatía por captura como la causa de su fallecimiento.

Observar las distintas formas de describir el bienestar emocional y las enfermedades a lo largo de los años nos ofrece una especie de historia paralela de cómo se ha interpretado la mente y el corazón de los seres humanos. No solo revela la inutilidad de intentar separar los traumas emocionales de la fisiología, sino también la imposibilidad de desvincular las enfermedades de la historia. Donde las generaciones anteriores veían locura, añoranza, nostalgia y desconsuelo, los veterinarios y médicos de la actualidad ven trastornos por ansiedad y del estado de ánimo, trastornos obsesivo-compulsivos, depresión y miopatía por captura. De igual modo, los miedos debilitantes que infundían los carros de bomberos tirados por caballos o las oscilantes lámparas de gas, apenas nos asustan ahora a nosotros o a nuestros animales de compañía, pero tal vez lo hicieran en el pasado.

3
El diagnóstico de la elefanta

«Lo anormal es ahora normal.»

Jon Ronson

Mel Richardson me contó a los quince minutos de conocernos que los orangutanes se masturbaban, mientras estábamos plantados en el polvoriento suelo de grava del aparcamiento de la reserva natural de la Sociedad para el Bienestar de los Animales. Me dijo que si alguna vez había visto a una hembra de orangután sentada con las piernas cruzadas balanceándose apoyada sobre los talones, significaba que se estaba dando placer a sí misma. Él, sin duda alguna, lo sabía.

PAWS, el nombre por el que lo conocen los empleados de la reserva o los que la visitan en las esporádicas cenas organizadas junto los recintos de los elefantes para recaudar fondos, es un refugio y centro de retiro situado en una parte especialmente exuberante de las estribaciones de Sierra Nevada, en California, para tigres, osos, elefantes y otros animales actores que en el pasado se usaron en el cine o en la televisión, y para los rescatados de circos y zoos. Mel, un tipo alto con una cuidada barba gris y un móvil colgado del cinto, era antes el veterinario asesor de la reserva. Es uno de los veterinarios más expertos en animales exóticos del mundo, y se ha pasado más de treinta años atendiendo a cientos de distintas especies, desde gorilas en libertad en el Congo y Ruanda hasta los hipopótamos, cebras y avestruces del zoo privado de Medellín en Colombia del traficante de drogas Pablo Es-

121

cobar, además de los perros, gatos y pájaros que le llegaban de particulares a la consulta que tenía en Chico (California). Ha tratado a todos esos animales no solo por problemas físicos como infecciones y fracturas, sino también emocionales. Ha visto casi cualquier clase de conducta anormal imaginable: desde perros fóbicos y caballos traumatizados, hasta leones deprimidos y simios y morsas adictos a darse placer a sí mismos. Suelen llamarle en calidad de experto para evaluar casos de animales maltratados. Me puse en contacto con Mel porque quería saber en qué se basaba para diagnosticar que un animal tenía problemas mentales.

«Bueno», me dijo mientras pasábamos por delante del estanque de los elefantes, «los problemas mentales de los animales no son exactamente como los de los humanos, pero creo que sufren afecciones similares». Para diagnosticarlos Mel primero se fija en el entorno del animal. Afirma que un ser vivo que viva en malas condiciones o uno que haya sido maltratado suelen tener tanto problemas físicos como mentales. También habla con la gente. «Para saber lo que le pasa a las mascotas dependo de la minuciosa entrevista que les hago a mis clientes. En realidad, los animales de los zoos son más fáciles de diagnosticar, porque no dependes de que el dueño de la mascota te acabe revelando el problema o la preocupación que tal vez no te esté contando. En los zoos, en cambio, no hay intermediarios».

En los humanos con problemas psiquiátricos el proceso del diagnóstico suele ser verbal. Como ya he mencionado antes, salvo los niños o los adultos que no pueden hablar, un paciente le cuenta sus síntomas al terapeuta, el trabajador social o el psiquiatra. El profesional de la salud mental hace su diagnóstico basándose en sus propias observaciones sobre el paciente y en los síntomas que este le describe con todo detalle. Hoy día los diagnósticos se llevan a cabo teniendo en cuenta los más de trece mil códigos del *Manual de diagnóstico y estadístico de los trastornos mentales (DSM)*, el atlas para reconocer los problemas mentales humanos publicado por primera vez en 1952. Los códigos del *DSM* les sirven de guía a los profesionales de la salud y son los que exigen las compañías aseguradoras, aunque es muy inusual que una persona encaje perfectamente en una sola categoría. El *DSM* también es un documento histórico que se está reinterpretando continuamente para que se adapte a los tiempos modernos, añadiéndole trastornos nuevos y eliminando otros. El trastorno por estrés postraumático, por ejemplo, se agregó en 1980, mientras que la homosexualidad se excluyó de él, pero lamentablemente no se hizo del todo hasta 1982. El síndrome premenstrual, conocido en el pasado como «locura menstrual», es otro síndrome que se ha estado clasificando de distintas formas a lo largo de los años. En 1980 no se incluyó en el *DSM*,[1] pero en 1999 el USDA aceptó el trastorno disfórico premenstrual, un término ligeramente distinto para referirse al síndrome premenstrual como una razón de peso para recetar Prozac. Y al igual que muchos otros problemas psiquiátricos, el trastorno se definió según los psicofármacos usados para tratarlo.

Como a un animal no se le puede hacer un diagnóstico como el de los humanos porque no puede contarnos lo que le pasa, el proceso del diagnóstico depende casi enteramente de la observación y a veces, como sucede con el trastorno disfórico premenstrual, de cómo responde al tratamiento farmacológico.

Por desgracia no existe un *Manual de diagnóstico y estadístico de los trastornos mentales* para animales. Lo más parecido que pude encontrar fue a Mel Richardson. Después de visitar el exuberante entorno cubierto de hierba de PAWS, donde un puñado de elefantas dormitaban al pie de los robles, con una de ellas roncando sonoramente, me condujo a lo que parecía ser un enorme recinto canino rodeado de una alta valla de tela metálica. En él una fiera rayada iba nerviosamente de un lado a otro. Era una tigresa más bien pequeña llamada *Sunita*. Miró a Mel con una expresión como de fastidio, aburrimiento y de gran desconfianza,

Sunita nació en una casa[2] de la ciudad de Glen Avon, en el estado de San Bernardino, al sur de California. El hogar pertenecía a John Weinhart, donde vivía con su esposa, su hijo pequeño y su colección de tigres. Cuando los agentes encargados del control de animales hicieron una redada en su hogar en 2003, encontraron cincuenta y ocho cachorros de tigre muertos embutidos en congeladores, docenas de cadáveres de tigres en descomposición y disecados desperdigados por la propiedad, varios caimanes nadando en una bañera y diez tigres vivos, uno de los cuales estaba en el jardín de la parte trasera dando golpes a la puerta exterior de la cocina. Los dulces de Pascua del hijo de Weinhart se encontraban en la nevera al lado de los tranquilizantes para tigres. El hombre también tenía en una antigua planta de tratamiento de aguas residuales situada en la ciudad de Colton, a unos 15 kilómetros de distancia, docenas de tigres. Llamaba a su destartalado zoo «operación de rescate».

«Vivo con ellos», le dijo Weinhart al periodista de un diario tres años antes de que los agentes hicieran una redada en su propiedad. «El olor a tigre me rezuma por los poros… por eso cuando estoy cerca de uno… me acepta como si fuera un tigre».

Después de ser rescatados de San Bernardino, trasladaron a los tigres a PAWS. Ahora viven en jaulas espaciosas y en recintos al aire libre con estanques. El público tiene prohibido el acceso a estas instalaciones. La reserva se asegura de que los tigres hagan suficiente ejercicio animándoles a pasar cada dos horas de un terreno soleado y espacioso a recintos más pequeños con sus propias guaridas. Les engatusan para que se muevan ofreciéndoles cuellos y muslos de pollo, corazones de buey, carne picada de pavo y bolsas de papel. Se entretienen comiendo la carne y rompiendo las bolsas a pedazos. Esta nueva vida es la opuesta a la que llevaban en los oscuros y abarrotados espacios donde vivían en Riverside. Pero a diferencia de muchos de los otros tigres que se adaptaron rápidamente a la reserva, *Sunita* tardó mucho más tiempo en relajarse. Le encantaba la carne y las golosinas ensangrentadas para felinos, pero si había personas u otros tigres por los alrededores no se atrevía a tocar la comida. También aullaba, lloriqueaba y se negaba a echarse al suelo cuando veía a determinadas personas. Al ser de un tamaño más pequeño que la mayoría de los otros tigres, los cuidadores de PAWS creían que otros tigres más grandes debieron de haberla acosado cuando residía en la casa de Weinhart.

Mel me llevó a ver a *Sunita*[3] por un trastorno que comparte con el 10 por ciento aproximadamente de los escolares estadounidenses.

Sunita parpadea y mueve el hocico repetidamente, como un humano con un tic facial extremo. Mel está convencido de que su tic es un trastorno provocado por el estrés. En los humanos, los trastornos de tics se dividen en distintas categorías: crónicos, transitorios, el síndrome de Tourette y «tics sin catalogar». Pueden ser vocales o motores, o ambas cosas, y afectar a niños y adultos, empeorando a menudo cuando uno está estresado. El tic facial de *Sunita* se volvía más intenso y frecuente cuando estaba estresada, sobre todo al ver a veterinarios como Mel, que se ocupaba de vacunarla, o a algunos cuidadores que no le gustaban. Cuando *Sunita* llegó por primera vez a la reserva, embestía con su cuerpo la valla de tela metálica de su recinto cada vez que un humano pasaba por allí, con la cara contorsionada por los tics. Mel le diagnosticó un trastorno por tics y esperó que se le fuera con el tiempo, como los tics de muchos niños que disminuyen y desaparecen a medida que crecen.

Ahora que ya han transcurrido dos años *Sunita* está más tranquila y segura. Solo echa a andar nerviosamente de un lado a otro pegada a la valla de tela metálica del fondo del recinto de vez en cuando, y además ha ganado peso. Su pelaje se ha vuelto espeso y abundante y ya no espera a estar sola para comer. Todavía conserva, sin embargo, algún que otro tic y Mel cree que tal vez los siga teniendo siempre, una respuesta a situaciones estresantes que no parece poder dejar atrás. Mientras contemplábamos plantados delante de su recinto a los cuidadores preparando la siguiente comida a base de diferentes partes de pollo y buey, Mel me preguntó por qué estaba tan interesada en *Sunita*. Le conté lo culpable que me sentía por lo que pasó con *Oliver* y la impotencia que experimenté ante sus compulsiones y fobias.

«Yo creo que *Oliver* tenía algún problema mental, y tú hiciste todo cuanto pudiste por él. Pero a veces eso no basta, y otras sí», dijo Mel.

Desde que dejó de trabajar en la reserva y en su consulta privada tratando a animales pequeños, Mel ejerce principalmente como asesor veterinario de animales dedicados a operaciones de rescate y en centros como PAWS que se ocupan de ellos de forma prolongada. Debido a las experiencias traumáticas de esos animales, los problemas que acostumbra a ver son graves: elefantes deprimidos que han vivido durante años en espacios abarrotados y aislados, caballos mutilados en mataderos canadienses y chimpancés traumatizados que fueron objeto de experimentos científicos para investigar la hepatitis y otras enfermedades infecciosas. Mel cree que la mayoría de problemas psicológicos de esos animales se deben a su vida en cautividad. Como trabaja con animales de compañía, está convencido de que, al haber estos residido en hogares, cobertizos y jardines, y estar acostumbrados a vivir con humanos, también pueden acabar desarrollando trastornos obsesivo-compulsivos, miedos extraños, una ansiedad extrema, pica (el deseo irresistible de ingerir sustancias no comestibles), hábitos automutilantes y depresión, aunque no hayan sido maltratados.

«Tu perro es una prueba de ello. Aunque tú y Jude le tratarais tan bien y le ofrecierais amor, estabilidad y ejercicio físico, su problema fue de mal en peor».

Doctora, haga todo cuanto pueda

Después de que *Oliver* saltara por la ventana me daba miedo dejarlo solo en el apartamento. No podíamos ignorar aquello de lo que era capaz. Antes de ir a trabajar por la mañana, Jude y yo arrastrábamos las sillas de madera de la cocina para dejarlas delante de las ventanas y echábamos las persianas. Aunque no tuviera ningún sentido hacerlo, *Oliver* sabía perfectamente dónde estaban las ventanas y podría haber apartado las sillas fácilmente, en aquella época incluso una mera barrera visual era importante para mí. También empecé a llamar expectante a clínicas veterinarias conductistas para rogarles a las recepcionistas que me dieran una cita. Me imaginaba a esos hombres y mujeres reinando en las salas de espera repletas de perros a los que tras haberlos curado recientemente de sus problemas psicológicos les daba igual quedarse solos en casa, como esos golden retrievers despreocupados que salen correteando por la playa en los anuncios televisivos de medicamentos para la artritis humana. Estos hombres y mujeres eran las guardianes profesionales de la paz mental que yo tanto anhelaba desde hacía meses. La mayoría de conductistas tenían largas listas de espera para los nuevos clientes, pero al final encontré a una mujer en una consulta veterinaria en la zona rural de Maryland que aceptó atendernos. Antes de la cita rellené un detallado cuestionario, respondiendo a preguntas como cuáles eran los *snacks* preferidos de *Oliver* y si había mordido a alguien.

El día de la cita pagué 350 dólares y esperé pacientemente recibir un diagnóstico, un plan y una solución mientras aguardaba en la sala de espera hojeando revistas caninas. La primera cosa que me llamó la atención de la veterinaria fue su cálida y suave voz, y que en sus impecables pantalones no había un solo pelo canino. En cuanto *Oliver* entró en la consulta, ella le ofreció una golosina. Él enseguida se tendió hecho un ovillo a mis pies y cerró los ojos, era la calma canina personificada, mientras yo describía su pánico y su ansiedad. Me sentí como si hubiera llevado un coche al mecánico para quejarme de que hacía un ruido extraño y entonces el motor funcionara a la perfección. El único ruido que *Oliver* emitía era el de sus plácidos y regulares ronquidos. La veterinaria, pese a todo, parecía seguir interesada en mi caso y me hizo preguntas sobre la conducta de *Oliver*: qué hacía cuando Jude y yo regresábamos a casa, la dieta que ingería, la duración de sus paseos y adónde lo llevábamos, la distribución de nuestro apartamento, la larga lista de los objetos que había roto, y sus reacciones ante la presencia de determinadas personas y de otros animales. Hablé largo y tendido de su peculiar conducta, sin hacer ninguna pausa, y al final ella dejando de hacerme preguntas al tiempo que observaba a *Oliver*, me dijo lanzando un suspiro:

—Tendrás que hacer muchas cosas.

—¿Así que es posible ayudarle? —le pregunté.

—Sí —respondió—. Creo que es posible.

En ese momento se me ocurrió que los veterinarios conductistas tal vez ganaran más dinero vendiendo esperanza que dando consejos. ¿Era posible que la especialidad de veterinaria conductista fuera en realidad un curso de psicología humana? ¿Era la mujer también psicóloga? Como si ella respondiera a mi silenciosa pregunta, sacó un recetario del cajón del escritorio e hizo dos recetas, una de Prozac y otra de Valium, y luego imprimió varias hojas de papel con la impresora y me las entregó.

—Creo que tu perro sufre un caso grave de ansiedad por separación —me anunció—, y fobia a las tormentas eléctricas. Y también quizás una dermatitis acral por lamido, que es otra forma de decir que se lame el cuerpo compulsivamente, como las personas con TOC que se lavan las manos un montón de veces al día.

Las hojas que me entregó contenían una variedad de ejercicios que Jude y yo teníamos que hacer con *Oliver* para ayudarle a desvincularse de ciertas cosas que desencadenaban sus miedos a quedarse solo en casa y a las tormentas eléctricas. La veterinaria también anotó el nombre de una página web donde podía comprar un cedé de sonidos de tormentas para desensibilizarlo del estruendo de los truenos que tanto le aterraban. Desperté a *Oliver* para que se levantara y nos fuimos de la consulta. Me sentí mejor, más animada de lo que me había estado sintiendo desde hacía mucho y habría jurado que a mi perro le pasaba lo mismo que a mí.

Como le diagnosticó ansiedad por separación, fobia a las tormentas eléctricas y una predisposición al TOC canino, la veterinaria también me dio algo con lo que googlear. Descubrí que al igual que el trastorno por déficit de atención,[4] la ansiedad por separación no siempre se había podido diagnosticar. A los perros se les diagnostica este trastorno en la actualidad[5] porque es una dolencia humana reconocible, definida en el *DSM* como «ansiedad excesiva e inadecuada en términos de desarrollo asociada a estar separado del hogar o de las personas con las que uno se ha vinculado» durante al menos un mes. En 1978 fue cuando se convirtió en un diagnóstico viable,[6] pero en el pasado a los niños a los que la perspectiva de ir al colegio, de quedarse solos en casa o de que sus padres murieran les creaba una ansiedad excesiva no les diagnosticaban este trastorno, simplemente los consideraban muy sensibles. Con los perros ocurría lo mismo.

A finales del siglo diecinueve muchas personas, al menos las que podían permitírselo,[7] se distanciaron de las aves de corral y de los animales de trabajo, y se rodearon de animales de compañía, como perros y pájaros domésticos. A principio del siglo veinte los perros se empezaron a considerar, al menos en cierto modo, como niños. La historiadora Katherine Grier[8] sostiene que las imágenes victorianas impresas, las estatuillas, las tarjetas de felicitación y otra diversidad de objetos que circulaban en aquella época empezaron a mostrar a los animales como amigos del hombre. Las ilustraciones de bebés y cachorros jugando juntos como iguales, o de gatas amamantando a sus crías junto con madres dando de mamar a sus bebés, fomentaron que la gente usara la misma clase de expresiones de cariño para describir a sus mascotas que las que usaban para describir a sus hijos pequeños. Este cambio creó la base para la idea de que las mascotas podían sufrir los mismos problemas emocionales que los humanos, una prueba de que a muchas personas les parecía bien comparar a ciertos animales de compañía (como por ejemplo los perros mascota, al contrario de los zorros y coyotes) con los humanos, no simplemente como compañeros afectuosos, sino como seres con emociones, y más tarde con una química cerebral, parecidas a las de los humanos.[9]

Al día siguiente de ir a ver a la veterinaria conductual, me pasé mi primera noche de las muchas que me pasaría visitando por Internet parques virtuales para perros como el de bernertalk.com y leyendo historias de males caninos. El diagnóstico de la veterinaria también me ofreció algo que decirle a mi madre cuando me preguntaba por qué las sillas de la cocina estaban apiladas junto a las ventanas de la sala de estar. Era la excusa perfecta que darles a mis compañeros de trabajo cuando me iba del despacho en cuanto eran las 5.30 de la tarde. «Mi perro tiene un trastorno», les decía mientras me dirigía a la puerta. «En realidad tiene varios. Si me retraso, se pone histérico». Y tal vez así era literalmente.

A pesar de aceptar aliviada el diagnóstico de *Oliver*, tenía sentimientos encontrados respecto a él. Me sentía como si ese diagnóstico fuera una pieza de ropa de talla única, un molde universal que no tuviera en cuenta las respuestas y las peculiares conductas de *Oliver*, y además estaba convencida de que le venían del miedo al abandono y de la ansiedad que le causaba. Sus conductas repetitivas, como la de lamerse sin parar, eran una forma autodestructiva de tranquilizarse y de expresar su ansiedad. Como su grado de agitación era muy alto, su miedo a las tormentas eléctricas quizá fuera más extremo de lo que habría sido en caso contrario. En realidad, los miedos y la ansiedad de *Oliver* eran tan fuertes que condicionaban toda su vida y por extensión la mía y la de Jude.

Enseguida me di cuenta de que no era la única que googleaba hasta altas horas de la noche con la esperanza de que el diagnóstico de *Oliver* me trajera paz interior en forma de una intervención clínica y de las apreciaciones de alguien que supiera más que yo. Concertar una visita con un veterinario conductista me llevó su tiempo porque todos estaban muy solicitados. El Colegio Americano de Veterinarios Conductistas certifica que hay en la actualidad[10] cincuenta y siete veterinarios especializados en problemas conductuales y emocionales, y todos diagnostican conductas autodestructivas drásticas como las de *Oliver*, pero también otras actividades fastidiosas o irritantes por su constancia como, por ejemplo, en lugar de defecar un día en el sofá, hacerlo a diario, y luego quizá también comerse las heces. Sin embargo, esta pequeña cantidad de veterinarios conductistas es de algún modo engañosa, porque la capacidad de diagnosticar trastornos como la coprofagia (la ingestión de excrementos), la ansiedad por separación, la fobia a las tormentas eléctricas o la pica no es exclusiva de los conductistas, sino que cualquier veterinario puede diagnosticar enfermedades mentales o trastornos conductuales y recetar psicofármacos. En realidad, en Estados Unidos existen cerca de 90.200 veterinarios colegiados en activo capacitados para diagnosticar problemas emocionales.[11]

El veterinario Nicholas Dodman dirige la Clínica de Conducta Animal de la Facultad de Veterinaria de la Universidad de Tufts, una de las clínicas veterinarias más solicitadas especializadas en problemas conductuales. Es autor de libros como *The Dog Who Loved Too Much* y *The Cat Who Cried for Help*, y además ha escrito docenas de artículos científicos sobre los trastornos de los animales, desde el lamido compulsivo en perros hasta el síndrome de automutilación equino que, según él, se parece al síndrome de Tourette en los humanos.[12] Dodman trata sobre todo a perros y gatos domésticos, y de vez en cuando a caballos y loros. La mayoría de esos animales no han sido maltratados ni abandonados, sino todo lo contrario, ya que sus generosos compañeros humanos están dispuestos a pagar unas jugosas sumas de dinero para ayudarles.

La primera vez que visité la Clínica de Conducta Animal de Tufts fue para conocer a Nicole Cottam, una colega de Dodman. La sala de espera olía a animales y estaba repleta de gente y de sus mascotas, que iban sujetas de una correa, en transportín o, en el caso de un gato, en una cesta de la colada de plástico cubierta con un paño de cocina. La sala, dividida por la mitad con una partición de poco más de un metro de altura —un lado destinado a perros y el otro a gatos—, estaba equipada con dos televisores. En la de los perros había un canal de compras, y en la de los gatos daban un programa de entrevistas. Como yo no llevaba a ningún animal, no sabía en qué parte sentarme. Vi a un tipo sosteniendo una fiambrera con una chinchilla dentro y me senté a su lado.

Tras rescatarme de allí, Cottam me llevó a dar una vuelta por el hospital veterinario. Vi las jaulas de los gatos callejeros que ahora vivían en la Universidad de Tufts para donar sangre a los felinos que la necesitaban, y en el ala ortopédica, vi docenas de animales con escayolas de vivos colores en jaulas alineadas contra las paredes, esperando con ojos nostálgicos y apagados que los fueran a buscar para regresar a casa. Cottam también me llevó a la consulta principal de la clínica conductual.

Lo primero que advertí fue la gran cantidad de cintas de vídeo que había en ella. Las paredes estaban forradas de estantes llenos de cintas VHS con cubiertas de cartón y etiquetas en el lomo escritas a mano con distintos tipos de letras, algunas con bolígrafo y otras con lápiz, unas estaban impecables y otras llenas de tachaduras. En las etiquetas ponía «*Roxie*», «*Chip*», «*Snooker*», «*Bill*», «*Ralphie*», etc. Parecía una tienda de vídeos de la década de 1980, pero en vez de alquilar películas de Hollywood, contenía documentales protagonizados por caniches, perros labradores, rotweilers y gatos.

Cottam me vio mirando los estantes. «Disponemos de un servicio telefónico de consulta para las personas que viven lejos de la clínica», me señaló. «Les pedimos que graben los problemas que tienen en casa. Ahora todo el mundo nos envía imágenes y vídeos por correo electrónico, pero en el pasado dejaban la videocámara encendida antes de irse de casa para filmar a sus mascotas y luego nos enviaban la grabación». Me encontraba ante un inmenso archivo visual de problemas emocionales de animales.

Cottam y Dodman ven cientos de casos conductuales al año. También se dedican a sus propios proyectos de investigación, centrándose en muchos de los trastornos más comunes que tratan en la clínica. Cottam está en la actualidad investigando las fobias a las tormentas eléctricas en perros, pero también se ha topado con todo tipo de otros problemas emocionales. Después del 11-S trató los problemas de miedo y ansiedad de algunos perros de búsqueda y rescate que habían trabajado en el lugar donde se encontraban las Torres Gemelas, ya que ahora no eran más que una versión dubitativa e inestable de los seguros canes que habían sido. Cree que la ansiedad y el miedo tan extremo que padecen les vienen de las imágenes, los sonidos y las largas horas que pasaron trabajando entre los escombros. Más tarde trató a supervivientes caninos del huracán Katrina adoptados tras la tormenta. Sus nuevos propietarios los llevaban a la clínica cuando sus mascotas empezaban a reaccionar aterradas al oír o ver imágenes que les recordaban la inundación o la experiencia de ser abandonadas por sus anteriores familias. Cottam también ha visto muchas manías extrañas en animales, desde gatos que se dedicaban a comer solo pequeños objetos brillantes, hasta su propio perro que echa a correr temblando como un flan cuando ondea una pieza de tela. «Las sábanas tendidas mecidas por el viento le aterran, al igual que las banderas o la lona ondeando de mi vecino», me dijo.

Cottam, como el conductista canino de perros del ejército, también está convencida de que los canes pueden sufrir una versión canina del TEPT, y me citó como ejemplos a los perros de búsqueda y rescate del 11-S, así como a los supervivientes caninos del huracán Katrina. «Es posible que su extrema timidez sea lo que les haga esconderse de miedo debajo de una mesa, una cama o un sofá, pero creo que esta conducta es muy similar al TEPT. Porque cuando por fin se atreven a salir, se pegan a la pared. Parecen estar traumatizados».

En Tufts tratan a esos perros reduciendo su nivel de estrés y medicándolos. «También intentamos descubrir y tratar la causa de su particular miedo hasta lograrlo», me comentó. A un perro, por ejemplo, tal vez le den miedo los ruidos fuertes, y a otro, los hombres con uniforme.

Cottam, como Mel Richardson, cree que los otros animales manifiestan sus propias versiones de prácticamente cualquier problema psiquiátrico humano, pero muestra una gran cautela a la hora de explicarlo.

«Como en el caso de los trastornos obsesivo-compulsivos, por ejemplo», me dijo. «Ahora *creo* que los animales tienen pensamientos obsesivos cuando se dedican a lamer la pata de una silla sin parar durante horas y horas. Pero no puedo *demostrar* que tengan pensamientos obsesivos, de modo que cuando Nick y yo escribimos sobre el tema, usamos el término *trastorno compulsivo*. No incluimos la palabra *obsesivo*, porque si lo hiciéramos implicaría que sabemos lo que el animal está pensando. Un humano obsesionado con lavarse las manos a todas horas nos puede describir su obsesión, pero un dóberman que se lame obsesivamente no puede hacerlo».

Me vino a la cabeza el deseo compulsivo de *Oliver* de lamerse las patas y su extraña costumbre de atrapar moscas invisibles, y le pregunté si creía que la veterinaria conductista a la que había ido a ver tenía razón al afirmar que *Oliver* sufría una especie de TOC canino.

«Es posible. Las compulsiones son un problema grave. Los perros de algunas personas incluso llegan a dejar en el jardín un rastro circular en la hierba por estar persiguiéndose la cola sin parar».

Cottam y Dodman ayudan a sus pacientes caninos a superar sus obsesiones y miedos, algunos de los cuales son muy concretos. «He visto perros asustarse de todo tipo de cosas extrañas, como sombras, resplandores e incluso de estelas de condensación en el cielo o de pitidos de despertadores o de microondas. Los pitidos les asustan en especial porque no entienden de dónde salen. En otra ocasión tratamos a un perro al que le daban pavor las moscas. Se ve que cuando era un cachorro había estado rodeado de un enjambre de moscas.»

Tratar las fobias, sobre todo la que está relacionada con las tormentas eléctricas como la de *Oliver*, es especialmente difícil porque los perros no solo reaccionan a los truenos, sino también a los cambios de la presión atmosférica o al resplandor de los relámpagos. Desensibilizar a un perro intentando simular todas estas cosas es casi imposible.

Sin embargo, en la clínica de Tufts el problema más habitual con el que se topan es el de una enorme agresividad. «Creo que se parece a los trastornos del control de impulsos en humanos y a los celos que comportan», me dijo Cottam. «Ciertos perros no pueden soportar ver a dos humanos abrazándose. O tienen celos de otros perros».

Mientras Cottam me acompañaba de vuelta a la sala de espera, pasé por delante de una báscula gigantesca. («La última semana tuvimos una girafa») y le pregunté de dónde creía que le venían a *Oliver* sus problemas mentales. Intenté ocultar mi deje de dolor con un tono de gran interés científico, pero ella me miró con lástima.

«A mí no me molestaría en absoluto que los perros de pura raza se extinguieran», señaló. «Fíjate en el perro de agua de Carolina. De color canela, pesa veinte kilos y es la viva imagen del aspecto que los perros tendrían si dejásemos de criar canes de pura raza. Al final todos ellos se acabarían pareciendo a coyotes».

Le pregunté por qué creía que era mejor.

«Si crías una raza como la de los boyeros de Berna, estás criando perros con unos rasgos físicos muy concretos, como el color del pelaje, la forma del cuerpo y otras características, y acabas obteniendo los rasgos conductuales asociados a los físicos».

Pensé en la perfecta franja blanca del hocico de *Oliver*, en la punta blanca de su cola, en sus cejas marrones idénticas, en su pelaje negro que parecía un suntuoso manto y en los linajes de perros boyeros de Berna ganadores de concursos con nombres que recuerdan a reyes vikingos (*Igor Vom Eck-Manns-Hof*) o a yates (*Glory V Legacy*). Prácticamente cada boyero de Berna tiene exactamente las mismas manchas y sus linajes se celebran como si fueran una versión en cuatro patas de las Hijas de la Revolución Americana. Todos los boyeros de

Berna son como dos gotas de agua, se parecen tanto que desde que *Oliver* murió siempre que me topo con uno en la calle me siento como si acabara de ver a un fantasma tricolor jadeando.

Si en los humanos se criara una raza pura como la de los perros, sería muy perturbador. ¿Qué pasaría, por ejemplo, si un pequeño grupo de personas solo tuvieran hijos con otro pequeño grupo basándose en la longitud de los antebrazos, el color del vello de las piernas, la forma de las orejas, las palmas de la mano o el trasero, o en el tamaño de los pies? Me recordaría a los insensatos, racistas y a menudo aterradores programas eugenésicos de principios del siglo veinte de Estados Unidos y más tarde a los de los nazis. Imagínate qué pasaría si a grupos de niños, y a los hijos de sus hijos, e incluso a los hijos de los hijos de sus hijos, les obligaran a emparejarse siguiendo las mismas pautas. Al cabo de poco tendríamos una versión humana de los boyeros de Berna.

Muchos criadores te dirán que sus razas no se basan solo en los rasgos físicos, sino que también crían razas de perros con una buena personalidad, que sus canes son tranquilos y que están lo más sanos posibles. Pero para que un perro de una determinada raza se ajuste a las normas establecidas (los estándares exigidos por el American Kennel Club), debe tener unas determinadas manchas y proporciones. Como Cottan sugirió, algunas de esas manchas pueden estar relacionadas con otras características que impiden que el animal sea equilibrado mentalmente, como la ansiedad, el temor o la agresividad. En las características morfológicas que según el American Kennel Club deben tener los boyeros de Berna,[13] hay subsecciones relacionadas con los «cuartos delanteros» y un largo párrafo sobre las manchas del cuerpo, pero solo contiene dos frases en cuanto al «temperamento» del perro que, según el American Kennel Club, debe ser «seguro de sí mismo, vigilante y apacible, pero nunca fiero o tímido».

Ciertas razas de perros son conocidas por tender a sufrir trastornos en especial. Mel Richardson se ha encontrado con tantos bull terriers con la compulsión de perseguirse la cola que cree que la conducta es en cierto modo genética. Dodman ha tratado a terriers, a border collies y a muchas otras razas de perros con este problema, y también a perros obsesionados con perseguir sombras, masticar piedras y con lamer toda clase de superficies, aunque no lo hagan porque les guste su sabor. Se dice que cazar resplandores es más habitual en el antiguo perro pastor inglés, los fox terriers de pelo duro y los rottweilers. Atrapar moscas inexistentes se da sobre todo en los pastores alemanes, los cavalier king charles spaniel y los terriers noruegos…, aunque he comprobado personalmente que también ocurre en los boyeros de Berna. En cuanto a los gatos, el siamés, el birmano, el tonquinés y el singapura,[14] y razas exóticas como el gato ocelote, un gato doméstico con unas manchas en el pelaje como las del ocelote, y el munchkin, una raza de gatos con unas patas desproporcionadamente cortas, la versión felina de un perro salchicha, también se conocen por sus tendencias compulsivas.

En el caso de *Oliver*, creo que su particular cóctel de trastornos le vino de una mezcla de su limitado acervo genético, sus experiencias pasadas y su neurofisiología. Nunca pude llegar a descubrir qué fue lo que le hizo adentrarse en el territorio de la locura, pero supongo que se debió a varias razones. Averiguar lo que le pasaba a *Oliver* fue un proceso de determinar exactamente qué era lo que le preocupaba y de intentar entender dónde y cuándo empezó a sentir ansiedad.

Después de ir a ver a la veterinaria conductista, escribí al criador canino que nos presentó a Jude y a mí a la antigua familia de *Oliver*. Le pregunté si sabía lo de las manías de nuestro perro y por primera vez nos contó una pequeña parte de la historia de *Oliver*.

Desde que *Oliver* dejó el criadero en el que nació, donde había correteado por los alrededores como un cachorro juguetón con sus hermanos y hermanas, y durante los cuatro primeros años que vivió con su nueva familia, todo el mundo lo adoraba y recibió un montón de afecto. Lo llevaban con frecuencia a dar largos paseos y le gustaba tumbarse en el salón con el otro perro de la familia, un antiguo pastor inglés. Gozaban de una vida relajante y apacible, se pasaban los días mirando el jardín por la puerta corredera acristalada. Pero cuando la hija más joven de la familia, que todavía iba al instituto, se quedó embarazada y decidió tener a su bebé, todo cambió. De pronto *Oliver* dejó de ser el peludo sol del sistema solar de su familia. El embarazo de la adolescente y luego su nuevo bebé acaparó toda la atención y este cambio no le hizo a él ni pizca de gracia. Reaccionó intentando volver a ser el centro de la vida familiar de la manera como los perros suelen hacerlo. Empezó a hacer sus necesidades donde no debía, mordió a la vecina tras saltar la valla electrificada de su jardín y se metió con su perro. También empezó a mordisquear cosas que sabía que no debía mordisquear. Probablemente hacía todo esto para volver a recibir el afecto al que estaba acostumbrado. Pero hiciera lo que hiciera, no lo recibía.

Estoy convencida de que su familia no lo hizo con mala intención. Querían a *Oliver*, pero se sentían desbordados por la situación. Su hija y el nuevo bebé eran más importantes. Cuanta más atención pedía *Oliver*, más frustrados se sentían ellos y más a menudo lo encerraban. Primero lo dejaron en el garaje, pero *Oliver* mordisqueó las molduras de las ventanas para intentar escapar. Después lo metieron en una jaula, pero sin enseñarle antes a sentirse seguro y cómodo en ella. Probablemente, *Oliver* se angustió más aún al estar encerrado en un espacio tan pequeño sin la compañía de los miembros de la familia. Destruyó el plástico y el alambre de la jaula en un intento de escapar y reunirse con ellos. Creo que fue entonces cuando empezaron a buscar a alguien para deshacerse de él.

La doctora E'lise Christensen, una chica morena a la que le gustan los pendientes relucientes, es la única veterinaria conductual colegiada de la ciudad de Nueva York. Creía que sería mayor de lo que es, pero no parece tener más de veintitantos años o encontrarse en el umbral de la treintena, y es la clase de veterinaria con la que te gustaría emborracharte y rogarle entonces que te contara historias sobre animales psicópatas. O a lo mejor esto solo me pasa a mí.

Cuando la conocí, ella estaba dando una conferencia con el doctor Richard Friedman, profesor de Psiquiatría Clínica y director de la Clínica Psicofarmacológica de la Facultad de Medicina de la Universidad Weill Cornell. Christensen estaba dando una charla sobre la ansiedad canina y Friedman hablaba de los trastornos derivados del pánico y la ansiedad de sus pacientes humanos. La charla, impartida en la Universidad Rockefeller de Nueva York, formaba parte de un congreso sobre los elementos en común entre la medicina no humana y la humana. «Es chocante lo parecidos que son los trastornos por ansiedad en humanos y en perros», dijo Friedman. «[Mis pacientes] andan por ahí sintiéndose siempre medio aterrados, como si el mundo fuera un lugar muy peligroso». Christensen asintió con la cabeza dándole la razón. «No cabe duda de que los trastornos por ansiedad son hoy día las dolencias más comunes en Estados Unidos», prosiguió. «Existe un riesgo de un diez a un veinte por ciento de que las personas sufran un estado de ansiedad extrema o ataques de pánico a lo largo de su vida».

Christensen replicó, medio pensativa, que a diferencia de los psiquiatras, los veterinarios conductistas estaban tratando menos casos de ansiedad extrema que antes, ya que en general habían aprendido, alrededor de la última década, a tratar mascotas aquejadas de pánico y ansiedad con medicamentos y terapia conductual, por lo que derivaban una menor cantidad de pacientes caninos a los especialistas. Cree que cerca del 40 por ciento de problemas conductuales que impulsan a los propietarios de mascotas a acudir a esas clínicas veterinarias se debe a la separación por ansiedad. «Pero yo solo trato los peores casos, a los perros que no responden al tratamiento inicial». Esos animales están tan agitados, su sufrimiento es tan enorme, que Christensen está segura de que si fueran seres humanos los hospitalizarían en la sala de psiquiatría. «Cuando esos animales llegan a mi consulta es posible que ya hayan estado tomando cinco medicamentos distintos, en unas dosis muy altas, pero siguen aterrados», afirmó.

Muchos de los pacientes de Christensen aquejados de ansiedad por separación tienen otros problemas de fondo que, según ella, están relacionados con el control de los impulsos, un fenómeno muy corriente en la Clínica Veterinaria Conductual de Tufts. Cuando le pregunté en qué se diferencia un perro con un trastorno del control de los impulsos de otro normal, me respondió que es una cuestión de reactividad. Es decir, un perro que gruñía antes de morder pero que al haberlo castigado por gruñir ahora muerde sin avisar, no es un perro con un trastorno del control de los impulsos, sino un perro que ha aprendido a no gruñir. En cambio, un perro que siempre ha mordido sin avisar antes gruñendo o pegando un bocado en el aire tiene un problema de control de impulsos. «Es como una persona que primero dispara y luego pregunta». Christensen me dijo: «Si se muestran más ansiosos de lo normal y muerden sin pensárselo antes ni considerar las consecuencias, significa que tienen un problema». Puntualizó que tanto para un perro como para una persona decidir agredir a alguien conlleva un riesgo. Cuando atacas a alguien, te pueden hacer daño o tu mundo puede cambiar de repente. «Los perros toman decisiones. Pero no siempre son las acertadas y a veces las toman sin reflexionar». Esta clase de animales sufrirá ansiedad y tendrá problemas para controlar sus impulsos toda su vida. «No hay ninguna garantía de que lleguen a curarse, y si alguien afirma lo contrario está mintiendo».

Otra veterinaria conductista interesada en las causas y el tratamiento de la ansiedad por separación es la doctora Karen Overall, la antigua directora de la Clínica Conductual de la Facultad de Veterinaria de la Universidad de Pensilvania. Overall lleva años investigando los trastornos mentales en animales de compañía y, aunque no crea que ningún trastorno animal sea un perfecto reflejo de una dolencia humana,[15] está convencida, como muchos otros veterinarios con los que he hablado, de que los problemas que desarrollan los perros se parecen mucho a los trastornos psiquiátricos de los humanos. Como, por ejemplo, el trastorno por ansiedad generalizada, los trastornos del apego, las fobias sociales, el TOC, el TEPT, el trastorno de pánico, los trastornos obsesivo-compulsivos con manifestaciones de agresividad y otros como el alzhéimer de *Alf*, el pastor australiano. Karen Overall diagnostica los problemas de las mascotas, al igual que E'lise Christensen, Mel Richardson, Nick Dodman y Nicole Cottam, entrevistando minuciosamente a los dueños, recabando la historia del animal en cuestión y observando su conducta.

Richard Friedman cree que las experiencias de sus pacientes humanos con trastornos de pánico y ansiedad generalizada se parecen a las de los perros ansiosos de Christensen porque las personas con trastornos de pánico sienten el irresistible impulso de huir. Friedman trata a sus pacientes con fármacos y terapia cognitiva conductual para ayudarles a superar sus impulsos de echar a correr. «Los resultados del tratamiento son muy buenos, pero no hay que olvidar que es una enfermedad crónica. Según los índices, las probabilidades de que el trastorno vuelva a aparecer a lo largo de doce años son muy elevadas», afirma.

A diferencia de esos trastornos de pánico y ansiedad generalizada que Friedman ve en los pacientes de la Universidad de Cornell, la versión canina del trastorno de ansiedad por separación es en cierto modo distinta de la humana. En las personas, el trastorno tiende a manifestarse antes de la edad de doce años y suele aparecer al estar uno separado de sus padres o sus seres queridos. En cambio, en los perros que Christenen, Overall y los otros veterinarios tratan, la dolencia puede aparecer a cualquier edad y suele venir de dejarlos solos y de estar separados de una determinada persona. La presencia de un humano, sea cual sea, suele ayudar en estos casos. Algunos canes, como *Oliver*, reaccionan cuando se les deja solos en casa, en tanto que otros se agitan si los dejan encerrados en una habitación en particular o en una jaula. La mayoría expresan su ansiedad intentando escapar. Esto es lo que la ansiedad canina por separación tiene en común, como Friedman afirma, con los trastornos de pánico de los humanos y los trastornos por ansiedad generalizada, diagnosticados en sujetos que manifiestan estados de ansiedad y preocupación excesivos[16] durante más de seis meses, al no poder controlar sus preocupaciones, sentirse desasosegados o tensos, sufrir insomnio, mostrarse más gruñones de lo habitual, tener problemas de concentración o de vez en cuando sentir el imperioso deseo de echar a correr.

La ansiedad por separación probablemente les hace sentir a los perros un miedo cerval, como si se enfrentaran a una situación de vida o muerte, de ahí sus acciones tan extremas. Cuando *Oliver* se quedaba solo en casa, por ejemplo, debió de sentirse como si no fuéramos a volver nunca más, como si ninguna persona de las que le queríamos fuera a regresar. Tanto daba que Jude y yo acabáramos siempre volviendo a casa. El miedo de *Oliver* era como un tsunami alzándose en el horizonte como una ola gigantesca a punto de engullirlo, y activaba todos sus impulsos de luchar para salvar el pellejo. Sospecho que no intentaba huir porque quisiera encontrarnos, sino por querer escapar sobre todo de la horrenda sensación que le invadía cuando lo dejábamos solo en casa. Cuando *Oliver* se dedicaba a destrozar una puerta o intentaba escarbar un agujero en el suelo de madera para esconderse en él, no creo que estuviera intentando localizarnos, sino que su ansiedad era tan grande que le hacía perder la razón, y los perros cuando están en una situación límite hacen aquello que son capaces de hacer, como mordisquear, escarbar, caminar nerviosamente de un lado a otro y arrojar espuma por la boca entre otras cosas.

Cuando realizaba su internado en la Facultad de Veterinaria en el norte del estado de Nueva York, E'lise Christensen trató a un pastor alemán aquejado de ansiedad que sentía la compulsión de destruir la ventana de la cocina siempre que lo dejaban solo en casa. En cuanto saltaba por la ventana, su pánico se desvanecía como por arte de magia y entonces esperaba hecho un ovillo en el jardín el regreso de sus compañeros humanos. Tras reparar la ventana un montón de veces, la familia decidió dejarla abierta. «Como era un pastor alemán, no tenían por qué preocuparse de que les robaran», dijo Christensen. También trató a perros que se tiraban aterrados por la ventana de un piso, como *Oliver*. Uno de ellos sobrevivió al caer sobre un aparato de aire acondicionado de un apartamento de varios pisos más abajo.

Oliver no solo se arrojaba al vacío desde una gran altura, sino que también lloriqueaba y ladraba pidiendo ayuda, rasguñaba, y roía los muebles, el suelo, las puertas, las sábanas, las toallas, las almohadas y cualquier otra cosa que tuviera a su alcance; jadeaba y salivaba, se lamía hasta quedar descarnado e intentaba echar de pronto a correr. Otros perros defecan y orinan donde no deben, y otros pocos expresan su ansiedad encerrándose en sí mismos y volviéndose menos activos, son los perros mártires que babean en silencio. A veces dejan de comer. Christensen cree que la anorexia —cuando un perro deja de comer o de beber al quedarse solo en casa— puede ser una señal de ansiedad por separación. «En los perros, el síndrome del comedor compulsivo se suele manifestar dejando de comer», afirmó.

El susurrador de gatos

En uno de los refugios de animales más grandes de Estados Unidos, la Sociedad de San Francisco para la Prevención de la Crueldad hacia los Animales (SFSPCA), se alojan de 230 a 300 gatos y casi la misma cantidad de perros. Los gatos viven en «condominios» de paredes acristaladas y suelo de baldosas con árboles rascadores para gatos envueltos con sisal natural, sillas para que los posibles adoptantes se puedan sentar y visitar a los felinos, y televisores en los que dan vídeos de ardillas correteando por jardines cubiertos de césped o de pájaros acicalándose las plumas en pilas llenas de agua. Desde el consultorio de Conducta Felina en el que trabaja, Daniel Quagliozzi ayuda a diagnosticar los problemas de los gatos cuando llegan al refugio. También actúa como garantía extra para los gatos del refugio, respondiendo a las preguntas que le hacen los visitantes sobre los felinos que acaban de adoptar cuando se los llevan a casa.

Daniel tiene los brazos cubiertos de tatuajes, en el antebrazo izquierdo luce un gato angelical y en el derecho, uno diabólico. Y en los nudillos se ha tatuado «MIAU» en color rojo y negro. Ha tratado toda clase de trastornos, desde un miedo y agresividad tan fuertes que los gatos se convierten en armas gruñidoras con bigotes, hasta la pica. En la consulta de Conducta Felina tiene sobre el escritorio una pequeña caja mexicana pintada a mano con el nombre *«Diablillo»* escrito con letras brillantes. Contiene las cenizas de un gato del refugio que solía merodear por su consulta. Era propenso a sufrir diarrea explosiva.

«Gran parte de lo que hace feliz a un gato es la rutina. Les gusta que sus expectativas sean satisfechas y saber lo que les espera a lo largo del día. Cuando todo sigue igual, se comportan con normalidad. Pero cuando las cosas cambian, suelen perder la chaveta», me dijo Daniel. No pude evitar pensar en una buena cantidad de humanos que conozco que tienen el mismo problema.

Daniel cree que lo que más les cuesta superar a los gatos que llegan al refugio es que la mayoría proceden de hogares acomodados y de pronto se encuentran en un entorno desconocido con personas, comidas, rutinas y olores nuevos.

«Aquí nos gusta decir que manejamos una autopista de tres carriles», dijo Daniel. «Hay los gatos del carril rápido que al llegar al refugio no se inmutan por todas las cosas nuevas y desconocidas que les rodean. Comen de todo y son sociables desde el principio. Luego hay los gatos del carril lento. Esos gatos, al llegar, se esconden literalmente bajo una manta durante dos meses. Cuesta mucho trabajo hacer que salgan, y como es un refugio, tenemos que trasladarlos a una nueva sala, y entonces todo el proceso empieza de nuevo. Y los gatos del carril de en medio se encuentran, como ya te habrás imaginado, en el punto medio entre ambos extremos».

Para saber si un gato está deprimido, Daniel se hace a sí mismo una serie de preguntas mientras observa atentamente la conducta del felino en cuestión. ¿Está comiendo? ¿Ha usado la arena higiénica para hacer sus necesidades? ¿Se ha movido? A los tres días, si el gato aún no ha comido pero está sano, dice que tal vez esto indique que tiene una depresión.

«Entonces me acerco a él y observo lo que hace. ¿Olisquea mi mano o ni siquiera mueve la barbilla? Un gato deprimido simplemente no reacciona. Los gatos miedosos son muy reactivos... bufan, te pegan un zarpazo... En cambio, los gatos deprimidos son como una masa pequeña inerte».

Aparte del trabajo que realiza en la Sociedad de San Francisco para la Prevención de la Crueldad hacia los Animales, Daniel también dirige el Go, Cat, Go, un consultorio conductual. Hace visitas a domicilio por la zona de la bahía de San Francisco a la gente que tiene problemas con los gatos. Cada semana recibe docenas de mensajes en el móvil de personas frustradas y desesperadas que quieren entender la mente de su gato o simplemente saber lo que le está pasando por la cabeza. La última vez que lo visité en la consulta, Daniel acababa de hablar con una mujer que parecía muy preocupada porque creía que su gato tenía un trastorno de doble personalidad. Su dulce y mimoso gato se había puesto a atacar de pronto, sin ninguna razón aparente, a un estudiante francés que se alojaba en su casa. Le había arañado una pierna con tanta violencia que lo había tenido que llevar a urgencias.

«La gente suele llamarme para preguntarme: "¿Por qué el gato me odia o me araña?", "¿O por qué se hace caca en mi zapato o se come mis camisas?" En parte, mi trabajo consiste en hacerles entender que su gato no lo hace para fastidiarles», me dijo.

En el caso del felino que no tragaba a los franceses, Daniel opinó que el gato estaba reaccionando ante la presencia de un extraño en la casa. El estudiante extranjero dormía en la habitación que hasta hacía poco había ocupado el humano favorito del gato, un adolescente que acababa de dejar su hogar para irse a la universidad. Tal vez el gato vio al estudiante francés como un invasor que había echado al chico que adoraba.

Daniel se considera un intérprete de esta clase de misterios entre especies. También hace muchas preguntas, con una mente lo más abierta posible, y se fija atentamente en la distribución de la casa de sus clientes, en la dinámica entre la gente que vive en ella y en cómo el gato ocupa su tiempo.

«Me dicen todo cuanto necesito saber», apunta. «Por ejemplo, me pregunto: ¿cómo le gusta al gato usar su entorno? ¿Se siente a gusto al tener todas sus necesidades cubiertas? ¿Dispone de sus pequeñas zonas en las que se sienta seguro y al mando? ¿Tiene la comida y la arena higiénica que le gusta? Estas cosas parecen intrascendentes, pero son esenciales para su salud mental».

Para crear un entorno que favorezca la salud mental de un gato, Daniel sugiere a sus clientes que reserven un lugar solo para sus felinos, como un árbol rascador para gatos. «Son horribles, pero a los gatos les gusta tener cosas que van con ellos. Les hacen sentirse protegidos. Y si esos lugares son elevados, mejor aún, como una estantería o la nevera, porque al poder contemplar a la gente y a otros animales de la casa desde arriba se sienten seguros». Esta observación no me sorprendió.

«Además, esos objetos que añades a su territorio no deben estar separados del lugar donde tiene lugar la acción. Los gatos quieren formar parte de todo lo que pasa en la casa». Daniel también anima a sus clientes a hacer una terapia de juego con sus gatos, es decir, a jugar con ellos. Uno de los juguetes más aconsejables es una cañita de la que cuelga un puñado de plumas de vistosos colores que imita el vuelo de un pájaro. Tienes que agitarla en el aire como un director de orquesta enloquecido o como si te encontraras bajo los efectos de la marihuana mientras tu gato intenta atrapar las plumas yendo de un lado a otro. Si se acaba aburriendo con este señuelo, cámbialo por otro más llamativo con plumas que parezcan que se las han arrancado a una corista de Las Vegas.

Pero por más cañitas con plumas que ofrezcas a un gato o por más vistas panorámicas que tenga desde las que contemplar en lo alto a humanos y perros, aún puede desarrollar conductas extrañas. *Cubby*, el gato de Daniel, un siamés seal point de raza munchkin con la cara de tonos pálidos de un siamés y las patas cortas y gruesas de un munchkin, también tiene sus propios problemas. Debido a sus patas más cortas de lo normal, *Cubby* no puede pegar zarpazos, pero da bufidos, normalmente a otros gatos. Desgraciadamente para David, *Cubby* sufre hiperestesia felina, un trastorno definido como un deseo súbito e intermitente de atacar salvajemente su propia cola. Los gatos con hiperestesia acechan su movediza cola como si fueran objetos amenazadores o invasores y se abalanzan sobre ella con tanta violencia que a veces se la rasgan.

Daniel no sabía por qué *Cubby* se atacaba a sí mismo. En su casa, donde el gato es el amo y señor del dormitorio y a veces del pasillo y la cocina, hay un montón de árboles rascadores, un túnel para corretear por él arriba y abajo, y espacios privados para dormir en un armario. Es decir, es un hábitat gatuno ideal y *Cubby* no podría encontrar a un humano que conociera mejor sus necesidades. Daniel decidió medicar a su gato. Después de estar tomando Prozac durante treinta días, el animal dejó de actuar como un poseso. Al cabo de varios años, *Cubby* se ha recuperado. Ahora sigue tomando pequeñas dosis de mantenimiento de Prozac, con lo que sus episodios automutiladores han quedado reducidos a solo unos treinta segundos por semana. El resto del tiempo dormita apaciblemente en una ventana soleada, esperando a que Daniel vuelva a casa y juegue con él con la cañita con plumas o lo contemple mientras corretea por su túnel para gatos con sus cortas patitas.

La elefanta en la playa

Daniel descubrió gracias a *Cubby* y a los otros gatos que ha ayudado que es necesario observarlos con atención para diagnosticar su problema correctamente y empezar el proceso de curación. Pero hay algo más que es esencial para entender por qué un ser tiene un trastorno mental: la historia personal del animal. La experiencia de *Oliver* con su primera familia, por ejemplo, condicionó su forma de relacionarse con nosotros. Esto ocurre sobre todo con los animales que han experimentado grandes cambios en su vida, como los gatos del refugio separados de su antiguo hogar o los animales criados en circunstancias extrañas, como *Sunita* la tigresa, o *Rara*, una elefanta que se crió en el Hotel Sheraton.

Cuando *Rara* tenía un año, la separaron de su madre y la vendieron al Hotel Sheraton de Krabi, un lujoso complejo turístico frente a la playa al sur de Tailandia. La mantenían encadenada en un pabellón al aire libre con suelo de cemento cerca de la cabaña de su *mahout* y la familia de este en el terreno del hotel. Una o dos veces al día la llevaban al vestíbulo del hotel o a la zona cubierta de tupido césped para que los huéspedes se sacaran fotos con ella, la acariciaran y le ofrecieran bananas. En las tardes calurosas su *mahout* la llevaba a la playa del hotel para que se metiera en el mar y jugara en las templadas aguas con los turistas, y muchos de ellos chapoteaban a su alrededor en la parte que hacían pie y se sacaban fotos con ella mientras *Rara* los rociaba con su trompa con agua de mar o escarbaba hoyos en la arena húmeda. Durante esos primeros años *Rara* fue una elefanta tontorrona y carismática, y se encariñaba enseguida con la gente, sobre todo con los clientes del hotel. Le gustaba tocar la armónica con la trompa e ir corriendo a las duchas del hotel que había al aire libre para abrir los grifos y beber y juguetear bajo los chorros de agua hasta que su *mahout* la obligaba a dejar de jugar.

Pero *Rara* creció y dejó de ser una cría de elefante y con el paso del tiempo, en lugar de servir para sesiones fotográficas, se convirtió más bien en un problema. Al cumplir seis años pesaba varias toneladas y debido a su gran tamaño era demasiado peligroso para los turistas nadar a su lado. Su costumbre de agarrar entusiasmada con la trompa a los turistas por el brazo era encantadora mientras fue pequeña, pero ahora los sujetaba con tanta fuerza que, aunque lo hiciera para jugar, podía fácilmente noquearlos o pisotearlos sin querer. También se estaba volviendo más terca en cuanto a cómo quería pasar el tiempo y costaba más controlarla cuando no le apetecía hacer algo que su *mahout* le pedía. Por esa razón, la empezaron a mantener encadenada cada vez durante más horas. Algunos clientes del hotel preocupados, como los que volvían al Sheraton cada año para visitarla, los cuales se apodaban a sí mismos el «club de fans de *Rara*» y compartían fotos y vídeos de la elefanta en Facebook y YouTube, empezaron a inquietarse por su futuro.

Un cliente en particular, Silke Preussker, un generoso banquero alemán que visitaba a *Rara* con regularidad, inició una campaña de recaudación de fondos para comprársela al Hotel Sheraton y llevarla a un parque de elefantes de turismo ecológico al norte del país, donde viviría rodeada de otros elefantes y en el que la encadenarían solo por la noche. Al poco tiempo la enviaron al Parque Natural de Elefantes, ubicado en el frondoso y verdeante valle de Mae Taeng, al norte de Chiang Mai, donde los elefantes ya no tenían que realizar denigrantes espectáculos circenses y en el que forjaban amistades duraderas entre ellos.

Conocí a *Rara* al poco tiempo de llegar ella al parque y entendí enseguida por qué tenía tantos fans. Era traviesa, cariñosa y tontorrona, constantemente se estaba entrometiendo en las obras que realizaban los obreros, saboreando las plantas del lugar y obligando a Gawn, su *mahout*, un birmano menudo, a andar persiguiéndola a todas horas de un lado para otro. «Me recuerda a mi hijo de cuatro años», me dijo una mañana mirándola nerviosamente mientras *Rara* intentaba mantener el equilibro apoyada en dos patas sobre una pila de troncos. La elefanta no dejaba de mirarnos por el rabillo del ojo, como si se quisiera asegurar de que no nos estábamos perdiendo ninguna de sus gracias.

Como la habían separado de su madre y de los otros elefantes a una corta edad, a *Rara* le daba miedo el grupo del parque. Carecedora de una cultura básica de paquidermo, no sabía abordar adecuadamente a los nuevos elefantes ni cómo mostrarles afecto o expresarse de una forma que no les pareciera amenazadora, por lo que la miraban con recelo. *Rara* prefería pasar su tiempo con los visitantes del parque, sobre todo con las mujeres blancas, ya que habían sido las que más bananas y afecto le habían ofrecido en el Hotel Sheraton. No le gustaban los hombres tailandeses, salvo Gawn, al que amaba con locura. El resto de cuidadores masculinos del parque la rehuían. En una ocasión en la que Gawn no pudo ir a trabajar y a *Rara* le asignaron ese día a otro *mahout*, aterrorizó a los empleados del parque con una rabieta elefantina que acabó con un coche destrozado y los productos de una cesta rodando por el suelo de un trompazo.

Esta conducta es lógica si se tiene en cuenta la historia de *Rara*. Los elefantes aprenden de sus madres, sus tías y de los otros miembros del grupo a ser elefantes: cómo expresar alegría e ira, qué es lo que deben comer y cómo comérselo, las mejores formas de acariciar a un compañero, y cómo protegerse físicamente a sí mismos. Al igual que los humanos, no nacen sabiendo cómo deben comportarse. En un grupo, a *Rara* también la habrían disciplinado cuando se hubiera comportado indebidamente. Pero, tras separarla de su madre, los únicos maestros que había tenido eran humanos. Se pasaba la mayor parte del tiempo encadenada en el pabellón y cuando la soltaban era solo para que los turistas la acariciaran y le dieran golosinas. Estaba interactuando todo el tiempo con nuevos humanos y cada uno reaccionaba de distinta manera, algunos con afecto y otros con miedo. No le habían permitido mantener las relaciones que eran sagradas para ella, las que le habrían enseñado a ser una elefanta. *Rara* se acabó convirtiendo en un híbrido, en una especie de elefanta-humana que no encajaba ni en un mundo ni en el otro.

Y, sin embargo, era una criatura encantadora. Yo aprendí a imitar los ruiditos que lanzaba, una especie de erres vibrantes, y entonces ella me respondía. Si llevábamos varias horas sin vernos y me topaba con *Rara* y Gawn en el parque, me recibía como a una amiga a la que llevas siglos sin ver, deslizando la trompa por mi cabeza y la cara, soplándome aire en la entrepierna, runruneando y barritando de alegría, preparada para volver a jugar a lo mismo a lo que habíamos estado jugando la última vez. Esperaba que aprendiera a ser una elefanta entre elefantes, pero reconozco que también me encantaba que yo le gustara tanto. Hacer amistad con un ser humano es maravilloso, pero hacerte amigo de un elefante es aún mejor. También era un poco deprimente, porque ¿acaso la amistad entre los humanos y los elefantes no suele acabar con los elefantes actuando en circos o llevando a turistas sobre el lomo? ¿No debería ser *Rara* más desconfiada con la especie que la separó de su madre y la mantuvo encadenada durante años? ¿Por qué le seguía gustando la gente?

A lo mejor lo hacía por no quedarle más remedio. Los elefantes como *Rara* existen en un complejo mundo emocional en el que deben equilibrar sus propias necesidades con las de los humanos que intentan controlarlos: es como caminar por una cuerda floja de expectativas entre especies que pueden ser tanto dañinas como terapéuticas. Como deseaba aprender más cosas de esta clase de relaciones, dejé el parque para ir a conocer a una persona de Chiang Mai de la que me habían dicho que me podría enseñar muchas cosas sobre la salud emocional de los elefantes en cautiverio que trabajaban para los humanos.

Pi Som Sak pertenece a los karen, un grupo étnico del norte de Tailandia y del sur de Birmania con una larga historia de dedicarse a trabajar con elefantes asiáticos. También trafica con elefantes comprando y vendiendo paquidermos de distintas edades y aptitudes, en cierto modo es como un vendedor de coches usados especializado en distintos tipos y modelos de la misma marca. Su familia ha tenido elefantes prácticamente desde siempre. Hasta hace poco sus elefantes vivían en bosques que los karen protegían para este propósito. Pese a vivir en cautividad, los elefantes gozaban de una cierta libertad. Cuando no estaban ocupados realizando tareas pesadas en el pueblo, hacían hasta cierto punto lo que les venía en gana. Los adultos arrastraban tras ellos una pesada cadena atada a la pata para que sus *mahouts* supieran por el rastro que dejaban dónde estaban cuando era hora de hacerlos volver. Muchos de esos elefantes habían nacido de madres que habían estado formando parte de las comunidades de los karen durante generaciones. A lo largo de la mayor parte del año parían, se apareaban y hacían lo que les apetecía. Los habían entrenado para responder a unas pocas órdenes, como «Párate», «Anda», «Abre la boca» y «Levanta la pata».

Antes de la Segunda Guerra Mundial, cerca de las dos terceras partes de Tailandia[17] estaban cubiertas de tupidos bosques poblados de elefantes, tigres, rinocerontes, bovinos salvajes, leopardos, perros salvajes y monos. Pero en la década de 1950 los empezaron a talar a un ritmo cada vez más rápido. El gobierno tailandés otorgó concesiones de talas masivas de árboles a compañías extranjeras. Muchos karen encontraron trabajo en la industria maderera trabajando como *mahouts*. Como muchas de las principales regiones donde se realizaban las talas[18] carecían de carreteras, en lugar de camiones se usaban elefantes para transportar los troncos, los empleados y las provisiones. También se ocupaban de apilar los troncos, de arrastrarlos hasta los ríos para ser transportados flotando a otros lugares y de ayudar a arrancar del suelo el tocón de los árboles.

En la actualidad, apenas hay ya bosques en Tailandia y los que quedan están protegidos. La tala es ilegal, o sea que los cerca de 2.500 elefantes que todavía viven se han quedado sin trabajo y se han visto en la triste posición de ser obligados a destruir su propio hábitat natural. Pero en la actualidad existe un pujante mercado de elefantes destinados a los turistas dispuestos a pagar por hacer paseos o excursiones a lomos de un elefante, por verlos pintar con la trompa pinturas de flores o la palabra «Amor» en inglés, jugar a fútbol o a baloncesto, hacer girar un *hula hoop* o lanzar dardos.

Fui a ver a Pi Som Sak al Zoo de Chiang Mai, la ciudad donde vive en una cabaña en lo alto de una colina arbolada, desde la que se ve la ciudad y los llanos espacios sin asfaltar donde encadenan por la noche a los elefantes. Es un hombre acaudalado que podría tener si quisiera una bonita casa en la ciudad, pero que prefiere vivir en medio del bosque con su familia y sus elefantes, algunos de los cuales llevan a los turistas a cuestas por el zoo. «Me gustan las vistas que se ven desde aquí», me dijo señalando con la cabeza las tres elefantas atadas frente a su casa, comiendo apaciblemente el tierno corazón tubular de árboles de plátanos.

Pi Som Sak suele estar pegado al móvil, hablando en susurros sobre precios, y también va en coche a pueblos para ver a crías o elefantes adultos que están en venta. Su trabajo consiste en determinar su grado de resiliencia. Los elefantes con problemas emocionales son más económicos, y los agresivos cuestan menos aún. Los más baratos son los que han matado a una o más personas. Como Som Sak solo quiere adquirir elefantes que estén equilibrados mentalmente porque son la mejor inversión, se ha pasado toda la vida intentando descubrir cómo evaluar la salud emocional de un paquidermo lo más rápido posible.

Ciertas conductas indican que el elefante está perturbado. «Me fijo en unos movimientos en particular», me dijo. «Si machaca el arroz», lo cual significa que cabecea con fuerza sin parar, «te traerá mala suerte y no debes comprar ese elefante. Si en lugar de mover las orejas al mismo tiempo, las agita por separado, también significa que podría ser muy peligroso. Y la cola tiene que ser muy vistosa, como la de un león. Si le falta la punta, te traerá mala suerte. A lo mejor se la han arrancado de un bocado al pelearse con otros elefantes. Cuando te mira, también debe parpadear. Si te mira con la mirada perdida, es una mala señal».

Cuando Som Sak adquiere un nuevo elefante o elefanta, se los lleva a Chiang Mai, por lo que suelen tener que hacer un largo trayecto en camión, lo cual les resulta estresante a los elefantes, sobre todo si no han viajado nunca en la parte trasera de uno de ellos. Som Sak usa un método parecido al de las inundaciones falsas de Pavlov para determinar la fortaleza emocional de un animal. El viaje en camión de un elefante es la versión de Som Sak de las inundaciones falsas pavlovianas.

Cuando un nuevo elefante llega a su casa, se lo lleva al bosque, le da un montón de comida y lo deja solo. «Más tarde regreso y me escondo detrás de un árbol donde yo pueda mirarlo sin que él me vea. Si mueve las orejas y rompe las ramas de los árboles para rascarse o usarlas a guisa de matamoscas, sé que el elefante está bien. Y si está plantado en un lugar sin moverse, sé que tiene algún problema».

Pi Som Sak cree que la estabilidad emocional de un elefante adulto depende sobre todo de su vida como cría. «Tiene que ver con su madre», me contó. «Si ha gozado de una buena madre, suele ser un buen elefante, porque ella lo ha tratado bien».

Le pregunté sobre *Rara* y le conté un poco sus primeros años de vida. Coincidió conmigo en que para un elefante criarse en un hotel no es lo adecuado, pero también observó que debía de haber tenido un buen *mahout* o de lo contrario se habría vuelto violenta. Som Sak está también convencido de que el temperamento se hereda. Una madre apacible y cariñosa tenderá a tener elefantes apacibles y cariñosos, y una agresiva tenderá a tener elefantes agresivos. Pero lo más importante para la salud emocional de los elefantes en cautividad que interactúan con humanos es el trato que reciben, sobre todo el de su *mahout* en particular. Aunque no es solo una cuestión de buenos tratos, porque las relaciones que mantienen con otros elefantes son tan importantes que se pueden enojar si ven a *otro* elefante siendo golpeado, ignorado u hostigado por su *mahout*.

Por desgracia, pese a los cuidados y al cariño prodigados por Gawn y a la dulce perspectiva de su nueva vida en el parque, *Rara* murió a los pocos meses de llegar. Una mañana, después de negarse a comer por la noche, le dio un ataque al corazón y sufrió un colapso. La autopsia reveló que tenía herpes, una enfermedad que provoca a los elefantes problemas cardíacos en lugar de dolorosas ampollas. Su corazón se había agrandado tanto que el doctor Grishda Langka, el veterinario del parque, no podía creer que hubiera vivido tanto tiempo como lo hizo. Sus fans y amigos se quedaron desolados. Silke Preussker, que tanto se había esforzado para que *Rara* viviera en el Parque Natural de Elefantes, voló desde Hong Kong para despedirse de ella. Nos quedamos plantados junto a la tumba de *Rara*, un montículo gigantesco de tierra, tras ofrecerle una pila de cocos verdes, su golosina preferida.

Al volver a mi país estuve pensando en ella a diario. Llevaba conmigo, y lo sigo haciendo, una figurilla de madera de *Rara* que Gawn talló mientras la elefanta comía hierba por los alrededores. El hecho de que *Rara* se estuviera quieta lo suficiente para que él tallara una imagen suya me maravilla. Y cuando le doy la vuelta a la diminuta y sonriente talla de la elefanta en mi mano, siempre pienso en otros animales agitados, difíciles y encantadores. *Oliver* era mentalmente frágil cuando lo adoptamos Jude y yo, tal vez fuera su manera de ser, pero las experiencias vividas en sus primeros años de vida también le habían condicionado. A *Rara* le ocurrió lo mismo. Ahora nunca sabremos si habría llegado a superar el miedo que le infundían los otros elefantes. Quería entender mejor el papel que tienen las experiencias tempranas de los animales en su salud mental. Y por eso me concentré en los seres que generaciones de científicos han estado usando para dilucidar los misterios de la mente: ratas, ratones y niños.

Bruce Perry es psiquiatra infantil, neurocientífico y exjefe del departamento de psiquiatría del Hospital Infantil de Texas. Se especializa en ayudar a niños traumatizados, tratando, por ejemplo, a los supervivientes de la toma por asalto del FBI de un rancho de Waco (Texas) habitado por miembros de la secta de los davidianos tras haberlo sitiado durante días, y a muchos otros niños sobrevivientes de genocidios o víctimas de violaciones, negligencias y abandonos. También ha ayudado a varias organizaciones a planear respuestas para las víctimas traumatizadas de tragedias como el huracán Katrina, la masacre de la escuela de Columbine y el 11-S. En *The Boy Who Was Raised as a Dog*, el libro[19] que escribió con Maia Szalavitz, describe a niños a los que trató que crecieron en ambientes totalmente anormales, muchos de los cuales sufrieron traumas a una edad temprana que arrastraron de adultos. Como el niño al que su madre dejaba solo todo el día siendo un bebé mientras ella daba largos paseos por la ciudad, sin nadie que respondiera a sus lloros, y que se acabó convirtiendo en un despiadado violador incapaz de sentir emociones. Otro chico se crió como un perro más en un criadero canino por culpa del hombre que se ocupaba de él, una persona bienintencionada que, sin embargo, era una nulidad como tutor.

Perry también ha investigado sobre las ratas. Parte de su tesis doctoral se centró en entender el papel de neurotransmisores como la norepinefrina (noradrenalina) y la epinefrina (adrenalina) en la respuesta de lucha o huida. Las ratas de su laboratorio neurofarmacológico fueron expuestas a estímulos estresantes como descargas eléctricas o ruidos fuertes mientras intentaban encontrar la salida de un laberinto. Algunas

ratas lograron salir fácilmente de él, en tanto que otras se desmorona-
ron al ser sometidas a un factor estresante, por pequeño que fuera, ol-
vidándose de todo cuanto ya sabían. Los investigadores concluyeron
que las ratas más sensibles al estrés tenían unos sistemas de adrenalina
y noradrenalina sumamente hiperactivos (es decir, una respuesta de
lucha y huida más sensible). El exceso de hormonas del estrés provocaba una avalancha de cambios en otras partes de su cerebro, alterando
la capacidad de las ratas de responder al estrés. El momento de la etapa
de su desarrollo en el que fueron expuestas a factores estresantes también condicionó la amplitud de sus cambios neurológicos. Otros estudios anteriores revelaron que si los empleados del laboratorio manipu-
laban a las crías, incluso durante varios minutos, lo cual las estresaba
enormemente, los cambios que se daban en los niveles de sus hormonas
del estrés y en su conducta les duraban hasta la adultez.

Los sistemas de respuesta al estrés de los humanos, como el de las
ratas, también se activan fácilmente por cosas que pueden alterarnos,
como las turbulencias de un vuelo, las alturas, una persona parecida a
alguien que nos hizo daño, los insectos, o millones de otras imágenes,
sonidos o experiencias que pueden resultarnos aterradoras. También
pueden causar efectos duraderos[20] en las funciones del tallo cerebral, el
sistema límbico y la corteza, las partes del cerebro responsables de
todo, desde controlar el ritmo cardíaco y la tensión arterial, hasta la
capacidad para el pensamiento abstracto y la toma de decisiones y, de
forma reveladora, de estados emocionales como la tristeza, el amor y la
felicidad. En 2009 el Departamento de Salud y Servicios Humanos de
Estados Unidos[21] publicó un artículo titulado «Los efectos de los maltratos en el desarrollo cerebral». En él no se tuvo en cuenta a los animales no humanos, pero el proceso que se describe en el artículo es
similar. Durante el desarrollo fetal las neuronas de un animal se crean
y emigran a distintas partes del cerebro, donde se instalan. El desarrollo de las sinapsis interneuronales, las rutas neuronales que crean los
recuerdos, las decisiones, las emociones y otras experiencias mentales,
se inicia en el útero y continúa después de nacer el animal, según cómo
este reaccione a sus tempranas experiencias en el mundo. Si algunas
sinapsis y rutas neuronales no se usan, o si están inundadas de altos

niveles de hormonas del estrés, se pueden llegar a atrofiar, dando lugar a serios problemas emocionales a medida que el animal crece. Las investigaciones sobre el cerebro tanto humano como de otros animales han revelado que en determinadas épocas de la vida es más vulnerable a sufrir daños que en otras, como se aprecia en las crías de rata de Perry, y ese daño puede causar problemas emocionales más tarde.

Tina, la primera paciente de Perry,[22] una niña de siete años, le recordó sus anteriores investigaciones sobre crías de roedores estresadas. Tina sufrió abusos sexuales de los cuatro a los seis años del hijo adolescente de la mujer que le hacía de canguro. A lo largo de dos años el chico estuvo, durante al menos una vez a la semana, atando a Tina y a su hermano pequeño mientras los violaba y sodomizaba con objetos. Les amenazaba con que los mataría si se lo contaban a alguien. Cuando Tina se presentó en la consulta de Perry al año de dejar de sufrir abusos, tenía problemas para dormir y concentrarse, dificultades con el control de la motricidad fina, la coordinación y con aspectos del habla, y a veces también malinterpretaba las señales sociales de las personas de su entorno. Al igual que las crías de ratas expuestas a factores estresantes que les afectaron el funcionamiento y el desarrollo de distintas regiones del cerebro, los continuos abusos sexuales sufridos por Tina afectaron su desarrollo neurológico durante una etapa fundamental de su crecimiento. Perry estaba convencido de que la estresante infancia de Tina había causado una serie de cambios en ella: la alteración de los receptores de la hormona del estrés, y una mayor sensibilidad y disfunción, lo cual había acabado generando sus problemas de desarrollo. Esto, unido a sus recuerdos de los abusos, hizo que tuviera dificultades de aprendizaje y concentración. También se comportaba agresivamente en el colegio. Perry creía que Tina tendía a prepararse para un peligro inminente, aunque no existiera ninguno. En la clase interpretaba el más ligero desaire de sus maestros o sus compañeros como un desafío y a menudo se metía en peleas o intentaba abusar sexualmente de otros niños.

Casi todas las últimas investigaciones importantes realizadas sobre el estrés, la negligencia y la salud mental se han centrado en personas como Tina, aunque es posible que los efectos sean parecidos en muchas otras distintas especies. Imagínate que una niña de corta edad se echa a llorar y su madre, en lugar de ocuparse de su bebé, apaga la luz y cierra la puerta de la habitación. Si esto le pasa a la pequeña una o dos veces, probablemente no tendrá ningún efecto duradero en su desarrollo. Pero si le ocurre cada vez que llora, no se activarán las partes de su cerebro que le ayudan a establecer vínculos afectivos con las personas de su entorno, las que activan la liberación de sustancias químicas que hacen que se sienta bien al ver a su madre o ser sostenida en brazos, y que le enseñan que querer a otros seres humanos es beneficioso. Es posible que cuando esa niña crezca no sepa satisfacer sus necesidades físicas y emocionales con otras personas de manera sana. Por eso, es importante consolarla cuando llora, porque está aprendiendo que el llanto significa que se ocuparán de ella. Ya que, de lo contrario, cuando se convierta en una niña mayor, en una adolescente y más tarde en una mujer adulta, tal vez no confíe en que la gente la ayude y acabe desarrollando un trastorno del apego que le haga aferrarse de manera excesiva y prematura a personas que no le convienen, o que no se vincule emocionalmente lo bastante con las que la tratan bien. Imagínate ahora que ese bebé es un gorila.

El desarrollo físico y emocional de los gorilas es tan prolongado como el nuestro y el lazo emocional que establecen con su madre les enseña a las crías a confiar en los demás. Si son ignoradas, de adultos pueden tener problemas para conectar con otros gorilas del grupo en una sociedad que es sumamente social. A los elefantes les ocurre lo mismo, ya que también tardan en desarrollarse y establecen unas relaciones muy estrechas con los miembros de su familia y del grupo. De hecho, le puede suceder a cualquier ser vivo que no tenga sus necesidades emocionales satisfechas cuando su cerebro se está desarrollando, o a esos animales lastimados por aquellos en los que se suponía que debían confiar.

La doctora Cynthia Zarling es una psicóloga que ha estado trabajando con niños con problemas durante más de veinticinco años. También rehabilita a pastores alemanes agresivos abandonados por sus familias.

Le conté la historia de la elefanta *Rara*, lo que estaba aprendiendo de las investigaciones de Perry, y lo que Som Sak me había contado en Tailandia para saber interpretar las emociones de un animal. En vez de sorprenderse, me dijo que esto le recordaba a los niños a los que trataba. «En los niños, la primera relación, la que mantienen con su madre, es la más importante», afirmó Zarling. «Es la base en la que se asentarán las relaciones que cualquiera de ellos mantenga en el futuro. Adquirimos nuestra identidad del espejo que es nuestra madre, y si ella no nos refleja bien, podemos acabar con un sentido del yo fragmentado».

Zarling cree que algo parecido les ha pasado a los pastores alemanes que rehabilita. Los cachorros maltratados o desatendidos de adultos son perros inseguros que, al haber carecido de un buen modelo de conducta a una edad temprana —ya sea de otros perros o de sus compañeros humanos—, son mucho más problemáticos y pueden ser más agresivos, por eso lo más probable es que vayan a parar a un refugio. Pero, tras haber sido adoptados, los devuelven otra vez cuando su comportamiento anormal aflora. E'lise Christensen los llama «perros reciclados», y afirma que intentar entender por qué se comportan como se comportan es como observar a un perro persiguiéndose la cola. «¿Son perros problemáticos por ser producto del sistema de los refugios caninos, y que tras haber sido adoptados son devueltos a los pocos días de adoptarlos en más de una ocasión por su problemática conducta? ¿O se encuentran en el sistema de los refugios caninos por ser perros difíciles desde que nacen?»

El entorno para el que uno está o no está hecho

El lugar donde vivimos y el hecho de si nuestra madriguera, nido, casa o guarida nos estimula, excita o calma son importantes para nuestra salud mental. Es tan evidente que casi está de más decirlo. Y, sin embargo, muchas personas se sorprenden cuando un animal que vive en malas condiciones o en un entorno inadecuado se adentra en el territorio de las enfermedades mentales y hace algo espectacular. Siempre que una orca del SeaWorld se desfoga matando a un adiestrador, o que un elefante como *Tyke* pisotea a su cuidador, aparecen en los medios de comunicación artículos de otros adiestradores, cuidadores y lectores sorprendidos. Por supuesto, a PETA (People for the Ethical Treatment of Animals) y a otros grupos que defienden los derechos de los animales esta clase de conductas no les sorprenden lo más mínimo y ya tienen preparados una serie de vídeos para cuando suceden este tipo de incidentes.

Los animales cautivos sufren terriblemente porque en muchos casos su entorno no tiene nada que ver con el lugar en el que elegirían vivir. Disponen de muchas horas libres en las que no saben qué hacer y la falta de actividad les impide mantener la mente, las manos, las patas o las mandíbulas ocupadas. Por eso muchos desarrollan conductas que se parecen de manera inquietante a las de los humanos con trastornos emocionales. Los campeones de la industria de la exhibición de animales descartan esta clase de críticas, alegando que los animales de los zoológicos viven más que los libres y que vivir en medio de la naturaleza también es estresante por la presencia de depredadores hambrientos, la ausencia de veterinarios y la inseguridad de no disponer de comida con regularidad. También ocurre que muchos animales nacidos en cautividad no saben sobrevivir en libertad. Cada vez que se ataca a la industria de la exhibición de animales, nos sueltan las mismas perogrulladas de siempre. Pero vivir una pila de años con comidas equilibradas calóricamente no se puede comparar con la cualidad de vida o el placer de poder tomar tus propias decisiones. Ni siquiera justifica la clase de sufrimiento que, pese a no ser letal, hace que un animal sea tan infeliz que acabe royéndose las patas o nadando en círculos incesantes. El hecho de nacer en un determinado mundo no significa que el animal no tenga una opinión sobre él.

Algunos animales, como unas cuantas personas, tal vez prefieran vivir en una jaula de oro. A lo mejor en Kenia o en Zimbabue hay una jirafa perezosa que prefiere que le den las hojas cortadas, en lugar de alargar el cuello para arrancarlas ella misma. Tengo un puñado de amigos que, si pudieran permitírselo, se recluirían años y años en un hotel Ritz-Carlton y pedirían que les llevaran la comida a la habitación. Pero yo me acabaría hartando de las mimosas, el servicio de habitaciones y las patatas fritas entregadas a altas horas de la noche cubiertas con una tapa plateada abovedada, y me preguntaría qué hay más allá del pasillo alfombrado. Por desgracia, no hay forma de saber hasta que los meten en esta clase de «hoteles» cuál de las jirafas, los ualabíes o los orangutanes de un zoo son partidarios de vivir en ellos. Aunque no les guste, les ponga de los nervios o incluso les haga enloquecer, no hay forma de salir de esos lugares.

Los defensores de los zoos y los acuarios afirman que las «buenas» instituciones, refiriéndose a las que cuentan con recursos, se aseguran de satisfacer todas las necesidades de los animales: disponen de comida, gozan de cuidados veterinarios y de un lugar para dormir, y están a salvo de los depredadores. Por eso suelen decidir reproducirse. Muchos hasta se relacionan con sus compañeros de la instalación o con sus cuidadores. Pero las extrañas conductas que prevalecen en ellos, que son evidentes para cualquiera que sepa reconocerlas cuando visita un zoo o un acuario, son una señal de que la vida en cautividad —sea en una cárcel o en un hotel de lujo— no es como vivir en libertad. Durante los últimos años he creado una especie de manual de las enfermedades mentales de los animales que comparto en forma de comentarios cuando me encuentro ante un león que no deja de ir nerviosamente de un lado a otro del recinto, o de morsas que se masturban compulsivamente. Pero esta clase de escenas de los zoos me han acabado deprimiendo y por suerte mis amigos con hijos ya no me preguntan más sobre ellas.

Cuando contemplo a un gorila hembra[23] colgado de un árbol de fibra de vidrio, pintado a mano con gran cuidado con la intención de reflejar la versión más perfecta de sí mismo, en un hábitat artificial diseñado hasta el último detalle, no me maravillo del gorila que tengo ante mí, sino de la maestría de la decoración. Si yo fuera un animal de un zoo estadounidense, la decoración no me recordaría ni por asomo, por ejemplo, la naturaleza de África ecuatorial, porque Estados Unidos sería el único lugar que conocería. Y, sin embargo, seguiría sintiendo el deseo de correr, de colgarme bamboleando de los árboles, de rugir, de volar o de despedazar a otro animal con la misma intensidad de un ser en libertad, pese a haber nacido en Denver, Cleveland o Los Ángeles.

Admito que estoy proyectando mis propios sentimientos al ponerme en su lugar. A lo mejor la hembra de gorila sentada en el tocón de un árbol artificial prefiere la sensación de la fibra de vidrio a la de la corteza por ser la única que conoce. Pero, entonces, ¿por qué se pasa todo el día vomitando la comida y volviéndosela a tragar sin hacer ninguna otra cosa? ¿Por qué no para de arrancarse los pelos de la barbilla y de los antebrazos y luego se los come? Y lo más importante, ¿por qué los encargados del zoo han llamado a un psiquiatra para que la ayude? Porque, seguramente, el árbol de fibra de vidrio de su recinto la aburre hasta la saciedad. O ha descubierto que las frondosas plantas del foso están electrificadas para que el espacio les resulte encantador a los visitantes sin que ella pueda romperlas y comérselas. O porque han enviado a su joven macho preferido a otra parte para que se aparee con otra hembra más adecuada genéticamente. O porque la hembra más dominante del grupo se ha quedado con la ración diaria de uvas. Pero también podría ser porque su cuidador favorito ha dejado el trabajo o está enfermo, y el nuevo no sabe que a ella le encantan los copos de avena. O a lo mejor se comporta así porque retiraron prematuramente el cuerpo de una de las crías que amamantaba que murió.

El lugar donde vivimos importa. Es el telón de fondo en el que se desarrolla nuestra vida: lo condicionamos y a su vez nos condiciona. Y cuando somos un animal en cautividad que vive en un espacio limitado, le damos incluso más importancia aún. Por eso entender cómo responde un animal a su entorno es fundamental para intentar interpretar su conducta.

Algunas conductas anormales son más fáciles de ver que otras. Las más comunes se conocen como conductas estereotipadas o estereotipias. Estas actividades repetitivas siempre son las mismas y al parecer no sirven para nada. Hay tantas clases de estereotipias como animales dedicados a ellas. Ciertas especies prefieren algunas en particular. Entre las estereotipias de los humanos se encuentran[24] los movimientos repetitivos que tienen a empeorar con el estrés, la ansiedad o el agotamiento, como balancear el cuerpo, cruzar y descruzar las piernas, tocarse el cuerpo en determinadas secuencias o andar sin moverse del sitio. Estas conductas anormales son como espejos deformantes de las actividades normales.

Los caballos se pasan el día mordisqueando objetos[25] no comestibles como vallas o bebederos. Los cerdos se roen la cola unos a otros, los visones enjaulados giran en círculos como derviches peludos, las morsas regurgitan y vuelven a comerse el pescado una y otra vez, los uombats se echan al suelo moviendo las patas en el aire como si pedalearan extrañamente hacia ninguna parte. Los perros como *Oliver* se lamen compulsivamente las patas o las ijadas, aunque no tengan la piel irritada o la irritación que les ha hecho desear lamerse haya desaparecido hace mucho tiempo. Las ballenas, las focas, las nutrias o cualquier otro animal marino puede desarrollar un patrón de natación estereotipado que es tal como suena: nadar de una determinada forma, en vez de hacer cualquier otra actividad. Algunas de las estereotipias de los delfines son masturbarse con su propio cuerpo o con los agujeros de las tuberías o de las mangueras de los tanques. Los osos y los felinos de gran tamaño no paran de ir nerviosamente de un lado a otro del recinto dejando rastros polvorientos que parecen mapas topográficos de sus mentes compulsivas. Los elefantes caminan zigzagueando, se balancean de un lado a otro o mueven las patas arriba y abajo rítmicamente, a menudo en una secuencia ritualizada.

Aunque muchos animales domésticos desarrollen conductas estereotipadas, se dan sobre todo en los zoos, acuarios y circos, y en granjas porcinas, de animales peleteros y avícolas dedicadas a la producción masiva.

En Estados Unidos y en Europa se crían cada año más de 16.000 millones de animales de granja y de laboratorio,[26] y millones de ellos exhiben conductas anormales. Como por ejemplo un 91,50 por ciento de cerdos,[27] un 82,6 por ciento de aves de corral, un 50 por ciento de ratones de laboratorio, un 80 por ciento de visones de granjas de animales peleteros y un 18,4 por ciento de caballos. Cerca de 100 millones[28] de ratones, ratas, monos, pájaros, perros y gatos destinados a laboratorios estadounidenses también manifiestan conductas autodestructivas causadas por el estrés, desde balancear el cuerpo y masturbarse compulsivamente hasta morderse a sí mismos y arrancarse la piel.

Un estudio publicado en 2008 reveló que existe una gran correlación entre los animales de laboratorio, zoos y granjas[29] que han sido separados prematuramente de su madre y el desarrollo de conductas estereotipadas. En las granjas de producción masiva es muy habitual separar antes de tiempo de su madre a cerdos, aves de corral, animales lecheros y visones. A las terneras de granjas lecheras, por ejemplo, las separan de su madre a las pocas horas de nacer, aunque normalmente no dejen de mamar hasta los nueve, diez u once meses. A los lechones de muchas granjas porcinas los separan de su madre de dos a seis semanas después de nacer, aunque mamen hasta los tres o los cuatro meses. Y a los visones los separan de su madre a las siete semanas de nacer, pese a que en estado salvaje no se separen de su madre hasta los diez o los once meses. Separar precozmente a una cría de su madre es quizá más dramático aún en la industria avícola. Los pollitos solo se separarían de su madre de las cinco a las doce semanas después de nacer, pero nunca la llegan a conocer, porque los huevos se envían a criaderos. Los lechones destetados precozmente son más agresivos y propensos al «hociqueo ventral» (lamerle el vientre a otros lechones). Los visones van nerviosamente de un lado a otro y se muerden su propia cola con más frecuencia. Los potrillos se pasan la mayor parte del tiempo mordisqueando la madera de los establos. Las terneras de granjas lecheras succionan todo cuanto tienen a su alcance, los ratones son más proclives a mordisquear repetidamente los barrotes de la jaula y las gallinas nacidas en criaderos se arrancan a picotazos las plumas unas a otras con mayor frecuencia e intensidad.

Temple Grandin, profesora de Ciencia Animal en la Universidad Estatal de Colorado, es una asesora de gran talento en muchos temas relacionados con los animales, desde el diseño de mataderos hasta el adiestramiento y los cambios conductuales. Y además existe una película sobre su vida producida por la HBO, una cadena de televisión estadounidense. También es autista y en *Animals Make Us Human*, el libro que ha coescrito con Catherine Johnson, afirma: «Las estereotipias muy intensas,[30] las que un animal manifiesta a diario durante horas, casi nunca se dan en la vida salvaje, y casi siempre ocurren en humanos con trastornos como la esquizofrenia y el autismo».

Las estereotipias intensas también se dan en niños internados en instituciones, como en el caso de aquellos sobre los que Spitz y Bowlby escribieron en la década de 1950. Grandin y Johnson citan un estudio sobre huérfanos rumanos adoptados en Canadá que revelaba que un 84 por ciento de ellos ya manifestaban conductas estereotipadas en la cuna, balanceándose estando a gatas, transfiriendo el peso del cuerpo de un pie a otro, realizando movimientos un tanto parecidos a los de los elefantes, y dando cabezazos contra la pared o los barrotes de la cuna, como los monos y los delfines.

Las actividades de esos animales le recuerdan a Grandin a los niños autistas que a veces se muerden sus propias manos, dan cabezazos contra la pared o se abofetean a sí mismos. Sostiene que del 10 al 15 por ciento de macacos de la India enjaulados se dedican a hacer lo mismo todo el día. Quizá tenga razón, pero su comparación de las conductas de niños autistas con las conductas anormales de los animales es muy polémica. Grandin considera el autismo «como una especie de apeadero[31] en el camino que va de los animales a los humanos», y plantea que los niños autistas están más cerca de los animales que del resto de nosotros, una afirmación que recuerda molestamente la idea victoriana de que ciertos grupos de humanos están más cerca de los animales que otros. Pero aunque los niños autistas se balanceen como los monos angustiados, no están más estrechamente vinculados a los otros animales de lo que lo están los niños no autistas.

Existe, sin embargo, la posibilidad de que haya animales autistas. Y si fuera así, los autistas humanos y los no humanos podrían tener cosas en común. El etólogo Marc Bekoff observó en una ocasión una cría de coyote salvaje, a la que llamó *Harry*.[32] Los hermanos y hermanas de *Harry* correteaban y hacían piruetas, gruñéndose juguetonamente los unos a los otros, pero *Harry* no entendía sus invitaciones a pelearse ni parecía saber jugar. Pese a intentarlo con todas sus fuerzas, no sabía interpretar las señales sociales de los coyotes. «Durante mucho tiempo lo achaqué simplemente a las variaciones individuales, creyendo que como la conducta entre los miembros de una misma especie puede variar, *Harry* estaba manifestando la suya propia», escribió Bekoff. Pero varios años más tarde alguien le preguntó si creía que los animales podían ser también autistas y Bekoff se acordó de pronto del extraño cachorro. «Tal vez *Harry* sufriera un autismo de coyote», escribió.

En el 2013 un biólogo en Caltech les inyectó a un grupo de ratones de laboratorio con ansiedad, pocas habilidades sociales y conductas estereotipadas *Bacteroides fragilis,* una bacteria de la flora intestinal.[33] Al parecer su ansiedad disminuyó, se comunicaron mejor entre ellos y sus conductas extrañas también se redujeron. Los investigadores concluyeron que la bacteria tal vez podría irles bien a otros seres, aparte de los ratones, y sugirieron que las personas con trastornos de desarrollo como los autistas deberían probar los probióticos. Este estudio se basó en otras investigaciones llevadas a cabo con anterioridad también en Caltech, que vinculaban el espectro de los trastornos autistas con los problemas intestinales[34] tanto en ratones como en humanos. Los ratones que chillaban a otros de forma extraña, por ejemplo, tenían menos *Bacteroides fragilis* en sus intestinos. Al igual que los autistas humanos. La carencia de esta bacteria tal vez no *cause* autismo, pero tomar probióticos para regular sus niveles quizás ayude a los animales que presentan esta clase de síntomas.

El aburrimiento, una pareja dominante o agresiva, o un cuidador o empleado que no le guste pueden hacer que un animal de zoo se adentre en el territorio de las compulsiones. Tal vez las luces sean demasiado fuertes o la oscuridad demasiado intensa, o a lo mejor el espacio donde vive es demasiado ruidoso o silencioso, o demasiado pestilente o aséptico.

Muchos gorilas en cautividad regurgitan la comida y se la vuelven a tragar una y otra vez en un círculo interminable. Esta práctica es tan común que hasta tiene nombre, *R y R*, que equivale a reingestión y regurgitación. Jeannine Jackle, comisaria auxiliar encargada del bosque tropical del Parque Zoológico Franklin de Boston, tiene a su cargo con la ayuda de un equipo de cuidadores la atención de los ocho gorilas del zoo. Ha trabajado con esos gorilas durante más de veinte años y su despacho del zoo está cubierto con fotos de todos ellos en distintas etapas de su vida, junto con las pinturas de vivos colores hechas por los gorilas con los dedos, una especie de proyecto artesanal intersimiesco consistente en deslizar hojas de papel en sus jaulas y en impregnarles los dedos de pintura. Detrás del escritorio de Jeannine hay un botiquín amarillo, el «*kit* para mordeduras de primates» que nunca ha tenido que usar.

«Cada gorila tiene una forma especial de reingerir y regurgitar la comida», me contó. «*Kiki*, una hembra, la mantiene en la boca o la arroja a la pared acristalada del recinto. También la expulsa por la nariz y deja que le gotee por la barbilla antes de volvérsela a comer a lametazos». *Gigi*, la hembra de más edad del grupo, es la que tiene quizá la técnica más asquerosa. Escupe la comida al suelo y luego juguetea con ella antes de volvérsela a tragar.

«Lo hacen más a menudo cuando comen algo dulce», me contó Jeannine. «Creo que les gusta saborear la comida de nuevo y así se entretienen. Los cuidadores bromean diciendo que si los humanos hiciéramos lo mismo, tendríamos "restaurantes de 5 Regurgitaciones"».

La conductista y bióloga de fauna silvestre Toni Frohoff, especialista en la vida social y la comunicación de los cetáceos, ha evaluado programas como «Nada con los delfines» y ha asesorado diversas campañas para que los delfines en cautividad reciban un mejor trato. Toni ha visto patrones de natación, estereotipias de masturbación y muchos ejemplos de lo que llama «dar cabezazos», cuando los delfines embisten la pared de las piscinas o los tanques con la cabeza.

«En una ocasión me pagaron para que fuera a Edmonton (Canadá), a un centro comercial decorado con un delfín vivo en su interior», me contó. «Tuve que dar testimonio de que tener a un delfín en solitario encerrado en un centro comercial era malo para su salud. Al llegar vi que el delfín exhibía como es natural todo tipo de conductas causadas por el estrés, y les dije: "¿Acaso necesitabais llamar a una experta en delfines para saber que esto es una pésima idea?"»

Las focas y los leones marinos en cautividad también adquieren hábitos extraños. Además de los patrones de natación, existe la conducta de «succión», cuando las crías intentan mamar de otras crías en lugar de hacerlo de sus madres adultas. Los delfines y las morsas en cautiverio también regurgitan la comida y se la vuelven a tragar de una forma muy parecida a la de los gorilas. «En la naturaleza es una conducta normal que los mamíferos marinos manifiestan para expulsar picos de calamares o piedras ingeridas, pero en cautividad lo hacen con la *comida* y se considera una conducta anormal. A la gente que se lucra con la exhibición de animales cautivos no les gusta hablar de ello», me dijo el veterinario de mamíferos marinos Bill Van Bonn.

Tal vez no les guste hablar del tema porque las instituciones que dependen de los animales en cautividad para entretener a los visitantes venden agradables experiencias familiares o supuestamente educativas, en vez de espectáculos sobre las conductas compulsivas de los animales. La Asociación de Zoos y Acuarios (AZA) es una organización de reconocimiento y afiliación sin ánimo de lucro formada por instalaciones donde se exhiben a los animales, que pretende convencer al público estadounidense de que los zoos son una serie de instituciones parecidas a un Arca de Noé dedicadas a la conservación de la biodiversidad del planeta. Según la AZA, la típica visitante de los zoos y acuarios[35] estadounidenses es una mujer de veinticinco a treinta y cinco años con hijos. La mayoría de zoos no quiere poner de relieve la conducta perturbada o perturbadora de los animales de su colección a esta clase de visitantes para no estropear la experiencia estudiada hasta el último detalle en la que todo, absolutamente todo, desde los zumbidos de insectos que salen de los altavoces ocultos hasta la ornamentación de los recintos, se ha diseñado para promover la visión del zoo de una naturaleza no humana y de un entretenimiento familiar.

Las diferencias entre los recintos donde se exhiben a los animales son algunas veces tan evidentes como las rayas de una cebra y otras no lo son tanto. Como por ejemplo en el caso del SeaWorld y del Zoo del Bronx. Este último es un zoo sin ánimo de lucro dirigido por una organización internacional, la Sociedad para la Conservación de la Vida Silvestre, en cambio el SeaWorld es un parque temático con fines de lucro perteneciente a la Corporación Anheuser-Busch, gestionado hasta el 2009 por ella, y en la actualidad por el Blackstone Group, una empresa de capital privado. Muchos cuidadores, empleados y veterinarios que trabajan en instituciones como la del Zoo del Bronx han hecho todo lo posible para convencerme de que lo que realizan es muy distinto de lo que sucede en lugares como el SeaWorld. Sostienen que educan a los visitantes en lugar de entretenerlos, o al menos los educan *mientras* los entretienen. Este debate quizá no parezca tener apenas que ver con las enfermedades mentales de los animales, pero no es así. Estas instituciones justifican el hecho de exhibir a los animales, con los problemas mentales que esto les causa, para que los visitantes aprendan más cosas sobre estos seres y vuelvan a casa sintiéndose más concienciados acerca del mundo animal y más comprometidos con protegerlo. En teoría, es una gran idea, y si tuvieran razón tal vez justificaría las conductas compulsivas que acaban desarrollando algunos animales en cautividad. Pero lamentablemente no es así.

Hace cuarenta años, a medida que el movimiento ecologista empezó a unirse en una fuerza que influiría en cómo los americanos gastaban su dinero y se divertían los sábados por la tarde, los zoos del país se componían de recintos de hormigón sin vegetación parecidos a fosos, y además estaban atravesando una crisis por la cada vez menor cantidad de visitantes que recibían. Debían convertirse en lugares que no siguieran deprimiendo al público o de lo contrario se verían obligados a cerrarlos. Los zoos que han sobrevivido no solo justifican su existencia afirmando tener fines educativos, sino además como almacenes de especies en peligro de extinción y como guardianes de la vida silvestre en peligro. Esta justificación es en el mejor de los casos un compromiso y en el peor una cortina de humo que permite a las instituciones ser rentables mientras los animales salvajes en libertad, como los que exhiben en sus colecciones, se van extinguiendo silenciosamente.

En el 2007 la AZA publicó los resultados[36] de una encuesta de tres años de duración sobre el impacto educativo de los zoos, usándolos como argumento para intentar defender su papel como representantes del medioambiente y como educadores. El informe sostenía que las visitas a los zoos hacían que la gente tendiera más a preocuparse por los animales y a ser más consciente de la necesidad de protegerlos. Sin embargo, un informe de seguimiento, publicado por un grupo de científicos investigadores de la Universidad Emory, cuestionaba la validez de los métodos de investigación de la AZA y sostenía que las afirmaciones del estudio sobre su papel educativo se habían exagerado en grado sumo.

No cabe duda de que algunos visitantes de los zoos cambian tras la experiencia de ver a los animales, de charlar con los educadores y de leer en los paneles informativos que el Zoo del Bronx, el Acuario de la Bahía de Monterrey y el Zoo de San Diego imparten cursos educativos sobre el medioambiente, llevan a cabo investigaciones sobre las poblaciones de animales salvajes y colaboran con importantes donaciones para la conservación de las especies y la naturaleza. Inscribirse para solicitar un puesto de trabajo en esas instituciones es un proceso sumamente competitivo y muchos de los empleados recién contratados están más preparados que nunca. Sin embargo, pese a los estudios y la formación del personal, las provechosas investigaciones, los presupuestos para las campañas educativas y las nuevas instalaciones donde los animales pueden darse el lujo de mordisquear plantas nativas del lugar al que pertenecen o de caminar sobre la hierba en lugar de hacerlo en un suelo de cemento, muchos animales siguen desarrollando la variedad de conductas que hacen que los niños que van a los zoos pregunten, por ejemplo, a sus padres por qué el delfín no deja de meter su pene erecto en la boca del tubo de la depuradora del tanque.

Cuando los visitantes lo advierten y se quejan de semejantes conductas, ciertos zoos equipan sus instalaciones con paneles informativos para intentar mejorarlas. El Parque Zoológico Franklin de Boston ha equipado las paredes acristaladas de sus instalaciones con paneles informativos en los que se explica la razón por la que a los animales les dan objetos para jugar, por si los visitantes se preguntan por qué hay mantas o tubos de plástico en el recinto de los gorilas. Otros zoos y acuarios intentan tratar esta clase de conductas impidiendo que los animales más perturbados estén a la vista.

Pero en última instancia no depende del zoo o del acuario si los visitantes se van o no más motivados en cuanto a la necesidad de reciclar para ayudar a conservar los recursos naturales o de hacer donaciones para la conservación de las especies y la naturaleza.

Los estadounidenses necesitan en la actualidad oportunidades para ver a otros animales e interactuar con ellos, pero no creo que la solución esté en los zoos, ya que, para empezar, los animales raras veces interactúan con los visitantes. Parece una nimiedad, pero tampoco me gusta el olor que despiden sus instalaciones, una mezcla de orina, productos de limpieza y algo más, quizás el olor a desesperación o a tediosa espera. Cuanto más recrean las jaulas el medio natural, más deprimentes resultan, porque son mucho más engañosas. Para el mandril instalado al otro lado de la pared acristalada, el follaje que enmarca su lugar elevado preferido no le ayuda un ápice, porque está electrificado para que no lo destruya. Esta clase de conflictos fueron los que Pavlov demostró claramente que les causaban a los perros trastornos de conducta. Algunas de las nuevas instalaciones que imitan la naturaleza son peores para sus moradores que las antiguas de cemento, ya que las nuevas plantas y objetos decorativos a veces reducen el espacio libre de los animales. Estos entornos pueden producir unos cambios drásticos en el bienestar psicológico de los animales que se pasan toda la vida en ellos.

Al mismo tiempo, he conocido a muchos cuidadores de zoos generosos, empáticos e inteligentes que se preocupan por los animales que les han asignado y que han hecho grandes sacrificios para realizar lo que casi siempre es un trabajo muy ingrato. Pese a trabajar una pila de horas cobrando una miseria, y a que pueden ser despedidos en cualquier momento, se exponen a situaciones peligrosas, realizan tareas de gran dureza física y lo más estresante de todo es que deben limitarse a hacer su trabajo.

Una cuidadora puede ver, por ejemplo, que algunos de los perros salvajes que tiene a su cargo están exhibiendo un comportamiento compulsivo al caminar en círculos por el recinto todo el día como si fuera un ritual, sin preocuparse de jugar con sus crías ni de descansar hechos un ovillo. Pero la mayoría de cuidadores no tienen potestad institucional para hacer grandes cambios, como construir recintos más espaciosos o encargar dietas más caras y variadas para asegurarse del bienestar de los animales. Estas decisiones las toman los directivos del zoo, que pueden o no tener una experiencia directa en cuanto a haber trabajado con animales. Su prioridad es hacer que el zoo sea rentable y que la cantidad de visitantes no disminuya, lo cual puede repercutir negativamente en el bienestar de los animales. Parece obvio, pero para sacarle el máximo provecho a la exhibición de los animales, estos deben estar *visibles*. Los nacimientos de osos panda y de gorilas, por ejemplo, atraen ríos de visitantes y muchas exclamaciones de arrobo en las noticias locales de la televisión, pero ¿cuántas madres mamíferas quieren exhibir a sus crías recién nacidas bajo unos potentes focos durante un montón de horas al día?

Para los cuidadores de zoos y adiestradores, incluso en parques temáticos como SeaWorld o Six Flags, los animales con los que trabajan a diario se convierten en su familia. Esos hombres y mujeres pasan más tiempo con las ballenas, los delfines o los ñus que con los miembros de su familia humana, y los quieren con la misma intensidad. Nunca he conocido a un cuidador o un adiestrador que no deseara lo mejor para los animales que tenía a su cargo. A veces cuando se dan cuenta de que no pueden protegerlos deciden dejar su trabajo.

Jennifer Hemmett es ahora la propietaria de una *boutique* canina de lujo, pero antes trabajaba como cuidadora de primates y le encantaba ocuparse de los simios antropoides. Tras trabajar diez años en un zoo de la Costa Este, llegó al límite a causa de *Tom*, un gorila. Como su material genético era ideal para aparearse con gorilas hembras de otro zoo, la AZA ordenó que lo trasladaran a uno que quedaba a cientos de kilómetros de distancia en el que *Tom* no conocía a nadie. Allí fue maltratado por los otros gorilas que le hicieron el vacío y dejó de comer, con lo que perdió más de una tercera parte de su peso. El traslado se consideró un rotundo fracaso y enviaron a *Tom* de vuelta a su antiguo hogar, donde Jennifer y los otros cuidadores se pasaron meses atendiéndolo para que se recuperara. Vieron que no estaba en condiciones para un nuevo traslado. Se veía muy frágil emocionalmente y no se llevaba bien con los otros gorilas ni con los empleados que no conocía. Pero, aun así, lo volvieron a mandar a otro zoo. A los pocos meses, cuando Jennifer y algunos de sus otros cuidadores fueron a visitarlo, en cuanto *Tom* los vio por entre la valla de su recinto se echó a llorar. Pero no lo hizo en silencio, sino a lágrima viva. Aullando y sollozando, se acercó corriendo a sus antiguos cuidadores. Los siguió desde el otro lado de la valla, paso a paso, sin dejar de llorar desconsoladamente mientras ellos rodeaban la instalación. Los otros visitantes del zoo se quejaron y les dijeron que «dejaran de acaparar la atención del gorila». Jennifer volvió a su casa y dos días más tarde le comunicó al zoo que dejaba el trabajo. Los administradores del nuevo zoo les prohibieron volver a visitar las instalaciones del gorila alegando que a *Tom* le afectaba demasiado.

Sobre ratones y manías

El hábito recurrente e irresistible de arrancarse el pelo se conoce como tricotilomanía. El trastorno afecta cerca del 1,5 por ciento de varones y el 3,5 por ciento de mujeres estadounidenses, aunque estas cifras no tienen en cuenta los sujetos que se sienten tan avergonzados por las zonas calvas que se han vuelto unos expertos en cubrírselas, por lo que quizá nunca les lleguen a diagnosticar el trastorno. La mayoría de hombres y mujeres se arrancan el pelo[37] de la cabeza, las cejas, las pestañas, la barba o el vello púbico. Es muy habitual empezar a arrancarse el pelo de una parte del cuerpo, como las cejas, y luego cambiarla por otra. Los tricotilómanos afirman que se arrancan el pelo para relajarse cuando están tensos por alguna razón, pero también hay quien lo hace mientras está relajado o distraído, leyendo un libro o mirando la televisión. Dicho esto, un estado de ansiedad, ira o tristeza aumenta el deseo de arrancarse el pelo y de hacerlo más a menudo.

Todavía no existe un consenso sobre cómo debe clasificarse este trastorno. Hasta el 2013 el *DSM* lo consideraba como un trastorno del control de los impulsos y afirmaba que no debía verse como una compulsión. A no ser que estuviera asociado con pensamientos obsesivos, el *DSM* recalcaba que no era un trastorno obsesivo compulsivo, ya que el arrancamiento del pelo no se suele dar en un marco rígido a diferencia, por ejemplo, del deseo irreprimible de lavarse las manos o de comprobar si uno ha cerrado la puerta al salir muchas veces al día, como ocurre con el trastorno obsesivo compulsivo. Pero en la quinta edición del *DSM*[38] la tricotilomanía se clasifica como una forma de TOC.

Sea cual sea su etimología, la tricotilomanía aparece en el *DSM* porque la mayoría de la gente no se arranca el pelo. El pelo es necesario por todo tipo de razones, algunas son fisiológicas, pero la mayoría no lo son. Las partes calvas y la pérdida de las cejas resultan poco atractivas, y además el tiempo que uno pierde arrancándose el pelo puede impedirle llevar una vida normal. El hábito puede ser un síntoma de ansiedad[39] o depresión, pero sobre todo hace que el que lo sufre tenga un aspecto raro, que es en lo que los médicos se basan para diagnosticar el trastorno. Algunos tricotílomanos, en especial los niños, le arrancan el pelo a otras personas o incluso a las mascotas. Y es muy habitual que jugueteen con su pelo o incluso que se coman el que se arrancan.

Pero como sucede con tantas de nuestras neurosis, los humanos no somos los únicos que sufrimos este trastorno. Se sabe que se da en seis especies de primates[40] (sin incluir a los humanos), y también en ratones, ratas, cobayas, conejos, ovejas, bueyes almizcleros, perros y gatos. A los roedores que se arrancan el pelo se les llama «peluqueros» porque les arrancan el pelo o los bigotes a otros ratones. Al igual que ocurre con los humanos, la mayoría son hembras. Y esos ratones, tal como hasta ahora he comprobado, solo adquieren este hábito en cautividad. Los foros de Internet están llenos de historias de «peluqueros» relatadas por los que crían ratones para utilizarlos como mascotas o para hacerlos participar en «elegantes» competiciones ratoniles. Los propietarios comparten fotos de ratones y ratas con pequeños claros en la cabeza, con un peinado a lo mohicano pero al revés, o con la cara llena de clapas como si llevaran una mascarita como la del *Fantasma de la ópera*. Perplejos, los dueños de los roedores buscan respuestas: «*Tache* es incapaz[41] de estar más de dos semanas en la jaula con otros ratones sin empezar a hacer de peluquera de nuevo... Hoy la he vuelto a poner en la jaula grande con *Pu Manchú* y la *Señora Beach*..., pero me temo que al final de las dos semanas les vuelva a arrancar el pelo. ¿Cómo puedo resolver este problema?»

Algunos criadores y reproductores afirman que este hábito no es más que una conducta dominante. Otros sostienen que se da por exceso o falta de estímulos, ya que un ratón de laboratorio, pese a haber nacido y crecido en una jaula, sigue teniendo unas necesidades sensoriales, sociales y medioambientales que no puede satisfacer en esa clase de espacios, aunque viva en una agradable jaula llena de ruedas para hacer ejercicio y de túneles de plástico de vistosos colores. El hábito del peluquero, como muchas formas de TOC, incluyendo las variedades humanas, es una conducta normal de acicalarse el pelo que de algún modo se ha vuelto anormal. Por lo general, los ratones se acicalan rascándose con las patas traseras, lavándose con su propia saliva la cara o el pelaje con las patas delanteras, o desenredándose o limpiándose el pelo con los dientes. Pero los ratones peluquero llevan esta conducta al extremo de arrancarles el pelo a otros. Aunque esta clase de ratones no suelen dañar a aquellos a los que mordisquean o arrancan el pelo o los bigotes. A decir verdad, parece que a sus clientes hasta les *gusta* y todo.[42] Los ratones a veces siguen a la peluquera hembra por todas partes hasta que les arranca el pelo, aunque acaben quedándose sin bigotes o rapados por delante como era de esperar.

Como los ratones no pueden faltar en los laboratorios, algunos investigadores han sugerido[43] que los roedores peluqueros nos pueden ayudar a entender mejor el hábito del arrancamiento compulsivo de pelo en los humanos. Estudios hechos con ratones como sustitutos[44] de humanos aquejados de este trastorno probaron varias técnicas para lograr que los ratones empezaran a hacer de peluqueros (en el caso de que no hubieran manifestado esta conducta por sí mismos), y luego investigaron el efecto que les producían los antidepresivos en su conducta.

En el hábito del peluquero podría también haber un componente genético. Un experimento realizado en el 2002[45] reveló que los ratones criados sin un grupo de genes como el gen Hoxb8, fundamental en el desarrollo de microglías, unas pequeñas células inmunitarias presentes en el cerebro, se convertían en peluqueros empedernidos. Los ratones mutantes no solo se arrancaban el pelo y los bigotes a sí mismos, sino que durante sus accesos se rascaban con las patas las clapas del pelaje y las heridas. En un estudio posterior publicado en la revista *Cell,* los científicos trasplantaron médula ósea que contenía células microgliales sanas de ratones del grupo de control a la población de peluqueros. Al cabo de un mes del trasplante, cuando las microglías llegaron al cerebro de los ratones mutantes, muchos de ellos dejaron de acicalarse el pelo en exceso. Tres meses más tarde el pelo les había vuelto a crecer. Aunque nadie esté sugiriendo que los tricotilómanos humanos se sometan a trasplantes óseos, los investigadores están estudiando en la actualidad las conexiones entre el sistema inmunológico del cerebro, la tricotilomanía y otros trastornos mentales como el TOC, el autismo y la depresión.

Los animales con pelaje no son los únicos en arrancarse el pelo. Los veterinarios avícolas diagnostican el trastorno del picaje de plumas cuando no está relacionado con otras enfermedades como las alergias. Los propietarios de loros, los veterinarios avícolas y los criadores afirman que las aves se arrancan las plumas cuando se sienten aburridas, frustradas y estresadas.[46] También puede tener que ver con una conducta sexual o una separación prematura, un deseo de intentar recibir atención, una reacción al hacinamiento, un síntoma de la separación por ansiedad o una reacción a un cambio en la rutina del ave, prácticamente se puede deber a cualquier cosa que le incomode a un loro.

Phoebe Greene Linden lleva viviendo con loros[47] más de veinticinco años y es toda una experta en la conducta de loros cautivos. Me contó que las soluciones para que un loro deje de arrancarse las plumas depende de la manera de ser de cada uno de ellos, como sucede con las estrategias para los tricotilómanos humanos. Cada uno se arranca las plumas por distintas razones. Phoebe cree que en general lo mejor es enriquecer el entorno del loro y ayudarle a aprender nuevas conductas. «Asegúrate de que pueda volar, comer hierba y socializar, porque es fundamental para ellos», afirma. Y en los casos crónicos, los medicamentos antidepresivos conocidos como ISRS, como el Prozac, van muy bien, al igual que el Xanax y el Valium.

En el Zoo de San Francisco, un mandril hembra que ocupaba el último lugar en la escala jerárquica empezó a arrancarse el pelo al morir el macho alfa del grupo. Tras su muerte, un mandril apodado el Dictador por un educador del zoo tomó su lugar. El mandril hembra que ocupaba la posición más baja en la escala jerárquica, estresada por el nuevo líder, empezó a arrancarse el pelo de ambos lados de la cabeza con tanta furia que parecía un peinado a lo mohicano. El zoo le administró Paxil y el mandril hembra dejó de arrancarse el pelo.

Los gorilas en cautividad se suelen arrancar el pelo de los antebrazos y la barbilla, pero he visto claros en el pelaje de cualquier parte del cuerpo a la que puedan llegar. Como tienen un pelaje más abundante y espeso que nosotros, pueden arrancarse prácticamente el pelo de cualquier parte.

Pequeño Joe, un miembro del grupo de gorilas del Parque Zoológico Franklin de Boston, es un macho de dieciséis años con una débil musculatura y unos largos brazos. Pero en el 2003 los usó para trepar por el bosque tropical ficticio del recinto y escapar del zoo. («En el mundo de los gorilas es como un Michael Jordan. Sus brazos son tan largos y su cuerpo tan atlético que logró salir del recinto por el que ningún otro gorila había podido trepar», dijo Jeannine Jackle.) *Joe* deambuló por el barrio[48] durante dos horas. Cuando se tomó un descanso en una parada de autobús, una mujer al verlo dijo que al principio creyó que era un «tipo con un chaquetón negro y unas gafas de buceo».

Cuando *Pequeño Joe* no está planeando su siguiente fuga, se dedica a arrancarse el pelo. Se lo arranca a mechones de los brazos y a veces hasta se lo come, como haría una persona con tricotilomanía. También se arranca las costras una y otra vez, haciéndose pequeñas heridas en los brazos. Jeannine cree que esta conducta empeora cuando se siente ansioso. Los cuidadores no han logrado que deje de hacerlo del todo, pero intentan mantenerlo entretenido con otras cosas como, por ejemplo, dándole palomitas de diferentes sabores o haciéndole participar en sesiones de adiestramiento para mostrar distintas partes de su cuerpo en los chequeos veterinarios.

En el Zoo del Bronx de Nueva York, *Kiojasha*, un gorila hembra, se arrancaba el pelo con tanta saña que los visitantes preguntaron por qué lo hacía. Uno de los educadores dijo: «No sabían si era un gorila o no, porque estaba toda pelada. Sinceramente, parecía una anciana arrugada. Era una imagen perturbadora. Al cabo de una semana de exhibirla de esa guisa, el zoo la sacó del recinto y ahora creo que está en Calgary».

Sufi Bettina, un gorila del Bronx que lleva el nombre de la madre de Glenn Close, una de las donantes de fondos del zoo, le gusta sentarse en uno de los artísticos bancos de arcilla con la mirada perdida mientras se arranca el pelo de los antebrazos hasta formársele pequeñas costras ensangrentadas. Y entonces también se las arranca.

Primatólogos como Frans de Waal y Jane Goodall[49] han observado que los animales no humanos pueden tener una cultura —y sin duda la tienen—, es decir, los conocimientos transmitidos de una generación a otra o de un grupo a otro. Cuando oí hablar de los macacos japoneses (*Macaca fuscata*) que se enseñan unos a otros a lavarse y a dejar en remojo los boniatos en el mar porque los salados saben mejor, me pregunté si también ocurría lo mismo con el hábito de arrancarse el pelo. Las crías de gorilas que se lo arrancan acaban imitando a sus padres y es posible que también lo hayan aprendido de los miembros del grupo.

Los trastornos de difícil diagnóstico

La tricotilomanía es fácil de diagnosticar por las partes calvas que deja y a menudo incluso visibles para un lego en la materia. Pero ¿y qué hay de las otras señales de desequilibrio mental que cuestan más de reconocer y son un poco más subjetivas de determinar? Incluso entender las causas de ciertas conductas estereotipadas puede dar pie a confusión. Temple Grandin ha señalado que, aunque un animal no manifieste la conducta compulsiva de caminar nerviosamente de arriba abajo o de mordisquearle o roerle repetidamente la cola a otro, no significa que sea feliz. Del mismo modo que la ansiedad por separación hace que algunos perros se vuelvan más retraídos que destructivos, el oso catatónico acurrucado en un rincón de su recinto que no camina trazando ochos en la nieve tal vez carezca de la energía para expresar su frustración. A esos animales tienden menos a diagnosticarles un trastorno, aunque estén sufriendo tanto o más todavía que los que exhiben conductas más compulsivas.

Esta clase de conductas pueden costar de interpretar incluso cuando están claramente relacionadas con el estrés. A Mel Richardson le pidieron en una ocasión que examinara a un canguro arbóreo del Zoo de San Antonio porque los cuidadores dijeron que se comportaba de forma extraña. Este tipo de canguros con las orejas de un osito de peluche, las mejillas rellenitas de un koala y la cola de un peludo mono son encantadores. Pero la hembra estaba actuando como una fiera. Atacaba a sus crías y los cuidadores no entendían por qué lo hacía. Mel fue a examinarla. En cuanto se acercó a ella, el canguro arbóreo hembra fue corriendo hacia sus crías y se puso a golpearlas con las patas y a darles zarpazos. Cuando Mel dio unos pasos atrás, el animal se detuvo. Al volver Mel a avanzar, volvió a correr hacia sus crías.

«Comprendí que la hembra no estaba atacando salvajemente a sus crías, sino intentando levantarlas del suelo, pero sus pequeñas garras no estaban hechas para ello. En Australia y en Papúa Nueva Guinea, de donde procede esta clase de canguro, sus crías nunca habrían estado en el suelo. Toda su familia habría estado en los árboles». La madre canguro quería alejar a sus crías de los humanos. Lo que parecían ser ataques anormales contra sus retoños no era más que su forma de intentar *protegerlos*. Su conducta no indicaba una enfermedad mental, sino una respuesta al estrés de ser madre en un entorno poco natural.

Después de que los cuidadores rediseñaran la jaula de los canguros para que una mayor parte de ella quedara más elevada y alejada de la puerta, la canguro se relajó y dejó de golpear a sus crías.

Mel me contó: «Por más chocante que suene, la verdad es que para saber lo que es anormal, debes conocer antes lo que es normal. En este caso para determinar la patología que sufría tenía que entender la psicología del animal. Y es muy fácil malinterpretarla».

Años más tarde, cuando Mel ejercía de veterinario en su consulta de Chico, California, una de sus auxiliares al llegar se quejó de la ansiedad de su pastor alemán hembra. Dijo que había empezado a manifestarla cuando ella se había peleado con su novio y este enfurecido había arrojado un objeto contra la pared, derribando un cuadro enmarcado al suelo. A partir de entonces la perra cuando entraba en la sala de estar se escondía en los rincones, mirando aterrada las paredes.

—¿Qué haces cuando tu perra se comporta así? —le preguntó Richardson.

—Me acerco a ella, la acaricio y le hablo hasta que se calma —repuso la auxiliar de veterinaria.

—Pues no haces más que empeorar su problema. La estás premiando por su conducta ansiosa. Ignórala.

Ella empezó a ignorar a su perra cuando estaba en la sala de estar y a las dos semanas había dejado de asustarse y de pegarse a las paredes. Mel cree que este tipo de cosas son muy comunes, ya que al no entender los dueños de mascotas el papel que tienen en el comportamiento extraño de su animal, sin darse cuenta, aunque lo hagan con la mejor intención del mundo, pueden reforzar sus expresiones de miedo y ansiedad, o incluso quizá sus conductas compulsivas.

Pra Ahjan Harn Panyataro, el «monje de los elefantes» budista, vive en Baan Ta Klang, una población de la provincia de Surin, al nordeste de Tailandia, donde las mujeres se dedican a tejer la seda de los gusanos de las moreras que crecen en sus jardines. La comunidad posee más de doscientos elefantes, aparcados como coches de color gris claro delante de las casas del pueblo.

Panyataro, uno de los pocos monjes que celebra funerales para elefantes, ha construido un cementerio de elefantes donde las familias humanas dejan al pie de las lápidas esculpidas a mano ofrendas de frutas, incienso y botellas de agua mineral para sus elefantes fallecidos. También reúne estadísticas sobre la población de elefantes asiáticos de la región y supervisa un templo en medio del bosque donde los elefantes y los *mahouts* pueden si lo desean cruzar en silenciosa contemplación el sendero que discurre entre los árboles. Si un elefante mata a una persona —algo que pasa varias veces al año en su comunidad—, organiza una conversación entre los familiares del fallecido, el propietario del elefante, el *mahout* que se ocupa de él y cualquier otra persona afectada por la muerte de la víctima. Lleva veinte años haciéndolo.

La mañana en la que conocí a Panyataro, él estaba a punto de viajar a la India («Por motivos budistas, no por los elefantes», me contó). Una motocicleta runruneando le esperaba para llevarlo al aeropuerto. Se sentó en las escaleras de la puerta del templo y me hizo un gesto con la mano para que me sentara varios peldaños más abajo. Yo quería averiguar si entre los numerosos elefantes que conoce había visto alguno con problemas emocionales, y si era así, que me contara cómo reconocía que un elefante no estaba bien.

—¿Puedes preguntarle cómo sabe lo que los elefantes sienten? —le dije trastabillando nerviosamente a Ann, mi amiga y traductora.

—Para entender a los otros animales primero tienes que entenderte a ti —me respondió Panyataro mirándome a los ojos. Esta afirmación era profunda y lógica a la vez. Me pregunté si había sido necesario viajar hasta Tailandia para escucharla.

—Los elefantes pueden tener problemas mentales —prosiguió—. Son como nosotros. Sienten felicidad, tristeza, hambre, plenitud.

Le pregunté cómo alguien podía hacer que un elefante triste se sintiera feliz.

—Primero tienes que descubrir lo que le pasa —repuso—. A veces lleva mucho tiempo. Y siempre es algo distinto.

Tras decir estas palabras, se colocó bien la túnica, se guardó entre los pliegues la donación, se montó en la parte trasera de la motocicleta y salió a todo gas del bosque sagrado.

4
Si Julieta fuera un loro

«Estoy empezando a comprender que cuando queremos quitarnos la vida no es porque nos sintamos solos, sino para intentar romper con el mundo antes de que él rompa con nosotros.»

Pam Houston, *Contents May Have Shifted*

«Es la alondra la que canta con voz ronca y desentonada.»

William Shakespeare, *Romeo y Julieta*, acto 3, escena 5

Charlie era un guacamayo hembra de color azul y oro criada en Florida. Durante sus primeros años iba a todas partes con su familia humana y la trataban como un miembro más. Hasta que su vida dio un vuelco. A los cinco o seis años de edad su propietario murió y la entregaron a un criadero de loros. Los loros, sobre todo los guacamayos, llegan a vivir cincuenta años o más tiempo, por lo que suelen quedarse huérfanos. A veces la pérdida de sus compañeros humanos les deja desconsolados. *Charlie*, sin embargo, parecía haber superado su primera pérdida bastante bien, ya que enseguida le cogió cariño a otro loro del criadero.

Al poco tiempo de entablar esta nueva amistad, los dos loros fueron robados. A *Charlie* la lograron recuperar y fue devuelta al criadero, pero con su pareja no sucedió lo mismo. Desolada, empezó a arrancarse las plumas. Lo hacía con tanta brutalidad que al cabo de

181

varios meses se había quedado desplumada, salvo un puñado de plumas que conservaba en la cola y la cabeza. El criadero de loros la donó al Zoo de Tampa.

Ann Southcombe, una mujer esbelta con voz de niña y manos pequeñas era una de las cuidadoras del zoo. Trataba a los animales con un gran amor, ofreciéndoles toda su atención. En una ocasión, la vi tranquilizar a una asustadiza ardilla en cuestión de segundos. Ann había rescatado al roedor de cola suave y esponjosa después de caer del nido siendo una cría y la llamó *Mary*. *Mary* vive ahora en un palacio para ardillas en la habitación de invitados de la casa de Ann. Durante los últimos treinta y cinco años, Ann ha sido no solo cuidadora de un zoológico, sino además ayudante de investigación y rehabilitadora de una gran variedad de animales salvajes. Ayudó a criar a *Chantek*, el orangután que vivía en una caravana en la Universidad de Tennesse como parte de un estudio sobre antropología y el lenguaje de los simios realizado en las décadas de 1970 y 1980. Le enseñó al orangután el lenguaje de los signos, lo contemplaba mientras *Chantek* se servía sus vasos de leche y barría la caravana, y de vez en cuando se lo llevaba a la librería del campus a comprar caramelos para él. Según Lyn Miles, la investigadora jefe del estudio,[1] tres décadas más tarde *Chantek* se sigue llamando a sí mismo con signos el «orangután persona».

Ann también se ha ocupado de crías de gorilas en el Zoo de Cincinnati y trabajó durante un tiempo con *Michael*, un gorila que hablaba mediante el lenguaje de signos, el compañero menos famoso de *Koko*, un gorila hembra. En una ocasión Ann le enseñó a una nutria herida a cazar en la fuente de su jardín unos pececillos de colores que había comprado, y se ha ocupado de una serie de oseznos negros huérfanos, un lince, una cría de chimpancé, un águila dorada con pico prostético, varios búhos y conejos, y también de tantas ardillas que ha perdido la cuenta. También se ha encargado de un puñado de loros, pero ninguno era tan conmovedor como *Charlie*.

«*Charlie* estaba tan desplumada que parecía un pollo preparado para cocinar», recuerda Ann. «Decidí sacarla del zoo y llevármela a casa para ver si lograba que se sintiera mejor».

Primero, le compró un collar isabelino para que no se siguiera arrancando las plumas, pero fue inútil. Después la llevó a sesiones de acupuntura y le dio infusiones de plantas medicinales. Pero *Charlie* continuó arrancándose las pocas plumas que le quedaban.

«Por la noche la dejaba dormir en mi habitación», me contó Ann. «Tenía pesadillas. Estoy segura, porque mientras dormía posada en la percha con los ojitos cerrados, lanzaba de pronto chillidos angustiados».

Durante el día Ann la sacaba al exterior. La llevaba a un gran árbol viejo que había en el jardín y la dejaba en las ramas más bajas para que disfrutara estando al aire libre mientras ella se dedicaba a hacer otras cosas por la casa. A *Charlie* le encantaba. Aunque de vez en cuando se caía del árbol. Como estaba toda desplumada, no podía volar. Pero entonces volvía andando hasta el pie del árbol y trepaba a la rama.

Salvo una vez. Un día Ann la dejó sola en el árbol mientras se fue a comprar. Solo se ausentó una hora.

«Cuando volví, estaba muerta. No te imaginas lo triste que fue», prosiguió Ann desconcertada. «Me la encontré empalada en una barrita de metal que salía del suelo. Lo más curioso es que era la barrita de metal de las patas larguiruchas de un flamenco rosa decorativo. Se ve que en un momento dado el cuerpo de plástico del flamenco desapareció, quedando solo las pequeñas estacas de metal. Mientras estaba en el supermercado *Charlie* cayó sobre una de ellas y le atravesó el pecho. Tal vez parezca una barbaridad, pero creo que *Charlie* ya no quería seguir viviendo. Era un ave muy inteligente. Y el árbol sobre el que estaba posada era enorme, al igual que el jardín, y estaba acostumbrada a jugar en ambos sitios todo el tiempo. Si quería suicidarse, es posible que se hubiera arrojado allí adrede. ¡Quién puede saberlo! Sé que lo estoy antropomorfizando, pero me pareció una coincidencia muy extraña. De todos los lugares donde podía haber caído, lo hizo sobre la diminuta estaca».

Los loros, como las personas, no suelen morir por haberse arrancado las plumas. La historia de *Charlie* llama la atención no solo por quedarse desplumada, sino porque las circunstancias que rodearon su muerte fueron muy extrañas.

Tal vez el aspecto más desconcertante de la locura de los animales sea el hecho de si son o no capaces de suicidarse. El tema ha interesado a los filósofos desde la antigüedad. Aristóteles contó la historia[2] de un semental escita que se arrojó a un abismo al descubrir que lo habían engañado para que se apareara con su propia madre. Y mientras el cristianismo mira con malos ojos el suicidio en general, el pelícano —que según la mitología se rasgó su propia carne para alimentar a sus polluelos— representa a Cristo, es un símbolo aviario del sacrificio. En el siglo diecisiete el poeta inglés John Donne escribió sobre el pelícano como símbolo del «deseo natural de morir».

Desde 1732, la primera vez[3] que aparece documentada en lengua inglesa, la palabra *suicidio* ha significado la intención de hacerse daño uno mismo para quitarse la vida, pero la definición del acto en sí cuesta más de rastrear. El *DSM-V* no incluye el suicidio,[4] pero define el trastorno por conducta suicida. Para que a un paciente le diagnostiquen este trastorno debe haber intentado suicidarse en los dos años anteriores y haber cambiado de idea. O alguien se lo impidió. Según el *DSM*, el suicidio no puede tenerse en cuenta por razones políticas o religiosas. Y el diagnóstico de las personas que se han cortado, quemado, apuñalado o golpeado intencionadamente para hacerse daño sin al parecer querer morir se denomina autolesión *no suicida*.

Esta clase de conductas autodestructivas entre animales no humanos[5] —desde actos drásticos como automordeduras y restregones, hasta repetidos cabezazos— han sido ampliamente documentadas por psicólogos conductistas, veterinarios, médicos y otros investigadores. El artículo «Modelos de una conducta autodestructiva y suicida en los animales», publicado por la revista científica *Psychiatric Clinics of North America* en 1985, sugería que los humanos suicidas y los animales que se autolesionaban se parecían lo bastante como para investigar los impulsos autodestructivos en unos y otros. La autora principal, Jacqueline Crawley, jefa del departamento de neurofarmacología conductual de los Institutos Nacionales de la Salud (NIH, por sus siglas en inglés) y la coautora, jefa de estudios clínicos en los NIH, sostuvieron que el suicidio es una conducta claramente humana que requiere una cognición compleja, pero que otros animales también se pueden lesionar mortalmente, tanto en la naturaleza como en el laboratorio. «Si bien las conductas autodestructivas y las suicidas[6] no son sinónimos, la frontera entre ambas es muy difusa», escribieron.

El estudio se publicó hace veinticinco años y durante este espacio de tiempo[7] otros investigadores han intentado usar los modelos animales para entender las conductas autolesivas y los posibles tratamientos en los humanos. Uno de esos estudios, realizado también por investigadores de los NIH y finalizado en el 2009, intentaba esclarecer las tendencias suicidas. «El suicidio es una conducta compleja[8] que en el mejor de los casos resulta complicada de estudiar en los humanos e imposible de reproducir del todo en un modelo animal», escribieron. «Sin embargo, al investigar las peculiaridades que revelan grandes paralelismos entre ambas especies y también asociaciones con el suicidio humano, los modelos animales podrían esclarecer los mecanismos por los que los ISRS se asocian a los pensamientos y las conductas suicidas en los jóvenes. Es decir, las investigaciones con animales de laboratorio podrían ayudarnos a entender la posible conexión entre ciertos antidepresivos y los pensamientos suicidas de los jóvenes. Entre las peculiaridades y las conductas de los animales de laboratorio[9] que las autoras consideran indicadores de esta tendencia, se incluyen la agresividad, la impulsividad, la irritabilidad, la desesperación y la impotencia.

Estos estudios son, en cierto modo, un reconocimiento en el siglo veintiuno a las investigaciones de William Lauder Lindsay, Charles Darwin, George Romanes y otros naturalistas victorianos que vieron una continuidad natural entre la vida emocional de los humanos y la de otros animales. Las investigaciones actuales en torno de la irritabilidad de los animales o la desesperanza de los roedores sugieren que al menos algunos de los investigadores de loadas instituciones como los NIH ven las autolesiones a lo largo de un continuo, en el que el suicidio se encuentra en un punto del mismo y conductas menos letales como las automordeduras y los cortes en otro, sin conceder a los animales la habilidad de quitarse la vida. Por lo visto, los humanos no tenemos el monopolio de la autodestrucción, aunque las formas que maquinamos o planeamos para llevarla a cabo sean únicas.

Según la psiquiatría, la psicología y las ciencias de la salud mental occidentales, quitarse la vida intencionadamente implica una forma especial de autoconciencia que sabemos que se da en los humanos, pero que no podemos demostrar que exista en otros animales. Sin embargo, es posible que *Charlie* supiera a su propia manera lo que estaba haciendo. Hasta qué *punto* era consciente de ello es un misterio, al igual que si sabía que su caída del árbol iba a acabar con su vida. Pese a estas incógnitas, es muy posible que *Charlie* sintiera que su situación era insostenible y que diera a sabiendas el gran paso para hacer algo al respecto, porque ya no le importaba seguir viviendo.

Beatriz Reyes-Foster es profesora de antropología en la Universidad de Florida Central y tiene un doctorado en antropología sociocultural. Cuando estaba haciendo el curso de posgrado en la Universidad de California (Berkeley), estudió los intentos para prevenir el suicidio en las comunidades mayas de la península de Yucatán en México. Más tarde trabajó durante un tiempo en la sala de un hospital psiquiátrico público donde había los casos más graves, para observar cómo los pacientes mayas interactuaban con sus psiquiatras.

Conocí a Beatriz en lo que supongo puede ser una de las conferencias más deprimentes a las que he asistido. El taller «El suicidio y los que lo cometen», impartido en el Instituto Max Planck de Antropología Social, tuvo lugar en la glacial oscuridad de finales de noviembre en Halle, una ciudad alemana famosa por su fábrica de chocolate. Para mi sorpresa, Beatriz y la mayoría de los otros antropólogos expertos en suicidio que participaban en el congreso eran vitales, divertidos y solo se mostraban ligeramente apenados por el tema de investigación elegido. Una tarde Beatriz me dijo en privado que mi interés por los animales suicidas le recordaba algo que había observado en Yucatán.

La mayoría de familias mayas tienen gallinas, pavos y perros. Las familias más acaudaladas también tienen cerdos, vacas y ciertas aves que consideran que no sirven prácticamente para nada, como patos, ocas y palomas («por alguna razón a los yucatecos no les gusta consumir la carne de esta clase de aves de corral»). Como la mayoría de mayas son muy pobres, es muy raro que alguno se gaste su dinero en un veterinario para llevarle a sus pollos, pavos o perros. Cuando uno de esos animales enferma y deja de comer o se vuelve indiferente y apático, dicen que se ha *puesto triste*. Beatriz oía a los miembros de la familia anunciar que el animal *no tiene ganas* [de vivir] cuando parecía estar a las puertas de la muerte. «Esta idea me hace ver la vida como una especie de lucha de la que uno se acaba cansando de mantener», observa Beatriz. «La muerte la entienden como algo natural, en vez del resultado de una negligencia o de malos tratos. Cuando un animal se vuelve *triste* y pierde las *ganas,* los mayas simplemente creen que le ha llegado la hora».

De vez en cuando, a los mayas también les pasa lo mismo. Beatriz me mencionó el caso del anciano de una aldea del centro de Yucatán donde ella solía investigar. Tío Tomás, como lo llamaba su familia, sufrió un derrame cerebral al borde de los ochenta años que lo dejó paralítico, incapacitándolo para cultivar y mantener los maizales. Empezó a decirle a todo el mundo que ya no servía para nada. Un día intentó estrangularse con sus propias manos, pero le faltó la fuerza física para salirse con la suya. «La familia de Tío Tomás se puso muy triste al enterarse, pero no recurrieron a ninguna clase de ayuda para cambiar su conducta», me contó Beatriz. Procuraron evitar que volviera a intentarlo, pero un día se negó a seguir comiendo. Al principio, la familia intentó obligarle a comer a la fuerza, pero cuando vieron que Tío Tomás seguía sin aceptar la comida, dejaron de intentar convencerle.

«Alguien más sentencioso que yo tal vez lo vea como un terrible ejemplo de cómo tratan a los ancianos cuando creen que ya no sirven para nada», apuntó Beatriz. «Pero creo que ese punto de vista estaría influido por una interpretación muy modernizada de la necesidad de seguir viviendo a toda costa. La vida de Tío Tomás ya no iba a mejorar, al igual que la de los animales domésticos enfermos. Creo que algunas personas ven lo dura que es la vida y en un momento dado de su existencia se ponen *tristes* y pierden las *ganas de vivir*, porque *ya nos llegó la hora*. Todos moriremos en algún punto de nuestra vida y esta clase de muerte llega de manera natural».

Pero no todo el mundo es tan claro respecto a sus motivaciones como Tío Tomás. Las muertes súbitas son incluso más desconcertantes aún. Según la Asociación de Suicidología Americana,[10] solo una de cada cinco o seis personas deja una nota antes de suicidarse. Los amigos, la familia y los profesionales de la salud mental se quedan preguntándose por qué se ha suicidado la víctima o incluso si ha sido intencionadamente: «¿Se estampó con el coche contra un árbol accidentalmente?», «¿Estaba admirando el panorama cuando se despeñó o se arrojó al vacío aposta?», «Se tomó por equivocación una sobredosis de pastillas o lo hizo adrede?»

Cuando un adulto en su sano juicio como Tío Tomás se niega a tomarse su medicación o a comer, está suicidándose, aunque lo haga lentamente. Otras personas que actúan más compulsivamente, arrojándose al vacío desde un lugar elevado o a una carretera llena de coches circulando a toda velocidad tal vez no hayan calculado del todo si el impacto será fatal. ¿Intentaban esos hombres y mujeres quitarse la vida u, obrando un poco como *Oliver*, se dejaron llevar por el pánico sintiendo el irreprimible deseo de hacer algo, lo que fuera, para atajar su sufrimiento? Al tener en cuenta el misterio que rodea tantas muertes humanas, no estoy intentando demostrar que los otros animales se suiciden, sino solo sugerir que se les debería dar a algunos seres el beneficio de la duda.

El caballo en la corte y el escorpión que se picó a sí mismo

En el 2010 se publicó un convincente estudio sobre el suicidio de los animales a lo largo de la historia escrito por dos historiadores británicos de las ciencias y la medicina, Edmund Ramsden y Duncan Wilson. Su artículo «La naturaleza del suicidio:[11] la ciencia y los animales autodestructivos» generó una amplia discusión pese a que los autores nunca especificaron si los animales eran capaces de cometer actos suicidas. En su lugar sostenían que los relatos de animales suicidas que existían a lo largo de la historia reflejaban las actitudes humanas imperantes en cuanto a la autodestrucción.

«Los científicos y los grupos sociales[12] han usado el suicidio de los animales para entender y definir la conducta autodestructiva... para perdonarla o condenarla y para analizar la relación entre los humanos y el mundo natural», escribieron. Es decir, los relatos de los suicidios de animales les permitían a los científicos, los historiadores naturalistas y al público en general, reflexionar en el concepto de la autodestrucción humana y en la relación que la humanidad mantiene con la naturaleza sin tener que hablar necesariamente de la gente. Escribir y reflexionar sobre los suicidios de animales, al igual que hemos visto en los casos de animales desolados y melancólicos, le permitía a la gente reflexionar en sus propias desgracias, aunque lo estuvieran haciendo sin darse cuenta.

La época victoriana fue un periodo sumamente interesante[13] para esta clase de indagaciones. La fascinación por la autoaniquilación romántica y por los escándalos amorosos estaba a la orden del día. Los suicidios eran motivo de inquietud y deshonra. En Inglaterra, las familias de suicidas[14] hacían todo lo posible por ocultar la evidencia de esas muertes porque no solo el suicidio era ilegal y considerado inmoral, sino que además los bienes de esos «condenados» iban a parar a la Corona y estaba prohibido que sus cuerpos reposaran en el cementerio de las iglesias.

La fascinación por el suicidio también se extendió a otras especies. William Lauder Lindsay dedicó un capítulo entero[15] del libro *Mind in the Lower Animals* a este tema en 1879. Creía que había nueve buenas razones por las que los animales se suicidaban: la vejez, las heridas emocionales, el dolor físico, la combinación de sufrimiento mental y físico, la desesperación, la frustración de la cautividad, la melancolía, la crueldad humana y la inmolación (en general perpetrada por los padres por el bien de sus crías). Reunió más de dos docenas de historias de suicidios intencionados en dieciséis especies de animales, como perros, caballos, mulas, asnos, camellos, llamas, monos, focas, ciervos, escorpiones, arañas, cigüeñas, gallos e incluso el Pato Donald en un episodio de Walt Disney. La obra de Lindsay refleja un gran cambio[16] en las actitudes victorianas respecto al suicidio en el sentido de que el acto no solo se convierte en un tema moral, sino también médico.

Sin embargo, no a todos los naturalistas victorianos les fascinaba tanto la idea de la conducta autodestructiva de los animales. La idea del suicidio de los animales también se intentó desacreditar, los argumentos en su contra que más trascendieron, al menos en los círculos científicos británicos, fueron los de Conwy Lloyd Morgan en 1881. Morgan decidió comprobar si los escorpiones se suicidaban realmente al descubrirse rodeados de fuego. Concibió una serie de experimentos lo «bastante brutales... como para empujar[17] a cualquier escorpión con la más ligera tendencia suicida a poner fin a su sufrimiento quitándose la vida». Calentó a los escorpiones en botellas, los quemó con ácido, les aplicó descargas eléctricas y los sometió a otras «prácticas inquietantes y exasperantes». Morgan contempló a los escorpiones clavándose su venenoso aguijón en el dorso, pero explicó esta conducta como una forma instintiva de librarse de la irritación, y acusó altaneramente a cualquiera que opinara lo contrario de «no estar habituado a la observación».

Los intentos de Morgan por rebatir el suicidio de los animales fueron en gran parte una reacción contra las investigaciones de historiadores naturalistas como Lindsay y George Romanes, que creían que los animales eran inteligentes y capaces de razonar. Romanes, amigo de Darwin, un ferviente defensor de la teoría de la evolución de las especies y el primero en usar el término *psicología comparativa,* escribió tanto sobre Darwin como sobre Lindsay en sus estudios sobre la mente de los animales. Dos años después de los experimentos de Morgan con los escorpiones, publicó *Mental Evolution in Animals,*[18] en el que incluía un ensayo sobre el instinto escrito por Darwin antes de morir. En otro capítulo del libro que trataba sobre la imaginación, citaba una variedad de ejemplos de la inteligencia y la creatividad de los animales, como «la conocida astucia del zorro y el lobo para librarse de los sabuesos», y citaba a Lindsay con relación al tema de los sueños y las fantasías de los animales. Aquellas visitas al mundo del inconsciente observadas en caballos, aves, sabuesos y elefantes durmientes que se agitaban, pegaban chillidos, lloriqueaban o se movían como si estuvieran corriendo mientras dormían eran la prueba para Romanes de que los animales tenían imaginación. Es decir, un sabueso que moviera las patas o el hocico mientras dormía se *imaginaba* estar cazando. También habló de lo que llamaba «instinto imperfecto» o «instinto perturbado», una especie de trastorno mental que causaba conductas extrañas en los animales no humanos, como la paloma que sentía una atracción tan irresistible por una botella de cristal que la colmaba de atenciones como si la estuviera cortejando. Romanes, como Lindsay y Darwin, creía que la locura[19] «no era inusual entre los animales».

Mientras tanto, el suicidio, en lugar de considerarse[20] un delito, se estaba empezando a ver como una enfermedad que podía venir de las condiciones en las que uno vivía. En la década de 1890 el psiquiatra italiano Enrico Morselli también sostenía que el suicidio estaba motivado por el inconsciente. Escribió en *Suicide: An Essay on Comparative Moral Stadistics,* publicado en 1879, que las motivaciones de los suicidas podían deberse a «causas ocultas»[21] de las que ni ellos mismos eran conscientes.

El tema del suicidio no humano traspasó los círculos académicos en 1897 cuando el sociólogo Emile Durkheim publicó *El suicidio,* un libro que marcaría un hito.[22] Basándose en las estadísticas de suicidios de la época, Durkheim sugirió que el suicidio se debía más al resultado de problemas sociales que a la agitación interior de uno. Pese a no haber realizado sus propias investigaciones sobre el tema, sostuvo que todos los suicidios de animales conocidos, desde los escorpiones que se clavaban su propio aguijón hasta los perros desolados que se negaban a comer, no eran pruebas concluyentes que demostraran que lo habían hecho de manera intencionada o premeditada. Los escorpiones no estaban usando su aguijón como un rifle, y los perros no se estaban matando de hambre como si se pusieran una soga al cuello.

Aquel mismo año, en un artículo publicado en la revista *Mind,*[23] el psiquiatra Henry Maudsley criticaba a Lindsay por caer en un razonamiento antropomórfico en cuanto a sus investigaciones sobre el suicidio de los animales, esgrimiendo como prueba el ejemplo de Lindsay de una gata que supuestamente se había estrangulado con la rama ahorquillada de un árbol después de que sus crías se ahogaran.

En 1903 Morgan reiteró su afirmación[24] en cuanto a las facultades mentales de los animales en lo que acabaría conociéndose como el «Canon de Morgan», tal vez la advertencia más famosa en contra del antropomorfismo de la historia moderna que influiría enormemente en los conductistas radicales, que en la década de 1930 veían la conducta de los animales como la función de unos procesos inconscientes en su mayoría. Dándole un ligero nuevo giro a la navaja de Occam,* Morgan escribió: «La actividad de un animal no se puede interpretar en ningún caso[25] como procesos psicológicos superiores, sino más bien como procesos que pertenecen a la escala más inferior de la evolución y del desarrollo psicológico». No se estaba refiriendo en concreto al suicidio de los animales, pero se negaba a concederles la habilidad de ejecutar cualquier acción que no se debiera al instinto.

Pese a este creciente escepticismo hacia el suicidio de los animales entre los investigadores conductistas y los psicólogos, el público británico y americano de principios del siglo veinte estaba deseando leer más que nunca historias de animales autodestructivos. Los relatos de animales que se suicidaban estuvieron apareciendo[26] en la prensa nacional y en los libros populares (de ficción y no ficción) antes, durante y después de la época en que Morgan, Durkheim y Maudsley negaron tajantemente el suicidio de los animales. A decir verdad, siguieron haciéndolo hasta bien entrado el siglo veinte.

Un artículo anterior publicado en el *New York Sun*[27] en 1881 contenía muchas historias de este tipo. Se trataba de una extensa investigación sobre los impulsos suicidas de hormigas, escorpiones, arañas, serpientes, cerdos castrados, perros y estrellas de mar, de estas últimas se decía que cuando las capturaban se suicidaban al instante

---

* Principio filosófico y metodológico atribuido a Guillermo de Ockham, un fraile franciscano inglés del siglo catorce, según el cual «en igualdad de condiciones, la explicación más sencilla suele ser la correcta». *(N. de la T.)*

desprendiéndose de sus miembros. El autor sostenía que la mayoría de suicidios de animales eran un intento de evitar la captura y el dolor. Esos relatos citados reflejaban las opiniones humanas sobre las formas socialmente aceptadas de morir, las razones morales del suicidio, el papel adecuado del sexo y la ética de la captura y la cautividad. También eran casi siempre un intento de explicar la desconcertante conducta de los animales para que los que los observaban le encontraran algún sentido.

Rex, un león, fue uno de esos desconcertantes seres. Pertenecía al Circo de los Hermanos Ringling y lo encontraron colgando en un rincón de su jaula en 1901, asfixiado por la cadena que llevaba en el cuello. Según su cuidador, el león se había suicidado por una embarazosa pelea que había mantenido con otro macho más joven. «Como todo el mundo sabe, los leones son tan vanidosos como las mujeres de sociedad.[28] No pudo soportar ser atacado y destronado por otro león más joven después de ser el macho dominante durante tanto tiempo. Intenté consolarlo con todo cuanto se me ocurrió y le hice un montón de caricias, pero fue inútil. Ya no mantenía altanero la cabeza erguida como antes. Se quedaba pegado al fondo de la jaula, hasta que un día se suicidó».

Los animales que más se suicidaban[29] a inicios del siglo veinte en Gran Bretaña y en Estados Unidos eran perros y caballos. Entre la población general,[30] los perros competían con los primates por la codiciada posición de ser los que mantenían una relación más estrecha con los humanos. Los perros y los caballos también eran los seres más fáciles de observar y además estaba surgiendo un creciente interés por proteger su bienestar. A finales del siglo diecinueve y a principios del veinte, organizaciones como la Real Sociedad para la Prevención de la Crueldad hacia los Animales[31] popularizó historias de perros suicidas porque justificaban la lucha por un trato más humano hacia los animales. En lo que respecta a los caballos, los escritores de historias naturales populares[32] los caracterizaban como nobles y a veces incluso les atribuían una mayor nobleza que la de los humanos, haciendo que resultara tal vez menos extraño que sufrieran la misma clase de problemas emocionales que sus jinetes.

En febrero de 1905, un tribunal superior de justicia comarcal[33] del sur del estado de Washington dictaminó que un caballo se había suicidado. El caballo, alquilado en unas caballerizas locales, se quedó atascado en el lodo mientras arrastraba el carruaje por un camino embarrado. Según la versión del cochero, intentó sacarlo de allí, pero el caballo apenas se esforzó por salir del fango. El cochero fue entonces a buscar ayuda, pero mientras tanto el camino se inundó y el caballo murió ahogado. El dueño del caballo llevó al cochero a los tribunales, acusándolo de negligencia, pero admitió ante el tribunal que «hacía un tiempo que el caballo parecía haber perdido las ganas de vivir». El tribunal dictaminó en «defensa del animal un evidente caso de suicidio» y el dueño del caballo perdió el caso. Al parecer otros caballos se habían arrojado[34] bajo las ruedas de autobuses o intentado tirarse desde puentes ferroviarios.

Esos relatos contienen moralejas sobre el suicidio, la masculinidad (al menos en el caso de *Rex*), la ética de la captura y la cautividad, y las opiniones sobre las formas aceptables de morir. Pero también hay historias de conductas de animales que han sido tergiversadas por los espectadores. Como la muerte de un animal se atribuía a una causa, las historias también otorgaban una especie de racionalidad a los perros, caballos o leones suicidas. Aunque los detractores del suicidio de animales hicieran todo lo posible por ponerlo en duda, la gente siguió identificándose con los animales autodestructivos.

El *Flipper* suicida

Ric O'Barry, un antiguo adiestrador de delfines convertido en defensor de los animales que no tiene miedo a la hora de expresar su opinión,[35] ha estado sosteniendo desde la década de 1970 que los delfines se suicidan. Figura polarizadora incluso entre ciertos activistas, es autor de *The Cove*, un documental oscarizado sobre las matanzas de delfines en las costas de Taiji, Japón. En una ocasión mientras protestaba en un encuentro de la Comisión Ballenera Internacional, llevó consigo un monitor de televisión que mostraba secuencias de matanzas de delfines. Ha sido encarcelado por intentar liberar delfines cautivos de parques acuáticos, centros de investigación y de la Marina estadounidense.

O'Barry también es responsable, al menos en parte, de los espectáculos actuales de delfines y ballenas en parques temáticos como SeaWorld, donde los cetáceos bailan erguidos sobre la cola, dan volteretas y giran en el aire, chillan cuando se lo piden y llevan a remolque a sus adiestradores por el agua mientras repiquetea la música pop, ante pantallas gigantes que muestran animaciones de locos chapuzones. O'Barry fue uno de los primeros adiestradores de delfines famosos en Estados Unidos. En la década de 1960 adiestró a grupos de delfines para filmar *Flipper*, una popular serie de televisión estadounidense que se emitió durante tres años. La serie se estuvo volviendo a dar durante otros veinte años en docenas de países. O'Barry incluso residía en la casa que salía en la serie a orillas de la laguna artificial donde vivían los delfines. *Flipper* se convirtió en el delfín más famoso del mundo y su nombre, como sucedería con los *Kleenex*, acabó siendo sinónimo de este cetáceo.

Sin embargo, no existía un solo *Flipper*. En su libro *Tras la sonrisa del delfín*, O'Barry escribe que el papel de *Flipper*[36] lo protagonizaban cinco delfines amaestrados. *Flipper* era tanto una fantasía como la encarnación del entretenimiento familiar de los años cincuenta y sesenta, una serie en cuyas tranquilizadoras tramas los agentes siempre acababan pillando a los malos de la película al final del episodio. El papel de *Flipper* lo hacía un delfín hembra llamado *Kathy*. Ella y O'Barry estaban muy unidos.

Durante los primeros años de la serie, O'Barry no se cuestionó el bienestar de *Kathy* ni el de los otros delfines. Le gustaba la fama y la creciente cuenta bancaria que estaba amasando y organizó expediciones para capturar[37] delfines en libertad con la idea de vendérselos a los nuevos parques temáticos con animales marinos que estaban apareciendo por todo el planeta a medida que el interés por *Flipper* crecía. «En aquellos tiempos seguramente era el adiestrador de delfines mejor pagado del mundo... es muy fácil caer en la autocomplacencia cuando te puedes dar el lujo de comprarte un nuevo Porsche cada año... Para serte franco, estuve viviendo en las nubes todo el tiempo del que fui capaz, hasta que un día un incidente me obligó a abrir los ojos de golpe».

Todo cambio para O'Barry cuando[38] al poco tiempo de terminar la serie recibió una llamada del Seaquarium de Miami, donde *Kathy* se encontraba. El delfín hembra no estaba bien. Su programa diario había cambiado, al igual que el personal que la cuidaba. Ahora se hallaba aislada en un tanque de acero, lejos de los delfines que conocía. Cuando O'Barry llegó al Seaquarium, encontró a *Kathy*[39] cubierta de ampollas negras por haber estado expuesta al sol (había estado flotando desganada en la superficie del tanque), a duras penas respiraba y se encontraba muy débil. O'Barry se lanzó al agua con la ropa que llevaba puesta. Según él, *Kathy* nadó hacia él, dejó de respirar y murió entre sus brazos. «*Kathy* se suicidó...[40] Los delfines y las ballenas no respiran automáticamente», dijo O'Barry. «Cada inhalación de aire supone un esfuerzo consciente. O sea que pueden poner fin a su vida cuando quieran y es lo que *Kathy* hizo. Eligió no seguir respirando y eso es un suicidio en toda regla o una asfixia autoinfligida en un tanque de acero. Fue lo que me hizo abrir los ojos».

Kathy murió el 22 de abril de 1970. Era el primer Día de la Tierra. Veinte millones de personas se manifestaron[41] por todas partes de Estados Unidos, muchas de ellas llevaban máscaras de gas como protesta y blandían pósteres hechos a mano del planeta Tierra, con océanos pintados precipitadamente con rotuladores y pintura azul. Una semana más tarde, inspirado por este nuevo movimiento ecológico[42] y por su desgarradora experiencia con *Kathy*, O'Barry se encontraba en las Bahamas intentando cortar los cables de una jaula para liberar a un delfín que había sido capturado en la costa de Miami y vendido más tarde al Laboratorio Marino Lerner de Bimini. Ese delfín hembra se negó a escapar por el agujero que O'Barry abrió en su cerco. Lo pillaron y lo arrestaron, pero aun así siguió luchando por los delfines.

Nunca sabremos si *Kathy* se suicidó, pero el trauma de verla morir en sus brazos le cambió la vida a O'Barry. En la actualidad ya no tiene ningún Porsche y me dijo que lleva cuarenta años dedicado a erradicar el negocio que él ayudó a iniciar con la esperanza de evitar muertes como la de *Kathy* en otros parques marinos y acuarios. La historia de O'Barry me conmovió, pero quería saber si cualquier otra persona que hubiera trabajado con cetáceos creía que los delfines podían ahogarse intencionadamente. Llamé a Naomi Rose, en aquella época científica de la Sociedad Humana de Estados Unidos especializada en mamíferos marinos. Obtuvo su doctorado estudiando la dinámica social de las orcas macho en Columbia Británica, es miembro del Comité Científico de la Comisión Ballenera Internacional y ha participado en distintos encuentros nacionales e internacionales para evaluar la salud de los mamíferos marinos y el impacto de la caza de ballenas, los cambios medioambientales y otros factores.

Cree que es posible que las ballenas y los delfines en cautividad se suiciden[43] y lo sitúa en un continuo junto con otras conductas autodestructivas que manifiestan, como nadar siguiendo patrones compulsivos o dar cabezazos contra las paredes de los tanques. Cuando le pregunté si creía que *Kathy* se había suicidado, me repuso que era sin duda posible. También me dijo algo en lo que yo nunca había caído: los delfines y las ballenas que vemos en cautividad son probablemente los más resistentes psicológicamente. Son los únicos que sobreviven.

«Toda la gama de especies que viven en alta mar[44] como el delfín listado [*Stenella coeruleoalba*] son un buen ejemplo de ello. Viven en grupos formados por un millar de delfines. Si los capturas y los metes en tanques, cuando vayas un día a verlos por la mañana te los encontrarás flotando muertos en el agua. Al igual que las ballenas piloto en cautividad. Viven como máximo uno o dos años y luego mueren. *Burbujas*, una ballena piloto vivió en el SeaWorld veinte años, pero es toda una excepción. Los animales que se suelen ver en los acuarios o en los parques marinos, los delfines nariz de botella, las orcas y las belugas son los más resistentes. Los únicos que soportan la cautividad». Aunque Rose está convencida de que de vez en cuando hasta esos resistentes seres pierden las ganas de vivir, sumiéndose en una depresión tan profunda que se niegan a comer o a relacionarse con otros, quitándose la vida lentamente.

En el certificado de defunción de una persona deprimida que no quiera seguir un tratamiento para sus tumores que se están multiplicando a marchas forzadas figura el cáncer como causa de la muerte, pero en realidad ha fallecido por una depresión debilitante. Como ya he mencionado antes, el suicidio humano incluye una amplia gama de conductas, desde la pasividad de alguien que deja de comer, de tomar sus medicinas o que se niega a ver a un médico para que le trate el inquietante bulto que le ha salido, hasta los suicidios de quienes se pegan un tiro o se tiran desde rascacielos o puentes. Al igual que existen diversos métodos y contextos, también hay distintas motivaciones, justificaciones y explicaciones. Los animales no humanos también tienen su propio continuo de autodestrucción. Aunque dispongan de menos herramientas para infligirse heridas mortales y carezcan de las sofisticadas facultades cognitivas con las que los humanos planean su final, son capaces de autolesionarse. Y a veces mueren al hacerlo.

Se ha tendido a interpretar ciertas conductas de los animales como suicidas cuando parecen estar relacionadas con vivir en condiciones horribles e ineludibles, con la inmolación o, como en los ejemplos del principio del siglo veinte, cuando es una forma conveniente de apoyar los valores imperantes en una sociedad. Pero el suicidio también se esgrime como causa de muerte cuando la conducta de los animales es desconcertantemente ilógica y no existe un consenso científico para explicarla. Estas historias de suicidios alcanzaron su apogeo no como relatos esporádicos publicados en la prensa sobre el suicidio de un animal o de historias como la del delfín *Kathy*, sino debido a los repetidos varamientos masivos de ballenas y delfines en distintas partes del mundo.

Los suicidios en masa

El hecho de que *Kathy* muriera en la primera celebración del Día de la Tierra tal vez no sea una mera coincidencia como parece a simple vista. Otros relatos del siglo veinte y veintiuno sobre el suicidio de animales no reflejan simplemente actitudes sociales relacionadas con la autodestrucción, sino también una serie de distintos factores preocupantes publicados en artículos sobre las enfermedades mentales derivadas de la contaminación ambiental, las consecuencias imprevistas de los sonares militares en mamíferos marinos y los efectos desconocidos del calentamiento global.

Los varamientos de cetáceos vivos[45] en playas están documentados desde la antigüedad.Hay grabados de épocas más recientes, y ya en nuestros días, fotografías, artículos periodísticos y vídeos en YouTube. Un grabado flamenco de 1577 ilustra las distintas fases de la muerte de tres gigantescos cachalotes varados en una playa de la costa. Están boqueando en los estertores de la muerte. En el mar se ven otras ballenas que se dirigen a la orilla, expulsando chorros de agua. Grupitos de gente los contempla desde lo alto de los acantilados de la playa y en el mar aparecen a lo lejos varios veleros cabeceando en el agua. Veinte años más tarde la pintura de un varamiento en Holanda muestra una ballena varada tan grande como una casa, rodeada de mujeres con cuellos alechugados, hombres con trajes ceñidos, perros curiosos y al menos un noble mirando la escena preocupado desde su montura. Las estadísticas científicas sobre varamientos[46] son en cambio mucho más recientes, la más antigua procede de finales del siglo diecinueve.

A partir de la década de 1930[47] se empezaron a comparar con relativa frecuencia en la prensa estadounidense los suicidios humanos con los de cetáceos. En un artículo de 1937,[48] titulado «El enigma de las ballenas suicidas», un reportero intentaba entender por qué cincuenta orcas se habían quedado varadas en una playa en Sudáfrica. Diez años más tarde cuarenta y cuatro ballenas salieron de un mar embravecido y se «quedaron varadas deliberadamente...[49] en lo que era al parecer un suicidio en masa». El *New York Times* volvió a evocar el suicidio: «En el pasado en varias ocasiones algunas ballenas se quedaron varadas en la costa de Florida en una especie de misterioso haraquiri». Las ballenas suicidas de las que hablaban no habían sido solo autodestructivas, sino que además les recordaban a los periodistas y a los lectores a los soldados japoneses.

Un varamiento de cetáceos especialmente masivo que tuvo lugar en Escocia[50] en 1950 llevó a quienes lo presenciaron a evocar el suicidio por lo deliberadas que parecían las muertes. Según un espectador, 274 ballenas piloto se arrojaron a la playa, «quedando apiladas como peñascos en aguas poco profundas... Las gigantescas ballenas de piel negra se pusieron a boquear dando desesperados coletazos y lanzando escalofriantes chillidos». Más de una docena de ballenatos de casi dos metros de largo no paraban de volver a la orilla para permanecer al lado de las ballenas adultas, aunque los pescadores las remolcaran a aguas más profundas. «Las crías no cesaban de regresar "como torpedos"» a la orilla, dijo un testigo. Sus estridentes chillidos parecían gritos desesperados, y las ballenas adultas encalladas en la playa les respondían con unos chillidos más graves. Un representante del Museo de Historia Natural de Londres intentó rebatir los suicidios de cetáceos afirmando que las ballenas piloto eran «muy gregarias» y que quizá las que las dirigían se habían quedado encalladas accidentalmente a orillas del mar y las otras las habían seguido.

Con el paso del tiempo, los cetólogos fueron reaccionando con creciente escepticismo a los relatos[51] de delfines y ballenas suicidas, alegando que debían atribuirse a causas desconocidas. Cuando por ejemplo veinticuatro ballenas piloto quedaron varadas cerca de Charleston,[52] en Carolina del Sur, en 1973, científicos del Instituto Smithsoniano les practicaron la autopsia. El conservador de mamíferos de la institución le dijo al reportero: «Cabe la posibilidad de que la teoría del suicidio sea cierta, [pero] todavía no tenemos pruebas concluyentes sobre una cosa u otra». El único consenso entre los científicos de mamíferos marinos era la falta de consenso.

Pero la gente común y corriente se mostraba menos escéptica al respecto. Las noticias de suicidios masivos de delfines y ballenas[53] siguieron apareciendo en la prensa estadounidense en las décadas de 1960 y 1970 como parte de una tendencia en la que se pusieron de moda los artículos de varamientos. Esta clase de historias tenían una buena acogida por parte del público, entre otras razones[54] porque los cetáceos suicidas estaban relacionados, al menos en parte, con la creciente convicción de que se debía proteger a los animales no humanos. A partir de mediados de la década de 1960, las ballenas y los delfines se convirtieron en las caras siempre sonrientes de los nuevos movimientos ecológicos, como las campañas de «Salva a las ballenas», las grabaciones populares de cantos de ballenas y las críticas de los medios de comunicación en la cobertura de la actividad ballenera moderna. La historiadora Etienne Benson ha sostenido[55] que la compasión que se fue extendiendo hacia estos animales influyó en los debates sobre la captura de delfines y ballenas salvajes para la exhibición, la redacción del Acta de Protección de Mamíferos Marinos en 1972, y la utilización de métodos y aparatos localizadores que todavía se siguen usando en la cetalogía. El papel que estos animales han desempeñado como figuras empáticas —tal vez similares a las de los perros y caballos de finales del siglo diecinueve, cuya gran afinidad con el género humano hizo que fueran más merecedores de empatía y de ser capaces de quitarse la vida que otros animales— puede que haya hecho que la gente creyera más en las noticias de suicidios de cetáceos, tanto si se estaban suicidando como si no.

Casi cuarenta años más tarde, las causas del varamiento de cetáceos continúan siendo desconcertantes y enigmáticas.[56] Algunas de las teorías creíbles sobre las posibles causas son el dañino ruido de los sonares militares que se propaga por el mar, las prospecciones petrolíferas o el gran tráfico marítimo; las sustancias tóxicas que afectan la salud y la conducta de los animales; los cambios climáticos a gran escala y las alteraciones que conllevan relacionadas con los vientos, las corrientes marinas y la temperatura del mar; los trastornos y las enfermedades; o la topografía que les desorienta haciendo que los cetáceos acaben encallados en la playa o en aguas poco profundas. Estos factores estresantes, combinados con las últimas investigaciones[57] sobre la vida social, la cultura, la identidad y la comunicación de los cetáceos, pueden constituir la mejor explicación por el momento. Una de las teorías afirma que los varamientos se deben a los vínculos tan estrechos[58] entre los cetáceos, que animan a los sanos a quedarse también varados junto a los miembros de su grupo que ha resultado dañado por el ruido, la contaminación y las enfermedades marinas o por alguna otra causa.

Se podría decir que el encuentro anual de Vigilantes de Cetáceos y Focas Monje de Hawái es lo más parecido a un congreso sobre el suicidio de los animales. Los asistentes son en su mayoría voluntarios no remunerados[59] que viven cerca de las costas estadounidenses del Pacífico o del Atlántico, en Alaska o en Hawái, donde suelen darse varamientos. Organizan una cadena de llamadas telefónicas a voluntarios y van a la playa a altas horas de la noche o mientras trabajan aprovechan la hora de comer para investigar las extrañas conductas de focas, delfines y ballenas. Los vigilantes que trabajan para las reservas marinas, la Administración Nacional Oceánica y Atmosférica, el Servicio Nacional de Pesca Marina, la Guarda Costera o la Universidad de Hawái reciben un sueldo, pero la mayor parte del resto de voluntarios no cobra nada. Esos hombres y mujeres se pasan horas intentando refrescar e hidratar a los delfines varados con toallas y cubos de agua o mantenerlos flotando en piscinas infantiles. Crean barreras protectoras con estacas y cinta de acordonar, y se quedan al lado de focas monje rezongonas y exhaustas, pidiéndoles a los bañistas, uno tras otro, que se alejen unos metros de los animales y que hablen más bajo.

Asistí al encuentro del 2010 realizado en Hilo para averiguar si los mamíferos marinos son capaces de suicidarse. Pero en cuanto llegué me sentí como si estuviera en un congreso contemporáneo de psicólogos especializados en terapia familiar centrada en la histeria. Ningún científico ni vigilante de varamientos de cetáceos con los que hablé quiso oír la palabra *suicidio*. Les sonaba a un antropomorfismo. Les pregunté a varios de los asistentes —la mayoría estaban bronceados por el sol y lucían camisetas con fotos y dibujos de delfines y sandalias— si creían que los mamíferos marinos varados se estaban suicidando. Ladeando la cabeza, leyeron con escepticismo la tarjeta que me identificaba como estudiante de posgrado del MIT, y por lo menos uno de ellos se fue sin más, sin responder a mi pregunta.

Me quedé de todos modos y me dediqué a escuchar las charlas un día tras otro, incluyendo una muy extensa sobre un cachalote muerto empotrado en los peñascos que se alzaban ante la casa de Neil Young. Me enteré de varias cosas sorprendentes sobre los varamientos. Ante todo, que cuanto pensaba de ellos era falso. Una ballena o un delfín varados pueden estar eligiendo el mejor de los dos horribles destinos posibles. Tal como un vigilante me dijo: «Imagínate que mientras intentas cruzar una autopista un autobús te arrolla, pero consigues llegar

202

arrastrándote hasta la cuneta. ¿Querrías que alguien te llevara a rastras de vuelta a la autopista?» Al contrario de lo que yo creía, no se debe nunca arrastrar a un delfín o a una ballena encallada de nuevo al mar. La playa podría estar actuando a modo de chaleco salvavidas terrestre que les permite respirar. Los delfines y las ballenas no flotan de manera natural en el agua y cuando están débiles se pueden hundir, porque no tienen fuerzas para mantenerse a flote a fin de respirar. Y si se hunden, se ahogan. Aunque puedan morir encallados en la arena, la muerte por hundimiento y asfixia es mucho más rápida. Exhaustos, enfermos o lesionados, o con todos esos males a la vez, los cetáceos se quedan varados en peñascos o playas porque es otra alternativa a la de ahogarse. Algunos hasta se llegan a recuperar y vuelven a adentrarse en el mar. Y, sin embargo, como he mencionado antes, de vez en cuando un grupo de delfines o de ballenas se queda encallado, aunque solo unos pocos de los miembros que la componen estén enfermos.

El cetólogo Richard Connor ha sostenido que los varamientos podrían tener que ver con la forma en que esos animales sociales se han adaptado a su inmenso entorno marino. No hay ningún otro grupo de mamíferos que haya evolucionado en un espacio tan carente de lugares para esconderse de los depredadores. Los delfines y las ballenas no se pueden esconder en guaridas ni madrigueras, ni pueden trepar a los árboles o refugiarse en cuevas. Cuando afrontan un peligro, solo pueden esconderse unos detrás de otros. Este hecho tal vez haya condicionado la evolución[60] de sus mundos sociales haciendo que su capacidad de confiar, comunicarse y cooperar entre ellos sea incluso más importante aún. Lo cual también explicaría por qué en algunos varamientos hay animales sanos. Esos delfines y ballenas sanos quizá se quedan varados porque los vínculos sociales que mantienen con los otros miembros del grupo son tan fuertes que les impiden alejarse de la orilla. Estas explicaciones también reflejan un interesante conflicto: los cetáceos son seres sensibles inteligentes con una mente propia, pero quizá los científicos de mamíferos marinos no los consideran lo bastante inteligentes como para llamar a sus varamientos una conducta suicida.

Solo uno de los miembros de los diecinueve delfines de flancos blancos[61] varados en Irlanda en 1997 estaba enfermo. Este delfín enfermo, que sucumbió a causa de una parada cardíaca y de otras enfermedades, también era el más viejo y voluminoso del grupo. Tal vez todos estuvieran enfermos, pero de ser así sus síntomas eran invisibles. O a lo mejor, como el cetólogo Hal Whitehead sugiere, los sanos se quedaron encallados por empatía o por solidaridad hacia su compañero más longevo.

Pero también podría ser que las ballenas y los delfines no se vean a sí mismos como nosotros nos vemos, es decir, como individuos con una conciencia individual, un yo y un cuerpo. Tal vez, por ejemplo, para una falsa orca u orca negra no se trata del «yo» sino del «nosotros». A lo mejor quedar varada al lado de una compañera no es para ella una decisión consciente de la misma forma que lo sería para un humano.

Mientras estaba sentada entre el público en Hilo escuchando a los investigadores y los voluntarios proponer ideas para concienciar al público en general de que las ballenas o los delfines varados podrían estar eligiendo hacerlo en lugar de ahogarse en el mar, y que no se debe empujarlos ni arrastrarlos para meterlos de nuevo en el agua, reflexioné en lo que Beatriz me había dicho sobre las *ganas de vivir*. Aunque los que daban las charlas no pronunciaran la palabra *suicidio*, estaban aceptando que los delfines y las ballenas *decidían* quedar varados, por eso había que dejarlos tranquilos. Lo cual equivale a reconocer, aunque no sea de forma explícita, que las ballenas deciden quitarse la vida voluntariamente.

Desde que tuvo lugar el congreso de Hilo en el año 2010,[62] se han estado realizando una serie de estudios que vinculan el uso de sonares militares con conductas de varamientos de cetáceos. El Servicio Nacional de Pesca Marina y la Marina estadounidense publicaron[63] más tarde en ese mismo año un informe anunciando que entre el 2010 y el 2015 las actividades navales en el Northwest Training Range, una región marina del tamaño de California, causarían cerca de 650.000 casos de mamíferos marinos dañados. Esta noticia empujó a grupos ecologistas y a indios americanos a formar una coalición, creando Earthjustice y el Consejo para la Defensa de Recursos Naturales, a fin de llevar al Servicio Nacional de Pesca Marina a los tribunales por no proteger la fauna marina. Actualmente se están manteniendo otras batallas legales similares[64] para proteger a los mamíferos marinos de las pruebas navales realizadas en la costa de California. El último estudio sobre estos mamíferos y los sonidos antropogénicos,[65] publicado en la revista científica *Proceedings of the Royal Society* en julio del 2013, sostenía que las ballenas azules huyen de los sonares militares, ya que el ruido que emiten les impide encontrar comida guiadas por su oído y realizar otras actividades, por lo que son más propensas a los varamientos.

Estos estudios, expedientes judiciales y artículos aparecidos en los medios de comunicación no mencionan en ningún momento el suicidio, pero no es necesario. Son otra iteración de las conversaciones cargadas de inquietud mantenidas acerca y en torno de los cetáceos desde que se han convertido en unos de los animales que más se intenta proteger, al contrario de las campañas balleneras. Muchas de las motivaciones y la empatía que reflejaban los artículos del pasado sobre cetáceos suicidas son ahora las que están inspirando los esfuerzos para documentar los efectos desconcertantes del ruido y los cambios climáticos en su conducta. «Salva a las ballenas» tal vez se haya convertido en «Salva a las ballenas de los sonares», pero el mensaje de fondo sigue siendo «Salva a las ballenas de los humanos», tanto si se están suicidando como si no.

Chris Parsons, un biólogo marino de la Universidad George Mason, ha estado estudiando a los cetáceos durante más de una década. En un varamiento reciente de ballenas piloto en Florida, dijo mientras intentaba encontrar una forma de explicar las acciones de las ballenas: «Es como si alguien se tirara bajo las ruedas de un coche.[66] ¿Por qué lo ha hecho? ¿Estaba enfermo? ¿Distraído? ¿O no oyo o vio al coche echándosele encima?» A lo mejor quería morir.

Los sombrereros locos del mar

El mercurio, una poderosa neurotoxina, se introdujo en la industria sombrerera en el siglo diecisiete. La piel de conejo se sumergía en nitrato de mercurio caliente para suavizar la dureza de los pelos exteriores y hacer que las capas de pelaje se unieran con más facilidad al elaborar el fieltro. Los sombrereros trabajaban en espacios poco ventilados y estaban expuestos a grandes cantidades de la neurotoxina. A finales del siglo diecinueve, los síntomas del envenenamiento por mercurio eran tan comunes entre los sombrereros que expresiones como los «temblores del sombrerero» y «loco como un sombrerero» se volvieron de uso común. Pero los sombrereros, además de temblar,[67] eran excesivamente tímidos, carecían de autoconfianza y se sentían muy ansiosos. También se les conocía por ser patológicamente miedosos y por estallar airados cuando se les criticaba.

Hoy día la mayor fuente de exposición al mercurio[68] no se encuentra en la industria sombrerera, sino en el pescado que consumimos. El mercurio inorgánico está presente en el entorno, como por ejemplo el liberado por los volcanes. Pero la mayoría procede de actividades humanas, como la combustión de carbón. Las bacterias, los hongos y el fitoplancton ingieren mercurio inorgánico en cuanto se asienta en el lecho marino y lo transforman en metilmercurio. Con el paso del tiempo, los peces y otras criaturas marinas consumen esos microorganismos, y estos seres son consumidos a su vez. El mercurio se va magnificando biológicamente a medida que se transmite a través de la cadena alimentaria a animales de mayor tamaño hasta que alcanza las concentraciones más tóxicas en los depredadores marinos más grandes y longevos, como los delfines, los tiburones y algunas ballenas.

Casi toda esta ingestión de mercurio[69] se absorbe por el tracto gastrointestinal, donde penetra en el torrente sanguíneo y se propaga por el cuerpo. En los humanos y en otros animales, el mercurio atraviesa la barrera hematoencefálica fácilmente y se acumula en el cerebro. También atraviesa la placenta y se acumula en la sangre, el cerebro y el cuerpo del feto. En los humanos adultos, el daño causado por el mercurio es localizado y en cierto modo limitado, generando la pérdida de neuronas en la corteza visual y el cerebelo. En cambio, en un cerebro en desarrollo el daño es más difuso y destructivo. En los fetos, los bebés y los niños pequeños, la exposición a altos niveles de mercurio puede causar sordera, ceguera, parálisis cerebral, retraso mental y parálisis. Incluso una exposición limitada puede producir problemas sutiles aunque preocupantes, como dificultades de aprendizaje, del habla y de concentración. También conduce a problemas psiquiátricos. La intoxicación crónica por mercurio puede provocar ansiedad,[70] una timidez excesiva y, según un reciente artículo publicado en la revista científica *Journal of Neuropsychiatry and Clinical Neurosciences*, respaldado por siglos de sabiduría popular que se remonta a la época de los sombrereros, «un miedo patológico al ridículo».

Todavía no se han investigado a fondo los efectos del mercurio en los mamíferos marinos,[71] pero hay varios estudios sobre muestras de tejidos de delfines y ballenas varados en la costa, de ballenas sanas en alta mar y de focas moteadas y árticas. También se han realizado investigaciones basadas[72] en estudios de poblaciones humanas, como los de las Islas Feroe, en donde se consume carne de ballena y de delfín, para evaluar las concentraciones de mercurio en los animales. En los últimos años, los toxicólogos han demostrado que los cuerpos[73] de ballenas dentadas, focas, leones marinos y osos polares —muchos de los cuales subsisten comiendo peces con altas dosis de mercurio— contienen altos niveles de toxinas que atacan el sistema nervioso. En las focas moteadas esta contaminación[74] también debilita la respuesta inmunológica. Como se cree que la exposición al mercurio en humanos es la que causa los problemas del sistema nervioso, algunos de ellos con efectos psiquiátricos, es posible, como Ric O'Barry ha sostenido, que los mamíferos marinos también sufran sus propias formas de trastornos neurológicos, algunos de los cuales podrían fomentar las conductas de los varamientos.

El mercurio no es la única toxina ambiental[75] que se ha asociado a enfermedades mentales en humanos y en otros animales. Estos estudios forman parte de un conjunto más amplio de investigaciones toxicológicas que están intentando descubrir si existe una relación entre la contaminación ambiental y la salud mental en humanos y en otros animales, aunque no se haya vinculado directamente con el suicidio.

El plomo, el manganeso, el arsénico y los insecticidas organofosforados[76] se han asociado a una mayor incidencia de enfermedades mentales en humanos y a conductas anormales en animales de laboratorio. En un estudio realizado con humanos, los trabajadores de una fábrica[77] expuestos al plomo sufrían mayores tasas de depresión, confusión, fatiga e ira. Los estudios sobre la exposición al mercurio en niños revelaron un aumento en la conducta antisocial y en los problemas de atención. Se cree que la intoxicación por manganeso provoca anorexia, insomnio y debilidad. También existen datos sobre personas expuestas a la toxina que ríen o lloran sin parar y sienten el fuerte impulso de correr, bailar, cantar o hablar impulsivamente. El envenenamiento crónico por arsénico se ha relacionado con todo tipo de trastornos, desde mareos y diarrea, hasta depresión y las ideas delirantes del paranoico.

Experimentos con ratas y ratones de laboratorio han revelado que la exposición al plomo, al arsénico, al mercurio[78] y a otras sustancias tóxicas hace que los roedores se comporten de manera extraña antes de enfermar y morir. Intentar entender la posible relación entre estas toxinas y las conductas extrañas en el mundo de la naturaleza es, sin embargo, más difícil. Pero existen algunos casos bien documentados de conductas autodestructivas en otros animales que no están causadas por toxinas, sino por parásitos.

La infección de la autodestrucción

A principios de la década de 1990, el científico checo Jaroslav Flegr[79] empezó a preguntarse si su conducta temeraria ocasional —cruzar una concurrida calle zigzagueando por entre la caravana de coches tocando el claxon, demostrar sin tapujos su desdén por el dirigente comunista de su país cuando todavía era peligroso hacerlo, o seguir como si nada en medio de los disparos mientras realizaba unas investigaciones en Turquía— tal vez no reflejara su personalidad, sino que se debiera a una infección. Flegr acababa de leer un libro del biólogo evolutivo Richard Dawkins que incluía la historia natural de un gusano platelminto que infecta el sistema nervioso de las hormigas, convirtiéndolas en zánganos autodestructivos, con lo que los gusanos platelmintos se aseguran su ciclo reproductivo. Las hormigas infectadas con el gusano se vuelven extremadamente imprudentes, trepando hasta la punta de una brizna de hierba y agarrándose a ella con las mandíbulas, en lugar de obrar como de costumbre ocultando la cabeza bajo tierra para evitar a los depredadores. Las ovejas y otros rumiantes que pasen por el lugar tienden mucho más a comerse a las hormigas agarradas en lo alto de una briza de hierba. Y en cuanto el gusano platelminto se instala en el organismo de los rumiantes, ya tiene el campo libre para reproducirse a su antojo.

Flegr se preguntaba si él podía ser[80] la versión humana de una hormiga temeraria. Cuando empezó a trabajar en un departamento de biología especializado en el estudio del *Toxoplasma gondii*, un parásito manipulador similar, al someterse a un análisis para detectarlo y ver que la prueba había dado positivo, decidió centrarse en el estudio del ciclo vital del parásito y en sus posibles efectos sobre la conducta. El *Toxoplasma gondii*, o toxo, como se le suele llamar, es expulsado con las heces de los gatos infectados. Los roedores, los cerdos, los bovinos y otros animales ingieren el parásito del suelo mientras pastorean o buscan comida. El toxo se propaga entonces por el cuerpo, llegando al cerebro y a otros tejidos. Los humanos también se pueden infectar con el parásito, sobre todo al manipular cajas de arena para gatos, beber agua o ingerir productos contaminados con heces de animales, o consumir carne cruda de animales infectados. Flegr descubrió que los franceses,[81] que son más proclives a comer carne poco hecha que los americanos, tienen unos índices de hasta un 55 por ciento de toxoplasmosis en algunas zonas de su país. En tanto que los índices de infección en los norteamericanos, según un estudio de la Universidad Estatal de Michigan, es de un 10 a un 20 por ciento. Sin embargo, el parásito no puede completar su ciclo vital en el interior de humanos, ratas, cerdos o de otros seres. Necesita encontrar el modo de regresar a un gato. Por eso la historia del toxo es tan extraña.

Flegr descubrió que el parásito transforma a los animales en los que se aloja en un sistema que los lleva a los gatos[82] al cambiar la conducta de los infectados haciendo, por ejemplo, que los roedores sean más activos y proclives a atraer la atención de los felinos. Basándose en las investigaciones de Flegr, Joanne Webster, una parasitóloga del Imperial College de Londres, descubrió que las ratas y ratones infectados, además de ser más temerarios en presencia de depredadores, se sentían *atraídos* por el olor de la orina de gato. Webster, junto con otro parasitólogo, demostró que el toxo aumenta la producción de dopamina (un neurotransmisor asociado con el placer, y en niveles altos también con las lesiones cerebrales y la esquizofrenia) en el cerebro de los roedores. Cuando los investigadores administraban a las ratas infectadas un medicamento antipsicótico que bloquea la recepción de dopamina en el cerebro, su atracción hacia los gatos caía en picado. Entre tanto, el neurocientífico Robert Sapolsky, de la Universidad de Stanford, y un estudiante de posdoctorado de su laboratorio demostraron que el parásito también desmantela las respuestas del miedo en el cerebro de las ratas y fomenta nuevas conexiones, explicando su conducta autodestructiva y ampliando al mismo tiempo la teoría para demostrar que el toxo hace que la atracción que sienten los roedores por la orina de los gatos sea de naturaleza sexual. Curiosamente, el toxo también hace que a las ratas hembra les resulten más atractivos los machos infectados,[83] una ingeniosa treta biológica, ya que el parásito se propaga como las enfermedades de transmisión sexual, viajando del esperma del roedor macho al útero de la hembra, donde la infecta tanto a ella como a sus retoños.

Durante décadas se ha sabido que las mujeres encintas[84] infectadas con el parásito son más proclives a los abortos espontáneos o a dar a luz a bebés que nacen muertos o con una cabeza anormalmente grande o pequeña. Pero Flegr se preguntaba si el parásito podía también causar cambios conductuales en los humanos, haciendo que alguien sintiera una mayor atracción por los gatos o fuera más temerario en su vida, como los roedores. Descubrió que las personas que habían estado expuestas al parásito[85] tendían el doble que el resto a sufrir graves accidentes de tráfico, demostrando tal vez que las que estaban infectadas conducían con más temeridad. Otros estudios posteriores hechos en Turquía y México revelaron los mismos hallazgos. Más recientemente, Flegr publicó los resultados de un estudio que sugería que a los varones infectados les gustaba el olor de la orina de gato.

Los efectos psiquiátricos en las personas infectadas[86] con el toxo son incluso más sorprendentes aún. Una serie de estudios que se remontan a la década de 1950 han revelado una correlación entre la toxoplasmosis y la esquizofrenia, aunque no es una conexión causal. Un estudio del 2011 sobre mujeres suicidas realizado en veinte países europeos señalaba una posible correlación con los índices de infección de cada población. Esta investigación recuerda otras investigaciones que vinculan la presencia del toxo en los pensamientos suicidas y la incidencia de actos suicidas en humanos y de posibles homicidios. Sin embargo, puede que el toxo en sí no sea el titiritero protozoario que empuja a la gente a quitarse la vida, sino que el culpable sea la respuesta neuroquímica del cuerpo humano al parásito, el tejido cerebral dañado que deja, algunos aspectos de la producción de dopamina del parásito, o una combinación de estos factores. Es decir, el toxo, o cualquier otro agente que cause daños neurológicos, puede también hacer que uno tienda más a suicidarse o a sufrir esquizofrenia.

Un estudio del 2012 de la Universidad Estatal de Michigan[87] publicado en la revista científica *Journal of Clinical Psychiatry* reveló que la inflamación cerebral causada por la infección podría ser la explicación más plausible. Lena Brundin, una de las investigadoras principales del estudio, escribió: «Las investigaciones anteriores han revelado signos de inflamación en el cerebro de los suicidas y en pacientes que están lidiando con una depresión, y también existen estudios previos que vinculan el *Toxoplasma gondii* con intentos suicidas». El estudio indicaba que quienes daban positivo en la prueba del parásito eran siete veces más propensos a intentar suicidarse.

En el 2010 la historia del toxo dio otro giro inesperado entre especies. Las nutrias de la costa californiana empezaron a morir en grandes cantidades.[88] Pero lo más extraño fue que la cantidad de nutrias atacadas por tiburones se dobló a lo largo de veinticinco años. Si bien las poblaciones de tiburones repuntando en el espacio donde se movían las nutrias podrían explicar en parte que los ataques contra ellas se hubieran disparado, los investigadores no creían que se debieran solo a esta explicación. Varios años antes, Patricia Conrad, profesora y veterinaria parasitóloga[89] de la Facultad de Veterinaria de la Universidad Davis UC, y los coautores del estudio que llevaron a cabo descubrieron que el 42 por ciento de las nutrias vivas y el 62 por ciento de las muertas estaban infectadas con el *Toxoplasma gondii*.

Conrad también descubrió que las nutrias[90] que vivían cerca de las ciudades tendían más a infectarse. Por lo visto, estaban contrayendo el parásito cuando se topaban con heces de gato arrastradas por las aguas costeras. Las nutrias con una inflamación cerebral de moderada a grave, uno de los síntomas de la toxoplasmosis, eran cuatro veces más propensas a morir por ataques de tiburones. Un estudio del 2011 realizado con mamíferos marinos en el noroeste del Pacífico[91] también reveló que existían altos niveles de toxoplasmosis en delfines, focas y leones marinos. Estos animales, además de tener el *T. gondii*, estaban infectados con el *Sarcocystis neurona,* otro parásito expulsado en las heces de las comadrejas. Los marsupiales se han ido propagando constantemente hasta llegar al noroeste del Pacífico, donde las heces de las comadrejas, como las de los gatos, son arrastradas al entorno marino durante los frecuentes temporales del área. Investigadores del Instituto Nacional de Alergias y Enfermedades Infecciosas proponen la teoría de que el *S. neurona* exacerba los síntomas de los animales infectados con el toxo al debilitar su sistema inmunológico. No existe ningún estudio, al menos por el momento, sobre si esas focas y delfines actúan también temerariamente: provocando a los tiburones, jugando con los barcos o arriesgando la vida de alguna otra forma misteriosa.

Tan loco como un león (marino)

Otro extraño fenómeno relacionado con las conductas aparentemente destructivas de los animales salvajes se está dando en muchas de las mismas aguas donde las nutrias marinas podrían estar comportándose como unos peludos marinerillos borrachuelos. A lo largo de la costa del Pacífico, los *Zalophus californianus,* los leones marinos californianos, están sufriendo lo que parece ser una extraña forma de locura inducida por el medioambiente.

Durante un húmedo invierno y una primavera colaboré los lunes como voluntaria en el Centro de Mamíferos Marinos, ubicado en Marin, desde donde se divisa la bahía de San Francisco. Es el único hospital de mamíferos marinos que existe y en él tratan cada año a cientos de leones marinos, focas moteadas y focas elefante. Los veterinarios del centro son los especialistas de mamíferos marinos con más experiencia del mundo.

En uno de mis primeros días como voluntaria en el hospital, pasé por delante del recinto de una cría hembra de león marino californiano. Sus ojos se agitaron frenéticamente ante los míos mientras intentaba trepar por la valla de tela metálica de tres metros y medio de la instalación, resbalando una y otra vez sin salirse con la suya. Alguien había escrito «*Frenética*» en la tarjeta de identificación que colgaba de su recinto. El nombre le iba como anillo al dedo. Aunque antes de la reconstrucción de las instalaciones uno de los leones marinos se hubiera fugado del centro en una ocasión —a la mañana siguiente los empleados lo encontraron tumbado plácidamente en el sofá de la sala de descanso—, los leones marinos, por lo general, no intentan encaramarse a la valla.

A *Frenética* la encontraron en una playa a unos cuarenta kilómetros de distancia al sur de Santa Cruz. Al advertir los transeúntes el estado aletargado y los movimientos convulsos del animal, llamaron al hospital. Cuando la vi por primera vez, llevaba menos de una semana en el Centro de Mamíferos Marinos. Sus ataques epilépticos habían desaparecido al tomar diazepam (Valium), pero no cesaba de contorsionarse y moverse. De repente se paraba en seco y miraba alrededor y, como si algo que yo no pudiera ver se lo hubiera provocado, iba como una bala a la puerta del recinto, aullando y mirando de un lado a otro, como los otros leones marinos del hospital cuando llega la hora de comer y ven a un voluntario o un empleado acercarse con un cubo lleno de pescado. Pero con la diferencia de que en este caso no había ningún cubo de pescado ni me podía ver desde donde yo estaba.

Frenética parecía estar respondiendo a una especie de estímulo fantasma. Su deseo de aullar, trepar por la valla del recinto y cruzar la piscina buceando le pasaba por la cabeza como nubes al vaivén de los vientos. Estas conductas no eran anormales, pero las ejecutaba de forma extraña. Me recordó un poco a mi abuela con demencia senil intentando cocinar la cena. Se las apañaba para encender el fogón y llenar la olla de agua, pero lo hacía con movimientos espasmódicos y al tuntún. No sabías exactamente qué le pasaba, pero veías que no estaba bien.

Echando una ojeada a la ficha de *Frenética,* vi que el equipo de veterinarios había decidido que sus síntomas estaban causados por las algas. Los surfistas, los nadadores y otros bañistas de la costa del Pacífico suelen ver noticias relacionadas con las mareas rojas, una proliferación de millones de diminutas algas que tiñen el agua de rojo o de un marrón anaranjado acompañadas de advertencias para que la gente no se meta en el mar. La mayoría de proliferaciones algales son inocuas[92] para los animales, pero unas pocas especies de fitoplancton y de cianobacterias producen toxinas. Una de esas algas microscópicas es la *Pseudo-nitzschia australis* de la clase diatomeas, un ser diminuto y estrecho como una lima de uñas productor de ácido domoico, una neurotoxina que afecta a los humanos y a determinados animales. El ácido se acumula en el marisco, las sardinas y las anchoas que ingieren esas algas microscópicas durante las proliferaciones masivas. Y los leones marinos, las nutrias, los cetáceos y algunos humanos consumen a su vez a esos seres que viven en el mar.

La toxicosis por ácido domoico la diagnosticó por primera vez[93] Frances Gulland, que, por aquel entonces, en 1998, era científico jefe del Centro de Mamíferos Marinos, cuando cientos de convulsos y deshidratados leones marinos californianos con un extraño exceso de confianza quedaban varados en las playas del estado. En los humanos, la exposición a la neurotoxina[94] provoca un trastorno conocido como intoxicación amnésica por mariscos. Los aquejados tienen vómitos y diarrea después de consumir moluscos u otra clase de marisco contaminado. En algunos casos, también están confusos, pierden la memoria o se sienten desorientados durante un tiempo. En algunas pocas ocasiones, la toxina puede llegar a causar un estado de coma, y a un reducido grupo de personas, por lo general a los ancianos, los niños de corta edad, los diabéticos o los enfermos renales crónicos, el ácido domoico puede generarles problemas cognitivos permanentes.

Dependiendo del lugar donde suelan capturar a sus presas,[95] los leones marinos como *Frenética* pueden estar expuestos a las toxinas durante mucho tiempo. Si el ácido domoico penetra en el cerebro durante largo tiempo, los puede hacer enloquecer, causando lo que parece ser una conducta autodestructiva. Pero para muchos leones marinos no es más que un problema a corto plazo. Los animales recogidos por el Centro de Mamíferos Marinos son rehidratados y alimentados con pescado no contaminado para que expulsen las toxinas del cuerpo y además les administran medicamentos anticonvulsivos. Mientras recuperen las fuerzas y no establezcan un vínculo demasiado estrecho con sus cuidadores (a los voluntarios les piden que no miren a los ojos a estos seres tan extremadamente sociales, ni los toquen o les hablen directamente para que no se vuelvan demasiado mansos), los pueden devolver al mar enseguida. Pero los leones marinos que han estado expuestos durante mucho tiempo al ácido no pueden ser devueltos al mar. Muchos de ellos han perdido el sentido de la orientación, son incapaces de bucear y sumergirse tan profundamente como antes y pueden sufrir otros problemas, como una audacia patológica. Los investigadores han localizado[96] la fuente de esos problemas en el hipocampo de los animales, la región cerebral asociada con el aprendizaje, la memoria, la orientación espacial y otras funciones. El hipocampo de esos leones marinos está dañado, lo cual podría explicar sus conductas extrañas y los efectos psiquiátricos que les producen.

Recientemente, investigadores del Centro de Mamíferos Marinos y de los Laboratorios Marinos de Moss Landing liberaron a una serie de leones marinos[97] con una exposición crónica a la toxina para entender mejor los efectos a largo plazo en su conducta. Los equiparon con radiotransmisores para seguir sus movimientos. Los resultados fueron deprimentes. Algunos buceaban con normalidad, pero nadaron hacia direcciones extrañas. Un león marino se fue directo a alta mar sin detenerse para comer ni descansar, y a medio camino de Hawái dejó de transmitir señales. Los investigadores supusieron que al estar demasiado agotado para seguir nadando había muerto de inanición. Otro, una hembra, recorrió cuatro kilómetros nadando a contracorriente por el río Salinas hacia los inmensos campos de cultivo de alcachofas y lechugas. Se pasó diez días nadando en círculos.

También hay leones marinos que manifiestan una conducta extrañamente aguerrida.[98] Uno de ellos, liberado del Centro de Mamíferos Marinos y conocido como *CSL 7096*, se volvió sumamente agresivo y desafiaba a los surfistas cuando se metían en el agua. Otro, apodado *Wilder*,[99] atravesó las instalaciones del puerto deportivo de San Francisco, se encaramó al techo de un coche de policía y se quedó tumbado plácidamente en él durante cuarenta y cinco minutos.

En los humanos, el hipocampo tiene un papel importante[100] en la regulación de las respuestas ante la ansiedad, y además nos ayuda a movernos por nuestro entorno. Es muy sensible a una repetida exposición a las hormonas del estrés, y una serie de estudios con imágenes cerebrales ha revelado que los sujetos con ciertos trastornos psiquiátricos, como el TEPT, trastornos depresivos serios y el trastorno límite de la personalidad también sufren anomalías hipocampales. Es difícil saber lo que esto significa para los leones marinos, pero, por desgracia para ellos, cada vez se refuerza más la relación entre las mareas rojas y sus enfermedades mentales. Según la Organización Mundial de la Salud[101] y la Administración Nacional Oceánica y Atmosférica (NOAA), la proliferación de *Pseudo-nitzschia* podría estar aumentando por la subida de la temperatura del mar.[102]

Los leones marinos como *Frenética* tal vez sean la nueva versión de los canarios utilizados en las minas de carbón, al menos en cuanto a los posibles efectos del cambio climático en la salud mental y física de ciertas clases de animales. Hasta mediados de la década de 1980, los mineros se adentraban en las oscuras galerías de las minas acompañados de canarios[103] en jaulas por si se daba un nivel letal de monóxido de carbono. Si los pajaros morían, los mineros sabían que también correrían la misma suerte (a no ser que salieran sin pérdida de tiempo al exterior). Incluso un canario que se caía de la percha sin sentido se veía como una señal de peligro. Tal vez también debería serlo un león marino descansando como si nada en el techo de un coche patrulla.

5
Rebelión en la farmacia

«La vida no es manera de tratar a un animal.»

Kurt Vonnegut

Cuando Anna Nicole Smith, la estrella de un programa de telerrealidad,[1] murió por sobredosis en el 2007 por un cóctel de medicamentos recetados en los que se incluía Prozac, su perro *Sugarpie* también lo estaba tomando. Al igual que *Sumo*, el perro cruzado del presidente francés Jacques Chirac, un bichón frisé maltés[2] que solía ser manso. El pequeño perro blanco iba con él a todas partes cuando Chirac estaba en el despacho y solían verlo en su regazo en la parte trasera del reluciente Citroën presidencial mientras el chófer los llevaba por las calles de París. Pero cuando Nicolas Sarkozy le arrebató la presidencia y Chirac y su familia se vieron obligados a abandonar el palacio, *Sumo* perdió entonces el apetito. También estaba apático y no parecía el mismo de siempre. Bernadette, la esposa de Chirac, creyó que *Sumo*, acostumbrado a los enormes jardines del Palacio del Elíseo, no se había adaptado a la vida pospresidencial en un espacioso apartamento y por ello parecía ansioso y deprimido. El veterinario le recetó Prozac, pero mordió al expresidente dos veces lo bastante fuerte como para mandarlo al médico. Al final enviaron a *Sumo* a vivir en una granja de la campiña con unos amigos de la familia, que afirman que desde entonces no ha mordido a nadie.

Sugarpie y *Sumo* no son casos aislados. El medicamento ha sido recetado a los animales durante décadas. La fluoxetina, o el Prozac genérico,[3] se puede adquirir en una gran variedad de formas y sabores que recuerdan un tenderete de golosinas en una feria para animales. Los propietarios de mascotas y los veterinarios pueden elegir fluoxetina con sabor a anchoa, manzana y melaza, plátano y malvavisco, buey, chicle, caramelo, vainilla y cereza, pollo, chocolate mentolado, doble de buey, doble de pollo, doble de pescado, doble de uva, doble de hígado, doble de malvavisco o de melaza, naranja, mantequilla de cacahuete, menta, piña colada, frambuesa, fresa, helado de *tutti-fruti*, sandía, gaulteria y, como si el doble de pescado no bastara, triple de pescado. Se vende en todo tipo de curiosas formas, desde pastillas masticables con el nombre de Gourmeds, hasta en inyecciones, gotas y geles transdermales para animales que no pueden o no quieren tomar las píldoras.

Pero lo más sorprendente de todo no es que les demos a los animales compuestos psicoactivos, sino que lo estemos haciendo para ayudarles a *soportarnos*, cerrando un bucle de desarrollo farmacéutico que empezó en animales no humanos en la década de 1950, luego se recetó a millones de personas de todo el mundo y ahora ha vuelto a ciertas especies de animales. Recetar psicofármacos a otros seres también sirve como una especie de tácito reconocimiento del paralelismo emocional (y neuroquímico) que existe entre los humanos y otros animales. Se podría alegar, tal como algunas personas han hecho, como por ejemplo el conductista Nick Dodman, que no se trata de la historia de animales tomando medicamentos humanos, sino de humanos tomando medicamentos de *animales*. Prácticamente casi todos los psicofármacos actuales —desde antipsicóticos como el Thorazine y tranquilizantes menores como el Valium, hasta los antidepresivos— se desarrollaron a mediados del siglo veinte, pero antes de salir al mercado se testaron en animales.

Monos ejecutivos y el desarrollo del Miltown, el Xanax, el Valium y los antipsicóticos

Hasta principios del siglo veinte, la mayoría de propietarios de animales pequeños[4] eran los que trataban a sus mascotas con medicamentos sin receta y con remedios caseros (arroz blanco hervido, caldo de buey) que ellos mismos tomaban cuando no se encontraban bien. La leche de magnesia y el aceite de ricino, por ejemplo, se usaban tanto para el estreñimiento canino como humano. Los jarabes para la tos y los vahos de manzanilla se empleaban para tratar infecciones respiratorias tanto en personas como en animales. En 1910, los medicamentos caninos para la sarna o las lombrices se podían adquirir en tiendas de alimentación y en las parafarmacias del barrio. A los gatos simplemente se les daba dosis más pequeñas de los mismos compuestos. Algunos propietarios de mascotas elaboraban sus propias medicinas en casa con la ayuda de libros de recetas que incluían remedios como un tratamiento para los canarios con asma.

No fue hasta la década de 1950, al salir al mercado una nueva familia transformadora de fármacos, cuando los animales no humanos entraron en la era de los psicofármacos, junto con, y en algunos casos antes que, los humanos. En los años cincuenta y sesenta los experimentos realizados con animales desempeñaron un papel fundamental en el desarrollo de nuevos psicofármacos. Los monos, las ratas, los ratones y los gatos eran importantes sustitutos humanos en la búsqueda de soluciones no sedativas para la ansiedad, la psicosis y otros problemas mentales. Sus respuestas emocionales y conductuales a los nuevos fármacos también ayudaron a definir los propios trastornos.

En mayo de 1950, Henry Hoyt y Frank Berger,[5] que trabajaban como investigadores en una pequeña compañía farmacéutica de Nueva Jersey, patentaron una sustancia llamada meprobamato. Les impactó la forma en que les relajaba los músculos a los ratones y calmaba a los monos de su laboratorio, famosos por su fiereza. «Teníamos cerca de veinte macacos de la India y monos de Java. Eran muy agresivos y para manipularlos debíamos cubrirnos las manos con guantes muy gruesos y protegernos la cara con una pantalla especial. Pero después de inyectarles meprobamato se mostraban muy apacibles, mansos y despiertos. En lugar de negarse a comer en presencia de humanos como antes, ahora nos cogían de la mano las uvas que les ofrecíamos. Era impresionante». El fármaco relajaba tanto a los monos que los investigadores se empezaron a preguntar si el meprobamato podría ser un buen complemento para el psicoanálisis en humanos.

Al mismo tiempo, otra compañía también estaba relajando a ratas.[6] A finales de la década de 1940 y en la de 1950, los farmacéuticos que trabajaban para la compañía francesa Rhône-Poulenc estaban desarrollando antihistamínicos. En 1951, una compañía farmacéutica[7] testó un nuevo fármaco que contenía clorpromazina para determinar sus efectos sobre la conducta. (Con anterioridad, los fármacos eran testados para comprobar su toxicidad, y no necesariamente para determinar cómo afectaban la conducta de la gente y de los animales). Administraron antihistamínicos a las ratas[8] y luego las metieron en una jaula con una plataforma con comida. Para llegar a la plataforma tenían que trepar por una cuerda. Si no trepaban por ella, recibían una descarga eléctrica. Las ratas medicadas no trepaban por la cuerda, aunque supieran que iban a recibir una descarga eléctrica. Pero lo que les pareció muy interesante a los investigadores de Rhône-Poulenc era que las ratas parecían mostrar una absoluta indiferencia por las descargas *o* la comida. Y no era porque estuvieran sedadas o por no poder coordinar sus movimientos, ya que estaban de lo más despiertas y no tenían ningún problema físico.

La indiferencia de las ratas despertó la curiosidad[9] de otros investigadores de Suiza, Canadá y Estados Unidos, y al poco tiempo el nuevo medicamente se empezó a testar en la cirugía cardíaca, en los campos de batalla y en las prácticas psiquiátricas como un sedante de baja potencia. Sin embargo, fue en Francia cuando el medicamento se empezó a aplicar en la psiquiatría, creando una auténtica revolución en este campo. A principios de la década de 1950, los médicos del Hospital de Santa Ana de París empezaron a administrar clorpromazina a los pacientes con delirios, manía, confusión y psicosis. El fármaco no los sedaba ni les hacía dormir como otros sedantes, sino que quienes lo tomaban seguían estando conscientes y, al igual que las ratas, se mostraban indiferentes al mundo exterior, pero podían participar en él cuando fuera necesario. El fármaco también hizo que ciertos pacientes del Hospital de Santa Ana,[10] y al cabo de poco muchos de otros hospitales psiquiátricos, despertaran del estado catatónico en el que estaban desde hacía años.

Un peluquero de Lyon[11] (Francia) fue un caso típico. Llevaba años hospitalizado por psicosis y no reaccionaba a las personas ni a la actividad de su entorno. Pero después de recibir varias dosis de clorpromazina despertó de su estupor, y le dijo al médico que sabía dónde estaba y quién era, y que quería regresar a su casa. Después pidió que le dieran una navaja, agua y una toalla y se afeitó a la perfección. Otro paciente que se había quedado paralizado en una serie de extrañas posturas durante años respondió al medicamento en un solo día. Saludó a los enfermeros del hospital, les pidió que le llevaran bolas de billar y luego se puso a lanzarlas al aire haciendo malabarismos. Por lo visto había trabajado de malabarista antes de que lo internaran.

En 1954, Rhône-Poulenc vendió la patente estadounidense de la clorpromazina[12] a Smith Kline, que llamó al fármaco Thorazine. Se comercializó como un medicamento antináuseas,[13] pero a esas alturas todo el mundo conocía los asombrosos resultados que había conseguido con pacientes psicóticos. El mercado para el nuevo medicamento fue alucinante, generando 75 millones de dólares en ventas el primer año. En muchos hospitales psiquiátricos públicos se lo recetaron a todos los enfermos, y se crearon un gran número de clínicas de día para ocuparse de los pacientes que abandonaban los manicomios en masa al ser ahora capaces de valerse por sí solos.

Los veterinarios y los investigadores empezaron al cabo de poco a administrar antipsicóticos a algunos animales. Un artículo publicado en una revista en 1968 resumía el uso veterinario[14] de los nuevos psicofármacos como medicamentos útiles para tratar el nerviosismo, la ansiedad, el miedo, el espanto, los conflictos, el pánico, la agitación, la excitación y también como agente relajante antes de la obtención de semen para los criaderos. Se ve que los cerdos que «atacaban salvajemente a los lechones»[15] —los cerdos caníbales que se los comían— también respondieron bien a la clorpromazina. Al poco tiempo, se usaron otros nuevos medicamentos antipsicóticos,[16] como la reserpina, para tratar a pollos y faisanes caníbales, junto con unas gafas de plástico que les limitaban la visión (se las ataban en la cabeza para desorientarles o hacer que las otras aves les parecieran menos apetitosas).

Al año de haber adquirido Smith Kline la patente de la clorpromazina,[17] Hoyt y Berger filmaron un documental sobre su nuevo fármaco, titulado en la actualidad *Miltown*. En el documental, *The Effect of Meprobamate (Miltown) on Animal Behavior,* aparecían macacos de la India en tres distintos estados: sobrios y feroces, totalmente inconscientes por los barbitúricos, y tranquilos pero conscientes al haber tomado meprobamato. Se estrenó en abril de 1955 en un encuentro de la Federación de Sociedades Americanas de Biología Experimental en San Francisco. El documental le entusiasmó tanto al público como a los directivos de los Laboratorios Wyeth, los cuales propusieron a Hoyt y Berger comprarles el fármaco. Pero aún no sabían qué nombre ponerle a esta clase de compuestos, y una noche mientras Berger cenaba con dos amigos suyos les comentó quejoso que todavía no sabía cómo llamar a esta nueva clase de fármacos. «El mundo no necesita sedantes», le dijo uno de sus amigos. «Lo que necesita es tranquilidad. ¿Por qué no los llamas tranquilizantes?»

Entre tanto los científicos del Departamento Neuropsiquiátrico del Instituto Walter Reed de la Armada[18] estaban llevando a cabo una segunda serie de experimentos con animales que marcarían el inicio de la era de los tranquilizantes. Los investigadores ataban a dos monos, cada uno a un extremo de la jaula, y les aplicaban descargas eléctricas en los pies cada veinte segundos. Uno de ellos era el «mono con el poder» que podía protegerlos a ambos de las descargas si accionaba una palanca a su lado cada veinte segundos. El mono responsable de protegerse a sí mismo y a su compañero de jaula aprendió enseguida que podía evitar que recibieran las descargas, pero después de repetir el experimento una y otra vez, era presa de una agitación cada vez mayor hasta que moría. Cuando los científicos le daban tranquilizantes al mono que tenía el poder, presionaba la palanca con más tranquilidad y éxito. Los investigadores concluyeron que lo que funcionaba para los monos cargados con una gran responsabilidad también funcionaría en las personas con una gran responsabilidad en su vida (aunque discutieron sobre quiénes estaban más estresados, si los periodistas varones, por ejemplo, o los ejecutivos). Las compañías farmacéuticas se entusiasmaron al ver los resultados del estudio y al cabo de poco los Laboratorios

Roche sugerían, a través de películas publicitarias como *The Relaxed Wife,* que los tranquilizantes ayudarían a las personas que traían el pan a casa y a los miembros de su familia a disfrutar más los unos de los otros después de una larga jornada laboral.

La década de 1950 fue fundamental en cuanto a los nuevos vínculos[19] que se crearon entre hombres, mujeres y la industria psicofarmacéutica, un círculo que se acabaría ampliando para incluir a mascotas y animales de zoos. Las páginas de *Newsweek, Time, Cosmopolitan* y del *Ladies' Home Journal* estaban salpicadas de artículos sobre curas milagrosas farmacéuticas. Los autores sugerían que la infidelidad, la frigidez o la incertidumbre de las mujeres se podían resolver tomando una pastilla. El historiador Jonathan Metzl ha sostenido que la popularidad del psicoanálisis en los años cincuenta contribuyó a las ideas populares sobre que la salud mental de las mujeres afectaba directamente a la de los hombres, y en especial que los síntomas psiquiátricos venían de las experiencias que uno había tenido con su madre de pequeño. Las pastillas podían ayudar a las mujeres a ser mejores madres y esposas. Por eso, en la prensa popular, se daba a entender que las que más necesitaban tomar tranquilizantes eran las solteras, las que querían seguir trabajando en tiempo de guerra y las que rechazaban las proposiciones sexuales de su marido.

Las estrategias comerciales de las compañías farmacéuticas[20] se basaron en las antiguas ideas de que las mujeres solteras, las lesbianas y las que se empecinaban en mantener sus opiniones e ideas pese a la presión de la sociedad eran casos patológicos. La histeria había sido el diagnóstico más corriente, pero en la década de 1940 las solteras, las mujeres trabajadoras y las que elegían no ser madres eran tildadas de enfermas en libros como *Modern Women: The Lost Sex,* que sostenía que las mujeres que querían abandonar su hogar estaban muy enfermas. Con la llegada de los tranquilizantes esos peligrosos estados[21] se podían solucionar con una simple pastilla. Los medicamentos prometían ser una nueva forma de controlar la conducta, y al poco tiempo se acabaron recetando a los animales sobre los que en un principio se habían experimentado.

Antes de mediados de la década de 1950, era la terapia conversacional y no los medicamentos[22] lo que se usaba para ayudar a los pacientes con problemas emocionales a manejar su ansiedad. Pero con el desarrollo y la rápida difusión del meprobamato, este método cambió ligeramente. Muchos psicoanalistas ya habían estado intentando entender las posibles causas biológicas de los problemas psiquiátricos (Freud también estaba interesado en ello). Cuando el Miltown demostró facilitar la terapia conversacional en lugar de reemplazarla, el medicamento despertó también el interés en la nueva psiquiatría biológica. Incluso en el vademécum de especialidades farmacéuticas se afirmaba que el fármaco hacía que un paciente se mostrara más atento y dispuesto a someterse a la psicoterapia. El Miltown se sacó al mercado en 1955[23] y se convirtió en el medicamento que con más rapidez se vendió en toda la historia de Estados Unidos. Los manuales de referencia para los médicos publicados por las compañías farmacéuticas[24] recalcaban los riesgos que la ansiedad sin tratar tenía para los hombres de negocios. En *Los aspectos de la ansiedad,* el manual de los Laboratorios Roche, se advertía seriamente que los cabeza de familia que llevaban el sueldo a casa sufrían los efectos de una ansiedad sin diagnosticar, alegando que los factores estresantes de su trabajo eran muy difíciles de eliminar. «El médico debe intentar cambiar la forma del paciente de ver la vida y sus actitudes hacia su propia valía por medio de la "farmacoterapia"».

Cuando solo hacía dos años que el Miltown se había lanzado al mercado,[25] una encuesta hecha a ejecutivos estadounidenses reveló que un tercio de los entrevistados tomaban tranquilizantes. La mitad de ellos los consumían habitualmente y casi las tres cuartas partes afirmaban que les ayudaban a rendir en el trabajo. Los estadounidenses acogieron en la década de 1950 la pastilla con curiosidad y entusiasmo. Pacientes que habían oído hablar del Miltown, apodado ahora las «aspirinas emocionales» y las «pastillas de la paz», le pedían a su médico de cabecera que se lo recetaran. Lo que empezó con los monos y los ejecutivos se extendió al cabo de poco a Hollywood. Lucille Ball lo tomaba con su café en el plató tras pelearse con Desi Arnaz. A Lauren Bacall se lo recetó el médico tras la muerte de su marido Humphrey Bogart. Tennesse Williams lo tomaba mientras escribía *La noche de la iguana.* Al cabo de poco el resto también quería tomarlo. Incluso los militares: las Fuerzas Armadas estadounidenses se gastaron de 1958 a

1960 millones de dólares en el fármaco, y se lo hacían tomar a todo el mundo, desde pilotos de la Fuerza Aérea hasta pacientes de hospitales de veteranos. Los psiquiatras se lo autorrecetaban. Los atletas lo consumían. Al igual que el presidente John F. Kennedy para aliviar su ansiedad y su colitis. A los niños se lo administraban[26] para la agitación. A unos cuantos perros también se lo daban para evitar los mareos en el coche, la hiperexcitabilidad, la ferocidad y la timidez. En 1957 se habían prescrito más de 36 millones de recetas del Miltwon y elaborado miles de millones de pastillas. Los tranquilizantes eran una tercera parte de los medicamentos recetados en Estados Unidos. Como Metzl sostiene, el medicamento redefinía la idea misma de lo que era la ansiedad y de quiénes la padecían.

Otro interesante resultado de la moda del Miltown fue que al menos entre científicos como Frank Berger que estaban desarrollando los fármacos, los problemas mentales, en lugar de achacarse a las teorías freudianas de las relaciones maternofiliales, los conflictos subconscientes reprimidos y las relaciones interpersonales viciadas, se veían como explicaciones biológicas debidas, por ejemplo, a un mal funcionamiento del sistema límbico. Si un fármaco curaba la ansiedad, sostuvo más tarde Berger,[27] era seguramente porque esta estaba causada por problemas fisiológicos, en lugar de venir de las experiencias maternas que uno había tenido en la infancia. El hecho de que esos fármacos funcionaran también en animales no humanos respaldaba la teoría biológica.

Sin embargo, a mediados de la década de 1960, salió a la luz la naturaleza adictiva del Miltown[28] y la fascinación por el fármaco menguó. En 1967 se creó una ley para modificar el Acta de Alimentos, Medicamentos y Cosméticos, que obligaba a controlar la venta y la distribución de esta clase de medicamentos.[29] Lo que afectó de forma duradera el panorama farmacéutico. El éxito obtenido por la industria[30] con el «estilo de vida» del primer fármaco allanó el camino a benzodiacepinas como el Librium, el Valium y el Xanax, y a la amplia gama de antidepresivos. Como la historiadora Andrea Tone ha sostenido, la popularidad del Miltown demostró que un medicamento podía ponerse de moda, y el hecho de que al menos por un tiempo todo el mundo pareciera tomarlo hizo que fuera socialmente aceptable consumir ciertas clases de fármacos.

En aquella época también se estaba experimentando con otros psicofármacos[31] en animales no humanos. En 1957 un químico que trabajaba para Hoffmann-La Roche descubrió un nuevo compuesto, el Ro 5-0690, que hacía que los ratones se comportaran de forma sorprendente en la «prueba de la pantalla inclinada». A los ratones les daban un fármaco experimental y luego los ponían en una pantalla inclinada con la cabeza mirando hacia abajo. Los ratones que no habían tomado ningún fármaco se daban la vuelta y subían corriendo por la pantalla, pero los que habían tomado tranquilizantes se dejaban caer resbalando lentamente por ella hasta llegar a la base. Los ratones que habían tomado Ro 5-0690 se deslizaban hasta la base con los músculos relajados, pero a diferencia de los que habían tomado tranquilizantes, estaban despiertos y activos todo el tiempo. Esos ratones tampoco tenían ningún problema en subir por la pantalla cuando los espoleaban.

El nuevo medicamento también superó la «prueba del gato»,[32] muy común en la industria farmacéutica, consistente en darles a un grupo de gatos un fármaco y luego sostenerlos por el cogote para ver qué hacían. Los que recibieron el Ro 5-0690 se quedaron la mar de relajados sin forcejear, incluso los elegidos en especial por su fiereza. Asombrosamente, los más difíciles se transformaron, según los investigadores, en gatos contentos, sociables y juguetones después de tomar el Ro 5-0690. Los investigadores compararon las reacciones de los mismos gatos al tomar Thorazine, Miltown y fenobarbital. El nuevo fármaco se parecía al Miltwon, solo que era más potente. También era menos tóxico y sedante que cualquier otro que hubiera en el mercado. Los ensayos clínicos realizados con personas, como los estudios éticamente problemáticos llevados a cabo con prisioneros, revelaron que el Ro 5-0690 servía para reducir la ansiedad, la agitación y la agresividad. Roche llamó al fármaco Librium, que procedía de la palabra *equilibrio*, y lo sacó al mercado en 1960.

Este relajante gatuno-ratonil-humano[33] se convirtió rápidamente en el fármaco más vendido en Estados Unidos. Hasta que Hoffman-La Roche sacó a la venta en 1963 el Valium, su segunda benzodiacepina que arrasó en el mercado. El Valium se convirtió en la primera marca farmacéutica en generar ganancias de 100 millones de dólares. De 1968 a 1981 fue uno de los medicamentos más recetados en el mundo occidental. Benzodiacepinas como el Valium y el Librium, y los animales que primero demostraron su utilidad, hicieron que Hoffmann-La Roche se convirtiera en una de las empresas más rentables del planeta.

Los pioneros en el nido del cuco

Una de las primeras criaturas no humanas que tomó psicofármacos no como animal de experimentación sino como paciente fue un gorila llamado *Willie B.* Al igual que a las mujeres que a mediados del siglo pasado les recetaban tranquilizantes para calmar su ansiedad y animarlas a hacer lo que en aquella época se esperaba de una mujer, a *Willie* le dieron el psicofármaco para asegurarse de que se portara bien y que no mostrara su desagrado por las estrictas limitaciones de su vida cotidiana.

Willie B era un gorila famoso en Atlanta, Georgia. En la década de 1960 fue capturado en el Congo[34] cuando era una cría y luego lo mandaron al Zoo de Atlanta, donde vivió treinta y nueve años, veintisiete de los cuales lo mantuvieron solo en el interior de un edificio, dentro de una jaula con un neumático a modo de columpio y un televisor. *Willie*, bautizado con ese nombre en honor de William Berry Hartsfield, el alcalde de la ciudad, fue el tema de innumerables artículos de la prensa y de programas de televisión. El nombre de los Espaldas Plateadas de Atlanta del equipo de fútbol americano de la ciudad también se inspiró en él. Cuando murió en febrero del 2000, ocho mil personas acudieron a la ceremonia conmemorativa celebrada en su honor.

Según Mel Richardson, que trabajaba como veterinario en el Zoo de Atlanta en aquel tiempo, *Willie* rompió el cristal de la ventana de su recinto en el invierno de 1970-1971 y lo tuvieron que trasladar a una jaula mucho más pequeña durante seis meses mientras sustituían el cristal por unos gruesos barrotes de metal. «Pesaba alrededor de ciento ochenta kilos y la jaula era demasiado pequeña para él», dijo Mel. «Si se levantaba y estiraba los brazos, podía casi tocar los extremos de la jaula». El equipo de veterinarios decidió medicarlo para que los seis meses se le hicieran más llevaderos. Le echaban Thorazine en la Coca-Cola que bebía por la mañana. Según Mel, *Willie* respondió al fármaco como muchos de los humanos de psiquiátricos: caminaba arrastrando los pies de un lado a otro de la jaula con los ojos vidriosos. «Un poco era como estar viendo la película *Alguien voló sobre el nido del cuco*», dijo Mel. «La única diferencia era que *Willie* era un gorila».

A partir de entonces se han estado dando medicamentos antipsicóticos como el Haldol (haloperidol) a los animales de zoos y acuarios de todo el mundo. Esta clase de fármacos se emplean para ayudar a las aves a superar sus fobias,[35] como el miedo de un loro del Amazonas de color amarillo a que lo sostuvieran. También les dieron Haldol a unos ualabíes de cuello rojo para ayudarles a habituarse a la cautividad. Al igual que a un osezno negro, para tratar su ansiedad por separación tras apartarlo de su madre y meterlo solo en una jaula. El SeaWorld se lo daba a los leones marinos californianos que actuaban en el parque. El Six Flags Marine World se los administró a una cría de morsa hembra que regurgitaba compulsivamente la comida. En el Zoo de Toledo (en el estado de Ohio) usaron el Haldol[36] para calmar a unas cebras de Grant ansiosas, a un grupo de ñus, a un par de avestruces y a una mona llamada *Maxine*. Los cuidadores esperaban que *Maxine* se llevara mejor con su hija, pero no fue así. Según el equipo de veterinarios, los antipsicóticos ayudaron, sin embargo, a *Problema* y a su hermana, *Doble Problema*, dos aves del paraíso del Zoo de Toledo. No hacían más que arrancarse las plumas, pero después de tomar Haldol durante tres días dejaron de hacerlo. Esta clase de fármacos eran «sin duda una maravillosa herramienta para el manejo de los animales», le dijo el responsable de mamíferos al periodista de un diario de Toledo. «Y así es como nosotros los vemos. Nos facilita las cosas en las situaciones complicadas».

El hecho de que los antipsicóticos se usen para que los animales en cautiverio sean más «manejables» me recuerda los debates sobre los fármacos antipsicóticos que les dan a los pacientes de psiquiátricos o los tranquilizantes recetados a las amas de casa en la década de 1950.

Cuando el movimiento antipsiquiátrico[37] empezó a surgir en los años sesenta, tras las revelaciones publicadas por la prensa sobre los abusos cometidos en los manicomios que dejaban a la psiquiatría como si no fuera más que la aplicación de una «camisa de fuerza química», los antipsicóticos empezaron a verse como la causa de las enfermedades mentales, en lugar de como la solución. Ken Kesey describió los manicomios[38] como unos lugares opresivos donde los pacientes caminaban arrastrando los pies con la mente embotada por los antipsicóticos.

De 1965 a 1975, aproximadamente, la disciplina de la psiquiatría cambió en respuesta al creciente interés de la gente sobre los tratamientos y la reclusión de los enfermos mentales. Como el historiador David Healy señala,[39] la psiquiatría vio muchas de sus prácticas, como la terapia de electrochoque, demonizada. Sin embargo, las compañías farmacéuticas siguieron defendiendo el uso de fármacos para eliminar las conductas indeseables. En las décadas de 1970 y 1980, sus campañas centradas en los médicos[40] animaban a estos a usar los antipsicóticos como «controladores conductuales» en jóvenes varones para limitar sus actos antisociales y violentos. Más de treinta años después,[41] los psicofármacos se siguen usando para controlar la conducta de prisioneros, para manejar a los pacientes que deben recibir un tratamiento psiquiátrico obligatorio, y para los que se resisten a tomar su medicación con el fin de limitar sus arrebatos.

El control de la conducta, quizás un término un tanto menos draconiano que la camisa de fuerza química, también está presente en los cuidados y tratamientos de los animales no humanos. Aunque esto no significa que no sea a menudo útil. Los antipsicóticos, los antidepresivos y la medicación antiansiedad, por ejemplo,[42] se han estado administrando para tratar a los macacos y a otros primates usados en las investigaciones que no pueden ser liberados de sus laboratorios por una razón u otra. A esos monos, que sufren un estado de angustia tan colosal que se muerden a sí mismos y se sienten deprimidos les dan antipsicóticos o fármacos antiansiedad porque es más compasivo que no drogarlos. En otro caso, a un gorila macho de Ohio que se alteraba fácilmente[43] y se enojaba cuando sedaban a cualquier gorila de su grupo para realizarle una cirugía o un tratamiento médico, le daban antes

Valium. Se quedaba sedado, pero aun así seguía teniendo diarrea nerviosa. Sus cuidadores decidieron que recetarles psicofármacos en lugar de negárselos era la única opción para aliviar su sufrimiento.

En el Zoo de Guadalajara de México,[44] un gorila hembra de dieciséis años dejó de comer, empezó a vomitar y desarrolló un caso serio de diarrea. Según el equipo veterinario, también parecía deprimida. Después de que una muestra fecal de sus heces revelara una intoxicación por salmonela, los cuidadores la separaron de su cría y del resto del grupo para tratarla y evitar que infectara a los otros gorilas. La mantuvieron aislada en un recinto durante diez días hasta que la intoxicación por salmonela desapareció. Al décimo día empezó a morderse los dedos de las manos y de los pies sin parar durante horas, hasta hacerse sangre. Siguió mordiéndoselos incluso después de volverla a reunir con el grupo y su cría, y se produjo heridas profundas. El equipo veterinario decidió darle Haldol. Según sus cuidadores, el gorila dejó al final de morderse los dedos y entonces le empezaron a reducir la dosis de antipsicóticos. Seis meses más tarde ya no tomaba Haldol y seguía sin autolesionarse.

A veces sedan a los simios para que puedan afrontar el estrés de un viaje. En 1996 enviaron en avión a un gorila macho llamado *Vip*, del Zoo de Boston, donde a las hembras no les había parecido atractivo sexualmente, al Parque Zoológico de Woodland, en Seattle, como parte de un programa de la AZA para fomentar la diversidad genética en la población de gorilas en cautividad. A *Vip* lo sedaron y sus cuidadores intentaron meterlo en la jaula. Pero *Vip* no quería entrar en ella. Al final, como estaban tardando más tiempo del previsto, lo introdujeron en la bodega de un avión de pasajeros en el Aeropuerto Logan de Boston, y Shanna Abeles, su cuidadora, ocupó su asiento en la cabina. Varias horas más tarde, mientras sobrevolaban la región central de Estados Unidos, se le pasaron los efectos del sedante. *Vip* se despertó en medio de la oscuridad de la bodega del avión, aterrado y confuso, sin saber dónde estaba. Abeles le oyó golpeándose el pecho con los puños y chillando en la bodega. También le oyó el piloto, al que no le llegaba la camisa al cuello. Cuando sobrevolaban Utah, el piloto, aterrorizado, hizo un aterrizaje no programado en Salt Lake

City. Después de una breve parada para verificar si *Vip* seguía dentro de la bodega, el avión empezó a deslizarse por la pista para despegar, pero cuando el piloto oyó de nuevo al gorila dando golpes en la bodega con todas sus fuerzas, dio media vuelta en la pista y volvió a la terminal. Se negó en redondo a despegar con *Vip*. Obligaron a la cuidadora y al gorila a bajar del avión.[45] Para tranquilizarlo, Abeles le dio un plátano con Valium triturado y esperaron a que un camión los llevara hasta Seattle. *Vip* fue el último gorila al que se permitió viajar en un avión de pasajeros. A partir de entonces viajan en aviones de carga.

A los delfines, ballenas, leones marinos, morsas[46] y otras criaturas marinas de parques acuáticos como el SeaWorld también les han estado dando psicotrópicos para lo que sus veterinarios consideran una depresión, un estado de ansiedad, una regurgitación compulsiva u otras conductas angustiantes. A los delfines también se los dan cuando los transportan en avión, como a *Vip*, a nuevos acuarios o parques temáticos para que no se estresen.

En este tipo de instalaciones zoológicas los empleados reciben bonificaciones[47] para que esa clase de información no salga a la luz, sobre todo después de tragedias como la de la muerte de la adiestradora Dawn Brancheau en el parque temático SeaWorld de Orlando por las embestidas de la orca *Tilikum*. El espeluznante ataque de la ballena se atribuyó a lo estresante que era para un depredador tan enorme y social vivir en un espacio tan reducido, separada de su familia.

Darles a los animales medicamentos psicotrópicos para tratar síntomas de enfermedades mentales, aunque se haya convertido en una práctica habitual entre humanos, puede llevar a que se critique la exhibición de animales. Muchos adiestradores y cuidadores de mamíferos marinos de zoos han firmado cláusulas de privacidad con sus jefes y existe una maraña de protocolos de relaciones públicas que impiden que el público conozca los pormenores del cuidado de los animales por parte del personal dedicado a ello. En muchos casos, el departamento de relaciones públicas de esta clase de lugares no me dio la autorización para revelar que a los animales les daban antidepresivos, antipsicóticos y medicamentos antiansiedad y antiobsesivos. Descubrir que los gorilas, los tejones, las jirafas, las belugas o los ualabíes al otro lado del cristal están tomando Valium, Prozac o antipsicótipos para soportar su vida en cautividad no es precisamente una noticia demasiado agradable que digamos para la mayoría de la gente que visita zoos, parques temáticos y acuarios. Dos veterinarios de mamíferos marinos que llevan décadas tratando a los animales, asesorando a instalaciones donde exhiben a animales o a la Marina en sus programas militares relacionados con mamíferos marinos, e investigando sobre determinadas especies, me dijeron que los antidepresivos y los antipsicóticos se usaban habitualmente, pero que «nadie iba a hablar[me] de ello». Ni siquiera quisieron hablar del tema aun sabiendo que no iba a quedar constancia de lo que dijeran.

Entre algunos de los casos comentados en la prensa, había[48] una beluga de cuatro años del Acuario de Sheedd a la que le dieron antidepresivos para tratar su regurgitación compulsiva. Empezó a arrojar los peces enteros después de las sesiones de entrenamiento, hasta el punto de perder peligrosamente demasiado peso. Los veterinarios del acuario le recetaron un antidepresivo que al parecer redujo la frecuencia de sus regurgitaciones. A la joven beluga le siguieron dando una dosis de mantenimiento incluso después de haber ganado peso.

La palabra *antidepresivos* la acuñó[49] en 1952 el psicólogo Max Lurie, pero tanto el término como las sustancias a las que se refería tardaron lo suyo en popularizarse. De 1900 a 1980 aproximadamente,[50] la depresión se consideraba un trastorno extraño, opuesto al nerviosismo o a la ansiedad. En Europa, antes de la década de 1950,[51] los trastornos depresivos se interpretaban como melancolía. Las personas que tenían un serio trastorno depresivo de la personalidad eran admitidas en los hospitales en un porcentaje de 50 a 100 casos de entre un millón de personas. Pero en el 2002 los trastornos depresivos habían llegado a afectar a 100.000 personas de entre un millón, lo cual equivalía a 250.000 casos declarados. El historiador Edward Shorter ha sostenido que los casos[52] se multiplicaron por los propios antidepresivos. Es decir, la idea de la depresión no se vuelve habitual hasta que aparecen los antidepresivos para tratarla.

Los antidepresivos, sobre todo el Prozac,[53] que aparecieron en la cultura popular en la década de 1990, eran vistos como medicamentos que les permitían a quienes los tomaban sentirse «la mar de bien». De pronto la serotonina se había convertido en el tema de conversación y los beneficios de los nuevos fármacos eran objeto de debate en libros como *Escuchando al Prozac*. Los animales no humanos también salían en las conversaciones sobre los nuevos fármacos y, como sucedió con los antipsicóticos y los medicamentos antiansiedad, muchos a los que obligaban a tomarlos eran primates. Un psiquiatra le recetó Remeron[54] a *Minyak*, un orangután macho del Zoo de Los Ángeles, después de que sufriera una infección respiratoria que lo dejó apático y sin ganas de aparearse. El veterinario jefe del zoo creyó que *Minyak* estaba deprimido. El fármaco estimuló tanto su apetito relacionado con el sexo como el de la comida. Dos años más tarde fue padre de una cría, pese a que ya habían dejado de administrarle el fármaco.

A *Johari*, un gorila hembra del Zoo de Toledo (Ohio),[55] le recetaron fluoxetina, o el Prozac genérico, por una conducta que sus cuidadores achacaron a los síntomas premenstruales. Al cotejar la cantidad de lesiones que les había hecho a otros miembros de su grupo con su ciclo menstrual, descubrieron que tendía a mostrarse agresiva la semana previa a su periodo. Después de tomar antidepresivos durante un mes, sus episodios violentos cesaron. Cuando más tarde *Johari* se quedó preñada, los empleados del zoo esperaban que los cambios hormonales del embarazo y la lactancia redujeran sus síntomas del síndrome premenstrual. Le retiraron el Prozac, pero según dijeron sus cuidadores «entonces se volvió psicótica con nosotros». De modo que tuvieron que volvérselo a dar.

Cuando a mediados de la década de 1990 los periódicos sensacionalistas publicaron[56] que *Gus*, uno de los osos polares del Zoo del Central Park, se pasaba hasta doce horas diarias nadando compulsivamente en su instalación trazando ochos, día tras día, durante meses, y que por esa razón el zoo había tenido que pagar a un psicólogo conductista 25.000 dólares para ayudarle, *Gus* acaparó la atención de los neoyorquinos. El oso salió en la portada del periódico *Newsday*,[57] David Letterman hizo bromas sobre él en la televisión, el *New York Times* escribió un editorial al respecto, se publicaron tiras cómicas políticas sobre el oso «bipolar» en los periódicos estadounidenses, y el grupo de rock canadiense The Tragically Hip escribió una canción titulada «¿Qué te pasa, *Gus*?» A pesar de todos los comentarios irónicos, *Gus* se convirtió en un símbolo de la época. El trastorno bipolar se puso de moda[58] en la década de 1990. La frecuencia de los casos aumentó, y el umbral de la supuesta edad en la que aparecía el trastorno se redujo hasta tal extremo que de repente se le empezó a diagnosticar a niños de uno y dos años de edad y a tratarlo con medicamentos estabilizantes del estado de ánimo.

El encargado del departamento de relaciones públicas del zoo[59] dijo que la historia de *Gus* era cautivadora porque «es como Woody Allen yendo siempre a sesiones de terapia, da la impresión de que todos los neoyorquinos sean unos neuróticos». Tras la cobertura periodística[60] la gente les llamaba de todas partes del mundo para preguntarles si *Gus* estaba mejorando. La respuesta era complicada, porque *Gus* vivía en una instalación de 465 metros cuadrados, menos del 0,00009 por ciento de territorio por el que se movería en el Ártico. También era un gran depredador que, pese a haber nacido en cautividad, seguía teniendo sin duda impulsos depredadores. A decir verdad, cuando *Gus* llegó de un zoo de Ohio en 1988,[61] su juego favorito era acechar a los niños desde la ventana sumergida de su piscina para darles un susto de muerte. «Le encantaba verlos pegar un chillido y salir huyendo aterrados; era un juego para él», le dijo el supervisor de animales del zoo a un periodista. Pero como la dirección del zoo no quería que *Gus* asustara a los niños ni a sus padres, hicieron poner unas barreras para mantener a los visitantes alejados de la ventana. Al cabo de poco *Gus* empezó a nadar trazando ochos durante horas y horas.

Esperando corregir su conducta neurótica,[62] el zoo contrató a Tim Desmond, el adiestrador de animales que había entrenado a la orca que encarnaba a *Willy* en la película *Liberad a Willy*. Desmond logró reducir las compulsiones de *Gus* ofreciéndole nuevas actividades, como rompecabezas de comida para osos o *snacks* que le llevaban más tiempo de comer: caballa congelada en bloques de hielo o pollo envuelto en cuero crudo. El zoo rediseñó su instalación[63] y creó para él una zona de juego con cubos de basura de plástico y conos de tráfico que *Gus* podía fingir destrozar. También le dieron Prozac. No sé durante cuánto tiempo se lo recetaron o ni siquiera si funcionó tan bien como su nueva instalación o su programa de entretenimiento, pero al final su forma compulsiva de nadar se redujo, aunque no desapareció del todo.

En agosto del 2013 lo sacrificaron.[64] Era un oso viejo de veintisiete años con un tumor inoperable. La última vez que fui a verlo ya no nadaba neuróticamente. Estaba rasgando una bolsa de papel que contenía carne como si fuera comida de oso para llevar.

Como es imposible imitar[65] en lo más mínimo la clase de vida que los osos polares llevan en estado salvaje, son los residentes de los zoos que más antidepresivos toman. Aunque a otro tipo de osos también se los han recetado.

Abdi es un oso pardo macho[66] *(Ursus arctos)* que nació en las montañas Kure de Turquía en mitad del invierno de 1992. Los cazadores mataron a su madre cuando él era un osezno de pocos meses y lo conservaron como mascota. Durante dos años estuvo atado de una cadena muy corta al aire libre sin un refugio para protegerse del sol, de la lluvia o del frío del invierno. Cuando creció, lo metieron en una jaula con el suelo de cemento en el interior de una cabaña, donde durante los ocho años siguientes solo veía la luz que se colaba por las rendijas del tejado. Los aldeanos le echaban comida por un oscuro agujero, pero no le limpiaban nunca la jaula ni lo dejaban salir de ella. *Abdi*, delgado e infectado de parásitos, tenía el deslustrado pelaje lleno de ralezas. Después de pasar más de una década en estas condiciones, la Reserva de Osos de Karacabey lo rescató y lo trasladó a una parte del parque donde disponía de una zona cubierta y otra descubierta. Después de vivir un mes en la reserva, los empleados le animaron a pasar más tiempo con los otros osos para intentar que se relacionara con ellos, pero solo de verlos se asustaba tanto que se negaba a salir de su guarida. Entonces lo trasladaron a un recinto más pequeño desde el que podía ver a los otros osos sin tener ningún contacto físico con ellos. A los seis meses *Abdi* había ganado peso y lucía un espeso pelaje, pero los otros osos seguían dándole pavor. Y lo que más les preocupaba a sus cuidadores era que no paraba de ir nerviosamente de un lado a otro. De vez en cuando le llevaban a otro oso a su recinto para que lo conociera, pero él no dejaba de ir nerviosamente de arriba abajo y ni siquiera se paraba para reconocer su presencia. Con el paso del tiempo, esta clase de conducta nerviosa se redujo un poco, pero seguía pasando la mayor parte del día caminando describiendo pequeños círculos. Los cuidadores decidieron darle fluoxetina esperando que se animara con el antidepresivo y que le ayudara a adaptarse a su nueva vida. Cada mañana durante seis meses le estuvieron dando el medicamento escondido en su comida favorita: pan con pasas y nueces. Con el paso de los meses su conducta de caminar compulsivamente fue disminuyendo poco a poco hasta desaparecer por completo. Les llevó varias semanas retirarle del todo la medicación, y luego lo trasladaron a la zona más grande de la reserva con veintiocho osos más, algo que hacía menos de un año le hubiera aterrado.

En la actualidad, al cabo de más de una década, *Abdi* sigue progresando.[67] Aunque parezca un tópico, es un oso curioso. En una foto reciente aparece a la orilla de un estanque investigando un tronco caído al suelo. El personal de la reserva me escribió para decirme: «Como es natural, a *Abdi* le costó superar un trauma tan grande. Durante mucho tiempo fue incapaz de mirar a los otros osos. Tal vez no quería hacerlo, o quizá le daba miedo. Había elegido la soledad. Pero tras un largo y exitoso proceso de socialización acabó entendiendo que era uno de ellos. Ahora forma parte del grupo, aunque no pueda olvidarse del todo de los recuerdos del pasado».

El gorila y su psiquiatra

A *Gigi*, un gorila hembra de treinta y seis años del Parque Zoológico Franklin, le gusta ver películas en blanco y negro, sobre todo las que se destacan por sus coreografías. También le gusta que hombres con el pelo y la barba canosos le hagan cosquillas. Y le encantan los vasos de papel de colorines en los que le sirven la avena por la mañana. Cuando ve a un tipo con el pelo encanecido o un vaso de papel de colorines, gruñe de placer emitiendo un sonido como el de un hondo y jadeante ronroneo. También tiene un psiquiatra.

En 1998 llegó al zoo un gorila macho de doce años llamado *Kitombe*. Había estado viviendo con su madre y el resto del grupo en el Zoo de Cleveland, donde se enzarzaba en peleas cada vez más violentas con su padre. Como los cuidadores temían que los enfrentamientos empeoraran a medida que *Kit* se convertía en adulto, lo trasladaron al Zoo de Boston. La primera semana en la que *Kit* estuvo conociendo a los otros gorilas fue bien. Pero al cabo de poco se volvió violento. También fecundó rápidamente a *Kiki*, un gorila hembra. *Kit* se volvió muy posesivo con la hembra que había dejado preñada y no permitía que los otros gorilas del recinto se acercaran a ella. Proyectó toda su ira en *Gigi* en especial.

Gigi era la más vieja del grupo de gorilas y también la más extraña. Había nacido en el Zoo de Cincinnati cuando Ann Southcombe se estrenaba como cuidadora. A *Gigi*, como era habitual en aquella época, la separaron de su madre al nacer para ser criada por cuidadores humanos. Ann se ocupaba de la «guardería del zoo», donde cuidaba de *Gigi* y de las otras crías de gorila durante el día. Por la noche las encerraba en cajas con tapa, donde se quedaban solas en la oscuridad más absoluta hasta que Ann volvía por la mañana y las dejaba salir. Ann era una joven de diecinueve años que no había trabajado antes con gorilas y menos aún con un puñado de crías. Intentaba hacerlo lo mejor que sabía.

Y encima la dirección del zoo no siempre la apoyaba en sus esfuerzos por dar a las crías de gorila mantas, juguetes y otros objetos que pudieran usar para sentirse mejor. Ann se sentía frustrada y, como seguía atentamente la labor de Dian Fossey en el Congo, decidió escribirle pidiéndole que la aconsejara. Para sorpresa de Ann, Fossey le respondió y le habló de la labor que Penny Patterson hacía en la Universidad de Stanford enseñando a *Koko* el lenguaje de los signos. Ann decidió enseñarle también a *Gigi* y a los otros gorilas un poco del lenguaje de signos americano. *Gigi* lo pilló enseguida. Varios años más tarde se la llevaron del único hogar que había conocido hasta el momento para trasladarla al Zoo de Stone en Massachusetts, donde vivió en una jaula de cemento con un macho que no le gustaba demasiado. Luego *Gigi* tuvo dos crías. La primera la dejó en el suelo de cemento en cuanto nació, al parecer ignorándola. Los cuidadores se llevaron a la cría a las veinticuatro horas para ocuparse de ella. Pero su respuesta a su segundo hijo, un macho llamado *Kubie*, fue totalmente distinta. Lo cogió en el acto y lo acarició.

Paul Luther es uno de los cuidadores de *Gigi* y la conoce desde que llegó al Zoo de Stone hace más de treinta años. Cree que aprendió a ser una madre para *Kubie* mirando a *Betty* y *Stanley*, un par de orangutanes que vivían en la instalación situada frente a la suya. «Eran unos padres excelentes», me contó Paul mientras pasábamos por delante del recinto de los hipopótamos pigmeos del Parque Zoológico Franklin. «Y los orangutanes tuvieron una cría en esos años entre el primer embarazo de *Gigi* y el segundo. Todo cuanto tenía que hacer era contemplar a *Betty* y *Stanley* ocupándose de su cría. Pero antes de esta experiencia no creo que *Gigi* hubiera visto a una madre simio cuidando de una cría». Y sin duda ella tampoco había vivido esta experiencia de pequeña.

Mientras *Kit* la perseguía por la instalación, *Gigi* se puso a chillar y temblar. Él la mordió, intentó ahogarla en el foso del recinto y le rasgó el cuero cabelludo de oreja a oreja. Más de una vez tuvieron que darle puntos por las heridas recibidas, y *Gigi*, que ya era proclive a la ansiedad y se dedicaba a regurgitar y reingerir la comida continuamente, a comerse sus propias heces y a veces a arrojarlas contra el cristal de la instalación ante los visitantes, tenía los nervios destrozados. Apenas comía y en cuanto veía a *Kit* se encerraba en sí misma, balanceándose y temblando. Al final del día también se ponía a chillar y a temblar, negándose a abandonar con los otros gorilas la parte de la instalación expuesta al público, prefería dormir sola en el suelo polvoriento a la vista de la gente.

Preocupados por ella, los cuidadores le dejaron varios catres repartidos por la instalación para que dispusiera de ellos por la noche. Al cabo de dos meses la doctora Hayley Murphy, que en aquel tiempo era la veterinaria jefe del zoo, ya no sabía qué hacer para resolver el problema. «Se me ocurrió que lo que estaba viendo en *Gigi* se parecía mucho a la ansiedad y los trastornos anímicos de los humanos. Decidí buscar un psiquiatra para ver si podía ayudarla», me dijo Murphy.

Como el zoo estaba en Boston, llamó a la Facultad de Medicina de Harvard y al final acabó contactando con Michael Mufson. Profesor adjunto en Harvard y psiquiatra del Brigham y del Hospital de Mujeres, también tiene una consulta privada a varios kilómetros del zoo. «En mi primera visita vi que estaban sufriendo como las personas», me contó Mufson mientras observábamos por el cristal a los gorilas compartiendo entre ellos tallos de apio. «No hace falta hablar con alguien para darte cuenta de que está sufriendo. Lo ves en sus ojos, su fisonomía, su postura».

Pero Mufson no solo advirtió el miedo y la ansiedad de *Gigi* o la agresividad de *Kit*. También se percató enseguida de que los miembros del nivel intermedio del grupo padecían a su vez trastornos del estado de ánimo, probablemente debido a la ansiedad, como en el caso de un joven macho llamado *Okie*.

Kit no había llegado a agredir a *Okie*, un macho cariñoso y un tanto bobalicón de cinco años, pero estaba retraído y ya no jugaba con los otros gorilas ni con los cuidadores como antes de que surgiera el caos. Mufson le recetó Prozac y al cabo de poco *Okie* ya se veía más tranquilo y juguetón, más «como era antes» según los cuidadores del zoo.

Pero *Kit* demostró ser un paciente mucho más difícil de tratar. Mufson le recetó Prozac y unas dosis cada vez más altas del antipsicótico Haldol. Los medicamentos le provocaron diarrea y le calmaron un poco, pero no le redujeron la agresividad. Los cuidadores le retiraron el Haldol y el Prozac y decidieron darle Zoloft, pero tampoco funcionó. Probaron suerte con un último antipsicótico,[68] la risperidona, pero al cabo de varios meses al ver que seguía atacando a *Gigi* con la misma frecuencia, lo separaron del grupo y lo aislaron en un recinto de cemento y acero. Al final del día, cuando los otros gorilas volvían a la instalación principal, podían ver a *Kit* a través de la malla de acero que los separaba. Él solía guardarse un poco de su cena para comer con el resto del grupo. Lamentablemente estuvo viviendo solo[69] durante más de diez años.

«Lo intenté, pero desde el principio me di cuenta de que nada iba a ayudar a *Kit*», dijo Mufson. «Su agresividad le venía de saber que *Kiki* estaba preñada y de querer protegerla. Era una fuerza biológica básica. Estaba agitado porque no quería que nadie se acercara a ella. Aunque lo hubieran sedado, su agresividad era natural. Y eso no se puede eliminar».

Mufson era más optimista en cuanto a su capacidad para ayudar a los otros miembros del grupo. A *Gigi* le recetó un betabloqueador, el mismo medicamento que toman para los nervios los pianistas que dan conciertos y otros artistas. Lo estuvo tomando durante tres meses sin que le hiciera demasiado efecto. Mufson decidió entonces combinar el Xanax con el Paxil. Al cabo de poco, *Gigi* ya se veía menos ansiosa, pero *Kit* seguía intimidándola y acosándola. A Mufson le preocupaba que si el entorno de *Gigi* no cambiaba ni se libraba de su torturador, los medicamentos no fueran más que un remedio pasajero.

«En general, el Xanax ayudó a *Gigi* a relajarse y el Prozac ayudó a *Okie* a superar su depresión, pero los fármacos no eliminan la agresividad», me dijo Mufson.

Lo que en realidad funcionó fue separar al gorila violento del resto del grupo, aunque esto no le ayudara a él. Tras el exilio de *Kit*, dejaron de darle a *Gigi* los medicamentos.

Después de sus experiencias en el Zoo de Boston,[70] como Murphy y Mufson sentían curiosidad por los resultados de los psicofármacos recetados a otros gorilas en cautividad, realizaron un estudio sobre los zoos estadounidenses y canadienses en los que había gorilas. Cerca de la mitad de las treinta y una instituciones zoológicas que les respondieron les dijeron haber dado psicofármacos a sus gorilas. El más recetado fue el Haldol (haloperidol) y el Valium (diazepam), aunque también probaron con el Klonopin, el Zoloft, el Paxil, el Xanax, el Buspar, el Prozac, el Ativan, el Versed y el Mellaril.

En su escritorio Mufson tiene fotos del grupo de gorilas de Boston al lado de las de su mujer y sus hijos, y cada año lleva a los estudiantes de medicina a hacer rondas psiquiátricas por el zoo para observar a los simios. Desde que empezó a ocuparse de *Gigi*, Mufson ha tratado a gorilas de otros zoos estadounidenses por problemas como la tricotilomanía y la coprofagia (la ingestión de heces). A los que se arrancan el pelo les receta Luvox o Celexa, como hace con sus pacientes humanos, y además en la misma dosis, un miligramo por kilo.

Psicofármacos para mascotas

Los animales que más consumen fármacos psicotrópicos no son los del zoo, sino los que viven más íntimamente con los humanos: nuestras mascotas. Al igual que los remedios compartidos del arroz blanco hervido del siglo veinte, ahora les estamos dando a nuestros gatos, perros y canarios los mismos medicamentos que tomamos. Una encuesta sobre las modas en cuanto a los medicamentos recetados realizada entre 2,5 millones de estadounidenses con seguro médico del 2001 al 2010[71] reveló que uno de cada cinco adultos está tomando al menos un medicamento psiquiátrico. En el 2010 los americanos se gastaron más de 16.000 millones de dólares en antipsicóticos,[72] 11.000 millones en antidepresivos y 7.000 millones en medicamentos para tratar el trastorno por déficit de atención e hiperactividad (TDAH). Y según un estudio reciente realizado por los centros para el Control de Enfermedades,[73] el 87 por ciento de pacientes que visitan la consulta de un psiquiatra salen con una receta.

Las recetas de Prozac destinadas a *Sugarpie*, el caniche de Anna Nicole Smith; a *Sumo*, el bichón maltés de Jacques Chirac, y más recientemente a *Lamby*, el perro de búsqueda y salvamento de Lena Dunham, indican un pujante mercado de medicamentos, de psicofármacos y de otro tipo de fármacos para animales. El mercado estadounidense de medicamentos para mascotas[74] es mastodóntico y se calcula que de los 6.680 millones de dólares generados en el 2011 aumentarán a 9.250 en el 2015. Zoetis Inc. es la mayor compañía farmacéutica del mundo de medicamentos para animales. En el pasado era una filial de Pfizer, pero en enero del 2013 se convirtió en una compañía que cotizaba en bolsa y cosechó 2.200 millones de dólares en su oferta pública inicial,[75] la mayor OPI para una compañía estadounidense desde Facebook. La cifra de ventas de Elanco, una compañía farmacéutica que produce medicamentos para mascotas propiedad de Eli Lilly,[76] alcanza 1.400 millones de dólares anuales y es el cuarto negocio más grande del mundo relacionado con la salud de los animales. Enmarcada inicialmente en la sección de veterinaria de Lilly, recientemente ha dejado atrás la sección farmacéutica general para humanos. Las ventas anuales de Pfizer de medicamentos para animales[77] le reportan cerca de 3.900 millones de dólares, de los cuales los medicamentos para animales de compañía constituyen un 40 por ciento del total.

Las ventas totales de medicamentos conductuales para mascotas, como los que contienen fluoxetina, difícilmente pueden cuantificarse porque muchos propietarios de mascotas les compran a sus animales las versiones genéricas humanas en parafarmacias como CVS o Walgreens. El Prozac, el Valium, el Xanax y otros medicamentos para perros, gatos y loros vendidos en parafarmacias se confunden con las ventas de los mismos medicamentos para humanos.

La industria de medicamentos para mascotas[78] ha demostrado ser un mercado a prueba de recesiones. Los estadounidenses incluso pueden llegar a gastarse *más* dinero aún en sus mascotas en tiempos de crisis. Una empresa que realizó recientemente un estudio de mercado afirmó[79] que el amor que la gente siente por sus mascotas era «excelente para evitar la bajada en ventas causada por la recesión». La misma empresa afirmó que en tiempos de crisis muchos propietarios de mascotas tanto de clase media como de clase alta tendían a reducir los gastos de los miembros de su familia antes que los de sus mascotas. Se ha comprobado que esto es verdad[80] no solo durante los bajones económicos más recientes, sino también durante la Gran Depresión, cuando, como la historiadora Susan Jones ha sugerido, las familias hacían grandes sacrificios para que a sus perros y gatos no les faltara comida.

Los psicofármacos resultan en especial rentables. Los medicamentos humanos más lucrativos en el año 2012,[81] después de los tratamientos para el cáncer, fueron los antidepresivos, los estabilizantes del estado de ánimo y otros fármacos para la salud mental. La gente gasta más dinero en psicofármacos que en medicamentos para el dolor, y el mercado ha ido creciendo sin parar a un ritmo de un 10 a un 20 por ciento anual, incluso durante la crisis económica más reciente. Los márgenes de beneficio que dejan esos medicamentos son de más de varios miles por ciento, y, tal como David Healy ha sostenido, valen su peso en oro y mucho más que eso.

La escala de inversión en el desarrollo[82] y la mercadotecnia de los medicamentos psicotrópicos que están arrasando en ventas, destinados tanto a humanos como a animales, va ligada a la idea popular sobre las enfermedades que tratan. La industria que los desarrolla trabaja con tesón para garantizar su éxito económico, lo cual significa animar a más personas a comprarlos tanto para uso personal como para dárselos a sus mascotas. Dos decisiones históricas fundamentales[83] ayudaron en especial a asegurar la popularidad actual del uso de fármacos en Estados Unidos. La primera tuvo lugar en 1951, cuando la FDA (Agencia de Alimentos y Medicamentos estadounidense), a través de las enmiendas del Acta de Alimentos y Medicamentos de Humphrey y Durham, determinó que los nuevos medicamentos solo se podían adquirir con receta. Antes de esta enmienda, la mayoría de la gente se automedicaba comprando en las farmacias lo que necesitaba. Los detractores de la decisión de la FDA sostuvieron que las enmiendas no eran beneficiosas para las personas de la calle porque se les estaba obligando a recurrir a un pequeño grupo de individuos con el poder de recetarlas que a su vez dependían de la industria farmacéutica. Una segunda decisión de la FDA tomada en 1997[84] flexibilizaba las regulaciones que limitaban la publicidad directa al consumidor, abriendo las compuertas de la máquina del *marketing* farmacéutico que empezaría a publicitar a marchas forzadas las señales y los síntomas de trastornos que se podían tratar fácilmente con compuestos como el nuevo Prozac.

Una de las voces que más defiende el uso de psicofármacos para animales es el veterinario conductual Nicholas Dodman, de la Clínica

Veterinaria Conductual de Tufts. «La gente solía llamarme, entre otras cosas, el Timothy Leary[85] de los veterinarios», dijo Dodman. Al igual que Leary, él obraba como una especie de flautista de Hamelín,[86] recomendando este método a otros veterinarios y dueños de mascotas por medio de libros de texto, artículos revisados colegiadamente y talleres como «El gato equilibrado».

Dodman sostiene que los estudios que ha supervisado, algunos de ellos patrocinados por compañías farmacéuticas como Eli Lilly, demostraban que el Prozac alivia los trastornos de ansiedad por separación y los trastornos compulsivos en animales, y que también reduce la agresividad y otros «problemas» conductuales. Ha publicado investigaciones[87] sobre el uso de medicamentos antidepresivos y psicotrópicos para tratar a toda clase de animales, desde dóberman pinschers compulsivos y terriers que se mordían la cola, hasta caballos que mordisqueaban la cuadra (o tragaban aire) y gatos que se arrancaban el pelo.

En su libro *The Well-Adjusted Dog*,[88] Dodman sostiene que al tratar los problemas caninos con psicofármacos se está haciendo de «adentro afuera», aunque cree que los medicamentos son más eficaces si se combinan con un adiestramiento de modificación de conducta. Ha afirmado que la meta, sin embargo, debe ser retirarle los medicamentos al animal lo antes posible. En algunos casos, si al dejar de tomarlos se vuelve a sentir ansioso, deprimido, asustado o agresivo, sugiere dárselos indefinidamente.

Dodman receta una amplia variedad de psicofármacos,[89] al igual que hacen los numerosos veterinarios que han incorporado las ideas que difunde a su propia práctica. Usa antidepresivos tricíclicos (Elavil y Tofranil) para tratar la depresión, las fobias y, en algunos casos, la agresividad canina. Pero describe los ISRS como el Prozac, el Zoloft, el Paxil, el Celexa, el Lexapro y el Luvox como lo más parecido a una cura mágica para tratar problemas conductuales en animales. Solía creer que el Valium iba bien para tratar la ansiedad, pero ahora está convencido de que el fármaco, como el alcohol, reduce las inhibiciones, por lo que en perros propensos a la agresividad puede hacerlos feroces. También es adictivo. Pero a Dodman le sigue pareciendo útil para tratar un miedo intenso como el pánico de *Oliver* a las tormentas.

Dodman no siempre ha trabajado fomentando el uso de psicotrópicos en perros. Trabajó en la década de 1970 como veterinario rural ambulante en el Reino Unido, una especie de James Herriot contemporáneo, el álter ego ficticio de James Wight, el veterinario británico. Dodman se trasladó a Estados Unidos en 1981 para ejercer de profesor de anestesiología en la Facultad de Veterinaria de Tufts. Allí se empezó a preguntar si los medicamentos psicotrópicos podrían cambiar la práctica veterinaria del mismo modo que estaban transformando la psiquiatría humana. Compartió sus ideas por primera vez[90] en un congreso de veterinaria realizado a finales de los años ochenta y más tarde declaró a un periodista del *New York Times* «que había visto a algunos asistentes quedarse boquiabiertos». Era como si dijeran «¿quién es este extraño enmascarado?» Treinta años más tarde, sobre todo gracias a sus numerosas éxitos recogidos en la prensa, la industria de los psicofármacos para animales va viento en popa en Estados Unidos.

Dodman recuerda haber oído al antiguo decano de la Facultad de Veterinaria de Tufts[91] llamar al Prozac el equivalente conductual de la ivermectina, un medicamento antiparasitario muy común de amplio espectro. «Antes de la ivermectina los veterinarios tenían que elegir cuidadosamente qué desparasitante iban a usar para tratar la parasitosis intestinal y otras clases de infestaciones parasitarias en perros, gatos y animales de granja. Pero después de la ivermectina los veterinarios han podido usar este medicamento para tratar prácticamente todos estos problemas. Lo único que puedo decir es que, por suerte, ahora disponemos del Prozac y de otros ISRS».

Nicole Cottam, colega de Dodman, afirma que del 50 al 60 por ciento de personas que acuden a la clínica veterinaria de Tufts quieren un medicamento para su perro, gato o pájaro. «La mayoría de clientes no llaman ni vuelven después de la primera visita. A no ser que regresen para una receta. Y cuando se van de la consulta con una receta y con ejercicios conductuales, suelen usar solo las pastillas».

La idea de una pastilla para curar los problemas de las mascotas es simplemente demasiado atractiva y, francamente, suele funcionar. Lo sé de primera mano.

Oliver recibió su primera receta de Valium en el hospital veterinario después de saltar por la ventana. La segunda se la recetó una veterinaria. Como ya he mencionado, se suponía que le teníamos que dar el Valium treinta minutos antes de que estallara una tormenta para que cuando aparecieran los truenos y los relámpagos él ya estuviera demasiado sedado como para advertirlos. También se suponía que debíamos ponerle grabaciones de tormentas y diluvios. Mientras lo hacíamos teníamos que acariciarle, pero solo si no se asustaba al oírlas. Debíamos ir aumentando la duración del entrenamiento con las falsas tormentas minuto a minuto hasta que *Oliver* pudiera escuchar el cedé apaciblemente durante horas sin inmutarse. La veterinaria también le recetó Prozac para su ansiedad por separación, diciéndonos que tardaría varias semanas en hacerle efecto y que la avisáramos si notábamos algún cambio en su conducta. Le contemplamos expectantes, ahora los que estábamos ansiosos éramos nosotros, pero *Oliver* no parecía sentirse más contento ni tranquilo.

El Valium, sin embargo, le ayudó. Redujo la ansiedad producida por las tormentas. El único problema era que Jude y yo trabajábamos fuera de casa y en Washington D. C. las tormentas estivales suelen estallar por la tarde. Ninguno de los dos podíamos volver a casa treinta minutos antes de una tormenta para sedar a nuestro perro. Cinco días a la semana *Oliver* estaba solo cuando le daban por la tarde los ataques de ansiedad causados por las tormentas, pero el cedé le ayudó menos todavía que los fármacos. *Oliver* simplemente no se asustaba con las tormentas falsas. Soportaba las sesiones auditivas con un benévolo desinterés.

La veterinaria también nos sugirió que tratáramos la ansiedad por separación de *Oliver* con Valium, y nos dijo que se lo diéramos treinta minutos antes de que Jude y yo nos fuéramos de casa. Y además insistió en que lo entrenáramos para que se acostumbrara a nuestra partida.

La terapia conductual o el proceso de entrenamiento que la veterinaria nos describió consistía en acercarnos primero Jude y yo a la puerta de casa sin salir ni sin tocar siquiera el pomo. Debíamos hacerlo una y otra vez hasta que *Oliver* dejara de sentirse ansioso. El siguiente paso era acercarnos a la puerta y tocar el pomo. Cuando *Oliver* acabara reaccionando a estos pasos con una actitud de aburrimiento, debíamos abrir la puerta de par en par, pero sin salir de casa. Teníamos que hacerlo en distintos pasos que, según nos aseguró ella, harían que al final pudiéramos salir de casa sin que a *Oliver* le importara. El problema era que esta clase de entrenamiento nos tomó semanas, por no decir meses, y que todavía no habíamos podido llegar al paso de cruzar la puerta.

Intentamos hacer los ejercicios. Lo intentamos con toda nuestra alma. O, para ser sincera, lo hicimos durante un tiempo. Pero eran agotadores tanto para nosotros como para *Oliver*. Por desgracia, estaba hasta tal punto sintonizado con los distintos pasos que Jude y yo dábamos al prepararnos para irnos que en cuanto intentábamos eliminar uno que activaba su ansiedad de «me van a dejar solo», como por ejemplo el de coger las llaves, pillaba otro, como el de prepararnos la comida para llevar o el de vestirnos para ir a trabajar. Tal vez *Oliver* fuera disfuncional y desequilibrado, pero no tenía un pelo de tonto.

A veces yo guardaba el maletín del ordenador en un armario del pasillo del edificio que daba a nuestra puerta porque *Oliver* solo de verlo ya se ponía alerta anticipando nuestra partida, jadeando anhelosamente y yendo nervioso de un lado a otro. También reaccionaba al ver maletas. Y cuando nos calzábamos. Y al abrir el armario para sacar el abrigo. Posiblemente si Jude y yo hubiéramos ido a trabajar desnudos, saliendo por la ventana, sin llevarnos la comida, ni las llaves, ni el bolso, ni los zapatos y a una hora inusual, habríamos evitado desencadenar sus ataques de ansiedad.

Como me ocurría a mí, muchas personas no disponen del tiempo necesario para hacer esta clase de ejercicios con sus mascotas. O no funcionan. Y a veces, como sucedió con el Prozac en el caso de *Oliver*, los medicamentos tampoco sirven para nada, o los efectos no son lo bastante fuertes. Por desgracia, esto suele ser el acabose para la mayoría de animales. Los propietarios se desprenden de ellos o les obligan a lo que la veterinaria conductista E'lise Christensen llama «el gran sueño» y a lo que David Sedaris se ha referido como visitar la «joven Asia», es decir, la eutanasia. Los fármacos conductuales, si es que funcionan, ayudan a evitar esta clase de fatales consecuencias.

Dodman sostiene que al llegar a este punto la mayoría de propietarios de perros y gatos los abandonan en una perrera o los sacrifican por ser «difíciles». En realidad, de 6 a 8 millones de perros y gatos acaban sufriendo este triste destino cada año. Según la ASPCA, 3,7 millones[92] fueron sacrificados en el 2008. Los perros agresivos e inseguros que amenazan a los visitantes o los gatos que no cesan de ensuciar la colcha de la cama con orina son los que suelen acabar en albergues para animales. Dodman sostiene que la gran salvación[93] para esos perros y gatos con un mal comportamiento es la medicación. Aunque dudo de que la medicación terapéutica sea tan eficaz como la terapia conductual o como al menos la terapia conductual y la medicación combinadas. Los psicofármacos para mascotas pueden ser un útil apeadero[94] en el camino de la recuperación, o un recurso provisional en el camino de la cámara de gas.

La veterinaria conductual E'lise Christensen es una defensora de los psicofármacos porque afirma: «A diferencia de la medicina humana, no disponemos de lugares para hospitalizar y tratar a nuestros pacientes caninos. Si tienes un perro que se arroja por la ventana a una calle por la que circulan muchos coches, por ejemplo, tendrás que darle altas dosis para que no se lastime».

Las altas dosis para perros no son como las de los humanos, porque el hígado canino es capaz de asimilar mucha más medicación. Por eso muchos perros acaban con unas dosis de medicación antiansiedad tan potentes que podrían matar a una persona. «En estos momentos tengo como paciente a un golden retriever que está tomando 80 miligramos de Valium cada cuatro horas», dijo Christensen. Esta cantidad haría que un humano se moviera con dificultad, al borde de la catatonia, pero en cambio evita que al golden retriever le den unos ataques de pánico descomunales.

Pese a que muchos de sus clientes están tomando el mismo medicamento que sus mascotas, Christensen no ha visto a demasiados tomándolo prestado del alijo de sus animales de compañía. Cree que es así porque ella les deja muy claro que las dosis de sus mascotas son mucho más altas y que han ido a verla porque quieren ayudar a su animal. «Lo que sí es mucho más común es que compartan su propio medicamento con sus mascotas», me dijo. Por suerte, no les hace ningún daño, aunque tampoco les ayuda, porque las dosis humanas son mucho más bajas. Sus clientes médicos usan su propio recetario para recetárselas a sus mascotas. «Aunque lo más curioso es que mis clientes psiquiatras no lo hacen. Esperan a que yo se las recete».

Y, sin embargo, Christensen no cree que los psicofármacos basten para lograr una mejoría duradera en cuanto al bienestar de sus pacientes. Está convencida de que la mejor solución es combinar la medicación con el adiestramiento conductual. Lo cual significa evitar cualquier detonante que active el problema del animal, tanto si es dejarlo solo en casa como escuchar el ruido de la aspiradora, mientras dure la terapia. «Si no expones al animal a sus detonantes, puedes trabajar con él para que aquello que le asusta mucho le asuste menos». Le conté mis experiencias en las que intenté readiestrar a *Oliver* para que no le diera un ataque de ansiedad cuando nos íbamos de casa y ella admitió que una cosa era aconsejar este método y otra muy distinta aplicarlo.

Últimamente ha estado tratando a un perro nervioso que vivía en Brooklyn. Era propenso a morder a los desconocidos por su miedo y ansiedad. El perro se estresaba incluso al salir a pasear, y su propietaria, una chica joven, se las veía negras para que los transeúntes no se acercaran demasiado a él. «Les advertía que su perro mordía y seguía andando, pero la gente se enojaba con ella por no dejárselo acariciar». Como solución, la joven se mudó a una casa con jardín en el barrio de White Plains y ahora va a trabajar a la ciudad en coche. Su perro está mucho más relajado. Christensen comprende que no les puede sugerir a la mayoría de sus clientes que hagan lo mismo, porque sería pedirles demasiado. «Si pudiera cambiar una cosa de la ciudad de Nueva York, sería que trataran a los perros que están paseando por la calle como un desconocido más», dijo. «Si, por ejemplo, fueras por la calle con un miembro de la familia, solo los desconocidos más raros creerían que es correcto acercarse y acariciarle».

Lo cual me hizo pensar en las personas que se califican de «amigos de los perros». Muchas de las que se describen así invaden el espacio vital de un perro desconocido y alargan la mano temerariamente para acercársela al hocico o le revuelven como unos bárbaros el pelo de la cabeza o de los cuartos traseros. Esas personas son como las que se tachan a sí mismas de mujeriegos. Es decir, si afirmas ser un «amante de los perros», seguramente no es verdad.

Christensen aconseja a muchos de sus clientes actuar como barreras para sus nerviosos animales durante los paseos por la ciudad, interponiéndose entre su mascota y los posibles acariciadores. En el fondo, los humanos se convierten en una terapia animal para sus propias mascotas.

Cuando Christensen estudiaba veterinaria y residía en la Universidad de Cornell en la zona rural, al norte del estado de Nueva York, le era más fácil pedirles a sus clientes que evitaran aquello que activaba el problema de sus mascotas durante el adiestramiento conductual. Si uno tenía, por ejemplo, un perro que se aterraba cuando lo dejaba solo en casa, podía llevárselo a más sitios. Pero en la ciudad de Nueva York sus clientes no se los pueden llevar siempre a todas partes. Como muchos veterinarios urbanos, ahora ella recurre más a los fármacos conductuales para aliviar el miedo y la ansiedad de los animales mientras siguen haciendo terapia, un proceso que lleva mucho tiempo. «Muchos propietarios de perros, cuando vienen a verme a mi consulta por primera vez, ya están al borde de sufrir una crisis nerviosa. Están desesperados y molidos. Han estado haciendo todo lo posible por resolver el problema de su mascota».

Ha descubierto que la mayoría no pueden dedicar más de cuatro o cinco minutos diarios al adiestramiento conductual de su perro. Lo ideal sería hacerlo durante quince minutos dos veces al día, pero a la mayoría les es imposible. Le conté a Christensen el chasco que me llevé al intentar readiestrar a *Oliver* y el método infalible que usaba cuando ya no podía más: el coche. *Oliver* siempre se calmaba cuando lo dejaba en nuestro Subaru. Incluso fantaseé con abrir una residencia para perros ansiosos compuesta de un aparcamiento y un equipo de amables empleados para que se ocuparan de llevarles comida y agua a los coches y de sacarlos a pasear.

Para mi sorpresa, no creyó que fuera una idea descabellada. «Muchos psicólogos conductuales aconsejan a sus clientes que usen el coche para tranquilizar a sus perros cuando los tienen que dejar solos», me dijo. «Si vives en un clima templado, eres cuidadoso y además no es ilegal en tu ciudad o estado dejarlo en el coche, podría ser una buena solución». Me contó que *Oliver* y muchos otros perros nerviosos se sentían mejor en el coche porque sus dueños, sin darse cuenta, los habían acostumbrado a sentirse a gusto en él. Son muy pocos los que dejan a sus perros solos en el coche por mucho tiempo, al menos al principio. De modo que el perro va aprendiendo a quedarse en el coche cada vez más tiempo y que, pase lo que pase, su compañero humano siempre volverá.

Pequeñas ayudas caninas

Los perros son como son, emocional y fisiológicamente, porque les gusta estar a nuestro alrededor. Los perros que hemos estado alimentando, apreciando y criando durante los últimos quince mil años son precisamente la clase de seres que más sufren cuando se separan de sus compañeros humanos durante la mayor parte del día. Los trastornos por ansiedad actuales como el de *Oliver* son producto de un rasgo canino muy apreciado que nosotros mismos hemos creado: a los perros les encanta estar cerca de los humanos, sobre todo de sus dueños, y se alegran de pasar tiempo junto a nosotros.

Los perros de hoy día son un poco como *Ham*, el chimpancé enviado al espacio en 1961 para descubrir si los humanos también podían hacerlo. Es decir, muchos perros que viven en casas urbanas o suburbanas están viviendo en territorios que no son los suyos. Simplemente, no han tenido el tiempo suficiente para convertirse en criaturas a los que no les importe quedarse solos todo el día en casa, disponiendo apenas de tiempo para hacer ejercicio, socializar y expresar su condición perruna, algo que los alemanes llaman *Funktionslust*, gozar de lo que a uno mejor se le da: un guepardo corriendo a toda velocidad o un murciélago orientándose con su sistema de radar por la noche. Los perros están hechos para correr, olfatear, cazar y estirarse arqueando el lomo tanto como se les antoje. La mayoría de ellos cuando más felices son es revolcándose sobre pescado podrido, sacando los tampones de la basura o lamiéndose sus propios genitales o los de otro.

Muchos propietarios de perros se conforman con tratarlos como si fueran personas, pero no están dispuestos a ponerse en la piel perruna. Es decir, nos encanta cuando nuestro perro nos recibe loco de alegría al final de la jornada, pero no queremos que corra y salte en círculos, meneando el rabo como un poseso y pateándolo todo cuando estamos en el trabajo. En su lugar, esperamos que duerma como un tronco, se acicale apaciblemente o que esté echando un vistazo por la ventana del salón, pero no con ojos nostálgicos, sino para ver lo que hay allí. Estas expectativas no son justas. Me recuerda las veces que me he enamorado de hombres cuya forma de ser al principio me intrigaba y cautivaba, pero que con el paso del tiempo me ha acabado sacando de quicio. Pero la culpa es mía y de nadie más. No puedes culpar a un hombre por ser la clase de tipo de la que te has enamorado. Ni tampoco puedes culpar a un perro por ser un perro.

A la mayoría de perros urbanos y suburbanos se les anima a ser ellos mismos durante una pequeña parte del día. En mi barrio de las afueras de San Francisco, este pequeño momento es al filo del atardecer. Percibes los meneos colectivos de miles de rabos, los jadeos expectantes junto a la puerta, la anticipación del clic de la correa al acoplarla a la hebilla del collar y la loca alegría de salir a pasear. ¡Afuera! Inundan las aceras que rodean mi casa a punto de estallar de frustración, orinando, olfateando, arrastrando a sus dueños detrás de ellos como esquiadores acuáticos. En el parque, los humanos se quedan plantados por ahí arrojando pelotas, charlando ociosamente o llamando a su perro para que se baje de la grupa de otro. Y al cabo de treinta minutos o de una hora, ya han vuelto a casa para cenar, y luego quizá reciban alguna que otra caricia y miren un poco la tele con los humanos antes de irse a dormir. Pero los perros no pasan el tiempo suficiente haciendo cosas de perros, aunque las hagan también por la mañana.

La alternativa para mucha gente es simplemente no tener perro. La mayoría de nosotros, si vivimos y trabajamos en una ciudad, no podemos mudarnos a una granja para que nuestro perro sea más feliz. Si se siente solo, no podemos dejar el trabajo para hacerle compañía. Por supuesto hay otras opciones, pero ninguna es sencilla. Podemos contratar a un paseador de perros para que lo visite una o dos veces al día, pero sale muy caro. También podemos mudarnos a un piso cerca de un parque donde podamos dejarlo suelto cada día, pero quizás el mercado inmobiliario ha bajado y nos resulta imposible vender nuestro apartamento. También podemos adquirir otro perro para que le haga compañía, pero quizás el casero solo nos permite tener uno. Podemos gastarnos una pequeña fortuna en juguetes caninos para rellenarlos con mantequilla de cacahuete o en huesos con tuétano para congelarlos y esconderlos luego por toda la casa como una macabra búsqueda perruna de huevos de Pascua, pero nos olvidamos de hacerlo. Así es la vida. Queremos a nuestros perros, intentamos hacer todo lo posible por ellos, pero a menudo les fallamos. La verdad es que todos los juguetitos ruidosos y lujosos del mundo no se pueden comparar a una vida sin correa llena a diario de estímulos y de tiempo para compartir con perros, humanos y otros animales. Es la clase de vida que los perros llevaban antes de que la mayoría de la gente trabajara en oficinas, fábricas, tiendas y en otros lugares donde los canes no son bienvenidos. Y es precisamente la clase de vida que no les induciría a la mayoría de ellos a lamerse las patas hasta descarnárselas o a desgarrar el sofá.

Cuando los perros se pasan muchas horas muertas sin hacer nada, tienen demasiada energía para acurrucarse felices y satisfechos a los pies de la cama. Tienen que sacarla como sea, y los menos fuertes mentalmente o simplemente los más propensos a la ansiedad o las compulsiones, lo hacen yendo a Loquilandia. Este lugar está lleno de diagnósticos y el que más abunda es la ansiedad por separación. Las compañías farmacéuticas han tomado nota e incluso han contribuido con ideas nuevas sobre el trastorno.

Los humanos que poseen más de 78 millones[95] de perros de compañía en Estados Unidos son un gran mercado para compañías como Pfizer y Eli Lilly. En el año 2007 Lilly lanzó al mercado Reconcile, un medicamento químicamente idéntico al Prozac (cuya patente expiró en el 2001), pero que, a diferencia del Prozac, sabe a buey, es masticable y la FDA lo ha aprobado para tratar la ansiedad canina por separación. Al mismo tiempo, la compañía publicó los resultados[96] de un estudio patrocinado por Lilly donde se afirmaba que el 17 por ciento de perros americanos sufren ansiedad por separación. Un estudio del 2008 estimaba que el 14 por ciento de los perros estadounidenses[97] tenía este trastorno en mayor o menor grado.

La página web de Reconcile de Lilly[98] es el equivalente virtual de un adorable cachorro lamiéndote que encima es todo un experto en hacerte sentir culpable. Frases como «Me pregunto si rompe cosas para desquitarse de mí. Me pregunto si yo tengo la culpa» aparecen parpadeando en la parte superior de la pantalla. En un videoclip sale un veterinario con acento sureño citando una lista de síntomas de ansiedad por separación: babear, destrozar objetos, jadear, depresión, anorexia, ladrar excesivamente y «lamerse el pelaje». Mientras el veterinario habla, un joven golden retriever está destrozando lo que parece ser un zapato con tacón que vale un dineral.

En la versión antigua de la página[99] aparecía un gran titular en el que ponía: «La separación es inevitable, pero la ansiedad no lo es», y ofrecía politonos de ladridos de perros y el salvapantallas de un beagle con aspecto deprimido. También mostraba el enlace para consultar un estudio sobre los efectos de Reconcile combinados con un adiestramiento conductual para superar la ansiedad canina por separación. El estudio realizado con 242 perros se publicó en la revista *Veterinary Therapeutics* en el 2007[100] y lo patrocinó Lilly. Dividieron a los perros en dos grupos: los miembros de uno recibieron una pastilla placebo con sabor a buey, y los del otro, el fármaco. Ambos grupos fueron sometidos a un adiestramiento conductual. Al final del estudio, los síntomas de ansiedad de todos los perros habían disminuido: en un 72 por ciento en los del grupo del Reconcile, y en un 50 por ciento en los del grupo del placebo. Aunque el estudio sugiera que el fármaco es en cierto grado eficaz, demuestra sobre todo la importancia del adiestramiento conductual.

El Clomicalm fue comercializado por Novartis en 1998. La clomipramina, el ingrediente activo del fármaco, es idéntica al ingrediente principal del Anafranil, el medicamento antidepresivo/TOC para humanos desarrollado por la compañía. Novartis describe el Clomicalm como un medicamento para tratar la ansiedad canina por separación, pero como en el caso de la versión humana, la clomipramina también se suele usar para tratar otros síntomas de agitación. En un extraño experimento metieron a veinticuatro ejemplares de beagles en un camión para que viajaran[101] durante una hora en él, en tres distintas ocasiones, para ver si el medicamento les reducía la ansiedad. Los resultados no fueron concluyentes, pero los beagles babearon menos de lo habitual. El fármaco ha demostrado ser más eficaz[102] en los perros que se muerden la cola y en las cacatúas que se arrancan las plumas.

Dependiendo de la dosis, en el envase del Clomicalm aparece un labrador dorado, un golden retriever o un jack russell terrier. Los perros se ven contentos y alerta, con la lengua colgando. Medicar a un perro pequeño cuesta alrededor de[103] 600 dólares anuales. Los perros grandes necesitan dosis más altas, que cuestan más. La página web disipa el miedo de los consumidores y quizás el sentimiento de culpa de los propietarios al asegurar a los visitantes que las pastillas de Clomicalm no son tranquilizantes ni sedantes, y que no afectan la personalidad o la memoria de los perros. En su lugar, les ayuda a «llevar una vida normal de nuevo».

Un acérrimo crítico de los psicofármacos para mascotas es el veterinario y conductista Ian Dunbar, que dirige el Sirius Dog Training, un imperio de adiestramiento canino, y autor de una serie de libros, entre ellos *How to Teach a New Dog Old Tricks*. Imparte clases de adiestramiento y talleres[104] por todo el mundo y ha aparecido en *Dogs with Dunbar*, una serie de la televisión británica. Afirma que nunca ha necesitado recurrir a medicamentos para tratar los problemas conductuales. «Los medicamentos simplemente no son necesarios.[105] Los promocionan como un remedio rápido, como la panacea para todos los males, pero no es cierto».

Cree que medicar a los perros con fármacos psicotópricos refleja el irresponsable método aplicado en el cuidado de la salud humana. Dunbar sostiene que los propietarios de mascotas[106] deberían usar el adiestramiento para la modificación de la conducta de estas y cambiar a su vez su propia conducta para no premiar a sus animales perturbados o sus perturbadoras actividades. En una entrevista declaró: «Cuando la gente tiene problemas con su perro yo les digo: "Tú eres el que tiene el problema, amigo mío. Vas a aprender mucho de lo que te voy a enseñar"».

Algunos problemas, sin embargo, son de los perros y de nadie más. Cuando llegó la hora de medicar a *Oliver* con Prozac y Valium, no le di ninguno de los medicamentos caninos aprobados por la FDA, aunque las pastillas de Reconcile supieran a buey y fueran masticables. En la parafarmacia de mi barrio vendían las versiones genéricas y en solo quince minutos ya supe cuál era la dosis adecuada. Sabía que a *Oliver* no le importaba el sabor que tuvieran y que se las comería si se las embutía en trozos de queso. Entregué la receta de la veterinaria en el mostrador de Walgreens. Cuando la farmacéutica llamó a «Oliver Braitman» para que fuera a pagar el medicamento, me eché a reír. Me lo entregó dentro de una bolsa sin publicidad (para la privacidad de los pacientes) y me preguntó si quería hacerle alguna pregunta sobre él.

—Es para mi perro —le aclaré.

—¡Ah!, ¿sí? Mucha gente hace lo mismo —repuso.

Prozac en el mar, Prozac en el pollo frito

Debatir si darles a otros animales[107] psicofármacos es una buena o mala idea podría tener cada vez menos sentido, porque en cierto modo los siguen tomando, ya que ahora estos medicamentos impregnan nuestro entorno y parte de nuestras provisiones de alimentos. En el 2010 se hicieron más de 200 millones de recetas de antidepresivos en Estados Unidos. Muchos de los ingredientes activos de esos fármacos son excretados a través de la orina de la gente o arrojados por el váter en forma de pastillas sobrantes. Como las plantas de tratamiento de aguas residuales no están equipadas para filtrar nuestros psicofármacos, los medicamentos acaban yendo a parar al mismo lugar que nuestras aguas tratadas: a mares, ríos y lagos, y en nuestro aprovisionamiento de agua. Un estudio reciente publicado en la revista *Environmental Toxicology and Chemistry* demostró la presencia de una variedad[108] de antidepresivos y de sus metabolitos en el agua potable, el agua fluvial y en el cuerpo de los pececillos de agua dulce. Unos cuantos investigadores están intentando entender qué es lo que esto significa para la vida acuática.

En un experimento, las lubinas expuestas al Prozac[109] dejaron de comer y al final acabaron flotando verticalmente en el tanque. Otro estudio analizó los efectos del Prozac[110] en los langostinos. Las aguas residuales se concentran en los estuarios de los ríos y en las aguas costeras donde les gusta vivir a los langostinos, lo cual significa que estos seres y otros que viven allí están impregnados de los residuos de medicamentos excretados por ciudades y pueblos. Los langostinos expuestos a los antidepresivos tienden cinco veces más a nadar hacia la luz que a alejarse de ella, por lo que son más vulnerables a depredadores como los peces o las aves.

Otro estudio reciente, publicado en la revista *Environmental Science and Technology,* reveló la presencia de una variedad de psicofármacos en las plumas[111] de los pollos de granjas avícolas. La harina de plumas hidrolizada es un suplemento dietético hecho de plumas de pollo trituradas con el que se alimenta a cerdos, bovinos, peces e incluso a los propios pollos. En el 2012, en las pruebas de muestras de este tipo de alimentos, aparecieron rastros de antibióticos como el Cipro, que se prohibió en el pienso para animales de granja en el 2005. Y lo más inquietante es que una tercera parte de las muestras de pienso hecho con harina de plumas también contenía fluoxetina (Prozac), acetaminofeno (el ingrediente activo del Tylenol) y antihistaminas (el ingrediente activo del Benadryl). Muchos avicultores les daban a los pollos Benadryl, Tylenol o Prozac, o los tres medicamentos, para calmarlos y aplacar su ansiedad. Los pollos hostigados y estresados no crecen con la misma rapidez ni producen una carne tan tierna como los satisfechos. También les dan cafeína en forma de polvo de té verde o de pulpa de café para que tengan más energía y estén despiertos más tiempo esperando que coman más y pongan más huevos. Es posible que esta clase de aves necesiten tomar medicamentos reductores de la ansiedad para contrarrestar los efectos de los estimulantes.

Según el periodista Nicholas Kristof,[112] los avicultores no siempre saben con qué están alimentando a sus aves. Los grandes agronegocios dependen de ellos para el abastecimiento de carne de pollo con la que elaboran sus mezclas de alimentos, y los avicultores en muchas ocasiones ignoran el contenido de las mezclas. Como sucede con los langostinos, todavía se desconocen los inquietantes efectos que todo esto puede causar en las aves, y en quienes las consumimos.

6

Terapia familiar

«Escucho el corazón de *Mae Kam Geow*. Si no quiere ir a ninguna parte,
la dejo estar. Es vieja. Así ella también me escucha a mí.»

Dahm, *mahout* de elefantes, norte de Tailandia

«De ti depende escuchar lo que te está pidiendo, aunque te lo diga
de manera silenciosa... y la mayoría de las veces... así es.»

Daniel Quagliozzi, conductista felino

Jokia es la única elefanta que conozco que me recuerda al paquidermo
de una tira cómica. De patas fornidas y cabeza y tronco anchos y oron-
dos, parece una elefanta gigantesca embutida en una piel demasiado
pequeña y tirante. También está totalmente ciega. *Jokia* trabajaba transportando troncos al norte de Tailandia. Cuando se quedó preñada y
estaba a punto de dar a luz, sus propietarios no le permitieron dejar de
trabajar y ella tuvo a su cría mientras subía por una empinada montaña.
Su hijito, todavía envuelto en el líquido amniótico, rodó cuesta abajo
hasta el inicio del sendero y murió. Al cabo de poco *Jokia* se negó a
trabajar. Su *mahout* le reventó un ojo con una honda esperando obli-
garla así a obedecerle. La elefanta trabajó varias semanas más y luego
volvió a negarse. El *mahout* le reventó el otro ojo con un cuchillo,
dejándola ciega con la esperanza de que ahora que se encontraba en la
oscuridad más absoluta se mostrara más sumisa y dependiente, y más

dispuesta a trabajar. *Jokia*, testaruda y herida, siguió negándose a hacer lo que le pedía. Varios años más tarde Lek Chailert, una mujer del clan de los karen, la fundadora del Parque Natural de Elefantes, un paraje ecoturístico en el valle de Mae Tang, al norte de Chiang Mai, oyó hablar de la elefanta ciega, la adquirió por 2.000 dólares y se la llevó a la reserva, un exuberante valle entrecruzado por un río serpenteante.

Tras llegar *Jokia* al parque, se pasó un año entero encerrada en sí misma. Pero luego poco a poco fue haciendo amistad con *Mae Perm*, una elefanta gigantesca y curiosa con la piel cubierta de gruesas arrugas. Como *Jokia*, también había trabajado transportando troncos. Al poco tiempo, se habían vuelto inseparables, alimentándose y bañándose en el río juntas, y comiendo hierba hombro a hombro en las largas tardes. Treinta años más tarde *Jokia* y *Mae Perm* siguen pasando el día paseando juntas, en un prieto grupo de dos. Las elefantas siempre están al alcance de la trompa una de la otra, hasta en las revisiones veterinarias periódicas. *Mae Perm* va delante, haciendo de guía, y *Jokia* detrás, andando calmosamente y a veces con pasos titubeantes, palpando el terreno con la trompa. Pero una vez a la semana hace una excursión de dos horas hasta un campamento en el bosque, caminando por una carretera por la que circulan coches y camiones, y luego toma una empinada senda llena de surcos que discurre por el bosque, junto a senderistas y perros, siguiendo a *Mae Perm* paso a paso. Cuando de vez en cuando *Mae Perm* se aleja un poco de ella para comer, arrancando la alta hierba de raíz con la trompa y sacudiendo la tierra contra su rodilla, *Jokia* se pone a barritar desesperada hasta que *Mae Perm* vuelve con presteza a su lado y la acaricia con la trompa para sosegarla, emitiendo una especie de hondo runruneo. Lek y el resto del personal del parque están convencidos de que por suerte ahora se tienen la una a la otra, ya que de no ser así las elefantas no se habrían adaptado tan bien a su nueva vida ni estarían llevando su matronil vejez con tanta soltura y alegría.

«*Jokia* tiene todo el derecho a desear matar a humanos, pero no lo hace», me dijo Jodi Thomas, un veterano residente y guía del Parque Natural de Elefantes, cuando permanecíamos de pie a la sombra de las dos elefantas mientras ellas trituraban la hierba lánguidamente con sus enormes molares. «Es una elefanta muy apacible. Creo que es porque *Mae Pern* la cuida de maravilla. La relación que mantienen la ha ayudado a confiar más en sí misma».

Muchos elefantes del parque tienen la frente deformada, una prueba de las palizas con ganchos de las que fueron objeto, unos golpes tan brutales que les dejaron para siempre surcos y hendiduras en el cráneo. Algunos llegan con heridas recientes de pinchazos. Y muchos lucen tobillos más gruesos de lo normal cubiertos de cicatrices por las repetidas punzadas de las lanzas de sus *mahouts* al obligarlos a caminar más deprisa o a avanzar en hilera. Esas heridas son las huellas físicas de la industria maderera o del comercio de elefantes de trabajo. Pero también cobijan heridas emocionales. Muchos de esos elefantes se encierran en sí mismos, como lo hizo *Jokia*, al menos por un tiempo, desconfiando de la gente y los elefantes nuevos. Un montón de ellos exhiben conductas estereotipadas como balancear el cuerpo de un lado a otro, cabecear, o alzar rítmicamente las patas sin cesar en un extraño baile del que solo ellos conocen los pasos. Algunos han matado a personas. Otros han matado a elefantes. En unos pocos casos, como el de *Rara*, llegan asustados de los de su misma especie. Las mejores rehabilitaciones de elefantes están protagonizadas casi siempre por otros elefantes del parque que acogen a los recién llegados en sus improvisados grupos.

Aquí los elefantes no tienen que trabajar, aunque siguen un programa diario en el que interactúan con los visitantes de pago, comiendo fruta en las plataformas designadas para ello y dejando que los bañen en las partes poco profundas del río. Lek, que lleva diecisiete años dirigiendo el parque y que ha aumentado la población de los dos elefantes con los que lo inició a más de treinta y cinco, según la última cuenta, me contó que la única forma que conoce de ayudarlos a recuperarse de su traumático pasado es ofreciéndoles amor, confianza y seguridad.

«Es la mar de sencillo», me dijo mientras un grupo de perros callejeros rescatados que también viven en el parque la rodeaban de pronto, jadeando y lloriqueando para reclamar su atención. «Los elefantes también necesitan disfrutar de la compañía de otros elefantes. *Mae Perm* y *Jokia* son un perfecto ejemplo».

Conejos para conejos, ratas para ratas

Los elefantes no son los únicos animales que se benefician de las relaciones que mantienen con los de su misma especie. Marinell Harriman, rescatadora y rehabilitadora de conejos, lleva trabajando con centenares de ellos durante los últimos veinticinco años. Es una de las fundadoras de la Sociedad de Amigos del Conejo y autora de *House Rabbit Handbook: How to Live with an Urban Rabbit*. «Ocuparnos de una buena pila de conejos de "reservas" con enfermedades esporádicas y crónicas nos ha permitido presenciar las milagrosas curaciones de la motivación. Estamos convencidos de que la terapia de amistad contribuye a la recuperación, o al menos a la estabilización, de conejos enfermos», escribe.

Harriman cuenta la historia de *Jefty*, un conejo de ocho años[1] que, tras morir su pareja de cáncer, empezó a comerse el pelaje sin parar. Al poco tiempo se quedó con unos grandes claros por todo el cuerpo y el examen del veterinario reveló que todo el pelaje que había tenido por fuera ahora lo tenía por dentro como una bola gigantesca de pelo alojada en el estómago. El veterinario no creía que pudiera expulsarla y aconsejó operarlo. Harriman le dio a *Jefty* una variedad de remedios para las bolas de pelo esperando robustecerlo para la operación quirúrgica, pero también decidió probar otro recurso. Juntó a *Jefty* con un conejo de diez años que también acababa de perder a su pareja. Ambos empezaron casi en el acto a tratarse con tanto afecto y mimos conejiles que Harriman decidió posponer la operación un poco, esperando que *Jefty* se animara con la nueva relación.

A los pocos días de gozar de la compañía del nuevo conejo, *Jefty* estaba mejorando tanto que Harriman canceló la operación para ver qué pasaba. La radiografía reveló que la masa de pelo seguía alojada en su estómago, pero se había reducido. «No pretendo afirmar que se curara de la bola por estar más contento, pero de lo que sí estoy segura es que le dio a *Jefty* una razón para comerse el heno y las verduras que le dejaban ante él. Tenía a alguien con quien comer y compartir sus cócteles de piña».

Durante las semanas siguientes el esquelético y pelado conejo recuperó el peso perdido y dejó de comerse el pelaje. La enorme bola de pelo siguió disminuyendo.

Las ratas también gozan de una mayor salud física y emocional cuando están en compañía de otras ratas. Las páginas de Facebook y las discusiones de los foros americanos y británicos de aficionados a las ratas —comunidades que se hacen oír como la Sociedad Nacional de Aficionados a las Ratas, el Club de Fans de las Ratas y la Asociación Americana de Aficionados a Ratas y Ratones— están repletas de alarmantes advertencias en contra de mantener solos a los ratones y de historias de roedores que se animaron enormemente al gozar de la compañía de una nueva rata o ratón. Un miembro del Club de Fans de las Ratas escribió:[2] «¡¿Por qué conformarte con una rata si puedes tener dos?!... Una rata sola vive soñando con ser libre, pero un par de ellas afrontan con ilusión el día que les espera... Por favor, intenta explicarles a las tiendas de animales y a cualquiera que se esté planteando tener una como mascota que las ratas necesitan vivir con otras ratas».

My Rat and Me, una guía ilustrada para criar ratas como mascotas, señala: «Las ratas notan[3] cuando una compañera desaparece, la buscan por todas partes e incluso pueden volverse apáticas y dejar de comer». Los autores sugieren adquirir otra rata para que le haga compañía a la que se ha quedado sola o, si esto no es posible, prestarle más atención de la habitual. Yo suelo pensar en ello cuando estoy a altas horas de la noche esperando en el andén el metro de la ciudad de Nueva York. Las ratas del metro de Norway corretean por entre las vías, sorteando los cables eléctricos, apuntando sus bigotes hacia las bolsas vacías de patatas fritas y olisqueando servilletas de papel arrugadas y grasientas. Raras veces están solas.

Phoebe Greene Linden, criadora de loros, cree que estar en compañía de otro loro es muy importante para que estas aves se sientan contentas. Uno de sus loros, un cabeza de halcón llamado *Ojos de Halcón,* lleva viviendo con Phoebe más de treinta años. Tanto él, todo un experto arrancador de plumas dotado de una personalidad muy vivaz, como *Canalla*, su hermana, nacieron de una pareja de loros silvestres capturados que también se arrancaban las plumas sin parar. La hembra llegó a arrancárselas con tanta afición que murió, y al macho también le sucedió lo mismo al cabo de un año. Phoebe cree que se murió de tristeza al no superar la muerte de su pareja. A los pocos años *Canalla* también murió, dejando a *Henri*, su pareja, sola.

Henri al poco tiempo empezó a decaer, encerrándose en sí mismo y enmudeciendo. Phoebe, preocupada por él, le puso un poco de Xanax mezclado con nueces y se lo dio. Pero el sedante no le hizo ningún efecto. Siguió sin decir ni pío, ahuecando las plumas y negándose a comer, sin que Phoebe consiguiera sacarlo de su depresión. «Cuando un miembro de la orquesta se va, la música ya no suena como antes. Tras la muerte de *Canalla*, *Henri* no emitió un solo sonido durante dos años. Permaneció totalmente callado», me dijo Phoebe.

De pronto, por alguna razón que solo ellos conocen, *Ojos de Halcón* le empezó a hablar a *Henri* de una punta a la otra de la espaciosa habitación donde estaban sus jaulas. Era la primera vez que lo hacían. Phoebe oyó su conversación de graznidos y empezó a poner a los dos loros más cerca tres o cuatro veces a la semana. Poco a poco *Henri* fue volviendo a la vida y ahora ya es de nuevo un loro parlanchín.

Una tarde mientras yo charlaba con Phoebe en su acogedora cocina con cestas de fruta en las encimeras, y con vistas al soleado jardín trasero de su casa en Santa Bárbara, un loro posado a un palmo de nosotras se entretenía rompiendo un rollo de papel de los de imprimir los recibos de las tarjetas de crédito. «Les encanta hundir el pico en la bobina. Siempre procuro tener alguna por la casa», me contó. En el salón un par de loros miraban un cedé de loros salvajes del Brasil. Phoebe cree que las escenas que más les gustan son las de otros miembros de su misma especie.

Antes criaba loros para la venta, pero hace años decidió que no estaba bien mantenerlos en cautiverio. Los loros viven muchos años y alguien necesita ocuparse de los que sobreviven a sus dueños o al deseo de estos de conservarlos. Por eso tiene una política de puertas abiertas para cualquier loro que haya vendido y para muchos de los que no vendió. En un año ha aceptado a varios loros que le han devuelto por problemas emocionales y los trastornos conductuales que llevan consigo. Esos loros, como *Henri*, no se recuperan fácilmente.

A veces la gente le pregunta a Phoebe por qué no los suelta o los devuelve a su tierra tropical, sobre todo si parecen estar tristes o agitados. Pero ella cree que dejar en libertad a un loro criado en cautivero para curarlo de sus problemas es una receta condenada al desastre. «Es como tomar a un angustiado huerfanito de tres años con pecas que residía en Chicago y decir: "¡Um!, he oído que en Carolina del Sur hay personas pecosas, mandémoslo allí". Esos loros no tienen las mismas habilidades que los silvestres, y su cultura no se parece en nada a la de los que viven en libertad». Phobe hace todo cuanto puede por ellos, entreteniéndolos con actividades que les gustan (como romper los rollos de papel para imprimir los recibos de las tarjetas de crédito), ofreciéndoles su amistad y ayudándoles a relacionarse con otros loros. También intenta que recuperen la confianza, ya que está convencida de que los loros silvestres criados por sus propios padres confían más en sí mismos, por eso son más resistentes que los criados en cautividad.

«Los loros silvestres saben hacer un montón de cosas, como chillar ruidosamente, posarse en ramas flexibles y buscar comida. Siempre que he criado a polluelos de loro he intentado imitar el entorno de los loros silvestres. Mi objetivo es transformar sus habilidades en otras más adecuadas a su vida en cautividad». Si las aprenden se sienten más seguros de sus aptitudes. Con lo que se vuelven más sanos a nivel físico y emocional y más resistentes a los retos con los que se encontrarán a lo largo de su vida.

La fuerza gorilera

De todas las sorprendentes relaciones terapéuticas que he presenciado, la de *Gigi*, el gorila hembra de mayor edad del Parque Zoológico Franklin fue la más interesante. Sus ataques de pánico, que le recordaban a Michael Mufson, su psiquiatra, el TEPT humano, mejoraron después de aislar a *Kit*, el gorila que la acosaba y atacaba, del resto del grupo. Pero, como era de esperar, a los cuidadores del zoo no les gustó la idea de mantener aislado a un gorila macho joven en un recinto.

«Los gorilas son como tu propia familia», me dijo Jeannine Jackle. «Estás todo el día con ellos casi a diario. Te gustaría construirles una instalación de veinte millones de dólares. Quieres darles lo mejor, pero no siempre es posible. Debes conformarte con lo que tienes».

Jeannine no podía soportar ver a *Kit* solo. Quería encontrar una solución. En el 2009, doce años después de haberlo separado por primera vez del grupo, Jeannine esperaba que *Kit* hubiera madurado lo bastante como para convivir con los otros gorilas sin recurrir a la violencia. Tenía el presentimiento de que ahora *Gigi* también sería más fuerte por dentro. Jeannine les suplicó a sus supervisores del zoo que tuvieran en cuenta a *Kit*, y al final accedieron a dejar que ella intentara reunir a los gorilas en las horas muertas.

El día de la reintroducción de *Kit*, los cuidadores del bosque tropical y un grupo de antiguos voluntarios, conservadores y el director del zoo acudieron a primera hora a la instalación de los gorilas. El zoo todavía no se había abierto al público y el grupito de observadores estaba deseando ver los resultados.

Cuando se abrieron las puertas metálicas que separaban a *Kit* de la instalación de los gorilas, él corrió a meterse en ella desplazándose sobre los nudillos. El resto del grupo se quedó esperándole, pero *Gigi* al verlo se echó a chillar y huyó aterrada. *Kit* hizo el ademán de ir a perseguirla, pero de súbito otras tres hembras, *Kiki*, *Kira* y *Kimani*, fueron a socorrerla formando una barrera de gorilas entre ella y *Kit*. Él reculó.

Gigi, temblando de miedo, se dirigió a su lugar preferido junto a la pared acristalada de la instalación y se acurrucó hecha un ovillo. *Kit*, comportándose de una forma totalmente opuesta a la de diez años atrás, la dejó tranquila y *Gigi* se pasó el resto del día mirando a los cuidadores con ojos suplicantes y diciéndoles «sexo» en el lenguaje de signos americano a los hombres que pasaban por delante de la instalación, una palabra que recordaba de las lecciones recibidas de su cuidadora Ann Southcombe hacía más de treinta años.

«Ese gesto significaba para *Gigi* tanto "comida" como "sexo"», me contó Jeannine. «Pero creo que aquel día para ella también significaba "ayúdame". Estaba usando el lenguaje de los signos para intentar que le prestásemos atención. Me sentí como si nos estuviera diciendo: "¡Sacadme de aquí volando!"».

Pese a los SOS de *Gigi*, Jeannine creyó que debían dejarla que se fuera acostumbrando a la presencia de *Kit* por sí sola, siempre y cuando él no le hiciera daño. Si los cuidadores volvían a sacar a *Kit* de la instalación, *Gigi* nunca aprendería que podía estar a salvo en su presencia ni confiaría en sí misma lo bastante para convivir con él.

Al día siguiente, cuando los fui a visitar, me encontré a *Gigi* en su lugar preferido junto a la pared acristalada de la instalación, durmiendo o fingiendo hacerlo, con la cabeza cubierta con una manta. No estaba tan activa como de costumbre y evitaba a *Kit*, pero ya no se veía tan aterrada como el día anterior. El plan de Jeannine estaba funcionando.

Ahora ya han pasado más de tres años y *Gigi* comparte la instalación con *Kit* a diario. Todavía se altera con facilidad, pero los dos conviven sin ningún problema. Jeannine y los otros cuidadores del zoo creen que *Gigi* está más segura de sí misma porque *Kit* ya no supone un peligro para ella (gracias a los estrechos lazos que mantiene con las hembras de su grupo). Durante los años en que *Kit* estuvo viviendo solo, *Gigi* ayudó a criar a dos crías hembra de gorila. Día tras día estuvo durante años acicalándolas, cuidándolas con cariño, jugando, compartiendo su comida con ellas y enseñándoles a comportarse. Esas gorilas hembra ahora ya crecidas son las que la protegieron. El paso del tiempo y la poderosa relación que *Gigi* mantiene con ellas le han permitido recuperarse emocionalmente. Jeannine advirtió esos lazos afectivos y se arriesgó confiando en ellos. Ahora todos los gorilas están mejor gracias a su decisión.

«Estoy muy orgullosa de la reintroducción de *Kit* porque se basa en conocer a los gorilas individualmente y en mis veinte años de experiencia».

Tras reunirse con el grupo, *Kit* estuvo durante una semana entera yendo por la instalación con una sonrisa en la cara, a la manera de los gorilas. «Estaba feliz», me dijo Jeannine. «Ya no iba por ahí con los labios apretados ni enseñando los colmillos, su expresión no tenía nada que ver con la de antes. Además, le brillaban los ojos». Ahora *Kit* juega con las crías de gorila echándose una manta a la cabeza y persiguiéndolas de un lado a otro. También comparte con ellas su apio. *Gigi* le observa desde lejos, vigilante y tranquila a la vez.

La expresión «fastidiarte la cabra»

A veces el mejor terapeuta para un animal desquiciado no es un miembro de la misma especie o ni siquiera un humano bien intencionado, sino otro animal totalmente distinto.

La práctica de llevarles a los caballos de carreras otros animales para que les hagan compañía con la esperanza de que los sosieguen, los reconforten y los ayuden a correr más rápido tiene al menos un siglo de antigüedad. El razonamiento que hay detrás de esta práctica es que los caballos son animales de presa y la mayoría muy asustadizos. Los caballos de carreras en especial tienden a ser excitables y nerviosos, y prefieren no estar solos. Los agrupamientos curiosos de animales —cabras, conejos, burros, gallos, cerdos, gatos e incluso de vez en cuando monos— se han estado usando en hipódromos y en cuadras para calmar a los caballos a modo de una especie de manta tranquilizadora de carne y hueso. Es posible que la expresión del idioma inglés «fastidiarte la cabra»[4], que significa «cabrearte», haya salido precisamente de esta clase de relación. Afanarle a un caballo la cabra que le hacía compañía la noche antes de una gran carrera podría sacarlo de quicio lo suficiente como para no correr como un rayo al día siguiente.

Aunque no a todos los caballos les gustan las cabras. Antes de que *Seabiscuit* se convirtiera en un caballo de carreras campeón[5] —cuando era un potro prometedor aunque nervioso, enjuto, cansado y asustadizo, que se ponía a sudar a mares al ver una silla de montar e intentaba morder a los mozos de cuadra que se acercaban demasiado—, su entrenador Tom Smit le dejó en el establo una cabra llamada *Bigotes* a modo de niñera. Smith esperaba que la cabra le calmara y animara, pero *Seabiscuit* atacó a *Bigotes* zarandeándola violentamente de un lado a otro, y luego la arrojó fuera del establo. Smith, sin desanimarse, le ofreció a *Seabiscuit* la compañía de *Calabaza*, un poni vaquero. *Calabaza*, un animal calmoso y estable que había sobrevivido a la sangrienta embestida de un toro furibundo era, como la autora Laura Hillenbrand lo describe, «amistoso con cualquier caballo que conocía... todo un padre para los espantadizos». *Seabiscuit* no atacó a *Calabaza*, enseguida se hicieron amigos y vivieron juntos en el establo el resto de su vida. Smith estaba tan animado por la influencia sosegadora que *Calabaza* ejercía en el caballo de carreras que también adoptó a *Pocatell*, un perro callejero orejudo, y a *Jo-Jo*, un mono araña, y todos ellos viajaban con *Seabiscuit* cuando se desplazaban al lugar de la carrera. Por la noche, el caballo dormía con *Jo-Jo* acurrucado en su cuello, con *Pocatell* sobre su barriga y con *Calabaza* a unos palmos de distancia. *Seabiscuit* se empezó a relajar y al cabo de poco comenzó a batir récords en las carreras de caballos.

En Belmont, en 1907, *Miss Edna Jackson*, una yegua de carreras[6] salió en los periódicos por sus interesantes amistades con otras especies de animales. Por lo visto, compartía la cuadra con dos conejos y se negaba a comer si no estaban presentes, hasta que un día los aplastó sin querer. *Miss Edna* se hizo entonces amiga de una cabra llamada *William*. Varios años más tarde, el ganador del Derby de Kentucky fue un caballo llamado *Exterminator*.[7] Tuvo como compañeros, consecutivamente, a tres ponis de las Shetland llamados todos *Cacahuete*. *Exterminator* y los ponis vivieron juntos durante veintiún años. Cuando el último *Cacahuete* murió, se dice que *Exterminator* se quedó desolado.

Rodear a los caballos de carreras de animales para que les hagan compañía[8] sigue siendo una práctica relativamente común. John Veitch, un entrenador del Salón Hípico de la Fama de Estados Unidos[9] que había trabajado con varios caballos de carreras campeones, cree que como los caballos llevan una vida tan solitaria en las cuadras, los otros animales que les hacen compañía les reconfortan mucho. Jack Van Berg, que también pertenecía al Salón Hípico de la Fama,[10] se convirtió en el primer entrenador que ganó cinco mil carreras en 1987. Les llevaba cabras a los «andadores», los caballos que no paran de ir nerviosamente de un lado a otro de la cuadra. «A veces los caballos que son muy nerviosos parecen un maldito avión zumbando por la cuadra, pero si les llevas una cabra, se calman al momento», declaró a un reportero de la revista *Sports Illustrated*.

Algunas veces los caballos les cogen tanto cariño a las cabras que tienen que viajar juntos a todas partes. Si los separan, no cesan de ir nerviosamente de un lado a otro de la cuadra, negándose a descansar. Las cabras también se llevan un buen disgusto si las separan del caballo al que acompañan. Un macho cabrío se ponía a balar cada vez que el caballo se iba a participar en una carrera. Las cabras incluso viajan en el remolque con los caballos mientras los llevan de un hipódromo a otro. Y cuando venden a un caballo de carreras, la cabra también va incluida en el lote. «Es lo más humano que uno puede hacer», observó un entrenador de Chicago. «Porque un caballo que pierde a su cabra se queda desolado».

Hace poco visité el Hipódromo de Chester en Inglaterra. Era el Día de los Romanos y contemplé la carrera en medio de una multitud de fans borrachines, los hombres llevaban togas improvisadas y zapatillas de correr, y las mujeres, minifaldas, tacones de infarto y sombreros decorados con plumas. El tipo que se ocupaba de una de las pantallas gigantes[11] me ofreció su pase para que pudiera ver la carrera más cerca de la pista. Como él asistía a docenas de carreras al año y conocía a los jinetes, le pedí que abordara a unos cuantos para preguntarles si alguno de los caballos que habían corrido ese día tenía animales para hacerle compañía. Me contó regocijado que en muchas de las cuadras tenían ovejas y cabras para calmar a los caballos, sobre todo durante los viajes y con los caballos que no tenían por costumbre viajar. A veces también tenían pollos y cerdos.

Los cerdos vietnamitas también sirven[12] para calmar a los caballos, pero se vuelven demasiado macizos y tozudos, y no se prestan a los viajes. Uno de los cerdos vietnamitas que hacía compañía al caballo que Betty Gabriel entrenaba se picó en una ocasión con ella, se largó trotando al cobertizo de un vecino y se negó a volver a la cuadra. Según Gabriel, la deserción porcuna dejó desolados al caballo y a la cabra a los que abandonó. «Las cabras tienen una mejor personalidad», apuntó Betty.

El enriquecimiento ambiental

A veces no es posible conseguir un cerdo para un caballo ansioso u otro roedor para tu rata deprimida. La industria del enriquecimiento ambiental está concebida para ayudar en estos casos, estimulando la mente de los animales cautivos y domésticos y distrayéndoles con objetos con los que matar el tiempo o jugar. La Asociación de Zoos y Acuarios define la expresión «enriquecimiento ambiental» como «un proceso para mejorar o realzar el entorno de los animales y tener en cuenta la biología conductual y la historia natural de sus habitantes». En la definición de la AZA no aparece la palabra *cautividad* o *jaula*, pero los únicos animales que necesitan un ambiente enriquecido son los que viven en cautividad. Los animales salvajes ya tienen un montón de actividades a las que dedicarse.

Cuando un ambiente está bien enriquecido, estimula la mente de los animales haciendo que se impliquen en él. En el Zoo Nacional de Washington D. C., la vida de los pulpos gigantes de California[13] es un poco más imprevisible de lo normal gracias a los variados objetos estimulantes que reciben cinco días a la semana: a veces es un langostino dentro de un perrito de plástico de juguete, y otras un tubo de PVC por el que puede estirar los tentáculos. En el Zoo del Bronx los guepardos se pasan la mayor parte del tiempo explorando su instalación cuando la rocían con el perfume Obsession de Calvin Klein. En Phoenix, las tortugas se asoman a la superficie del agua para mordisquear las hojas de los apetitosos cactus que los cuidadores dejan flotando en los estanques. Los ocelotes y otros felinos de pequeño tamaño del Parque Zoológico Franklin de Boston reciben tubos de cartón de papel de cocina rellenos de ratones rosados congelados y pelados a modo de morbosas galletas saladas navideñas. Los gorilas disponen de mantas, cortinas y toallas con las que montan blandos lechos o se cubren la cabeza para corretear por la instalación como niños que aparentan ser fantasmas que fingen ser gorilas.

Hasta hay asesores ambientales que ayudan a los zoos, las reservas naturales y los laboratorios a convertirse en lugares donde los animales puedan jugar sin caer en las conductas estereotipadas. Shape of

Enrichment es una de esas compañías. En su página web se incluye una lista[14] de vídeos instructivos, como *Bungee Jumping Monkeys, The Bear Necessities, Fruit Bat Enrichment* y *Tree Kangaroo Pouch Check Training*. Este último podría servir para averiguar si los canguros esconden algún artículo de contrabando en su bolsa marsupial, aunque lo más probable es que el vídeo les enseñe a mostrar sus crías al veterinario durante los chequeos médicos.

Algunas de estas actividades para mantener el cerebro de los animales en forma están regidas por la ley. Es una especie de reconocimiento soslayado de la preponderancia de enfermedades mentales en ciertos grupos de animales en cautividad. En 1985, el USDA empezó a exigir un entorno más rico a varios laboratorios con animales. Aquel año las enmiendas del Acta del Bienestar Animal[15] obligaron a los laboratorios a equipar las jaulas de los primates con perchas, columpios, espejos u otras formas ambientales o sociales de enriquecerlas, y a facilitar que los perros hicieran alguna clase de ejercicio. Lamentablemente, una jaula equipada con un espejo no garantiza que un primate esté contento en ella, pero por algo se empieza.

El enriquecimiento ambiental no es algo nuevo, aunque el término, las regulaciones y la industria lo sean. Desde hace mucho tiempo los cuidadores de zoos les han estado dando a los animales que tienen a su cargo actividades para hacer. A veces esas actividades consistían en reuniones de simios para tomar el té, en actuaciones de chimpancés yendo en monopatín o en bicicleta, en elefantes haciendo esquí acuático o en caballos arrojándose al agua desde grandes alturas. En el mejor de los casos, esas actividades mantenían ocupados a los animales sin generarles demasiado estrés, y en el peor les asustaban, eran peligrosas y podían llegar a causarles la muerte prematura.

Los programas actuales de enriquecimiento ambiental se parecen, en cierto sentido, a los de antes, pese a ser mucho menos letales o peligrosos. Ofrecer a los osos polares rompecabezas gigantes de plástico o a los leones cebras de cartón para que las ataquen con fiereza sigue animando a los animales a hacer cosas que los humanos que los cuidan creen que son buenas tanto para ellos como para los espectadores. Los cuidadores, los adiestradores y los directores de zoos que supervisaban las reuniones de té de chimpancés y los combates de boxeo de canguros también creían en su época que lo que estaban haciendo era adecuado. La única diferencia es simplemente que ahora ha cambiado nuestra idea de lo que consideramos un buen entretenimiento para los animales y para el público.

Con ello no quiero decir que el enriquecimiento ambiental sea malo, ya que no lo es. Lo único que sucede es que los programas de enriquecimiento ambiental, junto con el mayor énfasis para considerar a los zoos como bancos biológicos que aseguran la supervivencia de las especies en peligro de extinción, forman parte de los prolongados esfuerzos para lograr que ir a ver a animales enjaulados le resulte agradable a una nueva generación de estadounidenses que no se sienten a gusto contemplando jaulas metálicas o animales que parecen estar neuróticos. Los juguetes de plástico en los tentáculos de un pulpo o en la boca dentuda de una foca de acuario no sirven solo para ocupar su mente, sino también para hacernos sentir mejor a los que los miramos.

Jeannine Jackle afirma que para que un ambiente enriquecido funcione se ha de personalizar. «Fíjate por ejemplo en *Gigi*», me dijo. «Le encanta ver los pies humanos. No estoy segura de por qué, pero igual le resultan interesantes porque cuando nos descalzamos, ve que nuestros pies son como los suyos. Y, sin embargo, no puedo pedirle a un visitante del zoo que le muestre los pies a *Gigi*, aunque yo sepa que esto la entretendría». Pero de vez en cuando Gail O'Malley, una voluntaria del zoo que ya lleva veintisiete años visitando los gorilas de Boston al menos tres veces a la semana, se quita los zapatos y mueve los dedos de los pies ante la pared acristalada de la instalación de los gorilas.

A *Gigi* también le gusta mirar las películas en blanco y negro que su cuidador Paul Luther graba para ella del Canal Americano de Películas. Se las pone en el reproductor de DVD para que las vea en privado en la tele dispuesta sobre una mesa con ruedecitas. A *Ushindi*, un mandril hembra del Parque Zoológico Franklin que ya falleció, también le gustaba ver la tele, sobre todo los dibujos animados de Walt Disney. Entre los DVD que había en un estante del zoo figuraban películas como *Salvad a Willy* y *Salvad a Willy II, 101 dálmatas* y, por más raro que parezca, *La fauna salvaje africana de National Geographic*.

Hace poco el Zoo de Wilhelma en Stuttgart (Alemania)[16] instaló un televisor de pantalla plana en el recinto de los bonobos. Los simios pueden poner distintos canales en los que dan breves fragmentos de la vida de los bonobos (extraídos de un documental grabado para los niños del Congo): bonobos comiendo y buscando comida, una hembra colmando de cariño a sus crías, dos machos peleándose, escenas de juegos y bonobos apareándose. Lo más curioso es que los simios no parecen estar demasiado interesados en su canal porno hecho adrede para ellos. Un empleado del zoo dijo en las noticias de la tarde de la NBC que «a lo mejor no están demasiado interesados porque los bonobos de todos modos practican el sexo muy a menudo».

A veces lo que más estimula a los animales en cautividad son los humanos contemplándolos. James Breheny, director del Zoo del Bronx,[17] dijo del bosque de la instalación de los gorilas del Congo que costó varios millones de dólares: «Creíamos haber construido este maravilloso recinto para que los visitantes contemplaran a los gorilas. Pero hemos descubierto que lo construimos para que los gorilas contemplaran a los visitantes».

Kate Brown lleva más de diez años trabajando como educadora en esta instalación. Está convencida de que el momento del año que más les gusta a los gorilas es el día de Halloween, cuando niños y adultos acuden al zoo disfrazados a lo largo de dos distintos fines de semana de octubre. «Los gorilas se quedan fascinados al ver los divertidos sombreros y colores», me contó Brown un día mientras contemplábamos docenas de visitantes desfilar por delante de la instalación y dar golpecitos en el cristal cerca de una pequeña hembra limpiándose los dientes con una ramita. «Los gorilas se pegan al cristal y se quedan mirando fascinados a los visitantes. Para ellos es algo distinto que ver».

Por desgracia, el resto del año los humanos somos unos muermos. Nos apiñamos en tropel señalando con el dedo excitados a los gorilas que están más pegados al cristal. Decimos cosas como «¡Mira, un gorila!» o «¡Caramba!» Sacamos los móviles y las cámaras digitales para fotografiarlos, entornando los ojos mientras los enfocamos con la pantalla. Agitamos nuestra mano con la palma abierta saludando a los gorilas que nos miran perplejos. Comentamos entre nosotros lo mucho que se nos parecen. Y luego vamos al trenecito a hacer una visita por el zoo, a la parada donde nos pintarán la cara, a ver a los lémures, o a la tienda de regalos a comprar jirafas de peluche o gomas de borrar con forma de suricata. Pero los gorilas ya lo tienen todo muy visto, la mayoría hace años que residen en el zoo.

Gail O'Malley afirma que hay algunas formas infalibles de hacer participar a los simios que viven al otro lado del cristal, pero que muy poca gente lo hace. Uno de sus juegos favoritos es algo a lo que ella llama el «juego del bolso». «Me ha funcionado en todos los zoos a los que he ido», me dijo. «Los gorilas siempre quieren saber qué llevas dentro del bolso... Pero has de convertirlo en un juego, no puedes limitarte a vaciar su contenido echándolo al suelo. Tienes que sacar un objeto cada vez —no importa lo que sea, podría ser las gafas de sol o las llaves—, pero debes hacerlo lentamente para que el juego sea más emocionante, trazando con la mano un amplio ademán al mostrárselo».

Me lo demostró sacando el billetero del bolso con un giro de muñeca de lo más teatral. Era como una actuación cómica entre especies, aunque una de las que la protagonizaban llevaba ropa. O'Malley también asegura que a la mayoría de gorilas les gustan los bebés humanos, algo que me han confirmado diversos cuidadores. O'Malley llevaba a los bebés de sus amigas al zoo para hacerles la vida más amena a los gorilas, ya que no tiene hijos. Afirma que esa especie de juego nunca falla. Siempre se acercan al cristal para echarles un buen vistazo, sobre todo las hembras.

Kate Brown solía mostrarle a un gorila hembra del Zoo del Bronx un libro con imágenes. «Le encantaban las ilustraciones», me contó ella. «Y además también era en cierto modo bípeda. Es decir, se erguía sobre las patas traseras y caminaba por el recinto como un humano, algo que se supone que solo pueden hacer por un breve tiempo. Pero cuando ella me divisaba, yo me acercaba al cristal y abría el libro para que lo viera. Y erguida en posición vertical, cruzaba los brazos sobre la cabeza y se apoyaba contra el cristal. Entonces yo le mostraba el libro, y cuando ella quería que pasara la página, daba unos golpecitos en el cristal.

Enriqueciéndonos al resto de nosotros

El enriquecimiento ambiental no es solo para los animales salvajes en cautividad o los de laboratorio. La industria americana de productos para mascotas cuenta con la tendencia de los estadounidenses a comprar artículos para sus mascotas, jugando con nuestro posible sentimiento de culpa, nuestra afición a las compras y nuestro interés por ayudar a los animales con los que convivimos. A partir del 2010 la industria de productos para mascotas fue la que más deprisa creció en el sector de la venta al por menor[18] en Estados Unidos, obteniendo de las ventas anuales 53.000 millones de dólares. La mayoría de juguetes para perros, gatos y loros que se venden en Petco, PetSmart y en tiendas particulares de animales —como los rompecabezas masticables hechos de pienso o las cuerdas primorosamente trenzadas alrededor de pedacitos de alpiste y sebo— están concebidos para estimular la mente, las patas, las mandíbulas y el pico de nuestras mascotas. También hay los productos que no son juguetes ni medicinas para aliviar a los animales, de los que me hablaron en las conversaciones que, sumida en mi preocupación por *Oliver*, mantenía al principio con otros propietarios de perros en el parque. Como, por ejemplo, cedés de la índole de *Music to a Dog's Ear,* bocaditos con sabor a hígado para calmar a los canes que se angustian al viajar, el remedio de rescate de Flores de Bach canino que venden en las tiendas ecológicas, cecina tranquilizante de pollo de granja, galletas relajantes con aroma de lavanda, difusores de feromonas que se enchufan como un ambientador de lo más raro, gel relajante con aroma a manzanilla y limón para darles friegas en las patas, gotas relajantes para conejos con sabor a zanahoria, una amplia gama de complementos alimenticios para aves, y bolitas que curan la ansiedad y centran a los equinos atolondrados a juzgar por lo que pone en el envase.

Uno de los productos más populares para la salud mental de los perros es el ThunderShirt, una cómoda y acogedora chaqueta perruna con lengüetas de Velcro. Su fabricante afirma que alivia la fobia a los truenos y a los fuegos artificiales, la ansiedad por separación, los ladridos y los brincos problemáticos, y también el estrés causado por los viajes. Recientemente, la compañía ha sacado al mercado el ThunderCap, una capucha elástica que se coloca sobre los ojos y alrededor del hocico, que, de haber sido blanca y un poco más puntiaguda, habría resultado un tanto kuklusclanesca. Por suerte parece más bien un gorro de ducha para la cara.

También hay el ThunderLeash para que no sigan tirando de la correa, el ThunderToy que dispensa galletitas con ingredientes calmantes, y el ThunderShirt para aplacar el miedo gatuno a las tormentas. Los únicos estudios que existen sobre la eficacia de este chaleco tranquilizador los ha realizado el propio fabricante. Sin embargo, Donna Haraway, la filósofa de la ciencia[19] y la tecnología que ha escrito largo y tendido sobre sus perros, cree que el chaleco ayudó a su perra *Canela* —un pastor australiano— no a superar el miedo a los truenos (que tanto le daban), sino a los disparos y los fuegos artificiales.

El Anxiety Wrap es otro ajustado chaleco perruno para aliviar la ansiedad, diseñado por Susan Sharpe y su socia comercial, y el Quiet Dog Face Wrap es una banda de goma suave antiladridos que se coloca alrededor del hocico. Aunque la opción más vistosa es el Storm Defender, una especie de capa híbrida de color rojo chillón forrada por dentro con un material metálico para proteger a los perros de la electricidad estática.

Cuando le pregunté a la veterinaria conductual E'lise Christensen si estas cosas funcionaban, me respondió que, en el caso de no hacerlo, tampoco les hacían ningún mal. A no ser, claro está, que a un perro le dé pavor que lo vistan o lo soben. La mayoría de veterinarios conductuales no pueden decir de manera definitiva si esta clase de productos funcionan porque salta a la vista que a los animales que han acabado siendo pacientes suyos no les han hecho ningún efecto las galletas antiansiedad, los geles de plantas para las patas o los chalecos de fuerza caninos. Porque, de haberlo hecho, no estarían en su consulta.

Yo creo que los propietarios de mascotas que hablan maravillas de esta clase de productos son tantos como los que piensan que no sirven para nada. Sospecho que su utilidad se define en función del perro (o gato, si es que hay alguno) que está siendo vestido, protegido, envuelto o defendido. Yo nunca intenté ponerle a *Oliver* uno de esos chalecos calmantes, aunque quizá debería haberlo hecho. Ni tampoco le di galletas con aroma a lavanda, ni le unté las patas con geles a base de plantas. Pero probé un montón de otros productos, gastando una pequeña fortuna en gotas de remedios de rescate de Flores de Bach, en una pila de nuevos rompecabezas caninos, y en música que dejaba puesta en el estéreo cuando me iba de casa. Ninguna de esas cosas le ayudó, pero al menos me hacían sentir como si estuviera haciendo algo por él.

El poder de un buen masaje

Mac, el burro enano sardo de veintitrés años que vive en el rancho donde yo crecí, es, como he mencionado en la introducción, una criatura adorable, feroz e inestable a la vez. Tras la muerte de su madre, cuando lo dejaron a mi cargo, yo estaba llena de buenas intenciones, pero no tenía idea de cómo criar a un burro de tan corta edad. Le daba biberones con leche en polvo y al menos por un tiempo Mac estuvo haciendo lo que le venía en gana. Yo no le obligaba siempre a respetar las pocas reglas que le habíamos impuesto, como la de no morder a la gente. Sus largas y peludas orejas y su suave hocico me encandilaban hasta tal punto de que podía hacer conmigo lo que quisiera, y a mis padres les pasaba tres cuartos de lo mismo. También dejé de darle el biberón antes de tiempo. Cuando lo metimos en la cuadra, solo se había relacionado con personas. No sabía cómo comportarse con otros equinos, pero lo que no le faltaba era actitud. Por eso era un poco como la elefanta que se había criado en un complejo turístico, porque prefería la compañía de humanos a la de los animales de su propia especie, y cuando las cosas no iban como él quería, expresaba su descontento de forma dramática. *Mac* se convirtió en un menudo aunque poderoso problema para nuestros otros burros, el poni de la cuadra de al lado y un par de cabras. Los atacaba a todos con una fiereza de la que nadie imaginaba que fuera capaz dado su tamaño. Cuando lo separamos de los otros animales, concentró toda su frustración contra sí mismo, mordiéndose las patas hasta sangrar, arrancándose el pelaje con los dientes y mordiendo los barrotes de metal de la cuadra. Solo dejaba de hacerlo cuando alguien estaba con él o si había alguna clase de actividad humana cerca: entonces contemplaba todo lo que sucedía a su alrededor con gran interés.

A medida que yo crecía y era más consciente de su problema, la conducta de *Mac* me hacía sentir culpable y triste a la vez. Para evitar que se mordiera, colgaba en su cuadra *Lick-its* con sabor a plátano y cereza que me costaban un dineral (una especie de polos para que los equinos se distraigan lamiéndolos), le aplicaba un bálsamo calmante con aroma a lavanda también para equinos que había probado antes tanto en mí como en él, y le daba una pelota para caballos cubierta de melaza por la que se interesaba solo treinta segundos, el tiempo justo para descubrir que no era más que una pelota de plástico llena de melaza. Pero lo que a *Mac* le *encantaba* era echar a las gallinas que se metían en su cuadra, estar al tanto de las granadas que rodaban por debajo de la valla al caer de un árbol cercano, amenazar a los perros cuando se acercaban demasiado, y de vez en cuando escaparse de la cuadra para aparecer en nuestro garaje o espiar a los vecinos mirándolos torvamente por la ventana del salón de su casa. También le gustaba comer hojas de aguacate y arrancar la corteza de los árboles recién plantados. Pero lo que más le gustaba de todo era que lo masajearan con firmeza. Cuando le dabas un masaje, ponía los ojos en blanco arrobado, balanceándose de un lado a otro, pero este límpido estado apenas le duraba, y de golpe enturbiándosele la razón, tenías que apartar la mano antes de que te la mordiera con saña.

Cuando le empecé a contar a la gente que a *Mac* le chiflaba que le dieran masajes, me enteré de que había muchos otros seres que disfrutaban con un buen masaje. Muchos adiestradores caninos con los que hablé me ofrecieron varias sugerencias para darle al burro un masaje más eficaz. La mayoría requerían una paciencia de santo y unos reflejos rápidos. Y luego me hablaron de Linda Tellington-Jones.

Tellington-Jones es una especie de estrella de rock en el mundo de la terapia equina y toda una profeta para los que masajean a sus solípedos. En 1994, la Asociación Norteamericana de Jinetes la nombró «la Amazona del Año». La invitaron para que enseñara masaje terapéutico en el Salón Hípico de la Fama y ha escrito quince libros y numerosos artículos sobre lo que ella llama el método Tellington, o TTouch. Enseña masajes no solo para caballos, sino también para perros, gatos y llamas, y en su último libro publicado, *TTouch for Healthcare*, se centra en los humanos. La inspiración le llegó en la década de 1970 cuando estaba estudiando con Moshe Feldenkrais, creador de un método basado en movimientos que no son habituales, como torcer, girar y estirar el cuerpo de varias formas para aliviar el dolor físico, volverte más flexible e, incluso, como sostienen los fans de Feldenkrais, estimular la creatividad. Tellington-Jones sentía curiosidad por descubrir si los movimientos de Feldenkrais también podían ayudar a otros animales y empezó a aplicarlos con éxito en caballos.

La portada de su libro publicado en 1995,[20] *Getting in TTouch: Understand and Influence Your Horse's Personality*, me recuerda a la cubierta difuminada del álbum de Crystal Gale de la década de 1980, solo que en esta ocasión es Tellington-Jones la que aparece en la cubierta, con un jersey de angora color turquesa, abrazada a un alto caballo blanco. Su método patentado TTouches incluye toques con nombres[21] como el «leopardo brumoso», el «alzamiento de la serpiente pitón», «tarántulas tirando del arado» y el «golpeteo de la pata del oso». Según afirma en su material promocional, el TTouch ayuda a aliviar a los perros que sufren desde nerviosismo y agresividad por un lado, hasta mareos (al ir en coche) por el otro, y todos los otros trastornos que hay entremedio. Su eslogan es: «Cambia tu mente y cambia a tu animal».

Los toques que usa son distintos de los del masaje tradicional. No son los que te salen de manera natural, sino unos movimientos que nunca se me habrían ocurrido hacerle a mi perro, como, por ejemplo, deslizarle con suavidad los dedos arriba y abajo de las orejas, o tirarle ligeramente de la rabadilla.

Por más raro que el método parezca, las clases y talleres de Tellington-Jones siempre están llenos y sus seguidores hablan de sus métodos con un tono de admiración casi rayano en el culto. Ahora trata a todo tipo de animales,[22] desde camellos nerviosos hasta gente asmática, pero nadie, ni siquiera la misma Tellington-Jones, sabe por qué sus masajes funcionan tan bien. Una diversidad de estudios hechos en humanos han demostrado el poder del masaje,[23] ya que fomenta el bienestar emocional y reduce la ansiedad, pero los estudios llevados a cabo sobre otros animales se han centrado únicamente en los beneficios fisiológicos del mismo. Las investigaciones sobre los efectos del masaje equino —no tratan del TTouch en especial— han revelado que, por ejemplo, ayuda enormemente a los caballos a recuperarse de las lesiones. Los masajes también se han usado en caballos de doma clásica[24] e incluso en ponis de compañía, y en la actualidad existe una pujante comunidad de terapeutas afiliados a organizaciones, como la Asociación Equina de Masaje Deportivo. En su página web aparecen fotos de hombres y mujeres con chalecos de equitación[25] dando masajes en los establos a lustrosos equinos hasta dejarles la piel reluciente, junto con videoclips de caballos de carreras galopando en la pista mientras amazonas con cascos de equitación de terciopelo los miran alentadoramente.

Jodi Frediani, la adiestradora canina y fotógrafa de fauna y flora silvestre afincada en California, descubrió a Tellington-Jones cuando la yegua de su hija se empezó a negar a hacer lo que ella le pedía. «Echaba las orejas atrás y la amenazaba con morderle», dijo Frediani. «Había adquirido esta reacción de lucha, pese a ser muy cariñosa y acudir galopando a la entrada de nuestra casa cuando la llamábamos. Ahora al mirar atrás me doy cuenta de que había adquirido este mal hábito para defenderse del hombre que la había criado, un tipo que pateaba a sus caballos e intentaba doblegarlos para que le obedecieran».

Frediani contrató a una experta en TTouch de la zona para que redujera la agresividad de la yegua, y se quedó tan impresionada por los progresos del animal que se inscribió en un curso de TTouch. En una de las clases, al ver a un caballo ansioso sosegarse y relajarse en el acto mientras Tellington-Jones le masajeaba las encías, decidió incorporar el TTouch a su oficio como entrenadora. Cree que funciona tan bien porque sorprende al animal sin asustarlo. El masaje no es como el que está acostumbrado a recibir, y sentir otra cosa distinta a la que esperaba le descoloca, haciendo que «se olvide de su respuesta de lucha o huida», apuntó Frediani. Los animales tranquilos aprenden con más facilidad lo que se espera de ellos, por lo que sienten menos miedo, confusión y estrés. Basándose en lo que había observado en sus clientes y en sus propios perros y caballos, Frediani cree que el TTouch relaja la tensión muscular[26] y posiblemente reduce el ritmo cardíaco y la tensión arterial. Opina que sobre todo les hace mucho bien a los animales con problemas emocionales, como los perros con ansiedad por separación a los que trata.

Es probable que el TTouch en especial, y el masaje en general, sean tan buenos para el bienestar de los animales no por el «leopardo brumoso» o el «toque del mapache», sino por la serena y segura presencia de un humano de confianza. Yo creo que a *Oliver* le pasó esto. Tras arrojarse por la ventana, quedó tan magullado que apenas se podía mover. Y cuando no tomaba Valium, era un manojo de nervios. Kelly Marshall, nuestro paseador de perros, una persona encantadora, era el preferido de *Oliver* después de Jude y de mí. Una tarde, al poco tiempo de saltar *Oliver* por la ventana, Kelly se pasó por casa para ver cómo estaba, y nos contó que había empezado a hacer un curso sobre masaje canino. Quería saber si podía practicar con *Oliver*. Jude y yo miramos a *Fiera* hecho polvo, enrollado en su catre en una incómoda postura, y le dijimos que sí. Al día siguiente Kelly vino por la tarde a darle un masaje. Los resultados fueron inmediatos. *Oliver* se relajó y su tensión comenzó a disiparse. Empezó a andar por primera vez a los pocos minutos de haber recibido la segunda sesión de masaje de Kelly.

Los humanos terapéuticos

La elefanta de tres patas y su familia

Por desgracia no existe una pastilla, un bálsamo calmante, un masajista o un producto terapéutico mágico que funcione para todos los animales perturbados, al igual que ocurre con los humanos con problemas mentales. El alivio suele llegar de un montón de factores personalizados que incluye ejercicio, terapia conductual, medicamentos, y relaciones nuevas y saludables. A veces estas relaciones son con personas.

Preecha Phuangkum, un tipo alto y mofletudo con un aire escéptico que se suaviza en cuanto se toma varios vasos de cerveza Chang, es uno de los veterinarios de elefantes más experimentados y respetados de Tailandia. Empezó a trabajar con animales hace treinta y dos años, quince de los cuales se estuvo ocupando de los elefantes del gobierno tailandés que trabajaban en la explotación forestal. Los doscientos elefantes y sus cuatrocientos *mahouts* —uno iba montado en el cuello del elefante y el otro a pie ocupándose de los troncos— vivían en el bosque en campamentos apartados de los pueblos y las ciudades. Cuando terminaban de transportar la madera de una zona, liaban los petates y se dirigían a pie a otra. Preecha se dedicaba a ir de un campamento a otro para supervisar a los elefantes y a sus *mahouts,* y asegurarse de que a cada elefante le hubiera correspondido los dos hombres que más le convenían. Si veía que no era así, sabía que el equipo no se luciría en el transporte de madera, una tarea peligrosa que exige que tanto el elefante como sus *mahouts* se respeten y escuchen entre ellos.

Tras la prohibición de la explotación forestal a mediados de la década de 1990, Preecha se convirtió en el director de la Escuela de Adiestramiento de Mahouts del gobierno tailandés. Se dedicaba a entrenar a cientos de nuevos *mahotus* y supervisaba la salud y el bienestar de los elefantes del gobierno, incluyendo los elefantes reales del rey de Tailandia, elegidos por sus rasgos auspiciosos, como la forma perfecta de las uñas de las patas, el color de la piel y, por extraño que parezca, el sonido de sus ronquidos.

«Mucha gente cree que la relación con un elefante no es recíproca, que la persona debe controlar al animal», me dijo Preecha. «Pero es un error garrafal. Tiene que ser una relación duradera de amor. Si un *mahout* es cruel, el elefante también lo será. Si el cuidador o el *mahout* están alterados o tristes, ese estado de ánimo le afectará también al elefante. Y todos se sentirán mal».

Haciéndose eco de muchos otros *mahouts,* veterinarios y traficantes de elefantes a los que yo conocí en Tailandia, Preecha cree que la relación entre hombre y elefante es la parte más importante para la salud mental del paquidermo. «Cuando los *mahouts* y los elefantes trabajaban juntos durante mucho tiempo en los campamentos, veías a los elefantes cuidando de ellos. Como, por ejemplo, llevando a su *mahout* de vuelta al campamento después de que estuviera demasiado borracho como para volver por su propio pie. Pero ahora las cosas han cambiado. En el norte de Tailandia, el trabajo de *mahout* ya no se considera tan respetado como antes y los jóvenes solo sueñan con comprarse caprichos y mudarse a las ciudades. Y esto ha sido muy malo para el bienestar emocional de los elefantes».

En la actualidad, los elefantes tienen al mismo *mahout* solo unos pocos años, porque este (casi siempre es un hombre) acaba cambiando de trabajo. A los elefantes esto les afecta mucho, ya que lo consideran como de la familia. Según Preecha, para una cría de elefante la continuidad y la relación adecuada son importantísimas. Preecha ha supervisado el adiestramiento de más de treinta crías de elefantes, y solo unas pocas han acabado matando a alguien. Dice que ahora, al verlo en retrospectiva, se da cuenta de que les había tocado el cuidador o el *mahout* equivocados.

Y, sin embargo, algunos elefantes por más afables o compasivos que sean sus *mahouts* o sus cuidadores, siguen siendo inestables emocionalmente, violentos o agresivos. Preecha recuerda en especial a una elefanta indómita, una matriarca que él cree que simplemente nació cargada de furia. Dado que la matriarca dirige la conducta de los miembros del grupo, si no es una buena líder, el grupo creará problemas. Esta elefanta era muy agresiva y le gustaba aplastar las cosechas de los pueblos cercanos. Preecha está convencido de que su ejemplo hizo que el resto del grupo fuera más agresivo y más proclive a arrasar los huertos y campos de árboles frutales del pueblo, aunque tuvieran en el bosque toda la comida que desearan.

La primera vez que la mayoría de elefantes de trabajo cautivos matan a alguien es por accidente. Y luego al darse cuenta de su fuerza lo vuelven a hacer. La explicación más común que he oído tiene que ver con los vínculos que los elefantes establecen entre ellos y los humanos. «Cuando un elefante está enamorado, es cuando más peligroso es», dijo Preecha. «Es capaz de cualquier cosa con tal de estar con el elefante que ama».

Cree que esta es la causa del 80 al 90 por ciento de las muertes humanas causadas por elefantes. Los aplastamientos o las colmilladas son tan espectaculares que les recuerdan a quienes los presencian una conducta psicótica. Durante los años de la explotación forestal, la mayoría de muertes sucedían cuando los *mahouts* acampaban cerca de los pueblos. No ocurrían por estar los elefantes rodeados de más desconocidos o por no gustarles el nuevo lugar, sino porque los *mahouts* se echaban novia. Los elefantes, acostumbrados a estar día y noche con ellos, se ponían celosos y a veces violentos.

Incluso hoy día muchos *mahouts* me han contado que por más que se duchen después de ir a ver a su prometida, al volver sus elefantes los reciben con una disposición de ánimo huraña y distante, y a veces incluso agresiva. Hacerles cambiar de conducta puede llevarles a los *mahouts* días, y además para que el elefante les perdone tienen que ablandarlos con un montón de exquisiteces y atenciones, como caña de azúcar, bananas, puntas de piñas y hojas de zanahoria, y también rascarles cariñosamente las orejas.

Preecha ha hecho todo lo posible para inculcarles a sus alumnos que un buen *mahout* no se deja intimidar por las vicisitudes de la vida emocional de los elefantes, y además no los teme, es valiente y tiene autocontrol. Está convencido de que los elefantes son, por lo general, bastante razonables y que la mejor forma para un *mahout* de llevarse de maravilla con su elefante o elefanta es esperar lo mejor de ellos. «Si el *mahout* cree que el elefante ha enloquecido porque sí, será mucho más duro con él y no lo tratará tan bien como se merece».

En el 2007, Preecha se jubiló de la escuela de adiestramiento de *mahouts* y se convirtió en el veterinario jefe del Hospital de los Amigos de los Elefantes Asiáticos, una organización sin ánimo de lucro. Es un lugar muy tranquilo. A diferencia de muchas otras organizaciones tailandesas de elefantes, el Hospital de los AEA no existe para servir a los ecoturistas. En él no hay actuaciones o demostraciones, ni tampoco se puede interactuar con los elefantes. En el hospital reina un gran silencio y los únicos movimientos que se escuchan son los coletazos de los elefantes hospitalizados y los apresurados pasos de los enfermeros con uniforme naranja, mientras cambian la bolsa del gota a gota o limpian las cuadras.

Mosha, una hembra de nueve años, es una residente permanente del hospital. Cuando tenía siete meses, mientras andaba detrás de su madre que transportaba madera por el bosque que se extiende a lo largo de la frontera birmana, pisó una mina[27] puesta por el ejército birmano para combatir al Ejército de la Liberación Nacional de Karen y los rebeldes de Shan que luchan por independizarse de la dictadura militar. A *Mosha* le quedó la pata izquierda delantera destrozada por la explosión, pero su madre no sufrió daño alguno. Ambas llegaron al hospital nerviosas y asustadas. Los veterinarios le amputaron la pata de la rodilla para abajo. *Mosha* estuvo en el hospital con su madre ocho meses, hasta que la familia propietaria reclamó a la madre elefanta de vuelta porque necesitaba los ingresos que les reportaba transportando madera. *Mosha*, una cría recién destetada que nunca podría llegar a trabajar, se quedó en aquel lugar. Estaba desolada por la pérdida de su madre y por el impacto y el dolor infligidos por la mina y la operación quirúrgica que le siguió. Pero con todo era una cría de elefante curiosa y retozona, incluso con tres patas, y además tenía una necesidad casi insaciable de afecto. Preecha y Soraida Salwala, la fundadora del hospital, decidieron buscarle el cuidador más adecuado.

Se llamaba Paradee, o Ladee para sus amigos. La primera vez que lo conocí fue a través de los barrotes de la cuadra de *Mosha*. Ladee, un joven karen tímido y amable de unos veinticinco años, estaba disponiendo unas gruesas colchonetas azules en el suelo como las de los saltadores con pértiga. *Mosha* seguía cada uno de sus movimientos como una sombra con forma de elefante, saltando tras él con sus tres patas, acariciándole el hombro con la trompa y barritando de alegría. Tras terminar de arreglar las colchonetas, Ladee se dispuso a aplicarle aceite en la pata ortopédica, hecha a mano por un equipo de protesistas. Por desgracia para la joven elefanta, la mina no solo le había destrozado la parte inferior de la pata, sino que además le había llenado de metralla lo que le quedaba de ella. Ahora, nueve años más tarde, solo es capaz de permanecer de pie unas pocas horas seguidas. Los empleados del hospital intentan hacer que lleve la prótesis un poco cada día para que sus otras patas no tengan que soportar tanto peso. Pero ella la odia y en cuanto se la ponen intenta abrir las hebillas para sacársela.

Durante mi primera visita al hospital hacía un calor insoportable —a la hora más calurosa del mediodía ni siquiera se oía un solo pájaro— y Ladee anunció que era la hora de la siesta. Se acercó a las colchonetas y le hizo una seña a *Mosha* para que se acostara. Ella le obedeció y luego, con un experto movimiento, levantó la trompa y la pata derecha de delante a modo de invitación. Ladee se metió a gatas entre sus piernas de delante, cada una tan gruesa como el torso del joven, y se puso a juguetear ociosamente con la punta de su trompa mientras la elefanta le rodeaba el cuerpo con ella. Luego *Mosha* apoyó la cabeza sobre las colchonetas y entornó los ojos como una niña pequeña fingiendo dormir. «Si no me quedo a su lado no se duerme», nos dijo Ladee a mi traductora y a mí, plantadas junto a la entrada de la cuadra, atónitas por la imagen de la enorme elefanta y el joven acurrucados juntos en las colchonetas como si fuera lo más normal del mundo. «Y además se excita mucho con los visitantes, o sea que si *no os vais* no se dormirá».

Mosha tampoco duerme por la noche si cree que Ladee se ha ido. Su habitación queda solo a seis metros de la cuadra, pero a veces ella tiene pesadillas y se despierta en medio de la noche agitada y asustada, esparciendo todas las colchonetas. «Se pone a barritar y a barritar hasta que me despierto», me dijo Ladee. «Y entonces si cruzo la puerta y susurro su nombre, se tranquiliza y se vuelve a dormir».

También detesta que él se vaya a su pueblo para visitar a su familia, a casi trescientos kilómetros de distancia, un viaje que solo hace dos o tres veces al año ausentándose por unos pocos días. «Mis compañeros me han dicho que cuando me voy no para de llamarme. Y cuando oye mi moto por la carretera, se pone como loca. Sabe que he vuelto».

Ladee solía ir a ver a sus amigos que viven cerca del lugar, pero ya no lo hace. *Mosha* sufría demasiado. Antes de dar con él, Preecha y Soraida probaron otros tres cuidadores para que se ocuparan de la elefanta. Ladee empezó a trabajar con *Mosha* cuando tenía dos años y desde el primer día todos los empleados del hospital sabían a ciencia cierta que él era el que andaban buscando. «Los otros cuidadores trabajaban para ganar dinero sin preocuparse por *Mosha*. Pero Ladee es distinto. Es bueno. Y además está soltero. *Mosha* es lo más importante para él», dijo Preecha.

Lo tuvieron a prueba durante tres meses antes de dejarle ser un *mahout*, y luego Preecha lo tuvo a prueba dos años más antes de encomendarle a *Mosha*. Ladee llegó al hospital a los diecinueve años como auxiliar de *mahout* para cuidar de un elefante enfermo que había llegado de un circo de elefantes en las afueras de Chiang Mai. El hospital acepta y trata a los elefantes sin cobrar nada, siempre y cuando los propietarios se ocupen del transporte y envíen también al *mahout*. El hospital le da un sueldo hasta el día que se va. El AEA adoptó esta política esperando que los *mahouts* visitantes aprendieran más cosas sobre los cuidados veterinarios básicos que deben recibir los elefantes para que se llevaran estos conocimientos consigo cuando se fueran.

Al poco tiempo de llegar Ladee, Preecha advirtió que le gustaba dar de comer y lavar a los elefantes y le ofreció un trabajo con la condición de que viviera en el hospital y fuera abstemio. A cambio, Ladee ganaría el doble de lo que recibiría en un campamento turístico, y además tendría derecho a tres comidas al día y alojamiento. Ladee manda todo el dinero que gana a su casa para comprar tierra el día de mañana. Como cuida tan bien de *Mosha*, le ascendieron en el 2011. Ahora gana 10.000 bahts al mes (cerca de 325 dólares). En su pueblo es un hombre rico.

Al cabo de un año y medio de conocerle, volví al hospital para verlo a él y a *Mosha*. Se habían trasladado a un recinto un poco más grande. *Mosha* había crecido varios palmos. También había engordado, pero seguía pegando chillidos como una cría de elefante y agitando las orejas de satisfacción mientras masticaba caña de azúcar. Ladee me recibió con una sonrisa y un anillo trenzado con el pelo de la cola de un elefante. «¡No es de *Mosha*!» exclamó. «Nunca *le* cortaría el pelo de la cola». Los dos ya no dormían juntos a la hora de la siesta porque *Mosha* pesaba demasiado y podía aplastarlo sin querer. Ladee continuaba mandándola a acostar al mediodía y por la noche seguía una especie de ritual elefantino acariciando a la joven elefanta hasta que se dormía. Y él no se iba a la cama hasta asegurarse de que *Mosha* había conciliado el sueño.

Mientras Ladee barría la cuadra, *Mosha* iba brincando de un lado a otro detrás de él, parando de vez en cuando para acercarse a mí y meter la trompa por entre los barrotes para tocarme las manos, la cámara y los zapatos y para olfatearme la cabeza. Cuando Ladee, tras haber reunido una buena pila de basura, fue a buscar el recogedor, *Mosha* se echó sobre ella cubriéndola con su cuerpo para que cuando Ladee volviera no pudiera acabar de limpiar la cuadra. «¡*Mosha, Mosha, Mosha*!», exclamó él mimosamente riendo conmigo, hasta la elefanta parecía reír. Entonces ella se tumbó de lado y él le acarició la ijada, sonriendo. Cuando a *Mosha* le pareció que ya había recibido la suficiente atención, se levantó de la pila de basura para que Ladee pudiera terminar de limpiar la cuadra.

Al día siguiente le pregunté a Preecha si creía que *Mosha* se había quedado traumatizada por su experiencia con la mina antipersona o por la extraña vida que llevaba en el hospital sin su madre ni las otras elefantas de más edad que habrían sido sus tías y habrían ayudado a criarla. «Las elefantas, sobre todo, te consideran como si fueras su familia» me respondió Preecha. «Estoy seguro de que Ladee piensa casarse un día y marcharse de aquí, formar su propia familia humana. Pero *Mosha* no sabe que un día él se irá. Ni que tendrá otra familia. Creo que lo ve como si fuera otro elefante como ella». Por ahora, les basta con esto a los dos.

El bonobo y sus terapeutas

Una tarde, en una pausa entre las visitas de pacientes, Harry Prosen, jefe del Departamento de Psiquiatría de la Facultad de Medicina de Wisconsin, recibió una llamada del decano de la universidad para pedirle si podía tratar a *Brian*, un joven bonobo macho del Zoo del Condado de Milwaukee. Prosen propuso ver al bonobo el miércoles siguiente a las tres. Aunque solo estaba bromeando en parte. Tenía a sus espaldas cincuenta años de experiencia con pacientes humanos, había tratado desde esquizofrenias paranoides hasta depresiones graves y psicosis, pero jamás había atendido a un bonobo.

Si un chimpancé pudiera ser un agente secreto, sería un bonobo. Los *Pan paniscus* tienen los largos miembros de un jugador de baloncesto y el ceño tan fruncido que parecen estar siempre intentando recordar algo. Los simios nunca han tenido valedores famosos humanos como los chimpancés, que tienen a Jane Goodall, los gorilas a Dian Fossey, o los orangutanes a Biruté Galdikas. El investigador más célebre de bonobos[28] es el primatólogo y etólogo holandés Frans de Waal, cuyas investigaciones se centran sobre todo en la empatía y la moralidad de los primates, pero ningún cachas de Hollywood lo ha encarnado en una película.

A los bonobos se les conoce sobre todo por sus relaciones sexuales. Los simios se entregan con frecuencia a una apasionada actividad sexual para expresar afecto, resolver o evitar desacuerdos y mantener toda clase de otras interacciones sociales. Su repertorio de conductas sexuales es muy extenso y flexible en cuanto al género, como el sexo oral y los besos con lengua, hembras frotando sus genitales con los de otra hembra hasta tener el orgasmo, y machos masturbando a otros machos colgados de los árboles, tal como suena. Son los únicos simios, aparte de los humanos, que practican el sexo en la postura del misionero. Toda esta actividad sexual es una de las razones por la que en los zoos americanos no suele haber bonobos, ya que, de lo contrario, los padres se verían en el embarazoso lance de tener que explicarles a sus hijos la conducta sexual de los bonobos.

Los bonobos también tienen sus momentos agresivos, pero en general son unos simios apacibles. De Waal cree que deberíamos[29] sentirnos admirados por su ecuanimidad. «Todo lo negativo que [los humanos] hacemos lo achacamos a nuestra biología... Y todo lo positivo... o cualquier acto altruista, empático y otras cosas por el estilo... lo atribuimos a nuestra exclusiva naturaleza humana», le dijo De Waal a un entrevistador de la cadena PBS. «Conque las historias de Gombe sobre chimpancés [que luchaban entre ellos] confirmó la visión biológica negativa que tenemos de nosotros mismos como pura competitividad, pura agresividad. Pero cuando los bonobos aparecieron más tarde, no encajaban con esta visión».

Brian, el joven bonobo macho del Zoo de Milwaukee, era, sin embargo, un caso especial. No era sexualmente activo ni tampoco apacible. «Fue mi primer paciente que intentó arrojarme heces, escupirme y orinar encima de mí», dijo Prosen.

Brian llegó a Milwaukee en julio de 1997, y el equipo del zoo vio enseguida que sus necesidades psicológicas eran mucho más grandes que las de cualquier otro bonobo que hubieran conocido. Barbara Bell, la cuidadora jefe de bonobos del zoo, llevaba más de veinte años ocupándose de ellos. *Brian* «vomitaba treinta, cuarenta o cincuenta veces al día,[30] caminaba nerviosamente en círculos todo el día, y nunca lo veíamos dormir», dijo ella. «No era capaz de tomar una sola comida con el grupo. Carecía de la cultura social necesaria para integrarse en él. Vivía atemorizado, pues temía que los otros animales lo agredieran porque no lo consideraban merecedor de estar en su grupo».

También se arrancaba las uñas, se metía una y otra vez el puño en el recto con tanta fuerza que sangraba, se restregaba los genitales contra objetos afilados, se quedaba contemplando la pared con la mirada perdida y era sumamente agresivo con los cuidadores. Además, le asustaban los objetos que no había visto antes, por lo que darle juguetes o rompecabezas para distraerle con la esperanza de que dejara de mutilarse solo lo alteraba más todavía. Sin desanimarse, el equipo del zoo intentó premiarle cada vez que no se hacía daño a sí mismo. Pero a las seis semanas se dieron por vencidos. *Brian* seguía sin poder comer con los otros bonobos, no sabía jugar ni relacionarse con las hembras adultas, y le asustaban los machos adultos. A la menor señal de estrés, adoptaba una postura fetal y se ponía a chillar. «Cuando un animal es autodestructivo hasta este punto, hay que pararle los pies o, de lo contrario, no sobrevivirá», apuntó Bell.

La primera vez que Prosen fue a visitarlo al zoo[31] le impactó el lamentable estado de *Brian*, que no paraba de dar palmadas girando en círculos aislado en un recinto fuera de la vista del público. «Había vivido en mi consulta algunas situaciones difíciles,[32] pero comunicarme con él me pareció a primera vista algo casi imposible», dijo Prosen.

Como solía hacer con sus pacientes humanos, el primer paso psiquiátrico era reunir la historia del bonobo. Convocó la primera de muchas reuniones para conocer el caso con los cuidadores y los veterinarios del zoo en la cocina situada en el sótano del edificio de los primates, e intentó recabar la máxima información posible sobre *Brian* y sus experiencias antes de llegar a Milwaukee. Mientras los cuidadores cortaban los plátanos y las sandías para prepararles la comida a los bonobos, Prosen y el equipo del zoo hablaban sobre la historia del simio.

Descubrieron que el pasado de *Brian* era tan anormal como su conducta. Había nacido en el Centro Nacional de Investigaciones sobre Primates de Yerkes de la Universidad de Emory (Atlanta), y vivía en él solo, a excepción de la compañía de su padre, que lo estuvo sodomizando e intimidando durante los primeros siete años de su vida. La sodomía es uno de los pocos actos sexuales que los bonobos no practican y la violencia sexual es muy inusual. El padre de *Brian*, sin duda, tenía sus propios problemas afectivos.

La sociedad de los bonobos es matriarcal. Las madres y las hembras de más edad son extremadamente importantes para el desarrollo de las crías de bonobo. Cuidan a la prole en grupo, y las crías macho permanecen con su madre el doble de tiempo que las hembras, aprendiendo a comunicarse, a compartir comida, a resolver disputas y a expresarse sexualmente. Los machos en libertad mantienen un estrecho contacto con su madre durante catorce o quince años. Pero cuando era una cría, a *Brian* lo separaron de su madre y lo metieron en una jaula con su padre en el interior del laboratorio. No recibió el afecto de una madre ni tuvo la oportunidad de crear un lazo emocional con las hembras de más edad que le habrían enseñado a confiar en los demás o a relacionarse con otros bonobos. Había crecido en un ambiente de lo más antinatural y sus primeras experiencias sexuales —las de su padre intentando montarlo violentamente— probablemente habían sido traumáticas.

Brian adquirió el hábito de meterse el puño en el ano[33] mientras residía en Yerkes, donde hacia el final de su estancia lo hacía con tanta asiduidad e intensidad que estaba perdiendo mucha sangre. Los investigadores de Yerkes, temiendo por su vida, lo separaron de su padre y lo metieron solo en una jaula durante ocho meses. Las IRM no revelaron ningún problema físico, salvo el tejido rectal y colónico más grueso de lo normal debido a su hábito crónico de introducirse el puño en el ano, por lo que le dieron Prozac y Valium. Pero, como siguió haciéndolo, los investigadores decidieron mandarlo a otro lugar para que le ayudaran.

El Zoo del Condado de Milwaukee es famoso por curar a bonobos estresados.[34] Esto se debe en parte a las décadas de experiencia de Barbara Bell con simios, pero también a *Lody* y *Maringa*, el bondadoso y estable par de bonobos que ha estado liderando al grupo del zoo durante muchos años. Tras capturarlas en el Congo, las dos crías, un macho y una hembra, fueron vendidas a unos marineros con rumbo a Ámsterdam cuando tenían dos años. Llegaron al Zoo de Milwaukee en 1986 y, durante más de veinticinco años, estuvieron ayudando, junto con Bell, a manejar el grupo más numeroso de bonobos en cautividad de Estados Unidos. Bell y el grupo son tan famosos por curar a simios perturbados que no cesan de llegarles bonobos con problemas como *Brain*.

No todos los bonobos se llevan bien entre ellos y manejar sus dramas interpersonales no es fácil. A veces los bonobos tienen su propia idea de lo que debe ocurrir. El grupo del zoo es tan grande y la personalidad y las preferencias de los simios son tan variadas que no todos están a la vista del público. Dependiendo del día, unos se quedan en un área de juego que no está a la vista y los otros entran en la zona pública. Si a los bonobos no les gustan los grupos que los cuidadores han elegido, forman los suyos y se niegan a ir a ninguna parte hasta que los dejan quedarse con sus amigos. Pero cambian de compañeros a menudo. Bell afirma que esta parte de su trabajo se parece un poco a «mezclar sustancias químicas volátiles».

Los únicos bonobos dispuestos a aguantar la volubilidad de *Brian* eran *Kity*, una hembra ciega y sorda del Congo de cuarenta y nueve años, y *Lody*, un macho del mismo país de veintisiete años. *Brian* dejaba a menudo que *Kity* le acicalara y luego la ayudaba a encontrar la salida a la zona exterior. *Lody* tomaba a *Brian* de la mano cuando estaba demasiado aterrado como para moverse y lo llevaba a la zona de juego o a la parte al aire libre de la instalación. *Lody* incluso posponía sus comidas para sentarse con *Brian* y reconfortarlo. En una ocasión que un macho más joven robó un tubo de cartón[35] con golosinas que los cuidadores habían preparado para *Brian*, *Lody* volvió a meter las golosinas en el tubo y se lo dio al angustiado simio.

Sin embargo, estas pequeñas buenas acciones no le bastaban a *Brian* para sentirse mejor. Todavía seguía arrojando la comida durante horas y metiéndose el puño en el ano. También estaba muy apegado a sus rituales de TOC[36] y se negaba a comer hasta que no los había realizado uno detrás de otro.

«Empecé a ver la conducta autodestructiva de *Brian* como un intento de calmarse en las situaciones que le producían una extrema ansiedad», observó Prosen. Al tocarse, aunque fuera de una forma tan violenta, estaba intentando sentirse mejor en un mundo donde no tenía otra forma de reconfortarse ni de controlar su vida. «Tenía lo que en los humanos se llamaría una fobia social descomunal y una absoluta incapacidad para entender su entorno o interpretar los intentos de los demás de relacionarse con él como serviciales en lugar de peligrosos».

Lo primero que Prosen hizo fue recetarle una baja dosis de antidepresivos para ayudarle a manejar su miedo y ansiedad, y también sus obsesiones. Como el Prozac no le había hecho ningún efecto en el pasado, le recetó Praxil, pero solo con la esperanza de que *Brian* se relajara el tiempo suficiente para empezar un programa terapéutico. Los cuidadores también le daban de vez en cuando Paxil con Valium, pero solo esporádicamente, como en los días en los que era invadido por un pánico y una ansiedad extremos. El Paxil le aplacaba la ansiedad, y «entonces disminuía su conducta obsesivo compulsiva», dijo Bell, como los largos rituales realizados antes de comer.

«Pero lo bueno de la terapia farmacológica[37] era que los otros bonobos podían empezar a verlo tal como era, como un buen tipo. En cuanto se desprendió de toda la basura de su mundo y empezó a aprender unas pocas conductas sociales, su vida se fue enderezando poco a poco de manera constante».

Brian empezó la terapia en serio. Prosen, Bell y los cuidadores se pusieron a trabajar para asegurarse de que el mundo de *Brian* fuera seguro y previsible. Le servían siempre la comida a la misma hora y en el mismo lugar. Después de almorzar le ofrecían un tiempo de silencio para descansar cada día. Los cuidadores también hablaban en voz baja para no molestarlo e intentaron hacer todo lo posible por usar gestos coherentes y palabras de elogio. Le presentaban cada nuevo objeto que añadían a su entorno poco a poco para que pudiera contemplarlo, tocarlo, olerlo e irse acostumbrando a él a su propio ritmo. Las sesiones de adiestramiento diarias eran cortas para no saturarlo y los cuidadores se aseguraban de terminarlas con una nota positiva. Prosen dijo que como *Brian* era un animal en cautividad, la terapia era en cierto modo más fácil que la de sus pacientes humanos, porque tanto él como los cuidadores podían controlar el ambiente de *Brian* y su vida cotidiana hasta el último detalle. El programa diario de las actividades de *Brian*, por ejemplo, nunca se modificaba porque le aterraban los cambios. Los otros bonobos del zoo eran muy flexibles y fáciles de complacer, estaban abiertos a toda clase de experiencias, pero para *Brian* esto era inimaginable.

«Una de las cosas que hicimos», dijo Bell, «fue que estuviera durante algunos ratos con otros bonobos mucho más jóvenes para que le enseñaran a jugar. Lo pusimos con dos bonobos de dos y tres años para que aprendiera la conducta del juego. Todos sabemos por qué vamos al parvulario. En él aprendemos habilidades sociales. Para poder crecer *Brian* debía regresar a esta etapa de la infancia y aprender a jugar».

Mientras supervisaba la terapia de *Brian*, Prosen se quedó fascinado por las similitudes entre el bonobo y sus pacientes humanos, sobre todo los que sufrían déficits del desarrollo.

«Un exitoso hombre de negocios al que traté en una ocasión perdió a su padre a los doce años y pasó de los doce a los veinte de la noche a la mañana en el sentido literal», me contó Prosen. «No siguió un proceso normal de desarrollo en el que le fueran enseñando todo pacientemente, sino que fue más bien una conducta de imitación. Aquel tipo parecía hacer con una gran rapidez y eficacia cosas que no había aprendido como normalmente uno las aprende mientras crece, es decir, de un padre mentor. Los resultados de ello solo aparecieron más tarde, cuando a medida que desarrollaba su propio negocio empezó a tener grandes problemas con los empleados tras llevar estos unos años en la empresa y con sus propios hijos al llegar a la adolescencia. Sufría lo que yo describiría como un gran déficit del desarrollo.»

Prosen vio en *Brian* un peludo reflejo de aquel hombre. Estaba convencido de que el bonobo tenía serios déficits del desarrollo y que por eso actuaba de súbito como si tuviera tres o cuatro distintas edades. *Brian* reaccionaba bien en ciertas situaciones de adiestramiento, pero en cuanto se encontraba en un ambiente nuevo y distinto que requería una conducta más madura, se venía abajo. Interactuar con hembras adultas, a las que no había estado expuesto cuando era pequeño, le causada todo tipo de ansiedad. Este comportamiento confundía al resto porque *Brian aparentaba* ser un macho de ocho o nueve años, pero en términos de desarrollo actuaba como uno de cinco o seis. Y ni siquiera esta conducta era estable, ya que en un momento dado era un compañero joven lleno de confianza en sí mismo y al siguiente intentaba de pronto mamar del pecho de una de las hembras, algo que las irritaba y confundía en grado sumo. A menudo le mordían los dedos de los pies como represalia. Solo *Lody* acudía siempre en su ayuda en esta clase de situaciones.

Prosen cree que la bondad y el apoyo del macho de más edad eran la razón por la que *Brian* sobrevivía a su contraproducente conducta. Pero también piensa que posiblemente los bonobos sean más fuertes que los humanos en cuanto a superar los déficits del desarrollo. Otro psiquiatra que trabaja con chimpancés cree saber por qué es así.

El doctor Martin Brüne trató a diez chimpancés traumatizados. Habían experimentado con ellos en una investigación y luego los habían enviado a una reserva holandesa. Le impactó la capacidad de los chimpancés[38] para recuperarse de los años de maltratos. Se habían desprendido con relativa rapidez de los hábitos de continuo balanceo, las automutilaciones y la reingestión y regurgitación de los alimentos al relacionarse con otros chimpancés, ingerir una comida más sana, realizar actividades enriquecedoras y tomar antidepresivos. Brüne cree que un humano que hubiera crecido en un ambiente tan anormal como el de un laboratorio no podría recuperarse tan deprisa como los chimpancés. Plantea que la capacidad humana de adaptarse con facilidad y fluidez a nuevas situaciones, grupos sociales y ambientes no siempre es positiva. «Por eso hemos sido los humanos los que hemos poblado el planeta y no los chimpancés»,[39] afirmó. «Pero, por otro lado, esto tal vez conlleve un precio. Y el precio es quizás una mayor vulnerabilidad a los trastornos psicológicos».

La opinión de Bell y Prosen sobre los bonobos es, sin embargo, un tanto distinta:[40] creen que son flexibles a su manera y que los humanos podemos aprender cosas de ellos. En un estudio conjunto escribieron lo siguiente sobre el proceso de ayudar a *Brian*: «*Brian*, que al principio era un bonobo muy "raro", ha empezado a ver el mundo con más sosiego... Ahora sonríe y está radiante de felicidad. Creo que debemos aceptar que al contrario de los humanos, los bonobos y otros primates pueden retomar la etapa de desarrollo en la que se quedaron para acabar de crecer con normalidad. Si este es el caso, el estudio del tratamiento de los déficits del desarrollo en los bonobos podría contribuir al tratamiento de primates humanos».

En el 2001, cuatro años después de la llegada de *Brian* al zoo[41] como un ser inseguro, autodestructivo y con déficits del desarrollo, ya había aprendido a interpretar las señales sociales en un grupo liderado por dos hembras dominantes y a seguir educadamente las costumbres de los bonobos. Una madre primeriza del grupo incluso le dejó acariciar suavemente con el dedo a su cría de diez días. Al cabo de un año ya se sentía cómodo con grupos mucho más grandes de bonobos. *Lody* incluso le dejaba liderar el grupo de vez en cuando. En el 2006, al cumplir *Brian* dieciséis años, ya casi se comportaba como un bonobo de su edad. En un asombroso intercambio de poder, a medida que *Lody* envejecía y se debilitaba, *Brian* se fue convirtiendo en el líder del grupo.

«Aún siguen llevándose bien, pero ahora se han intercambiado los papeles», me contó Bell.[42] «*Brian* es el primero en comer y *Lody* el segundo. Para serte sincero, creo que *Lody* ya no quiere ser el líder del grupo».

Ahora *Brian* también goza del interés y el afecto de las hembras dominantes. Bell dice que lo que más feliz le hace es cuando le dejan llevar a cuestas las crías, y en los últimos años algunas incluso las ha engendrado él. Ella no recuerda cuántos años hace que *Brian* ya no toma Paxil, pero se acuerda que dejaron de dárselo cuando empezó a compartirlo con los otros bonobos (un fenómeno que Prosen ha observado en otros simios antropomorfos a los que se los ha recetado). «Cuando empezó a convertirse en un "vendedor de drogas", tuvimos que dejar de dárselo», apuntó Bell riendo. «Periódicamente experimenta una regresión, pero le sucede en contadas ocasiones. Es sociable y se porta de maravilla con las hembras y la prole».

Los cuidadores siguen asignándole cuidadosamente los grupos sociales que más le convienen para asegurarse de que esté siempre con los miembros más serenos. Todos los días sigue una rutina y los cuidadores siempre le ofrecen el tiempo suficiente para que se adapte a las situaciones nuevas. Prosen de vez en cuando se pregunta si *Brian* siente empatía por los simios de su alrededor o si simplemente ha aprendido mañosamente a imitar a *Lody*. «Es posible que *Brian* tenga un déficit de empatía por las condiciones tan anormales en las que creció», me dijo. «Podría muy bien ser un psicópata. Aunque los psicópatas bonobos por lo visto no son tan violentos como los humanos».

Brian es ahora un joven y musculoso macho. Las hembras lo han advertido y las que antes lo rechazaban con violencia ahora le muestran su interés. Después de que *Lody* muriera[43] por el agrandamiento de su corazón en el 2012, el papel de *Brian* como líder del grupo se consolidó. También ha formado nuevas alianzas y Bell afirma que ha «abandonado el camino de la agresividad como actitud».

Durante los últimos quince años, tanto Prosen como Bell[44] han recibido muchas solicitudes de otros zoos en busca de asesoramiento psiquiátrico. «Me llamaban cuidadores para decirme que quieren desprenderse de un macho de once o doce años "por meterse con las hembras o estar haciendo esto o aquello... ¡que está loco!" Pero es precisamente en esos momentos cuando un animal más te necesita. Son la clase de jóvenes macho que necesitan afecto y alguien que les oriente en lugar de rechazarlos. Somos muy afortunados de haber conocido a *Brian*. Curiosamente, fue todo un regalo para nuestro zoo. Él y yo mantenemos una relación muy buena que siempre intento proteger. Sigue siendo un simio de armas tomar y creo que podría hacerme daño, pero seguimos aprendiendo de *Brian*, y siempre lo haremos», dice Bill.

La terapia de *Brian* ha tenido al parecer un éxito rotundo. Y, sin embargo, Prosen se niega a llevarse los laureles por la recuperación del bonobo. Cree que los esfuerzos de Bell[45] y de los otros cuidadores han sido heroicos, que la transformación de *Brian* se debe al grupo de bonobos del zoo, y que en realidad *Lody* y *Kitty*[46] fueron sus verdaderos terapeutas.

«La empatía no sabe de fronteras, ni de especies, es universal y siempre ha estado al alcance de todos», afirmó Prosen. «Después de llegar al zoo descubrí que los bonobos ya la manifestaban mucho antes que nosotros».

Noon Nying, su marido y su sandía

A veces lo que más ayuda a otro animal es una especie de sentido común. Pero en algunos casos es al viajar a los lugares más inverosímiles del planeta cuando caemos en ello.

Conocí a Pi Sarote cuando, sudando a mares, colaboraba con un grupito de voluntarios extranjeros mientras nos íbamos pasando de mano en mano pesados baldes llenos de agua para irrigar un campo resquebrajado por la falta de lluvia al nordeste de la provincia tailandesa de Surin. Estábamos plantando retoños de bambú para alimentar, según lo que nos habían contado, a centenares de elefantes hambrientos que vivían en la localidad de Baan Ta Klang. Aunque dudaba de que alguien fuera a regar esas patéticas plantitas en cuanto los extranjeros nos hubiéramos ido. El proyecto del riego del campo parecía un trabajo para matar el tiempo. Hacía un sol que caía a plomo y me estaba empezando a preguntar por qué se me habría ocurrido echarles una mano. Quería aprender sobre elefantes y no sobre la planta de bambú. En especial sobre elefantes con problemas, sobre todo los de genio montaraz o los que habían matado a gente, y cómo los hombres y mujeres de Baan Ta Klang, famosos por su destreza con los animales, lograban que se sintieran más sosegados y contentos. Cuando Pi Sarote —uno de los *mahouts* designados para ocuparse de nuestro grupo— apareció, advertí que no llevaba ningún gancho ni bastón para intimidar a su elefante. Era la primera vez que veía algo así. Dejé de sentir pena por mí misma y me quedé contemplando su figura recortada contra el sol mientras cruzaba el campo dirigiéndose hacia nosotros.

Dos elefantes caminaban lánguidamente junto a él, parándose de vez en cuando para arrancar una mata de hierba de la dura tierra o comerse un puñado de hojas de la rama de un árbol. Uno de los elefantes, una hembra de setenta y ocho años llamada *Mae Bua*, tenía unos ojos dulces y unas poderosas orejas que agitaba como banderas. Más tarde, me enteré de que había nacido junto a la casa del abuelo de Pi Sarote en 1932. Cuando él murió, el padre de Sarote heredó a *Mae Bua*, y cuando él también falleció, *Mae Bua* pasó a pertenecer a Sarote. Si la elefanta vive lo suficiente, la heredarán sus hijos, a los que ya conoce bien. Sarote la llama *Abuela* y no ha vivido un día de su vida sin tenerla cerca, al igual que su padre. *Mae Bua* nunca ha sido golpeada ni adiestrada para hacer espectáculos para los turistas, y ha dado a luz a seis crías, todas se han quedado con la familia de Sarote y la elefanta se ha ocupado de criarlas, junto con cinco o seis cuidadoras de paquidermos de la localidad.

La otra elefanta que acompañaba a Sarote ese día, una hembra de seis años llamada *Noon Nying*, era tan bravucona y ruidosa como tranquila, observadora y comedida era la de más edad. No paró de intentar desenroscar el tapón de mi botella de agua hasta que le mostré que estaba vacía, y luego trepó a las escaleras de una clínica veterinaria improvisada para robar unos plátanos sin que nadie la viera. *Noon Nying* era también muy protectora con Sarote. Si querías caminar con él, tenías que hacerlo por el otro lado, de lo contrario embutía su gigantesca cabeza y luego su corpachón entre ambos hasta volver a tenerlo a su lado. La mujer de Sarote es la única persona a la que él puede abrazar delante de la elefanta sin que se moleste.

A sus cuarenta y tres años, Sarote tiene unas profundas arrugas alrededor de los ojos por entrecerrarlos a contraluz para mirar a sus elefantes. Bromea todo el tiempo, a menudo sobre los animales, y cuando habla apoya el peso de su cuerpo ociosamente contra el de sus elefantes, como si estuviera reclinado en la barra de un bar. Los elefantes le responden enroscando la trompa en sus manos o apoyando ligeramente el peso de su cuerpo contra él. El día en que conocí a Pi Sarote, *Noon Nying* llevaba con él solo cuatro meses. Se comunicaban sobre todo de una manera silenciosa que parecía que se conocieran de toda la vida. La elefanta lo seguía a todas partes, barritando constantemente, una especie de sonar elefantino con el que le correspondía a su atención y afecto.

Cuando *Noon Nying* y Sarote se encaminaban a una laguna de aguas turbias para tomar su baño diario, él girándose hacia la elefanta le susurraba en un tono apenas audible: «*Noon Nying*, ve a nadar». Entonces la elefanta se metía calmosamente en el agua. Cuando llegaba la hora de irse, los otros *mahouts* llamaban a sus elefantes gritando con toda la fuerza de sus pulmones, intentando engatusarlos para que salieran del agua o a veces metiéndose en la laguna para sacarlos, algunos blandiendo amenazadoramente los ganchos de metal en el aire. Pero Sarote, permaneciendo en la orilla, simplemente ladeaba la cabeza en dirección a *Noon Nying*, o susurraba su nombre, y ella salía trotando del agua para ir a su lado.

Mientras trabajábamos plantando bambú o llenando cubos de agua durante las luminosas tardes que pasé en Surin, de vez en cuando alzaba la cabeza para ver a Sarote. Lo descubría relajado en la única sombra que había en todo el campo, el rectángulo que proyectaba la barriga de *Noon Nying*: entre las cuatro patas de la elefanta. Ella comía hierba apaciblemente sin moverse del lugar mientras Sarote descansaba sentado con las piernas cruzadas debajo de ella, con la punta de la gorra rozando la panza de *Noon Nying*.

Cuatro meses antes nadie se hubiera atrevido a acercarse tanto a la elefanta, y mucho menos a sentarse debajo de ella. *Noon Nying* era tan agresiva que su último *mahout* vivía aterrado por miedo a que le matara o le lesionara seriamente. *Noon Nying* nació en el distrito de Cha'am, al sudeste de Tailandia, de una elefanta del primo de Sarote. Pasó sus primeros años con su madre. Como es costumbre en este país, escogió su nombre eligiendo uno de los tres trozos de caña de azúcar, que significaban cada uno un nombre distinto, que le ofreció un monje de elefantes. Sarote vivía cerca y, aunque no fuera su *mahout*, visitaba a la cría y a su madre a menudo. Cuando la elefanta cumplió un año, empezó su adiestramiento. Le enseñaron a pintar sosteniendo un pincel con la punta de la trompa, y a girar un gigantesco *hula-hoop* de plástico. La estaban preparando para ser un elefante circense y aprender las actuaciones era un duro proceso. Durante un tiempo estuvo actuando en espectáculos locales, pintando cuadros o chutando una pelota en la pista de un circo destartalado y polvoriento del centro de la ciudad. Pero cuando *Noon Nying* tenía cuatro años el primo de Sarote la alquiló a un campamento de elefantes del norte, en las afueras de la ciudad de Chiang Mai, cerca del Parque Natural de los Elefantes, donde *Jokia* y *Mae Perm* viven.

Noon Nying trabajó en él dos años con un *mahout* contratado por el equipo del campamento turístico. Pero la cosa no fue bien. Cuando la elefanta cumplió seis años, la familia empezó a oír desde Surin comentarios sobre que *Noon Nying* era peligrosa y se estaba convirtiendo en un problema tanto para su *mahout* como para los turistas del campamento. No le gustaban las actuaciones para las que la habían adiestrado y se negaba en redondo a realizarlas. Los empleados del campamento, frustrados, llamaron al primo de Sarote, que estaba enfermo, y le dijeron que fuera a recogerla. Sabiendo que Sarote tenía buena mano con los elefantes, el primo le pidió que fuera al norte a recuperarla y viera si se podía hacer algo para que *Noon Nying* se volviera más tratable y estuviera menos alterada. Sarote la recordaba como una cría juguetona y tenía la impresión de que la elefanta no era una asesina, sino que lo más probable era que se estuviera sintiendo deprimida y sola. Al llegar al campamento se encontró con una elefanta demasiado delgada y pequeña para su edad, pero contenta al verle. Hizo el largo viaje de vuelta a Surin con la joven elefanta, esperando tener el suficiente dinero para alimentarla sin verse obligado a hacerla trabajar en un circo.

Cuando llegaron de vuelta a casa, lo primero que hizo Sarote fue juntar a *Noon Nying* con *Mae Bua*, confiando en que la compañía de la longeva elefanta le haría mucho bien. *Mae Bua* había ayudado a otra ansiosa elefanta hacía poco. Una hembra de la localidad tuvo su primera cría, y no solo se negó a amamantarla, sino que además intentó matarla. La noche en la que la cría nació, fueron necesarios cuarenta *mahouts* armados con bastones de punta afilada para impedir que la madre le hiciera daño a su retoño. Tan pronto como la encadenaban, rompía las cadenas y se abalanzaba sobre su cría para intentar aplastar a la pequeña y aterrada criatura. Tras pasar horas en este tira y afloja, los *mahouts* trataron de poner de nuevo a la cría con su madre, pero la elefanta la dejó sin sentido de un trompazo y los *mahouts* tuvieron que reanimar a la pobre cría. Pi Pong, el propietario de los elefantes, un experimentado *mahout*, le pidió a Pi Sarote que trajera a *Mae Bua*, famosa por su gran instinto maternal y su serenidad.

Entonces encadenaron a la madre elefanta a un árbol y confiaron la cría a *Mae Bua*, que estaba plantada fuera del alcance de la madre. Los lugareños dieron unos pasos atrás para contemplarlas. *Mae Bua* acarició a la cría y luego la guió lentamente describiendo un círculo alrededor de su madre. Acompañándola con la trompa, la llevó hasta las ubres de su madre, cargadas de leche, y la animó a succionarlas. La cría lo hizo. *Mae Bua* se quedó cerca vigilando a la cría, y estuvo tranquilizando a madre e hija hasta que la recién nacida aprendió a mamar. Al final Pi Pong liberó a la madre encadenada. Durante dos semanas *Mae Bua* se quedó con las dos elefantas día y noche, y a partir de entonces ya no se volvió a alejar de la madre ni de la cría. Al cabo de dos años, cuando Pi Pong vendió a las dos elefantas al gobierno en otra provincia, *Mae Bua* rompió sus cadenas intentando ir tras ellas. Después de su partida estuvo durante días yendo al lugar donde las había visto por última vez, llamándolas sin parar.

«Cuando a una madre la separan de su cría, ambas se ponen muy tristes», dijo Pi Pong. «Y a las tías les pasa lo mismo. Tienes que encontrarles nuevos elefantes con los que se encariñen, o si no se pasarán toda la noche llorando desconsoladamente sin dejarte dormir».

Durante los días que siguieron a su regreso, *Noon Nying*, Pi Sarote y *Mae Bua* iban caminando juntos a la laguna y las elefantas comían hierba en el seco bosque. Por la tarde, Sarote bañaba a *Noon Nying* y la llevaba por los alrededores del pueblo. Al atardecer la encadenaba al lado de *Mae Bua* y les daba dos buenas pilas de hierba o puntas de piñas. En las noches frías encendía una hoguera para calentarlas, y en las noches en las que abundaban los insectos, encendía otra para ahuyentarlos con el humo. Cada día Pi Sarote acariciaba a *Noom Nying*, animándola, dándole exquisiteces, compartiendo con ella su propia comida, riendo cuando la elefanta hacía algo gracioso y tomándole el pelo con dulzura. Sus hijos también la iban a visitar y hacían lo mismo. Al igual que sus amigos y sus primos. Pi Sarote le hablaba con ternura y a veces con dureza, pero siempre con afecto. Al cabo de poco, *Noon Nying* empezó a ganar peso y a lanzar aquellos barritos tan peculiares que emiten los elefantes para expresar su afecto. Nunca llegó a encariñarse demasiado con *Mae Bua*, pero se acostumbró la mar de contenta a su nueva vida y rutina.

«Ahora sabe que es importante», dijo Sarote. «Ella me quiere a mí y yo la quiero a ella».

La elefanta, además, confía en él. Sarote cree que, después del afecto, la confianza es el aspecto más importante para ayudar a un elefante agitado y desdichado a volver a ser feliz. «No le gusta, por ejemplo, que la encadenen, pero sabe que es lo que tengo que hacer por la noche para poder ir a ver al resto de mi familia y acostarme. Y además sabe que cada mañana estaré allí para quitarle las cadenas».

Una noche cuando estábamos sentados alrededor de una hoguera tomando vino de arroz del país, una bebida lechosa y abrasadora llamada *satoh* en tazas de hojalata, Sarote me contó mientras su hija dormía arrimada a la fogata: «Cuando yo tenía su edad, este lugar era totalmente distinto a como es ahora». Mientras me lo decía, oí los tenues crujidos que hacían al comer *Mae Bua* y *Noon Nying* detrás de nosotros en la oscuridad.

Sarote y los otros habitantes de Baan Ta Klang son guey, un grupo étnico que habita desde hace siglos esta parte del Sudeste Asiático. Los elefantes son el centro de la cultura guey: como miembros de las familias, fuente de ingresos y seres sagrados cuyos nacimientos y muertes son acontecimientos importantes en la comunidad. Durante miles de años los chamanes guey de elefantes se estuvieron internando en los bosques a lomos de elefantes en cautividad, y capturaban con lazos de piel de jabalí de treinta a cuarenta elefantes salvajes al año. Esas expediciones estaban rigurosamente controladas y los hombres que las integraban eran elegidos con suma meticulosidad. Además, durante la expedición les prohibían hablar en la lengua de los guey, en su lugar debían hacerlo con un lenguaje secreto que llevaba años aprender y que solo podían usar en el bosque. Los guey utilizaban a los elefantes capturados para el transporte o los vendían como elefantes de guerra a los reyes de Siam. Más tarde el gobierno tailandés y las compañías británicas adquirían los animales para usarlos en el transporte de madera.

Los inmensos bosques de la región no solo eran el hogar de grandes manadas de elefantes salvajes, sino también de dos especies de rinocerontes (el javanés y el sumatrino), de búfalos de agua, bovinos salvajes (el banteng, el gaur y el kuprey), tigres, leopardos, perros salvajes asiáticos y muchos pequeños herbívoros. Había tantos animales que los guey construían las casas en alto para proteger sus cosechas de arroz de los animales salvajes hambrientos que poblaban los bosques.

Hasta que se capturó al último elefante salvaje en 1961, Surin había alimentado a muchos animales. Pero a finales del siglo veinte prácticamente todos los bosques, junto con los animales a los que sustentaban, habían desaparecido. En esas tierras se extendían ahora bancales de arroz gigantescos, con algún que otro árbol que había sobrevivido. Cuando Pi Sarote era un adolescente, por primera vez en la historia de los guey la comunidad tuvo que comprar forraje para sus elefantes, que siempre se habían alimentado en el bosque. Muchos lugareños se vieron obligados a venderlos, y los que quedaban los tuvieron que encadenar porque ya no había bosques por los que vagar a sus anchas.

Los cambios culturales de los guey fueron tan espectaculares como los del paisaje de su alrededor. Los guey, que durante generaciones habían capturado y adiestrado a elefantes salvajes, ahora cultivaban arroz a pequeña escala y cazaban. Algunos encontraron trabajo en importantes granjas arroceras o aplicaron sus inmensas habilidades con los elefantes adiestrándolos para el senderismo o los espectáculos circenses. Varios de esos hombres tuvieron que ir por las calles de las ciudades del país acompañados de sus elefantes, pidiendo dinero a los tailandeses a cambio de dejárselos acariciar o permitirles darles trozos de caña de azúcar. Fue la ruta que Sarote hizo con *Jan Jou*, un macho con unos colmillos gigantescos, el elefante con el que había estado trabajando desde los once años. La única otra opción habría sido venderlo o alquilarlo a un campamento turístico, pero Sarote se negaba a hacerlo. Y se pasó diez años recorriendo con *Jan Jou* Tailandia. Pasaba la noche bajo una lona con otros lugareños de su localidad, con los elefantes durmiendo a sus pies. Sarote aprendió a hablar cuatro lenguas con fluidez. Y aunque él no lo diga, sabe una quinta más, la de los elefantes. También viajó con su padre y *Mae Bua*, ofreciendo a posibles clientes la oportunidad de subirse a lomos de la elefanta. Sarote habla de esos años con tristeza. Dejó de mendigar por las calles después de que *Jan Jou* enfermara y muriera cuando se encontraban lejos de su hogar.

Unos cuantos hombres de la etnia guey, descendientes de una larga línea de capturadores y de chamanes de elefantes, decidieron llevarlos a la ciudad para mendigar. Pero es un trabajo degradante, peligroso y molesto tanto para ellos como para los elefantes. Están lejos de sus familias y a menudo no es fácil encontrar comida y agua limpia para los paquidermos. Sarote volvió a Baan Ta Klang lo antes posible, pero lamenta la falta de trabajos y la clase de vida que esto comporta para los elefantes. «Los lugareños dejan de mendigar en las ciudades, pero cuando vuelven a su hogar han de mantener a sus elefantes encadenados todo el día para poder ir a trabajar a los arrozales. Y esto no es bueno para los elefantes».

Se me ocurrió que la vida distinta que ahora llevaban los elefantes de Pi Sarote reflejaba los drásticos cambios acaecidos a su alrededor. *Mae Bua* alcanzó la madurez en una época en la que trabajaba solo ocasionalmente. Cuando hacía falta, ayudó a las personas que la habían tratado tanto a ella como a sus crías como a un miembro más de la familia. Cuando no estaba trabajando, la dejaban vagar a sus anchas por un bosque cercano y durante ese tiempo *Mae Bua* se ocupaba de sus crías tan pronto como se había recuperado del parto y también se relacionaba con otros elefantes.

Pero pese a haber sido acogida en la misma familia humana, el mundo de *Noon Nying* fue totalmente distinto. Y, sin embargo, a pesar de los muchos retos que Sarote y su elefanta afrontaron, fue capaz de ayudarla. Curó a la joven elefanta de la crisis emocional y física que sufría hasta que se restableció del todo, evitando que se volviera agresiva y se aislara, y animándola a ser cariñosa y sociable.

Al cabo de casi dos años de haber visitado por primera vez la localidad, volví para ver a Sarote y sus elefantes. Llegué en una camioneta cargada de puntas de piñas, plátanos y pepinos. Los elefantes encadenados a ambos lados de la carretera alzaron la trompa, olfateando el aire mientras pasábamos por el lugar. Sarote me recibió con una gran sonrisa en los labios y me tomó el pelo diciéndome que por fin había vuelto para ser la *mahout* de *Noon Nying*. Me contó que había enviado a *Mae Bua* al sur para que estuviera con unos amigos en Pattaya, una zona rica en campos de ananás. Había llegado la hora de jubilarla y creyó que tendría una buena jubilación en un lugar donde dejan vagar a los elefantes a su antojo por los campos después de recoger la cosecha, permitiéndoles comer tantas piñas desechadas como les apetezca.

Noon Nying había crecido al menos un palmo y medio desde la última vez que la vi y había engordado tanto que ahora parecía un globo. Se veía maciza, oronda y robusta, tal como una elefanta de siete años debe ser. Emitía una especie de runrún de contento, plantada al lado de Sarote, sin dejar todavía que nadie se metiera entre ellos. Tras estar charlando varios minutos con él, *Noon Nying* lanzó un agudo barrito y otro elefante echó a correr como un poseso hacia nosotros del otro lado de la carretera. Era del mismo tamaño que ella, estaba sano y gordo, tenía una cabeza ancha y un atronador modo de andar. Fue directo como una flecha hacia nosotros a una velocidad inaudita. Noté el suelo temblando.

Pi Sarote vio que me estremecía y se echó a reír.

—Ese es *Teng Mo*. Significa «sandía» en tailandés. ¡No me digas que te da miedo una sandía!

Mientras me lo decía, comprendí que nosotros no éramos el objeto de atención del elefante, sino *Noon Nying*. Se reunieron con una explosión de barritos.

La elefanta reticente y flaca, que hacía menos de dos años se mostraba de lo más indiferente con los otros elefantes, se había hecho amiga de uno. Sarote me contó que durante los últimos seis meses *Teng Mo* y *Noon Nying* habían sido inseparables. *Teng Mo* tenía cinco años, era dulce y ligeramente impetuoso, pero extremadamente cariñoso con *Noon Nying*. Lo habían adiestrado para sentarse y levantar una pata cuando se lo pedían, pero como sus propietarios habían decidido que no querían que trabajara en un circo, no le habían enseñado a pintar, a jugar a fútbol ni a girar un *hula-hoop*.

En lugar de dejar a Sarote por su nuevo amigo elefante, *Noon Nying* ahora va a todas partes con sus dos machos. Articula barritos de contento y no le gusta separarse de ninguno de los dos. Cuando Sarote se dio media vuelta para dirigirse a una laguna cercana, los dos elefantes flanqueándolo echaron a andar con él, enlazando la punta de sus trompas extendidas sobre su cabeza y emitiendo un runrún de satisfacción. El sándwich de paquidermos con hombre avanzó calmosamente hacia el bosque de eucaliptus, con Sarote invisible en medio, salvo por sus pies asomando entre los otros ocho mientras caminaban.

Recuerdo una conversación que mantuve con Sarote en mi última visita. Estábamos sentados con las piernas cruzadas a la sombra, junto a una cría de elefante de tres semanas que dormía, a la que su madre velaba. La postura de la madre me recordó la forma en que *Noon Nying* se quedaba plantada mientras Sarote descansaba en el campo. De vez en cuando la cría barritaba en sueños o agitaba las patas como si estuviera corriendo, y entonces la madre la acariciaba con la trompa.

«Los elefantes son muy importantes aquí», me dijo. «Son como de la familia. Si no tuviéramos elefantes, este pueblo no existiría. Ni yo tampoco. Así es como siempre ha sido. Y además nos ayudamos unos a los otros. Como cuando el río se desbordó el año pasado. El agua era tan profunda que la gente no podía atravesar los arrozales. Pero los elefantes nos ayudaron. Era como cuando no teníamos camiones. Trabajamos juntos».

Me pregunté si en esta extraña relación había algo beneficioso y, si era así, si le había ayudado a *Noon Nying*. ¿Era la relación terapéutica *tanto* para los humanos *como* para los elefantes? En una ocasión le pregunté a Sarote cómo consiguió curar a una elefanta trastornada como *Noon Nying*. Él me respondió: «*Jai dee*» poniéndose la mano en el pecho. Significa literalmente «buen corazón», pero no quiere decir solo esto, sino también buenas intenciones, entusiasmo y algo más misterioso que no sabría decir qué es exactamente.

«Si tienes *jai dee*, los animales lo sabrán y también tendrán *jai dee*».

Lo opuesto también es cierto. En Surin, mucha gente cree que si no tienes *jai dee* tu elefante no será feliz ni afectuoso. Y si un elefante es malo y cruel sin una buena razón, si no tiene un buen corazón, el *mahout* también se volverá malo, cruel y desdichado. Sarote y el resto de miembros de la etnia guey, junto con muchos otros *mahouts*, veterinarios y adiestradores a los que conocí en otras partes de Tailandia, creen que la frontera entre los humanos y los elefantes es porosa, al menos en cuanto a la salud mental. Suponen que los sentimientos, las intenciones y la empatía se pueden transmitir de manera que curen o hagan daño. Esta creencia en las experiencias emocionales compartidas impregna la vida de Sarote, de sus colegas y de los miembros de su familia, condicionando decisiones prácticas como la de si a un *mahotut* se le asigna un determinado elefante o si sigue desempeñando su trabajo si él y el elefante parecen ser incompatibles emocionalmente.

El monje de los elefantes me dijo: «Para entender a los otros animales tienes primero que entenderte a ti». Lo que yo no sabía cuando me senté en los peldaños del monasterio esperando oír alguna clase de gran declaración sobre la mente de los animales, era que también funciona en el otro sentido. Durante siglos los humanos nos hemos dedicado a observar, trabajar con, ser amigos de, enjaular, atrapar, alimentar, celebrar, denigrar, temer, identificarnos con, desconfiar, fastidiar, acariciar, estudiar, medicar y curar a otros animales, a menudo para conocernos mejor a nosotros mismos y entender la química cerebral, la conducta, los procesos mentales y las emociones de los humanos y nuestras luchas por conservar la cordura.

Quizá, tal como los hombres del clan elefantino de los guey me convencieron de ello, las divisiones entre los humanos y los otros animales sean mucho más permeables de lo que creemos, al menos en cuanto a la salud mental y a cómo la interpretamos. Es decir, en cierto modo, se parece a lo que afirma el adiestrador canino Ian Dunbar acerca de que la vida poco saludable que llevamos hoy día se refleja en la vida poco saludable de nuestros perros y gatos. También recuerda la idea que se tenía de la locura en el siglo diecinueve como algo que se podía transmitir libremente de los humanos a los otros animales. *Jai dee* es la otra cara, mucho más brillante, de la moneda. Como Pi Sarote me dijo: «Cualquiera puede tener *jai dee*». La felicidad que sale del corazón es tan contagiosa como lo contrario. ¡Gracias a los perros!*

---

* La autora hace un juego de palabras entre *Thank God* («gracias a Dios»), y *Thank dog* («gracias a los perros»). *(N. de la T.)*

Epílogo
El perdón de las diabólicas

«La relación de un ser humano con otro no humano es cosa de dos
y no de uno.»

Donna Haraway, *The Companion Species Manifesto*

Uno de los aspectos más esperanzadores de las enfermedades mentales de los animales es que, pese a todo, muchos progresan, o al menos exhiben una clase de conducta que se parece mucho a la resiliencia. *Brian*, el bonobo, mejoró con la ayuda de *Lody*, *Kitty*, los cuidadores del zoo, el empujón de los medicamentos y un entorno sumamente controlado. *Gigi* se volvió más fuerte con el apoyo de otros gorilas hembra y el duro trabajo de los humanos que velaban por ella. *Mosha* sigue brincando detrás de Ladee, barritando de gozo en las tardes apacibles, mientras en un lugar más lejano del sur *Teng Mo* y *Noon Nying* se revuelcan juntos forcejeando en el lodo, unidos por su afecto y por el que sienten por Pi Sarote. Últimamente, el burro *Mac* también ha mejorado un poco. Ya no se muerde a sí mismo ni mordisquea los barrotes de metal de la cuadra tanto como antes y está más relajado, porque mi madre y su pareja han ampliado el lugar donde vive, asignándole una zona más espaciosa llena de hierba de la que alimentarse y ahora se distrae comiendo cardos. También toman cerveza al filo de la noche en lo alto de la colina, en la zona lindante con el terreno de *Mac*. Al atardecer puede contemplar desde allí, aunque sin tener la mesa de picnic a su alcance, una parte de la actividad humana por la que tanta curiosidad siente.

Algunos de estos seres les han dado a sus cuidadores humanos una segunda oportunidad, o una cuarta. Sé que *Oliver* nos la dio a Jude y a mí. Su primera familia le decepcionó, pero nos dio su afecto de todos modos. Si los perros pueden sentir esperanza, tal vez fuera eso lo que a *Oliver* le pasaba, o quizá se caracterizara por una efusividad desesperada. Pero fueran cuales fueran las congojas, las compulsiones o los miedos que le acosaran, no le impidieron expresar su obstinada versión del amor.

Varios años después de la muerte de *Oliver*, fui a Baja California (México) con la bióloga conductual y de fauna silvestre Toni Frohoff para agitar las manos en el agua desde una *panga,* una lancha de fibra de cristal. Esperaba toparme con una ballena. Frohoff, la misma investigadora a la que[1] consultaron sobre un delfín trastornado de un centro comercial, se centra en la conducta y la comunicación de los mamíferos marinos, en especial entre los «cetáceos solitarios y sociables». Estos delfines y ballenas eligen vivir solos en lugar de hacerlo con un grupo de su misma especie, relacionándose a menudo más con humanos que con sus semejantes. Frohoff ha recorrido el mundo estudiando a estos cetáceos de conducta tan extraña, como la cría de beluga huérfana llamada *Q* en el este de Canadá que prefiere cantar y jugar con personas. No fui a Baja con Frohoff para ver cetáceos solitarios y sociables como *Q*, sino a un grupo de ellos, a las *ballenas amistosas,* o las afectuosas ballenas grises. Me prometió que, si desde la lancha azul y blanca agitaba las manos en las lagunas donde las ballenas parían, estas vendrían a vernos y, si teníamos suerte, quizás incluso se dejarían acariciar.

Las ballenas grises californianas pasan el verano en el Ártico,[2] alimentándose de pequeños invertebrados. A finales del otoño y a principios del invierno las ballenas hembra en edad fértil y los machos lo bastante mayores como para fecundarlas viajan casi diez mil kilómetros hacia las lagunas templadas y de poca profundidad de la costa del Pacífico de Baja para aparearse y tener y amamantar a sus ballenatos. A mediados del siglo diecinueve y en la primera mitad del veinte, esta congregación estacional de ballenas era un objetivo muy buscado por el preciado aceite.[3] Capitanes balleneros como Charles Melville Scammon,[4] que se servían de la última tecnología ballenera, estudiaban a esos mamíferos a fondo y escribían detallados relatos de su historia natural. Lo usaban para su propio provecho, navegando hasta las lagunas para arponear a los ballenatos, una treta para atraer a las madres, que nadaban desesperadas a toda velocidad hacia las embarcaciones intentando rescatar a sus crías.

Las ballenas grises luchaban con tanta bravura[5] que los capitanes balleneros y su tripulación las llamaban las «diabólicas». Las ballenas mataban a los marineros y destrozaban sus embarcaciones hasta reducirlos a fragmentos e indujeron a un periodista de San Francisco a escribir en 1863: «Han perecido tantos marineros intentando capturarlas como en el conjunto de todas las zonas balleneras».

Pero la ferocidad de las ballenas no las salvó. A principios de la década de 1900 quedaban menos de dos mil[6] ballenas grises de California. En los años treinta y cuarenta las comenzaron a proteger,[7] y poco a poco la población se empezó a recuperar. Pero de pronto, en 1972, una mañana de invierno sucedió algo de lo más desconcertante.

Cuando el pescador mexicano Francisco Mayoral, conocido por sus amigos como Pachico, estaba pescando en su *panga* en medio de la Laguna de San Ignacio, él y un amigo notaron de repente que la lancha se detenía en seco. Era como si hubieran encallado en la arena, solo que seguían en medio de la laguna. Los pescadores comprendieron que habían encallado en el lomo de una inmensa ballena hembra. Ella se deslizó un poco más por debajo de la lancha y la levantó aterradoramente en el aire a varios palmos del agua, y luego la depositó en la laguna con suavidad. Después la ballena asomó la cabeza a la superficie justo al lado de Pachico y se lo quedó mirando. Él esperó un momento y luego alargó la mano para tocarla, primero con un dedo y después con la mano. A los pocos segundos, la ballena volvió a sumergirse en el agua calmosamente.

Al cabo de poco, los pescadores que faenaban por toda la laguna empezaron a compartir relatos similares. Las ballenas parecían sentir curiosidad, como si quisieran comunicarse con ellos. Y además eran juguetonas. Se filtraron noticias de ballenas comportándose de la misma forma en Ojo de Liebre, la otra laguna de Baja donde iban a procrear.

Ranulfo, el hijo de Pachico,[8] que ahora como la mayoría de pescadores de la zona trabajaba de guía acompañando a los turistas a observar a las ballenas en la estación del año en la que se reproducen, le dijo al periodista Charles Siebert que antes de que aquella ballena se acercara a su padre «todos intentaban hacer lo máximo posible por evitarlas». Pero después de ese primer encuentro con una ballena amistosa, todo cambió. Los pescadores empezaron a agitar sus manos en el agua por toda la laguna, y las ballenas se acercaban nadando y ponían sus gigantescas cabezas debajo de las manos de esos hombres. Y además se giraban para mirarlos a los ojos, arrojaban hacia las lanchas su brumoso aliento por el orificio respiratorio, y levantaban las *pangas* con suavidad en el aire y las posaban de nuevo en el agua. Cuarenta años más tarde, los pescadores no se sorprenden cuando las ballenas lo hacen. Ya están acostumbrados. En la actualidad, cerca del 10 al 15 por ciento de ballenas de las lagunas,[9] sobre todo las madres con ballenatos, son sociables. Durante los meses de invierno, cuando las ballenas están en las lagunas, los pescadores dejan de pescar y trabajan como guías para la observación de ballenas y pilotando lanchas. Llevar a pequeños grupos de ecoturistas y de investigadores a ver las ballenas «amistosas» les resulta sumamente rentable. Y a cada turista que va a verlas le dicen que se quite las gafas de sol porque a las ballenas grises les gusta establecer contacto visual con los humanos.

Un día de marzo me pasé a primeras horas de la tarde más de una hora en la laguna de San Ignacio con una ballena adulta y su cría. La madre, de más de doce metros de largo, se acercó nadando calmosamente a nuestra *panga,* con su cría de un mes cabeceando a su lado, y de pronto con un rápido movimiento, se la puso sobre la cabeza y la fue empujando hacia la lancha y nuestras movedizas manos agitando el agua. Lo hizo una y otra vez, y tras caer rodando el ballenato de la enorme cabeza de su madre, se puso a arrojar burbujas, respirando sonoramente, y luego se giró para mirarnos a los ojos. A veces abría la boca —exponiendo sus barbas de ballena, todavía relucientes, nuevas e inmaculadas—, y luego se giraba para que pudiéramos acariciarle el lado de la cabeza, sus anchas encías y su larga mandíbula. Acariciar a una cría de ballena se parece a tocar uno de esos asientos acolchados plastificados de los estadios, o uno de esos llaveros flotantes con un barquito colgando. Su piel era suave y blanda a la vez, y aunque el agua estuviera fría, su cuerpo estaba caliente. Su madre alzó suavemente la lancha dos veces en el aire y luego la volvió a posar en el agua. Al menos media docena de veces el ballenato se puso debajo de nuestras manos para que le acariciásemos y le frotásemos el lomo, mirándonos a los ojos a las dos. Al exhalar el aire, me cubrió de moco de ballena y de agua de mar, con los ojos brillándole. ¿Estaba gastándome una broma? No lo sé con certeza. Pero su interés y sus ganas de jugar eran inconfundibles. Parecía el crío más enorme del mundo.

Buscar una ballena amistosa en la inmensa masa de agua de la laguna de San Ignacio es imposible, las ballenas pueden estar en cualquier parte, incluyendo el área que queda fuera de los límites de las lanchas desde las que las observan. Los guías saben que la única forma de encontrarse con ellas es ir hasta el centro de la laguna o navegar lentamente dando vueltas a su alrededor, esperando que una ballena interesada se acerque a *ellos*.

Lo más desconcertante[10] es que las ballenas grises son muy longevas, viven ochenta años o quizás incluso más. Las primeras ballenas amistosas que se acercaron a Pachico y a los otros pescadores eran bastante mayores. Sus madres, o sus padres, tal vez lucharon por salvar su vida en la laguna cuando estaba plagada de balleneros y de sus barcos, con el agua enrojecida por la sangre de ballenas y hombres.

«La primera vez que visité la laguna, la primera ballena que se acercó a la lancha salió por el lado en el que yo estaba», me contó Frohoff. «Metí la mano en el agua y la ballena se deslizó debajo de ella, y entonces fue cuando vi la cicatriz de un arpón en su costado. De pronto se me ocurrió que esa ballena sabía lo que significaba ser atacada por un humano y que aun así se acercaba a mí».

Las razones por las que las ballenas lo hacen sigue siendo todo un misterio. Aunque circulan algunas teorías. Una es que tal vez usan las lanchas y las manos humanas a modo de esponja para quitarse de encima los percebes. Pero las ballenas no se frotan con la suficiente fuerza como para sacárselos, y aunque se frotaran solo un poco en una lancha la volcarían, algo que no ha pasado desde que se prohibió la caza de ballenas. Otra teoría es que los pescadores las estén alimentando a escondidas. Pero las hembras no comen cuando están amamantando a sus ballenatos y estos solo se alimentan de la leche de su madre. Los guías y los pescadores, que a finales del invierno y a principios de primavera se pasan todo el día alrededor de las ballenas y llegan a entender su conducta, tienen sus propias teorías.

Jonas Leonardo Meza Otero ha estado llevando a la gente a verlas toda su vida de adulto y cree que al menos conoce una parte de la respuesta. Una noche, mientras estábamos sentados en sillas plegables en la playa bebiendo cerveza Dos Equis y contemplando las ballenas expulsando chorros de agua a varios cientos de metros de distancia de la costa, me dijo: «Creo que son curiosas. Y también que saben que están seguras en la laguna. Creo que las madres muestran a sus crías cómo son los humanos. Les están enseñando una lección. También es posible que estén algo aburridas, porque todo cuanto hacen es amamantar a sus crías, y al menos se distraen un poco con nosotros».

Lo cierto es que las interacciones amistosas de las ballenas solo tienen lugar en las lagunas de Baja. Las mismas ballenas han sido vistas en las costas de Estados Unidos y de Canadá dirigiéndose al norte, pero no interactúan con la gente en ninguna parte como lo hacen aquí.

También hay otra teoría: que las madres les estén enseñando a sus ballenatos lo que son los barcos. Aparte de las orcas, que se alimentan de las crías de ballenas grises, las colisiones con los barcos en las rutas migratorias de las ballenas son la mayor amenaza para su supervivencia en cuanto abandonan la laguna.

«Hay quienes quizás afirmen que esas ballenas no son lo bastante inteligentes como para saber diferenciar el tranquilo ambiente de hoy día de la laguna de lo que sucedió en ella antaño, que no son lo bastante listas como para recordar que los humanos podemos hacerles daño y matarlas», me dijo Frohoff. «Sin embargo, las evidencias históricas y la información limitada que tenemos sobre esas ballenas nos obligan a creer lo contrario».

Hay muchos relatos de ballenas que aprenden a evitar ciertas zonas del mar, sobre todo los lugares peligrosos donde pueden toparse con orcas hambrientas esperando atrapar un ballenato y con cazadores humanos, o donde tienen más posibilidades de colisionar con embarcaciones. Frohoff cree que las ballenas tienen memoria por su comportamiento de intentar protegerse a sí mismas, y sostiene que para sobrevivir en sus largas migraciones tienen que ser inteligentes, saber evaluar las situaciones y decidir con rapidez.

Tal vez afirmar que la extrema violencia de la caza ballenera les ha creado en cierto modo un trauma psicológico a nivel de especie a las ballenas sea ir demasiado lejos. O quizá no. Tal como han revelado las investigaciones sobre la vida social, la comunicación y la cognición de las ballenas,[11] muchas especies de cetáceos tienen una cultura y un lenguaje, y pertenecen a sociedades complejas. Son muy longevos y recordar dónde les han hecho daño y dónde se han sentido seguros es vital para su supervivencia. Las matanzas masivas de ballenas por parte de los humanos[12] fueron acontecimientos fundamentales en su historia natural. Y su decisión de acercarse a nosotros en las mismas aguas donde tuvieron lugar las sanguinarias masacres es un acontecimiento fundamental en la nuestra.

La conducta de las ballenas la podemos llamar resiliencia o capacidad de recuperación, o antropomorfizarla en una clase de perdón hacia los humanos. Al menos las ballenas están haciendo algo que se parece mucho a una expresión de curiosidad afectuosa y juguetona. Contemplar a un ballenato en libertad saliendo de las profundidades del mar con su madre, acercarse a la lancha y mirarnos a los ojos mutuamente, ha sido uno de los encuentros más poderosos y desconcertantes de mi vida. Creo que es así porque le salió de dentro. Al contrario de una beluga de acuario, de un panda del zoo o del chihuahua de mi vecina, que me miran a los ojos porque no tienen otra cosa más que mirar, porque esperan a que les dé comida o porque me tienen miedo, estoy segura de que las ballenas de Baja me miraron con la misma sorpresa y curiosidad que yo sentí por ellas.

Tras partir de Baja, durante la primavera y el verano siguientes me dediqué a pensar en los ballenatos y sus madres nadando hacia el norte rumbo al Ártico, sorteando buques portacontenedores, navíos de guerra y grupos de orcas. Me estuve preguntando si en su camino se cruzarían con delfines yendo a la deriva, con nutrias embriagadas de confianza o con leones marinos frenéticos nadando hacia el mar abierto. Pero sobre todo estuve pensando en nuestros encuentros con otros animales y me pregunté qué debíamos hacer para que estas interacciones se parecieran más a la de los humanos con las ballenas de Baja. ¿Era posible fomentar la buena salud mental tanto de los animales cautivos como libres no solo intentando no hacerles daño, sino además procurando rectificar nuestros errores?

Aunque sea generalizar un poco, durante el siglo pasado nuestra forma de considerar la fauna se englobaba en dos visiones filosóficas opuestas: dejar a los animales salvajes que se las apañaran solos, o cazarlos, fastidiarlos, extirparlos o domesticarlos. No ha funcionado ni la actitud dura de aprobar leyes para evitar que los humanos pisemos los parajes naturales o para aislar a sus habitantes de nosotros, ni lo opuesto: permitirle a la gente el libre acceso a los animales salvajes y a los lugares de los que dependen. No podemos dejar que los otros animales se las arreglen solos, porque hemos invadido el mundo con nuestra presencia y nuestras actividades. Además, nos gusta estar rodeados de animales y a algunos de ellos también les gusta estar a nuestro alrededor.

Oliver me lo enseñó. Al igual que *Mosha*, *Noon Nying* e incluso *Gigi*. El peso de todas esas historias reunidas me convenció de que debemos fijarnos más en la salud mental de otros seres, porque lo que es bueno para ellos lo suele ser para nosotros. Mucha gente ya ha asumido esta responsabilidad, y la observación resultante —de monos ejecutivos, perros nerviosos, ratas relajadas, leones marinos trastocados y de más seres con problemas— ha ido influenciando silenciosamente cómo vemos nuestra mente trastornada y qué podemos hacer para recomponerla.

Intentar entender a *Oliver* también me permitió ser un poco más bondadosa conmigo misma y con los humanos y los otros animales de mi alrededor. Cuando sentimos que un cerdo o una paloma son seres vivos como nosotros, cuando lo sentimos *de verdad*, no podemos evitar compartir un poco de este afecto con los de nuestra propia especie, ya que somos al fin y al cabo un animal más. Aunque ha habido excepciones, claro está. Adolf Hilter amaba tanto a su perra *Blondi*, un pastor alemán,[13] que en las últimas semanas de guerra arriesgó su propia vida saliendo del búnker para sacarla a pasear. Y se dice que Kim Jong-il gastó[14] cientos de miles de dólares en sus shih tzus y perritos falderos, trayendo de Francia en avión a un veterinario francés para que los tratara y alimentándolos con los restos de su plato (asegurándose de que comieran mejor que la mayor parte de norcoreanos). Pero para la mayoría de personas amar de manera altruista a otro ser vivo les hace amar a otros humanos, al fin y al cabo somos una clase de animal más como los pandas, las vacas o los shih tzus. Por eso nunca confío en los activistas misóginos que defienden los derechos de los animales, o en los que creen que en el fondo el *Homo sapiens* se ha echado a perder más que cualquier otra especie. Los activistas por los derechos humanos están también luchando por los derechos de los animales. En realidad, fue la pérdida de *Oliver* lo que hizo que lo aprendiera.

Me avergüenza admitirlo, pero no estoy segura de adónde fueron a parar las cenizas de *Oliver*. Jude volvió a Boston antes que yo y se ofreció para ocuparse de la triste tarea de ir a recoger lo que quedaba de nuestro perro, junto con su roñoso collar palmeado estampado con bellotas y su cama redonda. Sé que se llevó el collar a un bosque del oeste de Massachusetts, lo dejó sobre una roca y se fue. Pero no sé en qué bosque lo hizo ni me vi con la fuerza suficiente para preguntárselo.

Así es cómo amamos a las personas y a los otros animales más cercanos. Cuando los perdemos, sentimos un dolor atroz que nos sale de las entrañas. Todavía conservo recuerdos táctiles de las orejas de *Oliver*, de sus patas entre mis manos, de sus almohadillas ásperas y extendidas, del pelo suave y claro asomando entre ellas. Recuerdo el aroma de su cuello, silvestre pero reconfortante, como el suelo de madera de pino de nuestro apartamento en Washington D. C.

Tras su muerte, durante años pensar en *Oliver* era como visitar el crudo territorio de la culpabilidad. Intenté evitarlo. Fui a visitar otros países. Conocí a elefantes y loros, gatos y ballenas, caballos y focas. Cada vez que alargaba la mano para acariciar su pellejo, sus plumas, su pelaje o su piel estaba acariciándole a él.

Descubrí que el territorio de la culpabilidad está abarrotado de gente. Muchos de nosotros estamos en él buscando respuestas y culpándonos, preguntándonos qué habría pasado si hubiéramos llevado el perro al parque más a menudo, si nos hubiéramos negado a adoptar al segundo gato que el primero rechazó, si hubiéramos limpiado con más frecuencia el terrario de la iguana, si le hubiésemos dejado al hámster jugar durante más tiempo con la pelotita de plástico, o si hubiéramos montado a nuestro caballo tanto como habíamos planeado en un principio. Aunque los animales no enloquecen por nuestra culpa, al menos no siempre es así. Cuando tenemos que ocuparnos de los seres con quienes compartimos la cama, el sofá, el patio trasero de nuestra casa y nuestro más profundo afecto, la mayoría hacemos todo lo posible por ayudarlos. A menudo lo intentamos incluso con mucha más energía de la que nos habíamos imaginado poner. Algunos de nosotros desesperados hasta llegamos al extremo de gastar nuestros ahorros o de pagar las visitas al veterinario con la tarjeta de crédito, esperando a que nos llegue dinero de alguna parte antes de que nos cobren la factura. Nuestras intenciones son buenas, lo único que pasa es que la condición humana tiene sus limitaciones y algunos problemas no pueden resolverse simplemente cobijando esperanza.

Aunque esto no quiere decir que nos podamos lavar las manos. Hay muchos elementos estructurales de nuestras vidas con otros seres que les hacen sufrir innecesariamente y de los que podríamos muy bien prescindir. Podríamos dejar de enseñar a los animales a pintar, bailar y jugar a fútbol, y no hacer que los chimpancés salieran en los anuncios de la tele ni las jirafas en las películas. Podríamos cerrar los zoos de nuestro país, o por lo menos dejar de engañarnos creyendo que tenemos el derecho a ver a animales exóticos como los gorilas, los delfines y los elefantes en cada ciudad importante. Podríamos dejar de intentar convencernos de que tener a animales enjaulados o en tanques es la mejor forma de educar e informar a los demás sobre ellos, sobre todo teniendo en cuenta que esta clase de vida les cuesta su propia cordura. Podríamos en su lugar transformar los zoos y delfinarios en lugares donde la gente pudiera relacionarse con animales, tanto domésticos como salvajes, que gozan con nuestra presencia, con seres como caballos, monos, llamas, vacas, cerdos, cabras, conejos e incluso mapaches, ratas, ardillas, palomas y comadrejas. Podríamos cambiar los estanques de los osos polares por zoos con animales que se dejen acariciar y crear granjas docentes, lecherías urbanas y centros de rehabilitación de animales salvajes donde los niños y los adultos de la ciudad pudieran ofrecerse como voluntarios, asistir a clases, elaborar queso, ocuparse de las abejas, cultivar un huerto y estudiar veterinaria, ecología y la cría de animales.

También podríamos dejar de llevar la clase de vida que hace que una gran cantidad de nuestras mascotas acaben tomando psicofármacos. Podríamos pasar más tiempo caminando y jugando con ellos, y menos hablando por teléfono, consultando los correos electrónicos y mirando la tele. Podríamos dejar de traer animales a nuestra vida que en el fondo sabemos que no podremos cuidar, y reconocer en ellos y en su conducta perturbada nuestros propios hábitos poco sanos.

Además, podríamos empezar en serio a tener en cuenta a los animales marinos. Es decir, podríamos aceptar que los delfines, las ballenas y otra clase de seres marinos pueden llegar a enloquecer literalmente por culpa de nuestras acciones, y esforzarnos de una manera más sistemática para proteger su audición, sus migraciones, sus rutas, la calidad del agua y las fuentes de alimento, ya que al final nosotros también saldremos ganando.

Podríamos dejar de consumir cerdos, pollos y vacas con trastornos mentales, y abandonar las prácticas de las granjas masivas que por su gran crueldad constituyen una tortura institucionalizada. Podríamos dejar de adornar nuestros abrigos con la piel de visones, zorros, martas y chinchillas compulsivas, y dejar de testar nuestros fármacos, cosméticos y procedimientos médicos en animales de laboratorio enjaulados solos en unas condiciones terriblemente incómodas.

Y lo más importante, también podríamos aceptar la creencia de Darwin sobre que los humanos no somos más que otra clase de animales que se diferencia del resto solo en cierto grado. Este tipo de cambios no serán fáciles ni rápidos. Exigirán el poder autotransformador de los camaleones, la perseverancia de las mulas, la fortaleza de las ballenas migratorias y la ingenuidad y la compasión de los humanos. Pero valdrá la pena intentarlo.

Agradecimientos

No hay bastantes fórmulas de agradecimiento para expresar mi gratitud a las personas y a otros animales que han hecho posible este libro. Estoy especialmente en deuda con la generosidad de los zoos, los refugios para animales, las clínicas veterinarias, el personal de las reservas naturales y los veterinarios que han respondido a mis preguntas y que, de vez en cuando, me han presentado a sus colegas. Vosotros sois mis héroes.

En especial quiero dar las gracias al Dr. Mel Richardon, un valeroso campeón y compañero para los animales no humanos de todas partes; a la Dra. Hayley Murphy del Zoo de Atlanta; a Pat Derby y Ed Stewart del Performing Animal Welfare Society Sanctuary; a Daniel Quagliozzi del SFSPCA; a Nicole Cottam de la Clínica Veterinaria Conductual de Tufts; a los jefes de mi equipo, a mis compañeros voluntarios y al personal del Centro de Mamíferos Marinos; a los cuidadores de las belugas del Acuario Mystic; al equipo de voluntarios del Bosque de Gorilas del Congo del Zoo del Bronx; a Ric O'Barry; a la Dra. Diana Reiss, la Dra. Lori Marino y al equipo de cuidadores de elefantes del Zoo de Oakland; a Katherine McCleod; a los educadores voluntarios del Zoo de San Francisco; a la Dra. E'lise Christensen y a sus pacientes; a la Asociación Internacional de Adiestradores de Mamíferos Marinos; al Dr. Joseph LeDoux, a Ruth Samuels, Ann Southcombe, la Dra. Donna Haraway, a Phoebe Greene Linder y su bandada de loros; a Barbara Bell y a los bonobos del Zoo del Condado de Milwaukee; a Mike Mease y la Buffalo Field Campaing; a Pam Schaller y los pingüinos de la Academia de las Ciencias de California; al Dr. Nigel Rothfels, a la Dra. Beatriz Reyes Foster y Gail O'Malley; al equipo del bosque tropical del Parque Zoológico Franklin, en especial a Paul Luther; y a Jeannine Jackle, la dedicada amiga y miembro de los grupos de gorilas de todas partes.

En Tailandia le estoy profundamente agradecida a Jodi Thomas, Pi Sarote, Lek Chailert, al Dr. Preecha Phuangkum, Richard Lair, Gawn, Paladee, Pi Pong, Pi Som Sak, Silke Preussker, Mattie Illel, Para Ahjan Harn Panyataro, Ann Tidarat Jitsarook, Jeff Smith, al Dr. Pak, *Jokia*, *Rara Mae Perm*, *Mosha*, *Noom Nying*, *Mae Bua* y *Teng Mo*. Deseo dar las gracias al personal del Parque Natural de Elefantes, a los Amigos del Hospital de Elefantes Asiáticos, al Centro de Protección de Elefantes de Tailandia, al Proyecto Surin, a la población de Baan Ta Klang y a los elefantes que viven en ese lugar.

En México, me gustaría dar las gracias a Baja Discovery, a los guías para la observación de ballenas, los *pangueros* y las numerosas cooperativas dedicadas a proteger la laguna, a la familia Mayoral, a Marcos Sedano, Lupita Murrillo, Molo, al Dr. Toni Frohoff, a Nina Katchadourian y las ballenas que vinieron a conocerme.

Estoy en deuda con médicos, psicoterapeutas y psicólogos como la Dra. Cynthia Zarling, Catherine Keeling, el Dr. Harry Prosen, el Dr. Michael Mufson, el Dr. Phil Winstein, el Dr. Ralph Nixon, la Dra. Barbara Natterson-Horowitz, Maria Cimino y el Dr. David Jones.

Le estoy muy agradecida a los archiveros y bibliotecarios que me permitieron acceder a su material y me indicaron las direcciones más provechosas para mis investigaciones, como el personal de los archivos de la Wildlife Conservation Society, Barbara Mathe y los laboriosos archiveros del Museo de Historia Natural de Nueva York; a Darrin Lunde del Instituto Smithsonian y al equipo de investigadores de la Academia de Ciencias de California; a los archiveros del Hospital Mental Bethlem, la Biblioteca Hayden del MIT y la Biblioteca Widener de Harvard, y agradezco asimismo la ayuda que me prestaron en la investigación Sharon Price, Matthew Christensen, Brooke LeVasseur y Stella Smith-Werner.

En cuanto al Instituto Tecnológico de Massachusetts, estoy profundamente agradecida a la Dra. Harriet Ritvo por sus consejos, al Dr. Stefan Helmreich, a la facultad y el personal de los cursos de Historia, Antropología y CTS, a Karen Gardner y a mis compañeros de posgrado. En lo que respecta a la Universidad de Harvard, me gustaría además dar las gracias al Dr. David Jones, la Dra. Janet Browne y la Dra. Sarah Jansen, así como a todos mis alumnos de Dogs y How We Know Them.

Quiero agradecer al Neuwrite Group de la Universidad de Columbia, al Dr. Carl Schoonover, a Jon Mooallem, al Headlands Writing Group, a Eric Marcus, al Instituto Max Planck de Antropología Social, al Dr. Ethienne Benson, a Doug McGray y a Carrie Donovan por haber leído varias partes de este libro y por ofrecerme inapreciables observaciones. Al igual que a Sina Najafi y *Cabinet Magazine, Pop-Up Magazine,* the TED Fellow Program y the Headlands Center for the Arts por brindarme la oportunidad de poner a prueba este material de manera directa y personal.

Deseo expresar mi agradecimiento por el apoyo que me han ofrecido en mis investigaciones los cursos del MIT de Historia, Antropología y Ciencias, Tecnología y Sociedad, el curso IGERT de la Fundación Nacional de Ciencia, el Centro para Estudios Visuales Avanzados del MIT, la beca John S. Hennessey para Estudios Medioambientales, la beca presidencial del MIT, Colleen Keegan y el Departamento de Historia de la Ciencia de la Universidad de Harvard.

Le doy las gracias a Regine Basha y Gabriel Pérez-Barreiro; a Ann Hamilton, Emmet y Michael Mercil; a Barbara Mathe, Andi Sutton y Colin Wilkins; a Ann Hatch, Britany Sanders y Robert Polidori; y a Sharon Maidenberg, Holly Blake y Brian Karl por haberme ofrecido alojamiento metafórica y físicamente.

Yo misma habría sido un animal de lo más loco sin la ayuda de Cal Peternell, Donna Karlin, Sharon Price, Ann Hamilton, Jill y Phil Weinstein, Rebecca Goodstein, Caitlin Swaim, Samin Nosrat, Nancy Moser, Maria Barrell, Auriga Martin, Quinn Kanaly, Brooke LeVasseur, Stefanie Warren, Catherine y Travis Keeling, Leyla Abou-Samra, Pamela Smith, Dario Robleto, Joanna Ebenstein, Kelly Dobson,

Christina Seeley, Floor van de Velde, Emily Winstein, Maria DeRyke, Aubree Bernier-Clarke y Travis Burnham. Quiero también dar las gracias a Rigo 23, que me enseñó a pedir perdón en lugar de permiso. Amitav Ghosh me invitó a su consulta durante las horas en las que trabajaba en ella y la experiencia me fue de maravillas. Los dibujos de Kathleen Henderson me han hecho ser un mejor animal. Gracias a todos. También estoy especialmente en deuda con el verdadero Jude y sus padres, Melanie y Terry, por querer a *Oliver* de una forma tan fantástica. Os estaré siempre agradecida.

Barney Karpfinger ilumina las profundidades como un perspicaz rape. En el bestiario humano no hay un humano más generoso que tú. Priscilla Painton, si las editoras fueran elefantas, tú serías la más lista y fuerte de todas. Me alegro mucho de formar parte de tu grupo. También doy las gracias a Jonathan Karp, Sydney Tanigawa y al resto de los amantes de los libros de Simon & Schuster.

Y en último lugar, quiero que sepáis, Lynn y Howard Braitman, Rob Moser y Jake y Alice Braitman, que haberme dejado tener un burro en casa puede que haya influido en la profesión que he elegido. Os doy las gracias por ello y por todo lo demás. Sin vosotros no habría llegado hasta aquí.

Notas

Introducción

1. *Entre la locura y la cordura hay una perfecta gradación:* Gruber, «Darwin on Man», citado en Roy Porter, *Mind Forg'd Manacles: A History of Madness in England from the Restoration to the Regency,* Athlone Press, Londres, 1987, págs. 37, 268.

Capítulo 1. La punta de la cola del iceberg

1. *La idea de ver a los animales como máquinas:* William Coleman, *Biology in the Nineteenth Century: Problems of Form, Function and Transformation,* Cambridge Studies in the History of Science, Cambridge University Press, Cambridge, Reino Unido, 1978, págs. 121-122.

2. *A los que afirmaban que los otros animales no humanos, al igual que nosotros, también tenían emociones y eran conscientes de sí mismos:* Lorraine Daston y Gregg Mitman, eds., *Thinking with Animals: New Perspectives on Anthropomorphism,* nueva ed., Columbia University Press, Nueva York, 2006.

3. *Creía que la similitud que nuestras experiencias emocionales tenían con las de otras criaturas del planeta:* las enfermedades mentales son también una parte fundamental de *La expresión de las emociones* porque Darwin pensaba que los locos (como él los llamaba) eran una fuente más pura para el estudio de las emociones. Como cualquier buen victoriano, le preocupaban las convenciones y las inhibiciones sociales de toda índole, y además creía, tal vez con razón, que muchos locos de los manicomios se habían liberado de las restricciones de un control emocional adecuado y que se estaban expresando con una mayor autenticidad.

Sin embargo, Darwin no creía que esos pacientes estuvieran como en una bancarrota moral, al contrario de muchos médicos de la época. En su lugar, consideraba a los locos como personas que no eran conscientes, en el sentido de no ser conscientes de sí mismas y carecer del sentido del yo. Como no eran conscientes de sí mismas, no podían avergonzarse de su conducta, por lo que expresaban sus emociones sin restricciones. Por eso, según Darwin, los locos eran los sujetos perfectos para estudiar *realmente* la manifestación de la desesperación, la ira, el miedo y otras emociones que sentían. De ahí que haya dedicado tanto espacio en este libro para tratar el fenómeno de la locura en los seres humanos, analizando temas como los humanos con una determinada enfermedad mental que al alterarse se les ponían de punta los pelos de la cabeza, al igual que a los perros se les erizaba el pelo del lomo (este último punto no lo llegó a demostrar mediante la prueba de la observación), y estudiando minuciosamente las fotografías de pacientes de hospitales psiquiátricos. Janet Browne, «Darwin and the Expression of the Emotions», en *The Darwinian Heritage,* ed. David Kohn, Princeton University Press, Princeton, Nueva Jersey, 1985, págs. 307-326.

4. *«Intentó satisfacer»:* Charles Darwin, *The Expresion of the Emotions in Man and Animals,* John Murray, Londres, 1872, pág. 120. [Edición en castellano: *La expression de las emociones,* Editorial Laetoli, Pamplona, 2010].

5. *«Cerca de mi casa»:* ibíd., págs. 58, 60.

6. *Un peculiar resoplido:* ibíd., pág. 129. Darwin no había visto con sus propios ojos pumas o tigres contentos. Ni tampoco elefantes llorando, sino que se basaba en cartas y observaciones publicadas de quienes lo habían presenciado, y en la atenta observación de sus animales de compañía y de los animales que había visto a lo largo de sus viajes y observado en el Parque Zoológico de Regent.

7. *Que el hombre y los animales superiores:* Charles Darwin, *El origen del hombre,* Planeta, Barcelona, 2009, págs. 100-101.

8. *Darwin no parece haber realizado ninguna investigación:* esta afirmación se basa en los estudios llevados a cabo en el 2010 y el 2011 en el Darwin Correspondence Project (www.darwinproject.ac.uk/), en una comunicación personal con Janet Browne y David Kohn en el 2009 y el 2010, y en la minuciosa lectura de las citas de las obras de Darwin.

9. *Espero demostrar que:* Richard Barnet y Michael Neve, «Dr. Lauder Lindsay's Lemmings», *Strange Attractor Journal,* n.º 4, 2011, pág. 153.

10. *«Lindsay también creía que la mente de los dementes»:* W. Lauder Lindsay, *Mind in the Lower Animals, in Health and Disease,* vol. 2, Appleton, Nueva York, 1880, págs. 11-13.

11. *Lindsay escribió además sobre niños salvajes:* ibíd., pág. 14.

12. *Los locos también eran comparados a:* Porter, *Mind-Forg'd Manacles,* págs. 121-129.

13. *A algunos de los pacientes incurables «los mantenían encadenados a todas horas como fieras salvajes»:* John Webster, *Observations on the Admission of Medical Pupils to the Wards of Bethlem Hospital for the Purpose of Studying Mental Diseases,* 3ª ed., Churchill, Londres, 1842, págs. 85-86.

14. *Incluso estaba convencido de que algunos humanos lunáticos:* Lindsay, *Mind in the Lower Animals,* págs. 18-19

15. *Como la de una cigüeña que prefirió que la «quemaran viva»:* ibíd., págs. 131-133

16. *Estar enamorados es nuestra versión más común:* Mark Doty, *Dog Years: A Memoir,* Harper, Nueva York, 2007, págs. 2-3.

17. *Las investigaciones... realizadas en los últimos cuarenta o cincuenta años:* R. W. Burkhardt Jr., «Niko Tinbergen», 2010, www.eebweb.arizona. edu/Courses/Ecol487/readings/Niko%20Tinbergen%20Biography.pdf (artículo consultado el 5 de agosto, 2012); Richard W. Burkhardt Jr., *Patterns of Behavior: Konrad Lorenz, Niko Tinbergen, and the Founding of Ethology,* University of Chicago Press, Chicago, 2005.

18. *Lorenz incluso describió a una de sus ocas como deprimida:* Heini Hedger, *Wild Animals in Captivity,* Butterworths Scientific, Londres, 1950, pág. 50.

19. *Al neurocientífico Jaak Panksepp:* Jaak Panksepp, *Affective Neuroscience: The Foundations of Human and Animal Emotions,* Oxford University Press, Nueva York, 2004, pág. 3.

20. *Uno de mis vídeos favoritos en YouTube es el del doctor Panksepp con la mano metida:* www.youtube.com/watch?v=j-admRGFVNM (consultado el 1 de mayo, 2013).

21. *Panksepp cree que los sonidos de contento:* Barbara Natterson-Horowitz y Kathryn Bowers, *Zoobiquity: The Astonishing Connection Between Human and Animal Health,* Vintage, Nueva York, 2013, pág. 95.

22. *Deseaba cada vez más entender cómo la mente humana:* «Science of the Brain as a Gateway to Understanding Play: An Interview with Jaak Panskepp», *American Journal of Play 2,* n.º 3 (invierno, 2010), págs. 245-277.

23. *Cree que los conejos, por ejemplo:* Panksepp, *Affective Neuroscience,* págs. 13, 15.

24. *Un aluvión de recientes investigaciones sobre perros:* un ejemplo representativo es Isabella Merola, Emanuela Prato-Previde y Sarah Marshall-Pescini, «Dogs' Social Referencing towards Owners and Strangers», *PLoS ONE 7,* n.º 10, 2012, pág. e47653.

25. *Estudios sobre las fluctuaciones hormonales de los bonobos:* Jonathan Balcombe, *Second Nature: The Inner Lives of Animals,* Palgrave Macmillan, Nueva York, 2010, pág. 47.

26. *Una serie de estudios recientes:* Jason Castro, «Do Bees Have Feelings?», *Scientific American,* 2 de agosto, 2011, www.scientificamerican.com/article.cfm?id=do-bees-have-feelings; Sy Montgomery, «Deep Intellect», Orion, noviembre-diciembre del 2011, www.orionmagazine.org/index.php/articles/article/6474/; «What Model Organisms Can Teach Us about Emotion», *Science Daily,* 21 de febrero, 2010, www.sciencedaily.com/releases/2010/02/1002200184321.htm; Balcombe, *Second Nature.*

27. *El resultado de estos estudios está cambiando los debates:* en la neurociencia y en especial en la ciencia afectiva, se han hecho algunas distinciones sobre las diferencias entre las «emociones» y las «sensaciones». Antonio Damasio y Joseph LeDoux, por ejemplo, han sostenido que las emociones no tienen por qué ser necesariamente estados conscientes, en cambio las sensaciones pueden ser, y en realidad son, fruto de la mente intentando darle sentido a las emociones. Véase, por ejemplo, Antonio R. Damasio, *Descartes' Error: Emotion, Reason, and the Human Brain,* G. P. Putman, Nueva York, 1994, págs. 131-132, 143.

28. *Como el neurólogo Antonio Damasio ha sostenido:* ibíd.

29. *Creo que las emociones —pese a estar sujetas a un proceso de selección natural:* Lori Marino, comunicación personal, 4 de mayo, 2011.

30. *El etólogo Jonathan Balcombe cree que las emociones:* Balcombe, *Second Nature*, pág. 46.

31. *Por ahora los únicos animales que han demostrado ser conscientes de sí mismos:* aunque esto no es del todo exacto, ya que no he conocido nunca a un perro al que le confundiera su cuerpo reflejado en un espejo, una puerta corredera de cristal o en la brillante superficie de un horno. Tal vez algunos perros ladren a su propio reflejo o lo olfateen, pero la mayoría no lo hacen. Si bien esto no demuestra que se reconozcan *a sí mismos* en el espejo, tampoco demuestra que no lo hagan.

Los loros grises africanos usan los espejos como herramientas para reunir información sobre dónde se encuentra la comida, los juguetes o los compañeros de juego, pero no tienen por qué acicalarse mientras ven su propio reflejo. A un loro que se reconozca a sí mismo en el espejo tal vez le apetezca hacer alguna otra cosa con la información reflejada (por ejemplo, ver que un humano al que conoce está preparando una macedonia de frutas detrás de él). Incluso entre los simios antropomorfos, el grado en el que los chimpancés se reconocen en un espejo depende de cada uno. Lo mismo ocurre con los gorilas. D. M. Broom, H. Sena y K. L. Moynihan, «Pigs Learn What a Mirror Image Represents and Use It to Obtain Information», *Animal Behavior* 78, n.º 5, 2009, pág. 1037; I. M. Pepperberg et al., «Mirror Use by African Gray Parrots *(Psittacus erithacus)*», *Journal of Comparative Psychology,* n.º 109, 1995, págs. 189-195; G. G. Gallup Jr., «Chimpanzees Self-Recognition», *Science* 167, 1970, págs. 86-87; V. Walraven, Van L. Elsacker y R. Verheyen, «Reactions of a Group of Pygmy Chimpanzees *(Pan paniscus)* to Their Mirror Images: Evidence of Self-Recognition», *Primates* 36, 1995, págs. 145-150; D. H. Ledbetter y J. A. Basen, «Failure to Demonstrate Self-Recognition in Gorillas», *American Journal of Primatology* 2 (1982), págs. 307-310; F. G. P. Patterson y R. H. Cohn, «Self-Recognition and Self-Awareness in Lowland Gorillas», en *Self-Awareness in Animals and Humans: Developmental Perspective,* ed. S. T. Parker y R. W. Mitchell, Cambridge University Press, Nueva York, 1994, págs. 273-290.

32. *En el 2012 un grupo de destacados neuroanatomistas:* Philip Low, «The Cambridge Declaration on Consciousness», ed. Jaak Panksepp et al., Cambridge University, 7 de julio, 2012.

33. *Pese a las investigaciones que han llevado a cabo durante siglos:* Panksepp, *Affective Neuroscience,* 13.

34. *El psicólogo Paul Ekman estableció la lista más famosa:* Paul Ekman, «Basic Emotions», en *Handbook of Cognition and Emotion,* ed. Tim Dalgleish y Mick J. Power, Wiley, Nueva York, 2005, págs. 45-60; John Sabini y Maury Silver, «Ekman's Basic Emotions: Why Not Love and Jealousy?», *Cognition and Emotion* 19, n.º 5, 2005, págs. 693-712.

35. *Esta clase de razonamiento circular es:* Jaak Panksepp hace una advertencia en contra de las interpretaciones circulares sobre la conducta de los animales en *Affective Neuroscience,* 13.

36. *Conductualmente, el alzhéimer canino se parece:* T. Satou et al., «Neurobiology of the Aging Dog», *Brain Research 774,* núms. 1-2, 1997, págs. 35-43; Carl W. Cotman y Elizabeth Head, «The Canine (Dog) Model of Human Aging and Disease: Dietary, Environmental and Immunotherapy Approaches», *Journal of Alzheimer's Disease* 15, n.º 4, 2008, págs. 685-707.

37. *El alzhéimer canino parece ser el resultado:* Dr. Ralph Nixon, director del Centro de Excelencia para el Envejecimiento Cerebral y director ejecutivo del Centro Pearl Barlow para la Evaluación y el Tratamiento de la Memoria, Universidad de Nueva York, comunicación personal, 5 de diciembre, 2013.

38. *Para sentir miedo y responder a él son necesarias unas redes neurológicas:* Joseph LeDoux, «Emotion, Memory and the Brain: What We Do and How We Do It», LeDoux Laboratory Research Overview, www.cns.nyu.edu/home/ledoux/overview.htm (consultado el 7 de junio, 2012).

39. *John Fulton... practicó las primeras lobotomías frontales:* Jack D. Pressman, *Last Resort: Psychosurgery and the Limits of Medicine,* Cambridge University Press, Cambridge, Reino Unido, 1998, págs. 13, 48-65.

40. *Gritó alto y claro en italiano:* Shorter y Healy, *Shock Therapy,* págs. 35-41.

41. *En 1947 nueve de cada diez:* ibíd., págs. 78-80.

42. *A menudo los síntomas del TOC desaparecen después de la intervención:* P. Hay, P. Sachdev, S. Cumming, J. S. Smith, T. Lee, P. Kitchener y J. Matheson, «Treatment of Obsessive-Compulsive Disorder by Psychosurgery», *Acta Psychiatrica Scandinavica* 87, n.º 3 (marzo de 1993), págs. 197-207; E. Irle, C. Exner, K. Thielen, G. Weniger y E. Rüther, «Obsessive-Compulsive Disorder and Ventromedial Frontal Lesions: Clinical and Neuropsychological Findings», *The American Journal Of Psychiatry* 155, n.º 2 (febrero de 1998), págs. 255-263; M. Polosan, B. Millet, T. Bougerol, J. P. Olié y B. Devaux, «Psychosurgical Treatment of Malignant OCD: Three Case-Reports», *L'Encéphale* 29, n.º 6 (diciembre del 2003), págs. 545-552.

43. *Recientes imágenes de resonancia magnética (IRM) de perros:* Gregory Burns, «Dogs Are People, Too», *New York Times,* 5 de octubre del 2013, www.nytimes.com/2013/10/06/opinion/sunday/dogs-are-people-too. html?_r=0.

44. *Según una reciente estimación realizada por el Servicio Nacional de Salud Pública:* LeDoux, «Emotion, Memory and the Brain».

45. *Los cambios en los niveles de los transmisores reguladores:* Jacek Debiec, David E. A. Bush y Joseph E. LeDoux, «Noradrenergic Enhancement of Reconsolidation in the Amygdala Impairs Extinction of Conditioned Fear in Rats: A Possible Mechanism for the Persistence of Traumatic Memories in PTSD», *Depression and Anxiety* 28, n.º 3 (2011), págs. 186-193.

46. *No es la parte ratonil de la rata:* sostiene que investigar los fenómenos que tienen que ver con la neocorteza (la materia gris repleta de circunvoluciones y surcos que en los humanos y en otros primates es mucho más voluminosa —al igual que la de las ballenas, delfines y elefantes—, y que nos permite tener pensamientos muy complejos) no es tan útil, ya que la estructura de las ratas es distinta. Joseph E. LeDoux, comunicación personal, 28 de enero, 2010.

47. *LeDoux cree que los sentimientos, tal como los humanos los interpretamos:* Joseph E. LeDoux, «Rethinking the Emotional Brain», *Neuron* 73, n.º 4 (23 de febrero del 2012), págs. 653-676.

48. *Las ratas que han recibido las suficientes descargas eléctricas como para perder interés por la comida:* comunicación a través de correo electrónico con Joseph E. LeDoux, 7 de noviembre, 2009.

49. *Simplemente, se rindieron:* Martin E. Seligman y Steven Maier, «Failure to Escape Traumatic Shock», *Journal of Experimental Psychology* 74, n.º 1 (1967), págs. 1-9; Bruce J. Overmier y Martin E. Seligman, «Effects of Inescapable Shock Upon Subsequent Escape and Avoidance Responding», *Journal of Comparative and Physiological Psychology* 63, n.º 1 (1967), págs. 28-33.

50. *«Esta clase de situaciones incontrolables debilita enormemente el organismo»:* Seligman, Martin E. «Learned Helplessness», *Annual Review of Medicine* 23, n.º 1 (1972), págs. 407-412.

51. *La psicóloga e investigadora cognitiva Diana Reiss:* Diana Reiss, *The Dolphin in the Mirror: Exploring Dolphin Minds and Saving Dolphin Lives,* Houghton Mifflin Harcourt, Nueva York, 2011, págs. 242-243.

52. *El perro de Diana:* comunicación personal, Diana Reiss, 5 de febrero, 2014.

53. *Skinner escribió sobre la conducta de los animales supersticiosos en 1947:* B. F. Skinner, «Superstition in the Pigeon», *Journal of Experimental Psychology* 38, 5 de junio, 1947, págs. 168-172.

54. *Los atletas profesionales son a veces:* Justin Gmoser, «The Strangest Good Luck Rituals in Sports», *Business Insider,* 31 de octubre, 2013.

55. *Es posible… que el tipo sencillo:* citado en Marc Bekoff, *The Emotional Lives of Animals: A Leading Scientist Explores Animal Joy, Sorrow, and Empathy-and Why They Matter,* New World Library, Novato, California, 2008, pág. 122.

56. *«Aunque diga que un perro está contento o celoso»:* ibíd, pág. 123.

57. *El cerebro de los primates acosados:* Robert M. Sapolsky, *A Primate's Memoir,* Scribner, Nueva York, 2001; R. M. Sapolsky, «Why Stress Is Bad for Your Brain», *Science* 273, n.º 5276 (1996), pág. 749.

58. *La atención que ha puesto en sus psicodramas:* Robert M. Sapolsky, «Glucocorticoids and Hippocampal Atrophy in Neuropsychiatric Disorders», *Archives of General Psychiatry* 57, n.º 10 (2000), págs. 925-935; Robert M. Sapolsky, L. M. Romero y A. U. Munck, «How Do Glucocorticoids Influence Stress Responses? Integrating Permissive, Suppressive, Stimulatory, and Preparative Actions 1», *Endocrine Reviews* 21, n.º 1 (2000), págs. 55-

89; Robert M. Sapolsky, «Why Stress Is Bad for Your Brain», pág. 749; Sapolsky, *A Primate's Memoir*.

59. *No estoy antropomorfizando:* Robert Sapolsky, citado en Bekoff, *The Emotional Lives of Animals*, pág. 124.

60. *Entre 1955 y 1960 él y su equipo criaron las suficientes crías de macaco de la India:* Donna Haraway, *Primate Visions: Gender, Race, and Nature in the World of Modern Science*, Routledge, Nueva York, 1989, págs. 231-232.

61. *En una serie de experimentos que en la actualidad se considerarían infames:* Harry Harlow y B. M. Foss, «Effects of Various Mother-Infant Relationships on Rhesus Monkey Behaviors, *Readings in Child Behavior and Development* (1972), pág. 202; Haraway, *Primate Visions*, págs. 231-232, 238-239.

62. *Una serie de ellos consistía en darles a elegir:* Haraway, *Primate Visions*, págs. 238-239; Harlow y Foss, «Effects of Various Mother-Infant Relationships on Rhesus Monkey Behaviors», pág. 202.

63. *Otro de los experimentos de Harlow demostró:* Harry F. Harlow y Stephen J. Suomi, «Induced Depression in Monkeys», *Behavioral Biology* 12, n.º 3 (1974), págs. 273-296; B. Seay, E. Hansen y H. F. Harlow, «Mother-Infant Separation in Monkeys», *Journal of Child Psychology and Psychiatry* 3, núms. 3-4 (1962), págs. 123-132; H. A. Cross y H. F. Harlow, «Prolonged and Progressive Effects of Partial Isolation on the Behavior of Macaque Monkeys», *Journal of Experimental Research in Personality* 1, n.º 1 (1965), págs. 39-49.

64. *Que ahora tenían un comportamiento sumamente anormal:* Stephen J. Suomi, Harry F. Harlow y William T. McKinney, «Monkey Psychiatrists», *American Journal of Psychiatry* 128, n.º 8 (1972), págs. 927-932; Stephen J. Suomi y Harry F. Harlow, «Social Rehabilitation of Isolate-Reared Monkeys», *Developmental Psychology* 6, n.º 3 (1972), págs. 487-496.

65. *El psicoanalista y psiquiatra René Spitz observó:* Rachael Stryker, *The Road to Evergreen: Adoption, Attachment Therapy, and the Promise of Family*, Cornell University Press, Ithaca, Nueva York, 2010, págs. 14-15; R. A. Spitz, «Hospitalism: An Inquiry into the Genesis of Psychiatric Conditions in Early Childhood», *Psychoanalytic Study of the Child 1* (1945), págs. 53-74; R. A. Spitz, «Hospitalism: A Follow-Up Report on Investigation

Described in Volume 1, 1945», *Psychoanalytic Study of the Child* 2 (1946), págs. 113-117, citado en «Attachment», Advokids, www.advokids.org/attachment.html (consultado el 23 de marzo, 2012); John Bowlby, «John Bowlby and Ethology: An Annotated Interview with Robert Hinde», *Attachment and Human Development* 9, n.º 4 (2007), págs. 321-335.

66. *Spitz creía que la falta de contacto humano y de afecto:* Deborah Blum, *Love at Goon Park: Harry Harlow and the Science of Affection,* Perseus, Nueva York, 2002, págs. 50-52.

67. *Las investigaciones de Bowlby y Spitz combinadas con los resultados de los experimentos de Harlow:* Frank C. P. van der Horst, Helen A. Leroy y René van der Veer, «"When Strangers Meet": John Bowlby and Harry Harlow on Attachment Behavior», *Integrative Psychological and Behavioral Science* 42, n.º 4 (2008), págs. 370-388.

68. *Una «conexión psicológica duradera entre seres humanos»:* Van der Veer, «"When Strangers' Meet"».

69. *Los monos de Harlow también acabaron ayudando:* Friends of Bonobos, «The Sanctuary» (consultado el 2 de febrero, 2012), www.friendsofbonobos.org/sanctuary.htm.

70. *El Overtoun Bridge de Escocia, conocido también como el «puente de los perros suicidas»:* «Why Have So Many Dogs Leapt to Their Death from Overtoun Bridge?», *Daily Mail,* www.dailymail.co.uk/news/article-411038/Why-dogs-leapt-deaths-Overtoun-Bridge.html (consultado el 9 de enero, 2014).

71. *Los perros del ejército:* James Dao, «More Military Dogs Show Signs of Combat Stress», *New York Times,* 1 de diciembre, 2011; Lee Charles Kelley, «Canine PRSD: Its Causes, Signs and Symptoms», *My Puppy, My Self, Psychology Today,* 8 de agosto, 2012; Monica Mendoza, «Man's Best Friend Not Immune to Stigmas of War; Overcomes PTSD», sitio web official de la Fuerza Aérea de Estados Unidos, 27 de julio, 2010, www.peterson.af.mil/news/story.asp?id=123214946 (consultado el 1 de agosto, 2013); Marvin Hurst, «"Something Snapped": Service DogsGet Help in PTSD Battle», *KENS5.com,* 10 de febrero, 2012; Catherine Cheney, «For War Dogs, Life with PTSD Requires Patient Owners», *Atlantic,* 20 de diciembre, 2011; Jessie Knadler, «My Dog Solha: From Afghanistan, with PTSD», *The Daily*

Beast, 14 de marzo, 2013, www.thedailybeast.com/articles/2013/03/13/
my-dog-solha-from-afghanistan-with-ptsd.html (consultado el 4 de marzo,
2013).

72. *Pavlov se empezó a interesar por las neurosis caninas:* según Breuer, algunos de los síntomas de histeria de Anna eran (entre otros) parálisis parcial de los miembros, debilidad, pérdida de la movilidad del cuello, tos nerviosa, falta de apetito, alucinaciones, agitación, cambios en el estado de ánimo, conducta destructiva, amnesia, visión de túnel, patrones del habla extraños (en los que no conjugaba los verbos) y dificultad para hablar el alemán (aunque seguía siendo capaz de traducir textos del alemán al inglés). John Launer, «Anna O and the "Talking Cure"», *QJM* 98, n.º 6 (2005), págs. 465-466; G. Windholz, «Pavlov, Psychoanalysis, and Neuroses», *Pavlovian Journal of Biological Science* 25, n.º 2 (1990), págs. 48-53.

73. *Pavlov realizó interminables variaciones de esta clase de experimentos en su laboratorio:* Michael W. Fox, *Abnormal Behavior in Animals,* Saunders, Filadelfia, 1968, pág. 81; Windholz, «Pavlov, Psychoanalysis, and neuroses».

74. *Las percepciones de Pavlov sobre las similitudes:* Fox, *Abnormal Behavior in Animals,* 85, pág. 119.

75. *Pavlov tenía sus propios detractores:* H. S. Liddell, «The Experimental Neurosis», *Annual Review of Physiology* 9, n.º 1 (1947), págs. 569-580.

76. *Sostuvieron que la labor de Pavlov era inferior al análisis:* En 1929, un psicoanalista vienés alegó que la labor de Pavlov estaba muy por debajo del análisis en cuanto a la comprensión de la neurosis humana. Pavlov replicó afirmando que la neurosis tanto humana como de los animales no humanos se basaba en un conflicto entre la excitación y la inhibición (los procesos básicos con los que estaba experimentando en el laboratorio), y que si sus perros pudieran hablar seguramente dirían que no podían controlarse a sí mismos y que por eso hacían lo que estaba prohibido y recibían un castigo por ello. Pero Pavlov prosiguió diciendo que ninguna de estas observaciones caninas añadiría ningún tipo de información nueva a los conocimientos adquiridos por medio de los experimentos. Windholz, «Pavlov, Psychoanalysis, and Neuroses»; Liddell, «The Experimental Neurosis».

77. *Su capacidad para hacer que los perros recuperaran su estado no neurótico normal:* es posible que cambiara de opinión. Varios años más tarde, mientras estaba trabajando con humanos en una clínica especializada en enfermedades nerviosas, Pavlov empezó a tomarse mucho más en serio el proceso del psicoanálisis, al menos en lo que se refería a comprender a los humanos, y dedicó los últimos años de su vida a investigar las causas y las manifestaciones de lo que en aquella época eran enfermedades nerviosas humanas como la histeria, la neurastenia y la psicastenia. Windholz, «Pavlov, Psychoanalysis, and Neuroses»; Liddell, «The Experimental Neurosis».

78. *Los militares adoptaron esta clase de ideas:* Liddell, «The Experimental Neurosis».

79. *Las ideas pavlovianas sobre el condicionamiento y el descondicionamiento:* los animales no humanos también forman parte de esta historia, al igual que la idea de «recuerdo traumático», que a veces se asociaba con las enfermedades nerviosas. Nuestra idea moderna de los «recuerdos traumáticos» se remonta a los años que condujeron a la Primera Guerra Mundial, y procede de experimentos como los de Pavlov, pero también está condicionada por la temprana labor de dos médicos estadounidenses, George Crile y Walter Cannon, y por sus experimentos con gatos y perros. Una de sus investigaciones se centró en los estados de choque nerviosos. Crile y Cannon creían que un miedo extremo podía causar problemas físicos parecidos al estado de choque quirúrgico tanto en humanos como en gatos (un trastorno que puede llegar a ser mortal y que dejaba a los pacientes sometidos a una intervención quirúrgica pálidos, mareados, destemplados, ansiosos, y con el pulso débil, entre otros síntomas). Los experimentos de Cannon realizados con felinos, en los que les destruía las conexiones entre la corteza cerebral y el resto del sistema nervioso, les provocaba una reacción sumamente emocional que se parecía mucho a estar sintiendo un tremendo miedo: a los gatos se les erizaba el pelo del lomo, las patas se les empapaban de sudor, el ritmo cardíaco y la tensión arterial se les disparaba y al final sufrían un colapso y morían. Cannon lo llamó un estado de «falsa rabia» y utilizó los experimentos felinos para explicar las muertes de personas que habían padecido un fuerte choque emocional. Allan Young, *The Harmony of Illusions: Inventing Post-Traumatic Stress Disorder,* Princeton University Press, Princeton, Nueva Jersey, 1997, págs. 24, 42; Frederick Heaton Millham, «A Brief History of Shock», *Surgery* 148, n.º 5 (2010), págs. 1.026-1.037.

80. *Los afectados de TEPT también experimentan una variedad de síntomas:* «DSM-5 Criteria for PTSD», U. S. Department of Veterans Affairs, www.

ptsd.va.gov/professional/pages/dsm-iv-tr.ptsd.asp (consultado el 1 de julio, 2013); «Post Traumatic Stress Disorder», *A.D.A.M. Medical Encyclopedia,* National Library of Medicine, 8 de marzo, 2013, www.ncbi.nlm.nih.gov/pubmedhealth/PMH0001923/ (consultado el 5 de diciembre, 2013).

81. *Los médicos que trataban a los soldados tras la Primera Guerra Mundial:* más recientemente, los psicólogos evolutivos han sostenido en la actualidad que el TEPT podría ser una conducta sumamente adaptativa, es decir, que la angustiosa respuesta de los soldados a los horrores presenciados en los campos de batalla podría ser un intento inconsciente de mantenerse alejados de ellos en el futuro. Pero yo creo que esta explicación es una simplificación excesiva de una compleja reacción al trauma y la ansiedad. Véase, por ejemplo, Lance Workman y Will Reader, *Evolutionary Psychology: An Introduction,* Cambridge University Press, Cambridge, Reino Unido, pág. 229; Young, *The Harmony of Illusions,* pág. 64.

82. *Las crías de elefante africano:* Hope R. Ferdowsian et al., «Signs of Mood and Anxiety Disorders in Chimpanzees», *PLoS ONE* 6, n.º 6 (2011). Véase también G. A. Bradshaw et al., «Building an Inner Sanctuary: Complex PTSD in Chimpanzees», *Journal of Trauma and Dissociation: The Official Journal of the International Society for the Study of Dissociation* 9, n.º 1 (2008), págs. 9-34; G. A. Bradshaw, *Elephants on the Edge: What Animals Teach Us about Humanity,* Yale University Press, New Haven, Connecticut, 2010.

83. *Los chimpancés que llevan un tiempo en lugares donde son objeto de experimentos:* Ferdowsian et al., «Signs of Mood and Anxiety Disorders in Chimpanzees», e19855. Véase también Bradshaw et al., «Building an Inner Sanctuary».

84. *Jonathan Balcombe presenció este tipo de sufrimiento:* Balcombe, *Second Nature,* 59.

85. *Si estos animales estaban sintiendo lo mismo:* Young, *The Harmony of Illusions,* pág. 284.

86. *Trastornos como la «fatiga de combate» y la «neurosis bélica»:* ibíd.

87. *A los bebés traumatizados y a los párvulos:* Judith A. Cohen y Michael S. Scheeringa, «Post-Traumatic Stress Disorder Diagnosis in Children: Challenges and Promises», *Dialogues in Clinical Neuroscience* 11, n.º 1 (marzo,

2009), págs. 91-99; M. S. Scheeringa, C. H. Zeanah, M. J. Drell y J. A. Larrieu, «Two Approaches to the Diagnosis of Postraumatic Stress Disorder in Infancy and Early Childhood», *Journal of the American Academy of Child and Adolescent Psychiatry* 34, n.º 2 (febrero, 1995), págs. 191-200; Richard Meiser-Stedman, Patrick Smith, Edward Glucksman, William Yule y Tim Dalgleish, «The Posttraumatic Stress Disorder Diagnosis in Preschool— and Elementary School-Age Children Exposed to Motor Vehicle Accidents», *The American Journal of Psychiatry* 165, n.º 10 (octubre, 2008), págs. 1.326-1.337.

88. *Varios perros de búsqueda y rescate expuestos al ambiente ruidoso, peligroso:* comunicación personal, Nicole Cottam, 19 de junio, 2 de agosto, 2009; comunicación personal, Jim Crosby, 14 de marzo, 2011.

89. *También ofrece una lista de control para los que están interesados en diagnosticar a sus propias mascotas:* Lee Charles Kellye, «Canine PRSD Symptom Scale», www.leecharlesKelley.com/images/CPTSD_Symptom_Scale.pdf.

90. *Kelley descubrió que si le pedía que ladrara:* Lee Charles Kelley, «Case History N.º 1: My Dog Fred», publicado en «My Puppy My Self», en Psychology Today.com el 10 de julio del 2012; http://canineptsdblog.blogspot.com/2013/02/canine-ptsd-case-history-no-1my-dog-fred.html.

91. *De los aproximadamente 650 perros del ejército americano desplegados:* Dao, «More Military Dogs Show Signs of Combat Stress»; Lee Charles Kelley, «Canine PTSD: Its Causes, Signs and Symptoms», *My Puppy, My Self, Psychology Today,* 8 de agosto, 2012; Monica Mendoza, «Man's Best Friend Not Immune to Stigmas of War: Overcomes PTSD», Fuerza Aérea de Estados Unidos, 27 de julio, 2010, www.peterson.af.mil/news/story.asp?id=123214946 (consultado el 5 de noviembre, 2012); Marvin Hurst, «Something Snapped': Service Dogs Get Help in PTSD Battle», KENS5.com, 10 de febrero, 2012; Cheney, «For War Dogs, Life with PTSD Requires Patient Owners».

92. *El doctor Walter Burghardt... cree que el trastorno se aplica a muchos perros:* véase, por ejemplo, Kelly McEvers, «"Sticky IED" Attacks Increase in Iraq», National Public Radio, 3 de diciembre, 2010; Craig Whitlock, «IED Casualties in Afghanistan Spike», *Washington Post,* 26 de enero, 2011; James Dao y Andrew Lehren, «The Reach of War: In Toll of 2.000, New Portrait of Afghan War», *New York Times,* 22 de agosto, 2012; Malia Wollan, «Duplicating Afghanistan from the Ground Up», *New York Times,* 14 de abril, 2012; Mark Thompson, «The Pentagon's New IED Report», *Time,* 5 de febrero, 2012; Ahmad Saadawi, «A Decade of Despair in Iraq», *New York Times,* 19 de marzo, 2013; Michael Barbero, «Improvised Explosive Devices Are Here to Stay», *Washington Post,* 17 de mayo, 2013; Terri Gross y Brian Castnor, «The Life That Follows: Disarming IEDs in Iraq», *Fresh Air,* National Public Radio, 7 de junio, 2013.

93. *Como el hocico de un perro sigue siendo una de las herramientas más eficaces:* Spencer Ackerman, «$19 Billion Later, Pentagon's Best Bomb-Detector Is a Dog», Wired, 10 de octubre, 2010; Allen St. John, «Let the Dog Do It: Training Black Labs to Sniff Out IEDs Better Than Military Gadgets» Forbes, 9 de abril, 2012, www.forbes.com/sites/allenstjohn/2012/04/09/let-the-dog-do-it-training-black-labs-to-sniff-out-ieds-better-than-military-gadgets/ (consultado el 10 de abril, 2012).

Capítulo 2. Representantes y espejos

1. *Los médicos que trataban las diversas clases de locura:* Edward Shorter, *A History of Psychiatry: From the Era of the Asylum to the Age of Prozac,* Wiley, Nueva York, 1997, págs. 53, 90-91, 113-114; Roy Porter, *A Social History of Madness: The World through the Eyes of the Insane,* Weidenfeld and Nicolson, Londres, 1987; Andrew T. Scull, *Hysteria: The Biography,* Oxford University Press, Nueva York, 2009, págs. 8-13.

2. *Hasta la palabra* locura *tiene distintos significados:* véase «mad, adv» en el *Oxford English Dictionary* de internet, junio, 2011, www.oed.com/view/Entry/6512?redirectedFrom=mad.

3. *La enfermedad era muy temida porque:* Harriet Ritvo, *The Animal Estate: The English and Other Creatures in the Victorian Age,* Harvard University Press, Cambridge, Massachusetts, 1987, págs, 168-169.

4. *Un perro loco podía salir de cualquier parte:* ibíd., pág. 177.

5. *La inquietud que los perros rabiosos infundían:* como se refleja en los artículos «Mad Dogs Running Amuck: A Hydrophobia Panic Prevails in Connecticut», *New York Times,* 29 de junio, 1890; «Mad Dog Owned the House: Señorita Isabel's Foundling Pet Takes Possession», *New York Times,* 18 de junio, 1894; «Lynn in Terror», *Boston Daily Globe,* 27 de junio, 1898; «Suburbs Demand Death to Canines: Englewood and Hyde Park, Aroused by Biting of Children, Ask Extermination. Hesitation by Police. Say "Mad Dog Panic" Order of "Shoot on Sight" Would Sacrifice Fine Animals. Forbids Reckless Shooting. Victims of Vicious Dogs. Dog Disperses Euchre Party», *Chicago Daily Tribune,* 7 de junio, 1908; «Mad Dog Is a Public Enemy», *Virginia Law Register* 15, n.º 5 (1909), pág. 409.

6. *La historiadora Harriet Ritvo:* Ritvo, *Animal Estate,* págs. 175, 177, 180-181, 193.

7. *También se creía que la infección se transmitía de los perros a otros animales:* «Mad Horse Attacks Men: Veterinary Who Shot the Animal from Haymow Says It Had Rabies», *New York Times,* 6 de abril, 1909; «Mad Horses Despatched: Soldiers' Home Animals Are Killed for Rabies: Equines Bitten by Afflicted Dog Are Isolated and, after a Few Weeks Show Signs of Having Been Infected. Death Warrant Quickly Executed. Other Horses Affected», *Los Angeles Times,* 9 de mayo, 1906; «Burro with Hydrophobia: Bites Man, Kills Dog and Takes Chunk from Neck of Horse», *Los Angeles Times,* 16 de marzo, 1911; «Career of a Crazy Lynx: The Mad Beast Killed by a Woman after Running Amuck for Thirty Miles», *Chicago Daily Tribune,* 10 de mayo, 1890; «Stampeded by Mad Cow: Animal Charges Saloon and Restaurant, People Fleeing for Safety», *Los Angeles Times,* 5 de junio, 1909; «Bitten by a Mad Monkey: Little Mabel Hogle Attacked by a Museum Animal. While Viewing Curious with Her Father, George Hogle, 912 North Clark Street, the Beast Rushes upon the Girl. Lively Battle Ensues. Father Kicks the Animal Away and the Daughter Faints. Brute, Said to Be Mad, Is Killed. Wound Cauterized», *Chicago Daily Tribune,* 28 de noviembre, 1897.

8. *Cuando Oliver Goldsmith publicó el poema:* Oliver Goldsmith, «An Elegy on the Death of a Mad Dog», en *The Oxford Encyclopedia of Children's Literature,* ed. Jack Zipes, Oxford University Press, Nueva York, 2006.

9. *Se dijo, por ejemplo, que un perro al que encontraron con un cerdo:* «Wreck in Midocean: a Mad Dog and a Little Pig the Sole Occupants of a Brig», *New York Times,* 9 de marzo, 1890.

10. *Pero los animales también pueden enloquecer por sufrir maltrato continuo a lo largo de toda su vida:* «"Smiles", the Big Park Rhinoceros: Bought at

Auction for $14.000, She Needs Constant Care, Although She Has an Ugly Temper», *New York Times,* 29 de marzo, 1903.

11. *La gente sabía que los caballos «trastocados»:* «Dragged by Mad Horses: A Lady's Dress Catches in the Wheels. She May Recover», *Los Angeles Times,* 30 de abril, 1888; «Runaways in Central Park: Two Horses Wreck Three Carriages and a Bicycle. M. J. Sullivan's Team Had a Long and Disastrous Run before a Park Policeman Caught It. Mrs. Crystal and Her Children Have a Narrow Escape. Julius Kaufman Gives a Mounted Policeman a Chance to Distinguish Himself», *New York Times,* 4 de junio, 1894; «Mad Horses' Wild Chase: Dashed through Streets with 1.000 People at His Heels. Hero Who Saved Three Tots Hurt, Fatally Maybe, While Trying to Stop Him. Thrown by Trolley Car», *New York Times,* 14 de setiembre, 1903; «A Mad Horse», *New York Times,* 20 de junio, 1881.

12. *El mono mascota de un equipo de béisbol de Nueva Orleans:* «Mad Monkey Scares Fans: Queer Mascot of New Orleans Ball Team Makes Trouble and Game Stops», *Los Angeles Times,* 19 de julio, 1909.

13. *Y en las décadas de 1920 y 1930:* en la década de 1930, mientras Paramount filmaba la escena de una película en las montañas de Santa Mónica, la actriz Dorothy Lamour fue atacada por un «mono loco» (era un chimpancé llamado *Jiggs* que actuaba en el filme) y un joven del departamento promocional la salvó del aprieto. Varios años más tarde, otro mono loco que andaba suelto por Tarzana, una región de la ciudad de Los Ángeles, acabó siendo enjaulado después de hacer de las suyas en el garaje de un vecino enfurecido. «Mad Cats in Maddler Orgy», *Los Angeles Times,* 2 de mayo, 1924; «A Mad Cow Mutilates Two People», *Los Angeles Times,* 19 de mayo, 1889; «Color of Mad Parrot Saves It from Death», *San Francisco Chronicle,* 3 de octubre, 1913; «Film Aide Saves Actress from Mad Ape's Attack», *Los Angeles Times,* 7 de julio, 1936; «Monkey Caged after Biting Second Person», *Los Angeles Times,* 8 de enero, 1939.

14. *Pocos meses antes de establecer una alianza con Hitler:* «Mussolini Attacked by Mad Ox: African Fete Throng in Panic as Horns Barely Miss Premier», *New York Times,* 15 de marzo, 1937.

15. *Pero muchas de las historias más longevas tienen que ver con elefantes:* «Bad Elephants», *Los Angeles Times,* 16 de enero, 1887; «Mad Elephants: A Showman's Recollections of Keepers Killed and Destruction Done by

Them. Peculiarities of the Beasts», *Boston Daily Globe*, 20 de noviembre, 1881; «Mad Elephants: The Havoc the Great Beast Causes When He Rebels against Irksome Captivity», *New York Times*, 26 de agosto, 1880; «Mad Elephants: Big Charley Killed His Keeper at Peru, Indiana. Twice Hurled Him into a Stream and Then Stood upon Him», *Boston Daily Globe*, 26 de abril, 1901; «Death of Mandarin: Huge Mad Elephant Strangled with the Help of a Tug and a Big Chain», *Boston Daily Globe*, 9 de noviembre, 1902; «Bullet Ends Gunda, Bronx Zoo Elephant: Dr. Hornaday Ordered Execution Because Gunda Reverted to Murderous Traits. Died without a Struggle. His Mounted Skin Will Adorn Museum of Natural History and His Flesh Goes to Feed the Lions», *New York Times*, 23 de junio, 1915; «Death of Gunda», *Zoological Society Bulletin* 18, n.º 4 (1915), págs. 1.248-1.249; «British Soldier's Miraculous Escape from Death on Tusks of a Mad Elephant», *Boston Daily Globe*, 19 de setiembre, 1920; «Mad Elephant Rips Chains and Walls: Six-Ton Tusko Wrecks Portland (Ore.) Building before Recapture by Ruse. Sharpshooters Cover Him. Thousands Watch Small Army of Men Trap Pachyderm with Steel Nooses Hitched to Trucks», *New York Times*, 26 de diciembre, 1931.

16. *De esta clase de sucesos, publicado en el* New York Times *en 1880:* «Mad Elephants: The Havoc the Great Beast Causes When He Rebels against Irksome Captivity».

17. *Un artículo sobre elefantes que enloquecían y mataban a personas:* véase, por ejemplo, «An Elephant Ran Amok During the Shooting of a Film», *Orlando (FL) Sentinel*, 7 de marzo, 1988; «Woman Trying to Ride an Elephant Is Killed», *New York Times*, 7 de julio, 1985; «Elephant Storms Out of Circus in Queens», *New York Times*, 11 de julio, 1995; Phil Maggitti, «Tyke the Elephant», *Animals' Agenda* 14, n.º 5 (1994), pág. 34; Karl E. Kristofferson, «Elephant on the Rampage!», *Readers's Digest* 142, n.º 854 (1993), pág. 42; «African Elephant Kills Circus Trainer», *New York Times*, 22 de agosto, 1994.

18. *Los elefantes cautivos son famosos por estallar de súbito en violentos ataques de furor:* aunque la frase «comportarse como un enajenado» se acabó aplicando sobre todo a animales y niños, en el siglo diecisiete se refería a los malasios y al opio. Los viajeros portugueses describieron a los malasios enloquecidos como «amucos», y muchos artículos asociaron ese estado con estar drogado. En *Naval History of England*, la obra escrita por R. Southey en 1833, se mencionan los «ataques de furor que una droga provocaba entre los malasios» (pasando quizá por alto el papel más evidente que la colonización y la opresión tuvo en cualquier ataque de furor de los malasios). Veinticinco años más tarde la expresión se empezó a aplicar a los animales. Véase la palabra «*amok*, nombre y adverbio» en el *Oxford English Dictionary* de Internet, junio del 2011, www.oed.com/view/Entry/6512?redirectedFrom=amok. Otros elefantes, en lugar de atacar a una determinada persona, se dedicaban a destrozar todo cuanto encontraban a su paso hasta que los capturaban y luego los colgaban, electrocutaban o castigaban. En 1902 un «gigantesco elefante enloquecido» llamado *Mandarin* fue estrangulado con una cadena en Nueva York tras comportarse como un enajenado en el Circo de Barmun y Bailey. En 1920 se publicó en la prensa estadounidense la impactante historia de un soldado británico que se libró milagrosamente de los colmillos de «un elefante enloquecido». «Bad Elephants», *Los Angeles Times*, 15 de enero, 1887; «Mad Elephant: Big Charley Killed His Keeper at Peru, Indiana»; «Death of Mandarin»; «British Soldier's Miraculous Escape from Death on Tusks of a Mad Elephant»; «Mad Elephant Rips Chains and Walls».

19. *Campbell se desplomó en el borde de la pista con el cuerpo desmadejado:* «African Elephant Kills Circus Trainer», *New York Times*, 22 de agosto, 1994; las secuencias filmadas del ataque de Tyke, *Banned from TV*, www.youtube.com/watch?v=ym7MS417znQ (consultadas el 7 de enero, 2014).

20. *Y lo siguiente que vi fue al paquidermo corriendo ensangrentado hacia mí:* Will Hoover, «Slain elephant left tenuous legacy in animal rights», *Honolulu Advertiser*, 20 de agosto, 2004, http://archives.starbulletin.com/2004/08/16/news/story2.html.

21. *Él afirmó estarla castigando:* Rosemarie Bernardo, «Shots Killing Elephant Echo across a Decade», *Star Bulletin*, 16 de agosto, 2004, http//archives.starbulletin.com/2004/08/16/news/story2.html.

22. *Estaba cubierta de abscesos:* Christi Parsons, «93 Incident by Cuneo Elephant Told», *Chicago Tribune*, 24 de agosto, 1994, http://articles.chicagotribune.com/1944-08-24/news(9408240223_1_circus-officials-shrine-circus-tyke; «Hawthorn Corporation Factsheet», PETA, www.mediapeta.com/peta/pdf/hawthorn-corporation-pdf.pdf; «A Cruel Jungle Tale in Richmond», *Chicago Tribune*, 13 de enero, 2005, http://articles.chicagotribune.com/2005-01-13/news/05113024_1_1_elephants-animal-welfare-act-hawthorn-corp.

23. *Un año más tarde el Departamento de Agricultura de Estados Unidos:* Maryann Mott, «Elephant Abuse Charges Add Fuel to Circus Debate», *National Geographic,* 6 de abril, 2004, http://news.national.geographic. com/news/2004/04/0406_040406_circuselephants_2.html.

24. *A* Chunee, *un dócil elefante asiático:* Ritvo, *Animal Estate,* págs. 225-227.

25. Gunda *también era un apacible elefante del Zoo del Bronx que se había convertido en la atracción estrella:* «Death of Gunda».

26. *Los neoyorquinos, cautivados por la histora, se entregaron a debates:* ibíd.; William Bridges, *Gathering of Animals: An Unconventional History of the New York Zoological Society,* Harper & Row, Nueva York, 1974, págs. 234-242; «Bullet Ends Gunda, Bronx Zoo Elephant».

27. *Los espectáculos de Forepaugh incluían:* propaganda del Circo de Adam Forepaugh en el Athletic Park, Washington D. C. National Republican, 11 de abril, 1885, http://chroniclingamerica.loc.gov/Iccn/sn86053573/1885-04-11/ed-1/seq-6/ (consultado el 1 de mayo, 2012).

28. Tip *era «tan manso como un cordero»:* «An Elephant for New York: Adam Forepaugh Presents the City with His $8.000 Tip», *New York Times,* 1 de enero, 1889; «Tip Is Royally Received: Forepaugh's Gift Elephant Arrived Yesterday. Met at the Ferry and Escorted through the Streets by Thousands of Admirers», *New York Times,* 2 de enero, 1889.

29. *Durante los primeros años que estuvo en el recinto de los elefantes del Central Park:* «Tip's Life in the Balance: The Murderous Elephant's Fate to Be Decided Tomorrow», *New York Times,* 8 de mayo, 1894; Wyndham Martyn, «Bill Snyder, Elephant Man», *Pearson's Magazine* 35 (1916), págs. 180-185; John W. Smith, «Central Park Animals as Their Keeper Knows Them», *Outing: Sport, Adventure, Travel, Fiction 42* (1903), págs. 248-254.

30. *«Debía reformarse o morir»:* «Tip Must Reform or Die: Central Park's Big Elephant on Trial for His Life», *New York Times,* 3 de mayo, 1894.

31. *Una mañana, cuando fue a darle el desayuno a* Tip: ibíd.; Smith, «Central Park Animals as Their Keeper Knows Them», págs. 252-254.

32. *El elefante esperó pacientemente tres años para intentar atacar a Snyder de nuevo:* «Tip Must Reform or Die»: Tip's Life in the Balance»; Martyn, «Bill Snyder», págs. 180-185.

33. *A diario la prensa publicaba artículos cubriendo la difícil situación de* Tip: Charles David, que trabajó para Forepaugh y conoció a *Tip* durante años, lo interpreta de la siguiente forma: «Creo que Snyder no obligaba a Tip a hacer bastante ejercicio... En los circos, cuando un elefante se vuelve díscolo, se le castiga... o se le obliga a ir andando de una ciudad a otra hasta recorrer unos treinta kilómetros más o menos. Así se le quitan las ganas de crear problemas. Si Snyder no podía dominar a Tip, debían haber buscado a otro cuidador». Por lo visto, a David no le hicieron caso. «Tip Must Reform or Die»: «Tip's Life in the Balance»; «Tip's Life May Be Sacred: Mr. Davis Says the City Agreed He Should Not Be Killed», *New York Times,* 7 de mayo, 1894.

34. *También es posible que estuviera en celo: Matar a un elefante,* un elegante relato sobre otro elefante en celo, constituye la obra maestra del ensayo que George Orwell publicó en 1936. Cuando ejercía como oficial de la Policía Imperial india en Birmania, le presionaron para que matara con su rifle a un «elefante enloquecido»: «Lo miraba golpear los manojos de hierba contra las rodillas, con ese aire de abuela preocupada que tienen a menudo los elefantes. Me parecía que disparar contra él sería un asesinato». George Orwell, *Matar a un elefante y otros escritos,* Turner Publicaciones S. L. Madrid, 2006, pág. 6; Preecha Phuangkum, Richard C. Lair y Taweepoke Angkawanith, *Elephant Care Manual for Mahouts and Camp Managers,* FAO Regional Office for Asia and the Pacific, Bangkok, 2005, págs. 52-54.

35. *Surgió una oleada de sociedades nuevas que defendían los derechos de los animales:* véase Anita Guerrini, *Experimenting with Humans and Animals: From Galen to Animal Rights, Johns Hopkins University Press, Baltimore, 2003; Carol Lansbury,* The Old Brown Dog: Woman, Workers, and Vivisection in Edwardian England, University of Wisconsin Press, Madison, 1985; Susan J. Pearson, *The Rights of the Defenseless: Protecting Animals and Children in Gilded Age America,* University of Chicago Press, Chicago, 2011; Keith Thomas, *Man and the Natural World: A History of the Modern Sensibility,* Pantheon Books, Nueva York, 1983.

36. *Los encargados del Central Park decidieron por unanimidad:* no pude comprobar si *Tip* mató a alguien y dudo que la comisión del parque lograran averiguarlo. «Tip Tried and Convicted; Park Commissioners Sentence the Elephant to Death», *New York Times,* 10 de mayo, 1894; «Tip Swallowed the Dose; But Ate His Hay with Accustomed Regularity in the Afternoon.

Tried to Poison an Elephant. It Was Unsuccessful at Barnum & Bailey's Winter Quarters Yesterday. If It Fails To-day the Animal Will Be Shot», *New York Times,* 16 de marzo, 1894; «Tip to Die by Poison To-Day; Hydrocyanic Acid Capsules in a Carrot at 6 A. M.», *New York Times,* 11 de mayo, 1894.

37. *El parque se llenó de visitantes:* «Big Elephant Tip Dead: Killed with Poison after Long Hours of Suffering», *New York Times,* 12 de mayo, 1894.

38. *La palabra* nostalgia *se podía usar de manera intercambiable con la de* añoranza*:* la nostalgia la diagnosticó por primera vez en 1678 Johannes Hofer, un médico suizo, y se consideró una «aflicción de la imaginación» causada por el deseo de volver a la tierra natal de uno. Los soldados, los estudiantes, los prisioneros, los exiliados o cualquier otra persona a la que le fuera imposible regresar a su país podían contraer la enfermedad, según otro médico suizo en 1720. La enfermedad se caracterizaba por la obsesión de volver a casa. La nostalgia no se empezó a «desmedicalizar» hasta el umbral del siglo veinte, cuando perdió sus «connotaciones físicas y se vinculó incluso más todavía a la época». Jennifer K. Ladino, *Reclaiming Nostalgia: Longing for Nature in American Literature,* University of Virginia Press, Charlottesville, 2012, págs. 6-7.

39. *Durante la Guerra Civil, por ejemplo:* Susan J. Matt, *Homesickness: An American History,* Oxford University Press, Nueva York, 2011, págs. 5-6.

40. *Como los afroamericanos, los amerindios y las mujeres:* ibíd.

41. *La nostalgia… es la primera y más eficaz ayuda…:* ibíd.

42. *Como era propietario de una tienda de animales en el barrio londinense del East End:* «John Daniel Hamlyn (1858-1922)», St. George-in-the-East Church, www.stgite.org.uk/media/hamlyn.html (consultado el 15 de junio, 2013); «The Avicultural Society», *Avicultural Magazine For the Study of Foreign and British Birds in Freedom and Captivity* 112 (2006).

43. *Se dice que los chimpancés que Hamlyn tenía en su casa como si fueran sus propios hijos:* Bo Beolens, Michael Watkins, and Michael Grayson, *The Eponym Dictionary of Mammals,* Johns Hopkins University Press, Baltimore, 2009, 175; *Hamlyn's Menagerie Magazine* 1, n.° 1, Londres, 1915, Biodiversity Heritage Library, www.biodiversitylibrary.org/bibliography/61908.

44. *Cuando el joven gorila llegó de Gabón:* «John Daniel Hamlyn (1858-1922)»; American Museum of Natural History, «Mammalogy», *Natural History* 21 (1921), pág. 654.

45. *Una joven llamada Alyse Cunningham:* Alyse Cunningham, «A Gorilla's Life in Civilization», *Zoological Society Bulletin* 24, n.º 5 (1921), págs. 118-119.

46. *Estaba convencida de que sus miedos le venían:* ibíd.

47. *John era muy maniático con la comida:* ibíd.

48. *Había estado intentando conseguir un gorila:* Bridges, *Gathering of Animals,* pág. 346.

49. *Uno de los pocos gorilas que había vivido más de algunos pocos meses:* «Garner Found Ape That Talked to Him: Waa-hooa, Said the Monkey: Ahoo-ahoo, Replied Professor at Their Meeting», *New York Times,* 6 de junio, 1919; «Zoo's Only Gorilla Dead: Mlle. Ninjo Could Not Endure Our Civilization. Nostalgia Ailed Her», *New York Times,* 6 de octubre, 1911; «Death of a Young Gorilla», *New York Times,* 3 de enero, 1888; «Jungle Baby Lolls in Invalid's Luxury», *New York Times,* 21 de diciembre, 1914.

50. *Durante un viaje a Gabón en 1893:* R. L. Garner, «Among the Gorillas», *Los Angeles Times,* 27 de agosto, 1893.

51. *Que su buena salud no se debiera a la dieta:* William T. Hornaday, «Gorilla a Model for Small Boys: He Always Put Things Back», *Boston Daily Globe,* 25 de noviembre, 1923.

52. *Solo tres años atrás Hornaday había proclamado:* William T. Hornaday, «Gorillas: Past and Present», *Zoological Society Bulletin* 18, n.º 1 (1915), pág. 1185.

53. *Durante más de dos años Alyse y Rupert fomentaron:* Cunningham, «A Gorilla's Life in Civilization», pág. 123.

54. *De vez en cuando se lo llevaban al Zoo de Londres:* Fred D. Pfenig, Jr. y Richard J. Reynolds III, «In Ringling Barnum Gorillas and Their Cages», *Bandwagon* (noviembre-diciembre), pág. 6.

55. *La única forma de manejarlo:* ibíd.

56. *No se sabe con certeza por qué no le encontraron un lugar adecuado para vivir:* ibíd.

57. *Sentado en silencio en un rincón:* «Circu's Gorilla a Bit Homesick», *New York Times,* 3 de abril, 1921.

58. *Al poco tiempo tanto los espectadores del circo como la prensa dijeron:* «Gorilla Dies of Homesickness», *Los Angeles Times,* 1921; «Grieving Gorilla Dead at Garden», *New York Times,* 18 de abril, 1921.

59. *Varias semanas antes de su muerte:* «Grieving Gorilla Dead at Gardens».

60. *Durante las tres semanas que los Hermanos Ringling exhibieron a* John: «Gorilla Dies of Homesickness»; «Inflation Calculator», Dollar Times, www.dollartimes.com/calculators/inflation.htm.

61. *El famoso primatólogo Robert Yerkes acudió aquel día al museo:* Richard J. Reynolds III, historiador circense, comunicación personal, 14 de marzo, 2011; Fred D. Pfening Jr. y Richard J. Reynolds III, «The Ringling-Barnum Gorillas and Their Cages», *Bandwagon* 50, n.º 6 (noviembre-diciembre, 2006), págs. 4-29; James C. Young, «John Daniel, Gorilla, Sees the Passing Show», *New York Times,* 13 de abril, 1924.

62. *Porque* John... *era la viva prueba de todo lo que:* Young, «John Daniel, Gorilla, Sees the Passing Show».

63. *Y solo mordía a su dueña de vez en cuando:* Richard J. Reynolds II, historiador circense, comunicación personal, 14 de marzo, 2011, y sus imágenes aparecen en http://bucklesw.blogspot.com/2009_04_01_archive. html; Pfenig Jr. y Reynolds, «The Ringling-Barnum Gorillas and Their Cages», págs. 4-29; John C. Young, «John, the Gorilla, Bites His Mistress», *New York Times,* 8 de abril, 1924.

64. *Su primer gorila había sido disecado y estudiado:* «Darwinian Theory Given New Boost: Educated Gorilla's Big Toe Became Muche Like That of Human», *Los Angeles Times,* 17 de abril, 1922; «Gorilla Most Like Us, Say Scientist: Nearer to Man in "Dictatorial Egoism" than Other Primates, Neurologist Finds, Comparison with a Child Surgeons Report Study of "John Daniel"», Dead Circuls Gorilla, to Society of Mammalogists. No Mention of Bryan. Chimpanzees Got Drunk. Darwin's Theory Discused»,

New York Times, 18 de mayo, 1922; «Specialists Study John Daniel's Body», *New York Times,* 25 de abril, 1921.

65. *Casi cien años después de su muerte: John* y *Meshie* no son más que dos de los muchos simios criados como niños por humanos cuyas respuestas a su entorno doméstico cambió la forma de ver la vida emocional y la inteligencia de los simios y además reflejaban, a menudo de manera incómoda, los deseos de los que los criaban. Henry Cushier Raven, «Meshie: The Child of a Chimpanzee. A Creature of the African Jungle Emigrates to America», *Natural History Magazine,* abril de 1932; Joyce Wadler, «Reunion with a Childhood Bully, Taxidermied», *New York Times,* 6 de junio, 2009. Véase también el caso de *J. T. Junior,* una mona capturada y criada por la familia Akeley primero en África y luego en su apartamento de la ciudad de Nueva York, hasta que la donaron al Zoo Nacional. Delia J. Akeley, *«J. T. Jr»: The Biography of an African Monkey,* Macmillan, Nueva York, 1928. Al gorila *Toto* lo crió una mujer americana en su casa y luego lo entregó a un circo. Augusta Maria Daurer Hoyt, *Toto and I: A Gorilla in the Family,* J. B. Lippincott, Filadelfia, 1941. A *Lucy,* el chimpancé hembra que había aprendido a comunicarse con el lenguaje de los signos, la enviaron del hogar en el que vivía con humanos en Estados Unidos a África, donde la acabaron matando. Maurice K. Temerlin, *Lucy: Growing Up Human. A Chimpanzee Daughter in a Psychotherapist's Family,* Science and Behavior Books, Palo Alto, California, 1976; Eugene Linden, *Silent Partners: The Legacy of the Ape Language Experiments,* Times Books, Nueva York, 1986. Para conocer la vida del chimpancé *Nim Chimpsky,* véase Elizabeth Hess, *Nim Chimpsky: The Chimp Who Would Be Human,* Bantam Books, Nueva York, 2009.

66. *Los efectos psicológicos de la guerra:* Matt, *Homesickness,* págs. 178-183.

67. *Durante la guerra y varios años más tarde:* Hayden Church, «American Women in London Minister to Homesick Yankees in British Hospitals», *San Francisco Chronicle,* 16 de diciembre, 1917; Helen Dare, «Seeing to It That Soldier Boy Won't Feel Homesick: Even Has Society Organized for Keeping His Mind Off the Girl He Left behind Him», *San Francisco Chronicle,* 12 de setiembre, 1917; «Our Men in France Often Feel Homesick», *New York Times,* 9 de junio, 1918; «Need Musical Instruments: Appeal by Dr. Rouland in Behalf of Homesick Soldiers», *New York Times,* 24 de noviembre, 1918; «Recipe for Fried Chicken Gives Soldier Nostalgia», *San Francisco Chronicle,* 11 de mayo, 1919; «Doty Was Homesick, and Denies

Cowardice: Explains Desertion from French Foreign Legion. Will Be Tried but Not Shot», *New York Times*, 18 de junio, 1926; «Nostalgia», *New York Times*, 27 de junio, 1929.

68. *Lejos del frente, las esposas recién casadas de los soldados:* «War Bride Takes Gas: German Girl Who Married American Soldier Was Homesick», *New York Times*, 2 de julio, 1921; «Woman Jumps into Bay with Child Rescued».

69. *Se creía que los jóvenes campesinos que se mudaban a las ciudades:* «Geisha Girls Are Homesick: Japanese World's Fair Commissioner Resorts to Courts to Secure Retorn of Maids to Japan», *Chicago Daily Tribune*, 9 de octubre, 1904; «Boy Coming into a City Finds It Hard to Save: Exaggerate Value of Salary. Adopts More Economical Plan. Country Dollar Is 50c in City. "Blues" Bred in Hall Bedrooms», *Chicago Daily Tribune*, 4 de junio, 1905; «Glass Eye Blocks Suicide: Deflects Bullet Fired by Owner Who Is Ill and Homesick in New York», *Chicago Daily Tribune*, 6 de agosto, 1910; «Homesick: Ends Life. Irish Girl, Unable to Get Back to Erin to See Her Mother, Takes Gas», *Chicago Daily Tribune*, 8 de setiembre, 1916; «English Writer, III, Ends His Life Here: Bertram Forsyth, Homesick and Depressed, Dies by Gas in Apartment. Left Letter to His Wife. «Life of Little Account», He Wrote, Expressing Hope His Son Had Not Inherited His Pessimism», *New York Times*, 17 de setiembre, 1927; «Homesick Stranger Steals Parrot That Welcomes Him: Heart of Albert Schwartz So Touched by Bird's Greeting He Commits Theft, but Capture Follows», *Chicago Daily Tribune*, 2 de enero, 1908.

70. *Un caso en 1892 tuvo que ver con una mula:* «Bill Zack and His Knowing Mule: Following His Master, He Walked from Louisiana to Tennessee», *Chicago Daily Tribune*, 10 de julio, 1892.

71. *Los perros que lloriqueaban de nostalgia:* «Care for Sick Pets: Chicago Sanitariums for Birds, Cats, and Dogs. Methods of Treatment. Queer Incident Recounted at the Animal Hospitals. Teach Parrots to Speak. School Where the Birds Learn to Repeat Catching Phrases. Swearing Is a Special Course. Died of a Broken Heart. School for Parrots. Hospital for Sick Cats. Sanitarium for Dogs. Canince Victim to Alcohol», *Chicago Daily Tribune*, 9 de mayo, 1897.

72. *Jocko, un mono mascota:* «Jocko, Homesick, Tries to Die: Sailors' Singing Awakens Fond Memories. Waving Farewell a Naval Mascot Swallows Poison», *Chicago Daily Tribune*, 19 de julio, 1903.

73. Jingo, *un elefante africano:* la causa de su muerte puedo deberse a los mareos causados por el viaje en barco, a una enfermedad, a su estricto confinamiento o a algún otro factor estresante. «Jingo, Rival of Jumbo, Is Dead: Tallest Elephant Ever in Captivity Unable to Stand Ocean Voyage. Could Not Be Consoled. Refuses To Eat for Several Days and Is Thought to Have Died of Homesickness. Big Beast Is Homesick. Second Officer Tells His Story. Varying Views of Jingo's Value», *Chicago Daily Tribune,* 19 de marzo, 1903.

74. *Un joven gorila hembra de montaña llamada* Congo: «Only One Gorilla Now in Captivity», *New York Times,* 18 de julio, 1926.

75. *Se desconoce la causa de la muerte:* «Miss Congo, the Lonely Young Gorilla, Dies at Her Shrine on Ringling's Florida Estate», *New York Times,* 25 de abril, 1928.

76. *La familia de un niño pequeño de San Francisco:* «Broken Heart or Nostalgia Causes Pet Duck's Death: Mandarin Gives Up Ghost at Park after Fight with Mudhens», *San Francisco Chronicle,* 10 de febrero, 1919.

77. *Ota Benga, un pigmeo africano:* Phillips Verner Bradford, *Ota: The Pygmy in the Zoo,* St. Martin's Press, Nueva York, 1992; Elwin R. Sanborn, ed., «Suicide of Ota Benga, the African Pygmy», *Zoological Society Bulletin* 19, n.º 3 (1916), pág. 1356; Samuel P. Verner, «The Story of Ota Benga, the Pygmy», *Zoological Society Bulletin* 19, n.º 4 (1916), págs. 1.377-1.379.

78. *Los manicomios de este país y los de cualquier otro:* «A Broken Heart: Often Said to Be a Cause of Death. What the Term Means. A Common Figure of Speech That Has Some Foundation in Fact», *San Francisco Chornicle,* 27 de febrero, 1888.

79. *Muchas de las muertes atribuidas a la desolación:* Georges Minois, *History of Suicide: Voluntary Death in Western Culture,* Johns Hopkins University Press, Baltimore, 1999, pág. 316.

80. *Como la de unos amantes cuyos corazones habían dejado de latir:* «Died Before His Wife Did: Husband, Who Had Said He Would Go before Her, Stricken as She Lay Dying», *New York Times,* 5 de julio, 1901; «Died of a Broken Heart», *New York Times,* 22 de diciembre, 1894; «Died of a Broken Heart», *New York Times,* 5 de julio, 1883; «Widow Killed by Grief: Dies of a Broken Heart Following Loss of Her Husband», *New York Times*, 9 de enero, 1910; «Veteran Dies of a Broken Heart: Fails to Rally after Wife Passes Beyond: He Soon Follows Her», *Los Angeles Times*, 4 de setiembre, 1915; «Died of a Broken Heart», *New York Times*, 27 de junio, 1884; «Died of a Broken Heart: Sad Ending of the Life of an Intelligent Girl», *New York Times*, 3 de setiembre, 1884; «Died of a Broken Heart: Sad End of Michigan Man Whose Wife Deserted Him for Love of Younger Man», *Los Angeles Times*, 21 de octubre, 1910; «Brigham Young's Heirs», *New York Times*, 10 de marzo, 1879; «Died of a Broken Heart», *New York Times*, 9 de enero, 1886; «Broken Heart Kills Mother: Burden of Her Grief Too Heavy to Bear: Mrs. Franklin, Whose Son Met Cruel Fate in Santa Fe Train Collision on River Bridge, Ages in Few Months, Pines Away and Dies Pitifully», *Los Angeles Times*, 1 de junio, 1907; «Drowned Lad's Mother Dies: News of His Death While Skating on Thin Ice Crushed Her», *New York Times*, 16 de enero, 1903; «Prostrated by His Son's Death», *New York Times*, 13 de noviembre, 1893; «Kidnapped Children Recovered», *New York Times*, 22 de julio, 1879; «Died of a Broken Heart», *New York Times*, 8 de diciembre, 1897; «Girl Dies of a Broken Heart», *Los Angeles Times*, 11 de abril, 1905; «General G. K. Warren Obituary», *New York Times*, 9 de agosto, 1882; «Spotted Tail's Daughter: How the Princess Monica Died of a Broken Heart from Unrequited Love for a Palace-face Soldier. The Chaplain's Story», *New York Times*, 15 de julio, 1877; *Fort Laramie: Historical Handbook Number Twenty*, National Park Service, 1954, www.cr.nps.gov/history/online_books/hh/20/hh20m.htm.

81. *Las historias de sabuesos leales que se morían de pena y tristeza:* Marjorie Garber, *Dog Love*, Touchstone, Nueva York, 1997, págs. 241-242, 249-252, 257-258.

82. Greyfriars Bobby: ibíd., *Dog Love*, págs. 255-256. Recientemente un investigador de Cardiff ha sostenido que Bobby era en realidad dos perros. «Greyfriars Bobby Was Just a Victorian Publicity Stunt, Claims Academic», *Telegraph*, 3 de agosto, 2011, www.telegraph.co.uk/news/newstopics/howaboutthat/8678875/Greyfriars-Bobby-was-just-a-Victorian-publicity-stunt-claims-academic.html (consultado el 3 de agosto, 2011).

83. Teddy, *un pastor alemán, dejó de comer:* «Horse Dies, Dog Follows: Shepherd Refused Food, Grieving over Passing of Friend», *New York Times*, 19 de setiembre, 1937.

84. *Los caballos también se mueren de desolación:* «An Affectionate Horse», *New York times,* 14 de enero, 1887.

85. *Forcejeará y se debatirá para salir de él:* «Army Mule Aristocrat of Allied Armies' Transport: Humble American Has Won the Heart of the British Army. Seldom Sick, and Never Afraid, He Survives Where Horses Succumb», *Boston Daily Globe,* 25 de febrero, 1917.

86. *Además de las historias... de perros fieles:* «Rhinoceros Bomby Is Dead: New-York Climate and Isolation from His Sweetheart Killed Him», *New York Times,* 27 de junio, 1886; «Grieving Sea Lion Dies at Aquarium: Trudy Had Refused to Touch Food Since Death of Mate Ten Days Ago. Many Children Knew Her. Bought from California for a Circus Career. Blind Eye Kept Her from Learning Tricks», *New York Times,* 10 de setiembre, 1928; «Berlin Sea Elephant Dies of a Broken Heart», *New York Times,* 31 de diciembre, 1935; «Zoo Penguin Dies of Broken Heart Mournign Mate», *Los Angeles Times,* 4 de agosto, 1947.

87. *Los animales salvajes podían a veces morir por la misma causa:* véase, por ejemplo, Martin Johnston, «Helpless, but Unafraid, the Giraffe Thrives on Persecution», *Daily Boston Globe,* 2 de diciembre, 1928.

88. *La incapacidad de mantener con vida a muchos animales en cautividad, desde leones hasta pájaros cantores:* «The Story of a Lion's Love: Wynant Hubbard's Account of Moving Jungle Romance Wherein King of Beasts Enters Captivity out of Affection for His "Wife"», *Daily Boston Globe,* 19 de mayo, 1929; «Most Fastidious of Wild Beasts Are the Leopards: So Says Mme. Morelli, and She Ought to Know, for They've Tried to Eat Her Several Times. How Bostock Saved the Plucky Woman Trainer. One of Her Pets Died from a Broken Heart», *New York Times,* 18 de junio, 1905; «Birds I Know», *Daily Boston Globe,* 23 de julio, 1946.

89. *En 1966 una orca llamada* Namu: «Lovelorn Killer Whale Dies in Frantic Dash for Freedom», *Los Angeles Times,* 11 de julio, 1966; David Kirby, *Death at SeaWorld: Shamu and the Dark Side of Killer Whales in Captivity,* St. Martin's Press, Nueva York, 2012, págs. 151-152.

90. *Belle Benchley, directora del Zoológico de San Diego:* Belle J. Benchley, «"Zoo-Man" Beings», *Los Angeles Times* (1923, archivo actual), 14 de agosto, 1932; Belle J. Benchley, «The Story of Two Magnificent Gorillas», *Bu-*

lletin of the New York Zoological Society 43, n.º 4 (1940), págs. 105-116; Belle Jennings Benchley, *My Animals Babies,* Faber and Faber, Londres, 1946; Gerald B. Burtnett, «The Low Down on Animal Land», *Los Angeles Times* (1923, archivo actual), 2 de junio, 1935.

91. *Una de esas amistades, en el Zoológico de Berlín:* «Ape Porcupine Firm Friends: Melancholia Banished When Huge Monkey Romps with Strange Playmate», *Los Angeles Times* (1923, archivo actual), 27 de noviembre, 1924. Casi sesenta años más tarde la bandeja de entrada de mi correo electrónico estaba llena de historias de esta clase de amistades. No pasa una semana sin que alguien me mande fotos de un perro y un orangután chapoteando en una bañera de plástico, o de lechones acurrucados contra una tigresa, o de una serpiente y un conejo hechos un ovillo uno alrededor del otro en alguna clase de amistoso círculo de multiespecies. Muchos de estos pequeños ensayos fotográficos, a pesar de ser antropomórficos, cursis y un fotomontaje, tratan de la soledad y la depresión como razones para las asombrosas relaciones que muestran.

92. *El cuerpo disecado de* Monarca *sirvió como uno de los modelos:* Tracy I. Storer and Lloyd P. Tevis, *California Grizzly,* University of California Press, Berkeley, 1996, pág. 276.

93. *Y, sin embargo, son muy pocas las personas que saben que ese oso fue un ser vivo:* «Grizzly Comes as Mate to Monarch: Young Silver Tip Shipped from Idaho Arrives Safely and Is Now in Park Bear Pit», *San Francisco Chronicle,* 10 de febrero, 1903.

94. Monarca *era el icono de unos espacios naturales que acababan de ser castrados:* existen unos artículos académicos muy buenos sobre las cambiantes actitudes que surgieron hacia los espacios naturales del oeste a finales del siglo diecinueve y a principios del veinte, mientras los indios americanos eran expulsados del nuevo sistema de parques naturales de la nación, la población de osos pardos y de lobos era diezmada, y el gobierno federal creaba agencias (como el Servicio de Pesca y Fauna Silvestre, el Servicio del Parque Nacional y otros) para supervisar el nuevo patrimonio de tierras del gobierno, regulando quién podía acceder o no a las tierras ricas en recursos naturales y cómo ambas cosas reflejaban y ayudaron a moldear las ideas americanas sobre los espacios naturales y las fronteras estadounidenses. William Cronon, «The Trouble with Wilderness», en *Uncommon Ground: Toward Reinventing Nature,* ed. William Cronon, Norton, Nueva York,

1995; Karl Jacoby, *Crimes against Nature: Squatters, Poachers, Thieves, and the Hidden History of American Conservation*, University of California Press, Berkeley, 2003; Roderick Frazier Nash, *Wilderness and the American Mind*, Yale University Press, New Haven, Connecticut, 2001; Philip Shabecoff, *A Fierce Green Fire: The American Environmental Movement*, Island Press, Washington D. C. 2003; Louis S. Warren, *The Hunters Game: Poachers and Conservationists in Twentieth Century America*, Yale University Press, New Haven, Connecticut, 1999; Richard White, Patricia Nelson Limerick y James R. Grossman, *The Frontier in American Culture: An Exhibition at the Newberry Library*, 26 de agosto, 1994; 7 de enero, 1995, Newberry Library, Chicago, 1994.

95. *En 1858 un* sheriff *de Sacramento:* Susan Snyder, *Bear in Mind: The California Grizzly*, Heyday Books, Berkeley, California, 2003, págs. 117-140; Storer y Tevis, *California Grizzly*, pág. 249.

96. *Hay osos por todas partes:* Snyder, *Bear in Mind*, pág. 65.

97. *Grizzly Adams, el famoso cazador de osos:* Storer and Tevis, *California Grizzly*, págs. 244-249.

98. *Hasta bien entrada la década de 1860 se podían ver en las estaciones de ferrocarril osos encadenados o enjaulados:* Snyder, *Bear in Mind*, pág. 160; Storer y Tevis, *California Grizzly*, págs. 240-241.

99. *Los que no habían sido abatidos:* Storer y Tevis, *California Grizzly*, pág. 249.

100. *William Randolph Hearst, el excéntrico magnate californiano de la prensa:* «The New Bear Flag is Grizzlier», *San Francisco Chronicle*, 19 de setiembre, 1953; Storer y Tevis, *California Grizzly*, págs. 240-250.

101. *Las semanas se convirtieron en meses:* hasta qué punto son verificables estos detalles no es más que una cuestión de interpretación, ya que no existe ningún otro relato. Si bien no todo lo que ocurrió en el relato de *Monarca* puede que le pasara a él como individuo, seguramente le sucedió en algún momento a algún oso de Kelly. En 1889, Ernest Thompson Seton le cuestionó a Kelly la autenticidad del relato sobre *Monarca* publicado en el *Examiner*. Seton escribió: «Estoy convencido de que muchas de las aventuras que se le adjudican a este oso las protagonizaron una variedad de distintos osos». Storer y Tevis, *California Grizzly*, pág. 250; Allen Kelly, *Bears I Have*

Met and Others, Drexel Biddle, Filadelfia, 1903, www.gutenberg.org/files/15276/15276-h/15276-h.htm.

102. *Un mexicano que había capturado a un enorme oso pardo:* Kelly, *Bears I Have Met.*

103. *Se pasó una semana entera enfurecido, negándose a comer:* ibíd.

104. *Incitados por los adornados relatos sensacionalistas:* Board of Parks Commissioners, *Annual Report of the Board of Parks Commissioners 1895,* 30 de junio, 1895, California Academy of Sciences, págs. 7, 15.

105. *Se pasaba ya todo el día metido en un hoyo:* «Grizzly Comes as Mate to Monarch».

106. *También sostuvieron que tal vez echara de menos:* ibíd.

107. *Esos grandes cambios:* Nash, *Wilderness and the American Mind;* Shabecoff, *A Fierce Green Fire,* págs. 21-31, 61-67.

108. *En 1896, siete años después de la llegada de* Monarca *a San Francisco:* Nash, *Wilderness and the American Mind,* pág. 146.

109. *De las tierras salvajes y de la fauna y flora de su país:* ibíd., pág. 76.

110. *Lugares como Yosemite y Yellowstone ahora se podían ver como antídotos:* el historiador William Cronon ha sostenido que cuando Turner anunció el cierre de la frontera, los americanos que experimentaron una sensación de pérdida ya estaban mirando hacia el pasado, lamentando la desaparición de un país más antiguo, sencillo y pacífico. El problema está en que esa clase de país nunca había existido: la extirpación de los aborígenes estadounidenses, las poblaciones de búfalos, lobos y osos pardos que habían sido diezmadas, y los drásticos daños ecológicos causados por la minería y la tala masiva fueron la clase de violencia que no estaba presente en las ideas románticas de los ideales de la nación relacionados con los espacios naturales. Cronon, «The Trouble with Wilderness».

111. *Los esfuerzos para proteger y ensalzar esos espacios naturales:* ibíd., págs. 76, 78.

112. *La nueva osa «era la viva imagen de la expresión»:* «Grizzly Comes as Mate to Monarch».

113. *El pobre osezno ha muerto:* «Grizzly Bear Cub Is Dead», *San Francisco Chronicle,* 18 de enero, 1904. Otro artículo publicado más tarde sostenía que el osezno había fallecido por un traumatismo craneal después de que *Montana* lo dejara caer al suelo el día en que nació. A los sanfranciscanos les sirvieron una segunda ración del desdén que provocaba las aptitudes maternales de *Montana:* «*Monarca* y *Montana*, su desconfiada esposa, los dos osos pardos que viven en una jaula de hierro cerca del recinto de los búfalos, recibieron ayer informalmente un montón de visitantes que acudieron a ofrecerles su más sentido pésame por la muerte prematura de su retoño. Pero teniendo en cuenta que la señora *Monarca* se comió la mitad de uno de sus gemelos y que pasó olímpicamente del otro, las condolencias de sus visitantes parecían estar fuera de lugar». «Great Crowd Visits Park: Police Estimate Attendance of Fully Forty Thousand people at the Recreation Grounds», *San Francisco Chronicle,* 25 de enero, 1904.

114. *Cuatro años más tarde, se confirmó que* Monarca: Board of Parks Commissioners, *Annual Report of the Board of Parks Commissioners 1910,* 30 de junio, 1910, págs. 40-43.

115. *Tras vivir veintidós años en cautividad:* «Park Museum Has New Attractions: Grizzly Monarch Will Be Put on Exhibition for the Labor Day Crowds», *San Francisco Chronicle* (1869, archivo actual), 28 de agosto, 1911.

116. —Templeton —*dijo* Wilbur *desesperado*—: E. B. White, *La telaraña de Carlota,* Noguer Ediciones, 2006, Barcelona.

117. *Dos viejas nutrias macho:* «"Heartbroken" Male Otters Die within an Hour of Each Other», 1 de abril, 2010, Advocate.com, www.advocate.com/News/Daily_News/2010/04/01/Heartbroken_Male_Otters_Die_Within_An-Hour_of_Each_Other/ (consultado el 5 de noviembre, 2012).

118. *La historia de* Pepsi, *un schnauzer mini:* Bekoff, *The Emotional Lives of Animals,* pág. 66.

119. *En marzo del 2011 otra historia de corazones rotos:* Jill Lawless, «Hours after Soldier Killed in Action, His Faithful Dog Suffers Seizure», *Toronto Star,* 10 de marzo, 2011.

120. *Los cardiólogos japoneses llamaron al síndrome:* Salim S. Virani, A. Nasser Khan, Cesar E. Mendoza, Alexandre C. Ferreira y Eduardo de Marchena, «Takotsubo Cardiomyopathy, or Broken-Heart Syndrome», *Texas Heart Institute Journal* 34, n.º 1 (2007), págs. 76-79.

121. *La prueba de la poderosa conexión:* Natterson-Horowitz y Bowers, *Zoobiquity*, pág. 5.

122. *Ella y Bowers señalan varias fascinantes estadísticas sobre salud pública:* ibíd., págs. 110-113.

123. *Los juegos con finales reñidas y emocionantes:* ibíd., 112-113.

124. *Desde entonces la muerte súbita de animales aterrados:* ibíd., págs. 118-120.

Capítulo 3. El diagnóstico de la elefanta

1. *En 1980 no se incluyó en el* DSM*:* Edward Shorter, *A Historical Dictionary of Psychiatry,* Oxford University Press, Nueva York, 2005, págs. 226-227.

2. Sunita *nació en una casa:* Chris Dixon, «Last 39 Tigers are Moved from Unsafe Rescue Center», *New York Times,* 11 de junio, 2004; Lance Pugmire, Carla Hall y Steve Hymon, «Clashing Views of Owner of Tiger Sanctuary Emerge», *Los Angeles Times,* 25 de abril, 2003. «Meet the Tigers», Performing Animal Welfare Society Sanctuary, www.pawsweborg/meet_tigers.html_ (consultado el 6 de diciembre, 2011).

3. *Mel me llevó a ver a* Sunita*:* «Tic Disorders», American Academy of Child and Adolescent Psychiatry. Mayo del 2012, www.aacap.org/cs/root/facts_for_families/tic_disorders (consultado el 11 de febrero, 2013); John T. Walkup et al. «Tic Disorders: Some Key Issues for DSM-V», *Depression and Anxiety* 27 (2010), págs. 600-610. www-dsm5.org/Research/Documents/Walkup_Tic.pdf.

4. *Al igual que el trastorno por déficit de atención:* Andrew Lakoff, «Adaptive Will: The Evolution of Attention Deficit Disorder», *Journal of the History of the Behavioral Sciences* 36, n.º 2 (2000), págs. 149-169.

5. *A los perros se les diagnostica este trastorno en la actualidad:* «Separation Anxiety», DSM-V Development, www.dsm5.org/Pages/RecentUpdates.aspx (consultado el 15 de julio, 2013).

6. *En 1978 fue cuando se convirtió en un diagnóstico viable:* Shorter, *A Historical Dictionary of Psychiatry,* pág. 32.

7. *Muchas personas, al menos las que podían permitírselo:* véase Grier, *Pets in America,* págs. 13-14, 121-130, 136.

8. *La historiadora Katherine Grier:* Grier, *Pets in America,* pág. 156.

9. *Y más tarde con una química cerebral, parecidas a las de los humanos:* véase, por ejemplo, Cotman y Head, «The Canine (Dog) Model of Human Aging and Disease»; B. J. Cummings et al., «The Canine as an Animal Model of Human Aging and Dementia», *Neurobiology of Aging* 17, n.º 2 (1996), págs. 259-268; Belén Rosado et al., «Blood Concentrations of Serotonin, Cortisol and Dehydoepiandroesterone in Aggressive Dogs», *Applied Animal Behavior Science* 123, núms. 3-4 (2010), págs. 124-130.

10. *El Colegio Americano de Veterinarios Conductistas certifica que hay en la actualidad:* Colegio Americano de Veterinarios Conductistas, www.dacvb.org/resources/find/ (consultado el 1 de agosto, 2013).

11. *En realidad, en Estados Unidos existen cerca de 90.200 veterinarios colegiados en activo capacitados para diagnosticar problemas emocionales:* Center for Health Workforce Studies, «2013 U. S. Veterinary Workforce Study: Modeling Capacity Utilization Final Report», *American Veterinary Medical Association* (16 de abril, 2013), pág. vii.

12. *El síndrome de automutilación equino que, según él, se parece al síndrome de Tourette en los humanos:* N. H. Dodman et al., «Equine Self-Mutilation Syndrome (57 Cases)», *Journal of the American Veterinary Medical Association* 204, n.º 8 (1994), págs. 1.210-1.223.

13. *En las características morfológicas que según el Club Kennel Americano deben tener los boyeros de Berna:* «Get to Know the Bernese Mountain Dog», American Kennel Club, www.akc.org/breeds/bernese_mountain_dog/index.cfm (consultado el 1 de marzo, 2002).

14. *En cuanto a los gatos, el siamés, el birmano, el tonquinés y el singapura:* Nicholas Dodman, *If Only They Could Speak: Understanding the Powerful Bond between Dogs and Their Owners,* Norton, Nueva York, 2008, págs. 260-262.

15. *Y aunque no crea que ningún trastorno animal sea un perfecto reflejo de una dolencia humana:* K. L. Overall, «Natural Animal Models of Human Psychiatric Conditions: Assessment of Mechanism and Validity», *Progress in Neuro-Psychopharmacology and Biological Psyquiatry* 24, n.º 5 (2000), pág. 729.

16. *Diagnosticados en sujetos que manifiestan unos estados de ansiedad y preocupación excesivos:* según el manual, estas preocupaciones también tienen que ser desproporcionadas con relación al acontecimiento, como sentir una tremenda ansiedad por la probabilidad de llegar tarde al trabajo, aunque uno sea siempre muy puntual, o el miedo recurrente a que rapten a tu hija cuando vuelva a casa del colegio. Sí, estas cosas ocurren, pero a la mayoría de la gente solo le pasa por un segundo esta preocupación por la cabeza, en lugar de convertirse en una fijación. Asociación Psiquiátrica Americana, *DSM-IV: Diagnostic and Statistical Manual of Mental Disorders,* 4ª ed., American Psychiatric Association, Arlington, Virginia, 1994, págs. 432-433.

17. *Antes de la Segunda Guerra Mundial, cerca de las dos terceras partes de Tailandia:* Larry Lohmann, «Land, Power and Forest Colonization in Thailand», *Global Ecology and Biogeography Letters* 3, núms. 4/6 (1993), pág. 180.

18. *Como muchas de las principales regiones donde se realizaban las talas:* Richard Lair, Gore Astray: *The Care and Management of the Asian Elephant in Domesticity,* FAO Regional Office for Asia and the Pacific, Bangkok, 1997, www.fao.org/DOCREP/005/AC774E/ac774e00.htm (consultado el 28 de diciembre, 2011).

19. *En* The Boy Who Was Raised as a Dog, *el libro:* Bruce D. Perry y Maia Szalavitz, *The Boy Who Was Raised as a Dog and Other Stories from a Child Psychiatrist's Notebook: What Traumatized Children Can Teach Us about Loss, Love and Healing,* Basic Books, Nueva York, 2007; Robert F. Anda, Vincent J. Felitti, J. Douglas Bremmer, John D. Walker, Charles Whitfield, Bruce D. Perry, Shanta R. Dube y Wayne H. Giles, «The Enduring Effects of Abuse and Related Adverse Experiences in Childhood: A Convergence of Evidence from Neurobiolgy and Epidemiology», *European Archives of Psychiatry and Clinical Neuroscience* 256, n.º 3 (abril, 2006), págs. 174-186; B. D. Perry y R. Pollard, «Homeostasis, Stress, Trauma, and Adaptation: A Neurodevelopmental View of Childhood Trauma», *Child and Adolescent Psychiatric Clinics of North America* 7, n.º 1 (enero, 1998), págs. 33-51, viii; Bruce D. Perry, «Neurobiological Sequelae of Childhood Trauma: PTSD in Children», en *Catecholamine Function in Posttraumatic Stress*

Disorder: Emerging Concepts, págs. 233-255 (Progress in Psychiatry 42, Arlington, Virginia: American Psychiatric Association, 1994); James E. McCarroll, «Healthy Families, Healthy Communities: An Interview with Bruce D. Perry», Joining Forces Joining Families 10, n.º 3 (2008), www.cstsonline.org/wp-content/resources/Joining_Forces_2008_01.pdf.

20. *También puede causar efectos duraderos:* Perry y Szalavitz, *The Boy Who Was Raised as a Dog,* pág. 19.

21. *En 2009 el Departamento de Salud y Servicios Humanos de Estados Unidos:* Child Welfare Information Gateway, *Understanding the Effects of Maltreatment on Brain Development,* Issue Brief, Departamento de Salud y Servicios Humanos de Estados Unidos, noviembre del 2009; Perry y Szalavitz, *The Boy Who Was Raised as a Dog,* pág. 247.

22. *Tina, la primera paciente de Perry:* a lo largo de tres años, Perry consiguió ayudar a Tina a recuperar el control de su respuesta al estrés y a tomar decisiones tras haberlas meditado a fondo, en lugar de reaccionar a ciegas. Por desgracia, no logró ayudarla a cambiar su comportamiento del todo. A Perry le dio la impresión de que al final el control que su paciente había adquirido sobre su respuesta al estrés solo la había ayudado a ocultar mejor su trauma. Perry y Szalavitz, *The Boy Who Was Raised as a Dog,* págs. 22-28.

23. *Cuando contemplo a un gorila hembra:* Dale Jamieson, profesor de estudios medioambientales y de filosofía en la Universidad de Nueva York, ha sugerido que los zoos también reproducen las problemáticas distinciones entre especies que están entretejidas en la misma arquitectura de las instalaciones (el confinamiento en sí ya marca una falsa distinción entre los animales enjaulados y los animales humanos que no lo están). Dale Jamieson, «Against Zoos», en *Morality's Progress: Essays on Humans, Other Animals, and the Rest of Nature,* Oxford University Press, Oxford, USA, 2003), págs. 166-175; y Dale Jameison, «The Rights of Animals and the Demands of Nature», *Environmental Values* 17 (2008), págs. 181-189.

24. *Entre las estereotipias de los humanos se encuentran:* Deivasumathy Muthugovindan y Harvey Singer, «Motor Stereotypy Disorders», *Current Opinion in Neurology* 22, n.º 2 (abril, 2009), págs. 131-136.

25. *Los caballos se pasan el día mordisqueando objetos:* véase, por ejemplo, Jean S. Akers y Deborah S. Schildkraut, «Regurgitation/Reingestion and

Coprophagy in Captive Gorillas», *Zoo Biology* 4, n.º 2 (1985), págs. 99-109; M. C. Appleby, A. B. Lawrence y A. W. Illius, «Influence of Neighbours on Stereotypic Behavior of Tethered Sows», *Applied Animal Behavior Science* 24, n.º 2 (1989), págs. 137-146; M. J. Bashaw et al., «Environmental Effects on the Behavior of Zoo-Housed Lions and Tigers, with a Case Study of the Effects of a Visual Barrier on Pacing», *Journal of Applied Animal Welfare Science* 10, n.º 2 (2007), págs. 95-109; Yvonne Chen et al., «Diagnosis and Treatment of Abnormal Food Regurgitation in a California Sea Lion *(Zalophus californianus)*», en *IAAAM Conference Proceedings* 68 (International Association for Aquatic Animal Medicine, 2009); Jonathan J. Cooper y Melissa J. Albentosa, «Behavioural Adaptation in the Domestic Horse: Potential Role of Apparently Abnormal Responses Including Stereotypic Behaviour», *Livestock Production Science* 92, n.º 2 (2005), págs. 177-182; Leslie M. Dalton, Todd R. Robeck y W. Glenn Young, «Aberrant Behavior in a California Sea Lion *(Zalophus californianus)*», en *IAAAM Conference Proceedings,* págs. 145-146 (International Association for Aquatic Animal Medicine, 1997); J. E. L. Day et al., «The Separate and Interactive Effects of Handling and Environmental Enrichment on the Behaviour and Welfare of Growing Pigs», *Applied Animal Behaviour Science* 75, n.º 3 (2002), págs. 177-192; Andrzej Elzanowski y Agnieszka Sergiel, «Stereotypic Behavior of a Female Asiatic Elephant *(Elephas maximus)* in a Zoo», *Journal of Applied Animal Welfare Science* 9, n.º 3 (2006), págs. 223-232; Loraine Tarou Fernandez et al., «Tongue Twisters: Feeding, Enrichment to Reduce Oral Stereotypy in Giraffe», *Zoo Biology,* 27, n.º 3 (2008), págs. 200-212; Georgia J. Mason, «Stereotypies: A Critical Review», *Animal Behaviour* 41, n.º 6 (1991), págs. 1.015-1.037; Edwin Gould y Mimi Bress, «Regurgitation and Reingestion in Captive Gorillas: Description and Intervention», *Zoo Biology* 5, n.º 3 (1986), págs. 241-250; T. M. Gruber et al., «Variation in Stereotypic Behaviour Related to Restraint in Circus Elephants», *Zoo Biology* 19, n.º 3 (2000), págs. 209-221; Steffen W. Hansen y Birthe M. Damgaard, «Running in a Running Wheel Substitutes for Stereotypies in Mink *(Mustela vison)* but Does It Improve Their Welfare?», *Applied Animal Behaviour Science* 118, núms. 1-2 (2009), págs. 76-83; Lindsay A. Hogan y Andrew Tribe, «Prevalence and Cause of Stereotypic Behaviour in Common Wombats *(Vombatus ursinus)* Residing in Australian Zoos», *Applied animal Behaviour Science* 105, n.º 1-3 (2007), págs. 180-191; Kristen Lukas, «An Activity Budget for Gorillas in North American Zoos», *Disney's Animal Kingdom* and *Brevard Zoo,* 2008; Juan Liu et al.,

«Stereotypic Behavior and Fecal Cortisol Level in Captive Giant Pandas in Relation to Environmental Enrichment», *Zoo Biology* 25, n.º 6 (2006), págs. 445-459; Kristen E. Lukas, «A Review of Nutritional and Motivational Factors Contributing to the Performance of Regurgitation and Reingestion in Captive Lowland Gorillas *(Gorilla gorilla gorilla)*», Applied Animal Behaviour Science *63*, n.º 3 (1999), págs. 237-249; Avanti Mallapur y Ravi Chellam, «Environmental Influences on Stereotypy and the Activiy Budget of Indian Leopards *(Panthera pardus)* in Four Zoos in Southern India», *Zoo Biology* 21, n.º 6 (2002), págs. 585-595; L. M. Maminer y L. C. Drickamer, «Factors Influencing Stereotyped Behavior of Primates in a Zoo», *Zoo Biology* 13, n.º 3 (1994), págs. 267-275; G. Mason y J. Rushen, eds., *Stereotypic Animal Behavior: Fundamentals and Applications to Welfare,* 2ª ed., (CABI, 2006); Lynn M. McAfee, Daniel S. Mills y Jonathan J. Cooper, «The Use of Mirrors for the Control of Stereotypic Weaving Behaviour in the Stabled Horse», *Applied Animal Behaviour Science* 78, núms. 2-4 (2002), págs. 159-173; Jeffrey Rushen, Anne Marie B. De Passillé y Willem Schouten, «Stereotypic Behavior, Endogenous Opioids, and Postfeeding Hypoalgesia in Pigs», *Physiology and Behavior* 48, n.º 1 (1990), pags. 91-96; U. Schwaibold y N. Pillay, «Stereotypic Behaviour Is Genetically Transmitted in the African Striped Mouse *Rhabdomys pumilio*», *Applied Animal Behaviour Science* 74, n.º 4 (2001), págs. 273-280; Loraine Rybiski Tarou, Meredith J. Bashaw y Terry L. Maple, «Failure of a Chemical Spray to Significantly Reduce Stereotypic Licking in a Captive Giraffe», *Zoo Biology* 22, n.º 6 (2003), págs. 601-607; Sophie Vickery y Georgia Mason, «Stereotypic Behavior in Asiatic Black and Malayan Sun Bears», *Zoo Biology* 23, n.º 5 (2004), págs. 409-430; Beat Wechsler, «Stereotypies in Polar Bears», *Zoo Biology* 10, n.º 2 (1991), págs, 177-188; Carissa L. Wickens y Camie R. Heleski, «Crib-Biting Behavior in Horses: A Review», *Applied Animal Behaviour Science* 128, núms. 1-4 (2010), págs. 1-9; Hanno Würbel y Markus Stauffacher, «Prevention of Stereotypy in Laboratory Mice: Effects on Stress Physiology and Behaviour», *Physiology and Behavior* 59, n.º 6 (1966), págs. 1.163-1.170.

26. *Más de 16.000 millones de animales de granja y laboratorio:* Naomi R. Latham y G. J. Mason, «Maternal Deprivation and the Development of Stereotypic Behaviour», *Applied Animal Behaviour Science* 110, núms. 1-2 (2008), pág. 99; Jeffrey Rushen y Georgia Mason, «A Decade-or-More's Progress in Understanding Stereotypic Behaviour», en *Stereotypic Animal*

Behaviour, ed. Jeffrey Rushen y Georgia Mason (CABI, 2006), citado en Temple Grandin y Catherine Johnson, *Animals Make Us Human: Creating the Best Life for Animals,* Houghton Mifflin Harcourt, Nueva York, 2009, pág. 15.

27. *Como por ejemplo un 91,50 por ciento de cerdos:* Rushen y Mason, «A Decade-or-More's Progress in Understanding Stereotypic Behavior», 15.

28. *Cerca de 100 millones:* se refiere a la cantidad de laboratorios que experimentan con animales: Balcombe, *Second Nature.* Para conocer más a fondo las estereotipias de los animales, véase el capítulo 3.

29. *Una gran correlación entre los animales de laboratorios, zoos y granjas:* Latham y Mason, «Maternal Deprivation and the Development of Stereotypic Behaviour», págs. 84-108.

30. *«Las estereotipias muy intensas»:* Grandin y Johnson, *Animals Make Us Human,* pág. 4.

31. *Grandin considera el autismo «como una especie de apeadero»:* Temple Grandin, «Animals in Translation», www.grandin.com/inc/animals.in.translation.html (consultado el 1 de diciembre, 2013).

32. *Observó en una occasion una cría de coyote salvaje, a la que llamó Harry:* Marc Bekoff, «Do Wild Animals Suffer from PTSD and Other Psychological Disorders?», *Psychology Today,* 29 de noviembre, 2011, www.psychologytoday.com/blog/animal-emotions/201111/do-wild-animals.suffer-ptsd-and-other-psychological-disorders (consultado el 11 de diciembre, 2013).

33. *Les inyectó... una bacteria de la flora intestinal:* Bacteroides fragilis: Hsiao et al., «Microbiota Modulate Behavioral and Physiological Abnormalities Associated with Neurodevelopmental Disorders», *Cell* (consultado el 11 de diciembre, 2013).

34. *Que vinculaban el espectro de los trastornos autistas con los problemas intestinales:* Sara Reardon, «Bacterium Can Reverse Autism-like Behaviour in Mice», *Nature News,* 5 de diciembre, 2013, www.nature.com/news/bacterium-can-reverse-autism-like-behaviour-in-mice-1.14308 (consultado el 6 de diciembre, 2013); Natalia V. Malkova et al., «Maternal Immune Activation Yields Offspring Displaying Mouse Versions of the Three Core

Symptoms of Autism», *Brain, Behavior, and Immunity* 26, n.º 4 (mayo de 2012), págs. 607-616; Isaac S. Kohane et al., «The Co-Morbidity Burden of Children and Young Adults with Autism Spectrum Disorders», *PloS One* 7, n.º 4 (2012), pág. e33224.

35. *Según la AZA, la típica visitante de los zoos y acuarios:* John H. Falk et al., «Why Zoos and Aquariums Matter: Assessing the Impact of a Visit to a Zoo or Aquarium», Association of Zoos and Aquariums, 2007, www.aza. org/uploadedFiles/Education/why_zoos_matter.pdf: «Visitor Demographics, Association of Zoos and Aquariums», www.aza.org/visitor-demographics/ (consultado el 10 de marzo, 2013).

36. *En el 2007 la AZA publicó los resultados:* Falk et al., «Why Zoos and Aquariums Matter»; Lori Marino et al., «Do Zoos and Aquariums Promote Attitude Change in Visitors? A Critical Evaluation of the American Zoo and Aquarium Study», *Society and Animals* 18 (abril, 2010), págs. 126-138, www.nbb. emory.edu/faculty/personal/documents/MarinoetalAZAStudy-pdf.

37. *La mayoría de hombres y mujeres se arrancan el pelo:* «Trichotillomania», en *Diagnostic and Statistical Manual of Mental Disorders-V,* Asociación Psiquiátrica Americana, Washington D. C. 2013, págs. 312-339.

38. *La quinta edición del* DSM: ibíd.

39. *El hábito puede ser un síntoma de ansiedad:* «Hair Pulling: Frequently Asked Questions, Trichotillomania Learning Center FAQ», trich.org/ about/hair-faqs.html (consultado el 28 de noviembre, 2010); «Pulling Hair: Trichotillomania and Its Treatment in Adults. A Guide for Clinicians», the Scientific Advisory Board of the Trichotillomania Learning Center, en www.trich.org/about/for-professionals.html (consultado el 28 de noviembre, 2010); Mark Lewis y Kim Soo-Jeong, «The Pathophysiology of Restricted Repetitive Behavior», *Journal of Neurodevelopmental Disorders* 1 (2009), págs. 114-132.

40. *Se sabe que se da en seis especies de primates:* Vikton Reinhardt, «Hair Pulling: A Review», *Laboratory Animals,* n.º 39 (2005), págs. 361-369.

41. «Tache *es incapaz»:* Re: The Attempt to Save Noir from Barbering», discusión por carta, 26 de enero, 2010, www.fancymicebreeders.com/mousefancieforum (consultado el 28 de noviembre, 2010).

42. *A decir verdad, parece que a sus clientes hasta les gusta y todo:* F. A. Van den Broek, C. M. Omtzigt y A. C. Beynen, «Whisker Trimming Behaviour in A2G Mice Is Not Prevented by Offering Means of Withdrawal from It», *Lab Animal Science,* n.º 27 (1993), págs. 270-272.

43. *Algunos investigadores han sugerido:* Biji T. Kurien, Tim Gross y R. Hal Scofield, «Barbering in Mice: A Model for Trichotillomania», *British Medical Journal,* n.º 331 (2005), págs. 1.503-1.505. Véase también Joseph D. Garner et al., «Barbering (Fur and Whisker Trimming) by Laboratory Mice as a Model of Human Trichotillomania and Obsessive-Compulsive Spectrum Disorders», *Comparative Medicine* 54, n.º 2 (2004), págs. 216-224.

44. *Estudios hechos con ratones como sustitutos:* el hecho de que los humanos tiendan a arrancarse el pelo a sí mismos y los ratones a otros de su misma especie no ha impedido que se siguieran utilizando estos animales como modelos experimentales. Como tanto el ratón peluquero como su cliente participan en el proceso por voluntad propia, aunque resulte por lo menos un poco doloroso, los investigadores han tendido a suponer, en el mejor de los casos o en el peor, que la conducta de los tricotilómanos se reparte simplemente entre dos individuos en los ratones. Alice Moon-Fanelli, N. Dodman y R. O'Sullivan, «Veterinary of Models Compulsive Self-Grooming Parallels with Trichotillomania», en *Trichotillomania,* ed. Dan J. Stein, Gary A. Christenson y Eric Hollander, American Psychiatric Press, Arlington, Virginia, 1999, págs. 72-74.

45. *Un experimento realizado en el 2002:* «Compulsive Behavior in Mice Cured by Bone Marrow Transplant», *Science Daily,* 27 de mayo, 2010, www.sciencedaily.com/releases/2010/05/100527122150.htm (consultado el 28 de noviembre, 2010); Shau-Kwaun Chen et al., «Hematopoietic Origin of Pathological Grooming in Hoxb8 Mutant Mice», *Cell,* 2010, págs. 141 (5), 775; véase también «Mental Illness Tied to Immune Defect: Bone Marrow Transplants Cure Mice of Hair-Pulling Compulsion», News Center, Universidad de Utah, www.unews.utah.edu/p?r=022210-3 (consultado el 28 de noviembre, 2010).

46. *Las aves se arrancan las plumas cuando se sienten aburridas, frustradas o estresadas:* Lynne M. Seibert et al., «Placebo-Controlled Clomipramine Trial for the Treatment of Feather Picking Disorder in Cockatoos», *Journal of the American Animal Hospital Association* 40, n.º 4 (2004), págs. 261-269. Véase también Lynne M. Seibert, «Feather-Picking Disorder in Pet

Birds», en *Manual of Parrot Behavior,* ed. Andrew U. Luesche, Blackwell, Oxford, 2008.

47. *Phoebe Greene Linden lleva viviendo con loros:* Phoebe Greene Linden, comunicación personal, 5 de noviembre, 2010.

48. Joe *deambuló por el barrio:* Brian MacQuarrie y Douglas Belkin, «Franklin Park Gorilla Escapes, Attacks 2», *Boston Globe,* 29 de setiembre, 2003.

49. *Primatólogos como Frans de Waal y Jane Goodall:* Frans De Waal, *The Ape and the Sushi Master: Cultural Reflections by a Primatologist,* Basic Books, Nueva York, 2001, págs. 214-216; Bijal P. Trivedi, «"Hot Tub Monkeys" Offer Eye on Nonhuman "Culture"», *National Geographic News,* 6 de febrero, 2004, news.nationalgeographic.com/news/2004/02/0206_040206_tv-macaques.html (consultado el 28 de noviembre, 2010).

Capítulo 4. Si Julieta fuera un loro

1. *Según Lyn Miles, la investigadora jefe del estudio:* Susanne Antonetta, «Language Garden», *Orion,* abril del 2005, www.orionmagazine.org/index-php/articles/article/152/ (consultado el 10 de agosto, 2011).

2. *Aristóteles contó la historia:* Edmund Ramsden y Duncan Wilson, «The Nature of Suicide: Science and the Self-Destructive Animal», *Endeavor* 34, n.º 1 (2010), pág. 21.

3. *Desde 1732, la primera vez:* «Suicide», Oxford English Dictionary Online, www.oed.com/view/Entry/193691?rskey=6JPREr&result=1. Antes del siglo dieciocho alguien podía ser un «autodestructor», «autoexterminador», «autoasesino» o «autohomicida», pero no una víctima de suicidio.

4. *El* DSM-V *no incluye el suicidio:* ni tampoco menciona a quienes deciden quitarse la vida por sufrir una enfermedad terminal. «Proposed Revision», DSM5.org, www.dsm5.org/ProposedRevision/Pages/proposedrevision-aspx?rid=584# (consultado el 1 de abril, 2013. En cuanto a las ideas y los intentos suicidas, aunque no incluye los trastornos suicidas, véase también American Psychiatric Association, *Diagnostic and Stadistical Manual of Mental Disorders-IV,* America Psychiatric Association, Washington D. C, 1994.

5. *Esta clase de conductas autodestructivas entre animales no humanos:* véase, por ejemplo, Kathryn Bayne y Melinda Novak, «Behavioral Disorders», *Nonhuman Primates in Biomedical Research* (1998), págs. 485-500; P. S. Bordnick, B. A. Thyer y B. W. Ritchie, «Feather Picking Disorder and Trichotillomania: An Avian Model of Human Psychopathology», *Journal of Behavior Therapy and Experimental Psychiatry* 25, n.º 3 (1994), págs. 189-196; John C. Crabbe, John K. Belknap y Kari J. Buck, «Genetic Animal Models of Alcohol and Drug Abuse», *Science* 264, n.º 5166 (1994), págs. 1.715-1.723; J. N. Crawley, M. E. Sutton, and D. Pickar, «Animal Models of Self-Destructive Behavior and Suicide», *Psychiatric Clinics of North America* 8, n.º 2 (1985), págs. 299-310; Cross y Harlow, «Prolonged and Progressive Effects of Partial Isolation on the Behavior of Macaque Monkeys», págs. 39-49; Kalueff et al., «Hair Barbering in Mice»; A. J. Kinnaman, «Mental Life of Two Macacus Rhesus Monkeys in Captivity. I», *American Journal of Psychology* 13, n.º 1 (1902), págs. 98-148; Kurien et al., «Barbering in Mice»; O. Malkesman et al., «Animal Models of Suicide-Trait-Related Behaviors», *Trends in Pharmacological Sciences* 39, n.º 4 (2009), págs. 165-173; Melinda A. Novak and Stephen J. Suomi, «Abnormal Behavior in Nonhuman Primates and Models of Development», *Primate Models of Children's Health and Developmental Disabilities* (2008), págs. 141-160; Overall, «Natural Animal Models of Human Psychiatric Conditions»; J. L. Rapoport, D. H. Ryland, and M. Kriete, «Drug Treatment of Canine Acral Lick: An Animal Model of Obsessive-Compulsive Disorder», *Archives of General Psychiatry* 49, n.º 7 (1992), págs. 517-521; Richard E. Tessel et al., «Rodent Models of Mental Retardation: Self-Injury, Aberrant Behavior, and Stress», *Mental Retardation and Developmental Disabilities Research Reviews* 1, n.º 2 (1995), págs. 99-103.

6. *«Si bien las conductas autodestructivas y las suicidas»:* Crawley, Sutton y Pickar, «Animal Models of Self-Destructive Behavior and Suicide».

7. *El estudio se publicó hace veinticinco años y durante este espacio de tiempo:* por ejemplo, Nicholas H. Dodman y Louis Shuster, «Animal Models of Obsessive-Compulsive Behavior: A Neurobiological and Ethological Perspective», en *Concepts and Controversies in Obsessive-Compulsive Disorder,* ed. Jonathan S. Abramowitz y Arthur C. Houts, Springer, Nueva York, 2005, págs. 53-71; Garner et al., «Barbering (Fur and Whisker Trimming) by Laboratory Mice as a Model of Human Trichotillomania and Obsessive-compulsive Spectrum Disorders»; Kurien et al., «Barberting in Mice»; Rapoport et al., «Drug Treatment of Canine Acral Lick»; Bordnick et al., «Feather Picking Disorder and Trichotillomania»; Crabbe et al., «Genetic Animal Models of Alcohol and Drug Abuse»; Overall, «Natural Animal Models of Human Psychiatric Conditions»; Tessel et al., «Rodent Models of Mental Retardation».

8. *El suicidio es una conducta compleja:* Malkesman et al., «Animal Models of Suicide-Trait-Related Behaviors».

9. *Entre las peculiaridades y las conductas de los animales de laboratorio:* ibíd.

10. *Según la Asociación de Suicidología Americana:* una nota de suicidio demuestra que la persona pretendía quitarse la vida, pero las notas no aclaran sus motivaciones. Por supuesto, hay algunas claras excepciones llenas de percepciones o de indicaciones sobre lo que el suicida quiere que hagan con su cuerpo, o sobre la clase de entierro que desea, pero lo más frecuente es que las notas simplemente ilustren la variedad de emociones que quienes las escriben sentían en ese momento. Eric Marcus, *Why Suicide?: Answers to 200 of the Most Frequently Asked Questions about Suicide, Attempted Suicide, and Assisted Suicide,* HarperOne, San Francisco, 1996, pág. 14.

11. *Su artículo «La naturaleza del suicidio»:* Justin Nobel, «Do Animals Commit Suicide? A Scientific Debate», *Time,* 19 de marzo, 2010; Larry O'Hanlon, «Animal Suicide Sheds Light on Human Behavior», *Discovery News,* 10 de marzo, 2010, http://news.discovery.com/animals/animal-suicide-behavior.html?print=true; Rowan Hooper, «Animals Do Not Commit Suicide», *NewScientist,* 24 de marzo, 2010, www.newscientist.com/blogs/shortsharpscience/2010/03/animals-do-not-commit-suicide.html (consultado el 20 de abril, 2010).

12. *«Los científicos y los grupos sociales»:* Ramsden y Wilson, «The Nature of Suicide», pág. 22.

13. *La época victoriana fue un periodo sumamente interesante:* Barbara T. Gates, *Victorian Suicide: Mad Crimes and Sad Histories,* Princeton University Press, Princeton, Nueva Jersey, 1988, pág. 37; Anne Shepherd y David Wright, «Madness, Sucidide and the Victorian Asylum: Attempted Self-Murder in the Age of Non-Restraint», *Medical History* 46, n.º 2 (2002), págs. 175-196.

14. *En Inglaterra, las familias de suicidas:* Gates, *Victorian Suicide,* pág. 38.

15. *William Lauder Linsay dedicó un capítulo entero:* Lindsay, *Mind in the Lower Animals,* págs. 130-148.

16. *La obra de Lindsay refleja un gran cambio:* Ramsden y Wilson, «The Nature of Suicide».

17. *Lo «bastante brutales... como para empujar»:* C. Lloyd Morgan, «Suicide of Scorpions», *Nature 27* (1883), págs. 313-314. Cuatro años más tarde otro miembro de la Royal Society publicó el artículo «El famoso suicidio de los escorpiones», sosteniendo que los insectos eran inmunes a su propio veneno, y la cuestión del suicidio de los escorpiones pareció estar zanjada. A. G. Bourne, «The Reputed Suicide of Scorpions», *Proceedings of the Royal Society of London* 42 (1887), págs. 17-22.

18. *Publicó* Mental Evolution in Animals*:* George John Romanes, *Mental Evolution in Animals,* D. Appleton, Nueva York, 1884.

19. *Romanes, como Lindsay y Darwin, creía que la locura:* ibíd., págs. 148-174; Lorraine Daston ha sostenido que para Romanes, el antropomorfismo era una virtud y una necesidad, ya que demostraba una relación evolutiva directa entre los humanos y los otros animales. Pero para Morgan no era más que una proyección humana errónea. Lorraine Daston, «Intelligences: Angelic, Animal, Human», en *Thinking with Animals: New Perspectives on Anthropomorphism,* ed. Lorraine Daston y Gregg Mitman, Columbia University Press, Nueva York, 2005, págs. 37-58.

20. *Mientras tanto, el suicidio, en lugar de considerarse:* Ramsden y Wilson, «The Nature of Suicide», pág. 24.

21. *Las motivaciones de los suicidas podían deberse a «causas ocultas»:* Enrico Morselli, *Suicide: An Essay on Comparative Moral Statistics,* Kegan Paul, Londres, 1881, pág. 8.

22. *Durkheim publicó* El suicidio, *un libro que marcaría un hito:* en la introducción se preocupa de explicar por qué no incluye a los animales no humanos: «Lo que sabemos de la inteligencia animal no nos permite atribuir a los animales una representación anticipada de su muerte, ni sobre todo de los medios capaces de producirla... Todos los casos más o menos auténticos que se citan y en los que se quiere ver suicidios propiamente dichos pueden ser explicados de otro modo. Si el escorpión enloquecido se clava a sí mismo su aguijón (cosa que, por lo demás, no es segura), probablemente se deba a una reacción automática e instintiva. La energía motriz, desencadenada por su estado de excitación, se descarga al azar, como puede; el resultado es que el animal se convierte en su propia víctima, sin que pueda decirse, sin embargo, que conociera por adelantado la consecuencia de su movimiento. Inversamente, si hay perros que se niegan a alimentarse cuando han perdido a su dueño, es porque la tristeza en la que están sumidos ha suprimido mecánicamente su apetito; como consecuencia, mueren, pero sin que lo hubieran previsto. Ni el ayuno en este caso, ni la herida en el otro se han empleado como medios cuyo efecto era conocido». Emile Durkheim, *El suicidio: Estudio de sociología,* Editorial Losada, Madrid, 2004, págs. 22-23.

23. *Aquel mismo año, en un artículo publicado en la revista* Mind: Ramsden y Wilson, «The Nature of Suicide», pag. 23.

24. *En 1903 Morgan reiteró su afirmación:* Daston, «Intelligences», págs. 37-58.

25. *«La actividad de un animal no se puede interpretar en ningún caso»:* Conwy Lloyd Morgan, *An Introduction to Comparative Psychology,* Morgan, Londres, 1894, pág. 53.

26. *Los relatos de animales que se suicidaban estuvieron apareciendo:* para relatos novelados véase, por ejemplo, Claire Goll, *My Sentimental Zoo,* Peter Pauper Press, Nueva York, 1942. Para otros relatos, véase los siguientes ejemplos, así como «Texas Cattle: Peculiarities of the Long-Horned Beasts», *San Francisco Chronicle,* 7 de julio, 1885; «A Bull's Suicide», *San Francisco Chronicle,* 22 de diciembre, 1891; Paul Eipper, *Animals Looking at You,* Viking Press, Nueva York, 1929.

27. *Un artículo anterior publicado en el* New York Sun: «Suicide by Animals: Self-Destruction of Scorpion and Star-Fish», *New York Sun,* 18 de diciembre, 1881.

28. *«Como todo el mundo sabe, los leones son tan vanidosos como las mujeres de sociedad»:* «The Suicide of a Lion», *San Francisco Chronicle,* 25 de agosto, 1901.

29. *Los animales que más se suicidaban:* para una muestra representativa, véase «Suicide of a Dog», *San Francisco Chronicle,* 29 de julio, 1897; «Suicide: Do Animals Seek Their Own Death?», *San Francisco Chronicle,* 7 de abril, 1884; «A Mare's Suicide», *San Francisco Chronicle,* 7 de noviembre, 1894.

30. *Entre la población general:* Ritvo, *The Animal Estate,* págs. 19, 35.

31. *Organizaciones como la Real Sociedad para la Prevención de la Crueldad hacia los Animales:* Ramsden y Wilsin, «The Nature of Suicide», pág. 22

32. *En lo que respecta a los caballos, los escritores de historias naturales populares:* Ritvo, *The Animal Estate,* págs. 19, 35.

33. *En febrero de 1905, un Tribunal Superior de justicia comarcal:* «Court Decides That Horse Committed Suicide», *San Francisco Chronicle,* 2 de febrero, 1905.

34. *Al parecer otros caballos se habían arrojado:* «Aged Gray Horse, Weary of Life, Commits Suicide», *San Francisco Chronicle,* 23 de enero, 1922; «Horse Fails in Suicide Attempts», *San Francisco Chronicle,* 22 de mayo, 1922.

35. *Ric O'Barry, un antiguo adiestrador de delfines... que no tiene miedo a la hora de expresar su opinión:* primero lo cuenta en su libro, y luego en una entrevista para *Frontline,* un programa estadounidense que emite documentales de gran interés. Richard O'Barry y Keith Coulbourn, *Behind the Dolphin Smile: A True Story That Will Touch the Hearts of Animal Lovers Everywhere,* St. Martin's Griffin, Nueva York, 1999, págs. 248-250 [Edición en castellano: *Tras la sonrisa del delfín: el hombre que decidió devolver a los delfines a su hábitat natural,* RBA, Barcelona, 2001]; «Interview with Richard O'Barry», *Frontline: A Whale of a Business,* PBS, 11 de noviembre, 1997, www.pbs.org/wgbh/pages/frontline/shows/whales/interviews/obarry2.html.

36. *O'Barry escribe que el papel de* Flipper: O'Barry y Coulbourn, *Behind the Dolphin Smile,* pág. 136.

37. *Organizó expediciones para capturar:* ibíd.; Richard O'Barry, comunicación personal, 16 de junio, 2009.

38. *Todo cambió para O'Barry cuando:* «Interview with Richard O'Barry».

39. *Cuando O'Barry llegó al Seaquarium, encontró a Kathy:* O'Barry y Coulbourn, *Behind the Dolphin Smile,* págs. 248-250.

40. Kathy *se suicidó...:* «Interview with Richard O'Barry».

41. *Veinte millones de personas se manifestaron:* Shabecoff, *A Fierce Green Fire,* pág. 131; «Earth Day: The History of a Movement», Earth Day Network, www.earthday.org/earth-day-history-movement (consultado el 20 de agosto, 2013).

42. *Una semana más tarde, inspirado por este nuevo movimiento ecológico:* O'Barry y Coulbourn, *Behind the Dolphin Simile,* págs. 28-35.

43. *Cree que es posible que las ballenas y los delfines en cautividad se suiciden:* Doctora Naomi Rose, Human Society of the United States, comunicación personal, 13 de abril, 2010.

44. *«Toda la gama de especies que viven en alta mar»:* ibíd.

45. *Los varamientos de cetáceos vivos:* «*Three Beached Whales* by Jan Wierix», en R. Ellis, *Monsters of the Sea* (Robert Hale, 1994), http://upload.wikimedia.org/wikipedia/commons/9/94/Three_Beached_Whales%2C_1577.jpg, «Stranded Whale at Katwijk in Holland in 1598», en Ellis, http://en.wikipedia.org/wiki/File:Stranded_whale_Katwijk_1598.jpg; «Scenes from Wellfleet Dolphin Stranding», 19 de enero, 2012, www.youtube.com/watch?v=AGbdp4saMoI (consultado el 1 de mayo, 2012); «Raw Video: Mass Stranding of Pilot Whales», 6 de mayo, 2011, www.youtube.com/watch?v=w636wkpsBBg (consultado el 1 de mayo, 2012).

46. *Las estadísticas científicas sobre varamientos:* Angela D'Amico et al., «Beaked Whale Strandings and Naval Exercises», *Aquatic Mammals* 35 (1 de diciembre, 2009), págs. 452-472.

47. *A partir de la década de 1930:* esta discusión se basa en las consultas hechas en los archivos históricos de diarios estadounidenses editados desde el siglo diecinueve hasta la actualidad, como el *New York Times, Washington Post, San Francisco Chronicle, Boston Globe, Los Angeles Times* y otros periódicos importantes.

48. *En un artículo de 1937:* «Enigma of Suicidal Whales», *New York Times,* 6 de junio, 1937.

49. *Se «quedaron varadas deliberadamente…»:* «Whales Swim In and Die», *New York Times,* 8 de octubre, 1948.

50. *Un varamiento de cetáceos especialmente masivo que tuvo lugar en Escocia:* es una explicación poco probable, ya que esta clase de especies autodestructivas no viven demasiados años, «Scotland's 274 Dead Whales Stir Question», *Los Angeles Times,* 5 de julio, 1950.

51. *Con el paso del tiempo, los cetólogos fueron reaccionando con creciente escepticismo a los relatos:* véase, por ejmplo, Murray D. Dailey y William A. Walker, «Parasitism as a Factor (?) in Single Strandings of Southern California Cetaceans», *Journal of Parasitology* 64, n.º 4 (1978), págs. 593-596; Robert D. Everitt et al., *Marine Mammals of Northern Puget Sound and the Strait of Juan de Fuca: A Report on Investigations,* 1 de noviembre, 1977 — 31 de octubre, 1978, Environmental Research Laboratories, Marine Ecosystems Analysis Program, 1979; C. H. Fiscus y K. Niggol, «Observations of Cetaceans of California, Oregon, and Washington», *U. S. Fish and Wildlife Service Special Scientific Report* 498 (1965), págs. 1-27; S. Ohsumi, «Interspecies Relationship among Some Biological Parameters in Cetaceans and Estimation of the Natural Mortality Coefficient of the Southern Hemisphere Minke Whale», *Report of the International Whaling Commission* 29 (1979), págs. 397-406; D. E. Sergeant, «Ecological Aspects of Cetacean Strandings», in *Biology of Marine Mammals: Insights through Strandings,* ed. J. R. Geraci y D. J. St. Aubin, Marine Mammal Commission Report N.º MMC77/13, 1979, págs. 94-113.

52. *Cuando por ejemplo veinticuatro ballenas piloto quedaron varadas cerca de Charleston:* «Scientists Study Mystery of 24 Pilot Whales That Died after Stranding Themselves on Carolina Island Beach», *New York Times,* 8 de octubre, 1973.

53. *Las noticias de suicidios masivos de delfines y ballenas:* véase, por ejmplo, «Mass Suicide: Whale Beachings Puzzle to Experts», *Observer Reporter,* 27 de julio, 1976. Una de las razones del aumento de los varamientos observados podría ser, como Norman et al sugirieron, la creciente formación de redes de respondedores que intervienen en los varamientos acaecidos en los meses de verano, cuando más espectadores humanos se encuentran en la playa y a lo largo de las vías fluviales, por eso son testigos de los animales varados. S. A. Norman et al., «Cetacean Strandings in Oregon and Washington between 1930 and 2002», *Journal of Cetacean Research and Management* 6 (2004), págs. 87-99.

54. *Esta clase de historias tenían una buena acogida por parte del público, entre otras razones:* D. Graham Burnett, «A Mind in the Water», *Orion,* junio del 2010, www.orionmagazine.org/index.php/articles/articles/5503

(consultado el 1 de julio del 2010); D. Graham Burnett, *The Sounding of the Whale: Science and Cetaceans in the Twentieh Century*, University of Chicago Press, Chicago, 2012, capítulo 6.

55. *La historiadora Etienne Benson ha sostenido:* Etienne Benson, *Wired Wilderness: Technologies of Tracking and the Making of Modern Wildlife*, Johns Hopkins University Press, Baltimore, 2010, págs. 1-48.

56. *Las causas del varamiento de cetáceos continúan siendo desconcertantes y enigmáticas:* National Research Council (US), Committee on Potential Impacts of Ambient Noise in the Ocean on Marine Mammals, *Ocean Noise and Marine Mammals*, National Academies Press, Washington D. C. 2003; L. S. Weilgart, «A Brief Review of Known Effects of Noise on Marine Mammals», *International Journal of Comparative Psychology* 20 (2007), págs. 159-168; D'Amico et al., «Beaked Whale Strandings and Naval Exercises»; K. C. Balcomb y D. E. Claridge, «A Mass Stranding of Cetaceans Caused by Naval Sonar in the Bahamas», *Bahamas Journal of Science* 8, n.º 2 (2001), págs. 2-12; D. M. Anderson y A. W. White, «Marine Biotoxins at the Top of the Food Chain», *Oceanus* 35, n.º 3 (1992), págs. 55-61; R. J. Law, C. R. Allchin y L. K. Mead, «Brominated Diphenyl Ethers in Twelve Species of Marine Mammals Stranded in the UK», *Marine Pollution Bulletin* 50 (2005), págs. 356-359; R. J. Law et al., «Metals and Organochlorines in Pelagic Cetaceans Stranded on the Coasts of England and Wales», *Marine Pollution Bulletin* 42 (2001), págs. 522-526; R. J. Law et al., «Metal and Organochlorines in Tissues of a Blainville's Beaked Whale *(Mesoplodon densirostris)* and a Killer Whale *(Orcinus orca)* Stranded in the United Kingdom», *Marine Pollution Bulletin* 34 (1997), págs. 208-212; K. Evans et al., «Periodic Variability in Cetacean Strandings: Links to Large-Scale Climate Events», *Biology Letters* 1, n.º 2 (2005), págs. 147-150; M. D. Dailey et al., «Prey, Parasites and Pathology Associated with the Mortality of a Juvenile Gray Whale *(Eschrichtius robustus)* Stranded along the Northern California Coast», *Diseases and Aquatic Organisms* 42 (2000), págs. 111-117; J. Geraci et al., «Humpback Whales *(Megaptera novaeanglie)* Fatally Poisoned by Dinoflagellate Toxin», *Canadian Journal of Fisheries and Aquatic Science* 46 (1989), págs. 1.895-1.898; H. Thurston, «The Fatal Shore», *Canadian Geographic*, enero-febrero de 1995, págs. 60-68.

57. *Estos factores estresantes, combinados con las últimas investigaciones:* véase, por ejemplo, Felicity Muth, «Animal Culture: Insights from Whales»,

Scientific American.com, 27 de abril, 2013, http://blogs.scientificameri-can.com/not-bad-science/2013/04/27/animal-culture-insights-from-whales/ (consultado el 28 de abril, 2013); Jenny Allen et al., «Network-Based Diffusion Analysis Reveals Cultural Transmission of Lobtail Feeding in Humpack Whales», *Science* 340, n.º 6131 (2013), págs. 485-488; John K. B. Ford, «Vocal Traditions among Resident Killer Whales *(Orcinus orca)* in Coastal Waters of British Columbia», *Canadian Journal of Zoology* 69, n.º 6 (1991), págs. 1.454-1.483; Luke Rendell et al., «Can Genetic Diffe-rences Explain Vocal Dialect Variation in Sperm Whales, *Physeter macro-cephalus?*», *Behavior Genetics* 42, n.º 2 (2011), págs. 332-343.

58. *Se deben a los vínculos tan estrechos:* J. R. Geraci y V. J. Lounsbury, *Ma-rine Mammals Ashore: A Field Guide for Strandings,* A&M University Sea Grant College Program, Galveston, Texas, 1993; A. F. González y A. Ló-pez, «First Recorded Mass Stranding of Short-Finned Pilot Whales *(Globi-cephala macrorhynchus* Gray, 1846) in the Northeastern Atlantic», *Marine Mammal Science* 16, n.º 3 (2000), págs. 640-646.

59. *Los asistentes son en su mayoría voluntarios no remunerados:* otras nacio-nes tienen sus propias redes para los varamientos, como New Zealand's Project Jonah, www.projectjonah.org.nz; Indonesia's Whale Strandings Indonesia, www.whalestrandingindonesia.com/index.php; y Canada's Ma-rine Mammal Response Society, www.marineanimals.ca/.

60. *Este hecho tal vez haya condicionado la evolución:* Richard C. Connor, «Group Living in Whales and Dolphins», en *Cetacean Societies: Field Studies of Dolphins and Whales,* ed. Janet Mann, University of Chicago Press, Chi-cago, 2000, págs. 199-218.

61. *Solo uno de los miembros de los diecinueve delfines de flancos blancos:* «Why Do Cetaceans Strand? A Summary of Possible Causes», Hal White-head Laboratory Group, http://whitelab.biology.dal.ca/strand/StrandingWebsite.html#social; E. Rogan et al., «A Mass Stranding of White-Sided Dolphins *(Lagenorhynchus acutus)* in Ireland: Biological and Pathological Studies», *Journal of Zoology* 242, n.º 2 (1997), págs. 217-227.

62. *Desde que tuvo lugar el congreso de Hilo en el año 2010:* los estudios, basa-dos en investigaciones publicadas, también sugerían las relaciones causales existentes. David Suzuki, «Sonar and Whales Are a Deadly Mix», *Huffington Post,* 27 de febrero, 2013, www.huffingtonpost.ca/david-suzuki/sonar-naval-training-kills-whales_b_2769130.html; Tyack et al., «Beaked Whales Respond to Simulated and Actual Navy Sonar»; National Resource Defense Council, «Lethal Sounds: The Use of Military Sonar Poses a Deadly Threat to Whales and Other Marine Mammals», *NRDC,* www.nrdc.org/wildlife/marine/sonar.asp (consultado el 5 de julio, 2013); Weilgart, «A Brief Review of Known Effects of Noise on Marine Mammals»; National Research Council (U. S.), *Ocean Noise and Marine Mammals.*

63. *El Servicio Nacional de Pesca Marina y la Marina estadounidense publicaron:* «U. S. Sued over U. S. Navy Sonar Tests in Whale Waters», *NBC News,* 26 de enero, 2012, http://usnews.nbcnews.com/_news/2012/01/26/10244852-us-sued-over-navy-sonar-tests-in-whale-waters?lite (consultado el 27 de enero, 2012); «Marine Mammals and the Navy's 5-Year Plan», *New York Times,* 11 de octubre, 2012, www.nytimes.com/2012/10/12/opinion/marine-mammals-and-the-navy-5-year-plan-html (consultado el 11 de octubre, 2012); Natural Resources Defense Center Council, «Navy Training Blasts Marine Mammals with Harmful Sonar», *National Resource Defense Council Media,* difundido en las noticias, 26 de enero, 2012, www.nrdc.org/media/2012/120126a.asp (consultado el 27 de enero, 2012).

64. *Actualmente se están manteniendo otras batallas legales similares:* Lauren Sommer, «Navy Sonar Criticized for Harming Marine Mammals», *All Things Considered,* National Public Radio, 26 de abril, 2013; www.npr.org(2013/04/26/179297747/navy-sonar-criticized-for-harming-marine-mammals; Jeremy A. Goldbogen et al., «Blue Whales Respond to Simulated Mid-Frequency Military Sonar», *Proceedings of the Royal Society: Biological Sciences* 280, n.º 1765 (2013).

65. *El último estudio sobre estos mamíferos y los sonidos antropogénicos:* Goldbogen et al., «Blue Whales Respond to Simulated Mid-Frequency Military Sonar»: «Study: Military Sonar May Affect Endangered Blue Whale Population», *CBS News,* 8 de julio, 2013, http://seattle.cbslocal.com(2013/07/08/study-military-sonar-may-affect-endangered-blue-whale-population; Suzuki, «Sonar and Whales Are a Deadly Mix» (consultado el 8 de julio, 2013); «U. S. Military Sonar May Affect Endangered Blue Whales, Study Suggests», *Washington Post,* 8 de julio, 2013, http://articles.washingtonpost.com/2013-07-08/national/40435944_1_blue-whales-cascadia-research-collective-mid-frequency-sonar (consultado el 8 de julio, 2013); Damian Carrington, «Whales Flee from Military Sonar Leading to Mass Strandings, Research Shows»,

Guardian, 2 de julio, 2013; Victoria Gill, «Blue and Beaked Whales Affected by Simulated Navy Sonar», *BBC News,* 2 de julio, 2013, www.bbc.co.uk/news/science-environment-23115939 (consultado el 8 de julio, 2013); Richard Gray, «Blue Whales Are Disturbed by Military Sonar», *Telegraph,* 3 de julio, 2013, www.telegraph.co.uk/earth(wildlife/10158068/Blue-whales-are-disturbed-by-military-sonar.html (consultado el 4 de julio, 2013); Megan Gannon, «Military Sonar May Hurt Blue Whales», *Yahoo News,* 4 de julio, 2013, http://news.yahoo.com/military-sonar-may-hurt-blue-whales-141911253.html (consultado el 4 de julio, 2013).

66. *«Es como si alguien se tirara bajo las ruedas de un coche»:* Wynne Parry, «16 Whales Mysteriously Stranded in Florida Keys», *Live Science,* 6 de mayo, 2011, www.livescience.com/14052-pilot-whale-stranding-florida-pod-noise-html (consultado el 6 de mayo, 2011).

67. *Pero los sombrereros, además de temblar:* H. A. Waldron, «Did the Mad Hatter Have Mercury Poisoning?», *British Medical Journal* 287, n.º 6409 (1983), pág. 1961.

68. *Hoy día la mayor fuente de exposición al mercurio:* Katherine H. Taber y Robin A. Hurley, «Mercury Exposure: Effects across the Lifespan», *Journal of Neuropsychiatry and Clinical Neurosciences* 20, n.º 4 (2008), págs. 384-389; S. Allen Counter y Leo H. Buchanan, «Mercury Exposure in Children: A Review», *Toxicology and Applied Pharmacology* 198, n.º 2 (2004), pág. 213.

69. *Casi toda esta ingestión de mercurio:* Counter y Buchanan, «Mercury Exposure in Children», pág. 213.

70. *La intoxicación crónica por mercurio puede provocar ansiedad:* Taber y Hurley, «Mercury Exposure», pág. 389.

71. *Los efectos del mercurio en los mamíferos marinos:* Wendy Noke Dunden et al., «Mercury and Selenium Concentrations in Stranded Bottlenose Dolphins from the Indian River Lagoon System, Florida», *Bulletin of Marine Science* 81, n.º 1 (2007), págs. 37-54; H. Gomercic Srebocan y A. Prevendar Crnic, «Mercury Concentrations in the Tissues of Bottlenose Dolphins *(Tursiops truncatus)* and Striped Dolphins *(Stenella coeruloalba)* Stranded on the Croatian Adriatic Coast», *Science and Technology* 2009, n.º 12 (2009), págs. 598-604; Dan Ferber, «Sperm Whales Bear Testimony to Ocean Pollution», *Science Now,* 17 de agosto, 2005, http://news.sciencemag.org/sciencenow/2005/08/17-02.html (consultado el 8 de agosto, 2010); «Mercury Levels in Arctic Seals May Be Linked to Global Warming», *Science Daily*, 4 de mayo, 2009, www.sciencedaily.com/releases/2009/05/090504165950.htm (consultado el 5 de mayo, 2009); A. Gaden et al., «Mercury Trends in Ringed Seals *(Phoca hispida)* from the Western Canadian Arctic since 1973: Associations with Length of Ice-Free Season», *Environmental Science and Technology* 43 (15 de mayo, 2009), págs. 3646-3651.

72. *También se han realizado investigaciones basadas:* Shawn Booth y Dirk Zeller, «Mercury, Food Webs, and Marine Mammals: Implications of Diet and Climate Change for Human Health», *Environmental Health Perspectives* 113 (2 de febrero, 2005), págs. 521-526.

73. *Los toxicólogos han demostrado que los cuerpos:* Durden et al., «Mercury and Selenium Concentrations in Stranded Bottlenose Dolphins from the Indian River Lagoon System, Florida»; Srebocan y Crnic, «Mercury Concentrations in the Tissues of Bottlenose Dolphins *(Tursiops truncatus)* and Striped Dolphins *(Stenella coeruloalba)* Stranded on the Croatian Adriatic Coast»; Ferber, «Sperm Whales Bear Testimony to Ocean Pollution»; «Mercury Levels in Arctic Seals May Be Linked to Global Warning»; Gaden et al., «Mercury Trends in Ringed Seals *(Phoca hispida)* from the Western Canadian Arctic since 1973».

74. *En las focas moteadas esta contaminación:* «Mercury Pollution Causes Immune Damage to Harbor Seals», Science Daily, 20 de octubre, 2008, www.sciencedaily.com/releases/2008/10/081020191532.htm# (consultado el 30 de mayo, 2010).

75. *El mercurio no es la única toxina ambiental:* Jordan Lite, «What Is Mercury Poisoning?», *Scientific American*, 19 de diciembre, 2008, www.scientificamerican.com/article.cfm?id=jeremy-piven-mercury-poisoning (consultado el 20 de abril, 2010); «Pollution "Makes Birds Mate with Each Other", Say Scientists», *Mail Online*, 10 de diciembre, 2010, www.dailymail.co.uk/sciencetech/article-1334725/Mercury-diet-making-male-birds-gay.html (consultado el 11 de diciembre, 2010); «Fish Consumption Advisories», U. S. Environmental Protection Agency, www.epa.gov/hg/advisories.htm (consultado el 11 de diciembre, 2010); Bob Condor, «Living Well: How Much Mercury Is Safe? Go Fishing for Answers», Seattlepi.com, 19 de octubre, 2008, www.seattlepi.com/lifestyle/health/article/Living-Well.How-much-mercury-is-safe-Go-fishing-1288719.php (consultado el 1 de noviembre, 2009); Francesca Lyman, «How Much Mercury Is in the Fish You Eat? Doctors Recommend Consuming Seafood, but Some Fish Are Tainted», NBCNews.com, 4 de abril, 2003, www.nbcnews.com/id/3076632/ns/health-your_environment/t/how-much-mercury-fish-you-eat (consultado el 4 de enero, 2011); «Weekly Health Tip: Mercury in Fish-How Much Is Too Much?», Huffpost Healthy Living. The Blog, www.huffingtonpost.com/deepak-chopra/mercury-fish_b_893631.html; «Mercury Mess: Wild Bird Sex Stifled», *Environmental Health News,* 22 de setiembre, 2011, www.environmentalhealthnews.org/ehs/newscience/2011/08/2011-0920-mercury-messes-with-sex/ (consultado el 22 de setiembre, 2011).

76. *El plomo, el manganeso, el arsénico y los insecticidas organofosforados:* M. R. Trimble y E. S. Krishnamoorthy, «The Role of Toxins in Disorders of Mood and Affect», *Neurologic Clinics* 18, n.º 3 (2000), págs. 649-664; Celia Fischer, Anders Fredriksson y Per Eriksson, «Coexposure of Neonatal Mice to a Flame Retardant PBDE 99 (2,2',4,4',5-pentabromodiphenyl ether and Methyl Mercury Enhances Developmental Neurotoxic Defects», *Toxicological Sciences: An Official Journal of the Society of Toxicology* 101, n.º 2 (2008), págs. 275-285.

77. *En un estudio realizado con humanos, los trabajadores de una fábrica:* Trimble y Krishnamoorthy, «The Role of Toxins in Disorders of Mood and Affect».

78. *La exposición al plomo, al arsénico, al mercurio:* véase, por ejemplo, «Some Toxic Effects of Lead, Other Metals and Antibacterial Agents on the Nervous System: Animal Experiment Models», *Acta Neurologica Scandinavica Supplementum* 100 (1984), págs. 77-87; Minoru Yoshida et al., «Neurobehavioral Changes and Alteration of Gene Expression in the Brains of Metallothionein-I/II Null Mice Exposed to Low Levels of Mercury Vapor during Postnatal Development», *Journal of Toxicological Sciences* 36, n.º 5 (2011), págs. 539-547; Shuhua Xi et al., «Prenatal and Early Life Arsenic Exposure Induced Oxidative Damage and Altered Activities and mRNA Expressions of Neurotransmitter Metabolic Enzymes in Offspring Rat Brain», *Journal of Biochemical and Molecular Toxicology* 24, n.º 6 (2010), págs. 368-378.

79. *El científico checo Jaroslav Flegr:* Kathleen McAuliffe, «How Your Cat Is Making You Crazy», *Atlantic,* marzo, 2012.

80. *Flegr se preguntaba si él podía ser:* ibíd.

81. *Flegr descubrió que los franceses:* ibíd; «Common Parasite May Trigger Suicide Attempts: Inflammation from T. Gondii Produces Brain Damaging Metabolites», Science Daily, 16 de agosto, www.sciencedaily.com/releases/2012/08/120816170400.htm (consultado el 16 de agosto, 2012).

82. *El parásito transforma a los animales en los que se aloja en un sistema que los lleva a los gatos:* Patrick K. House, Ajai Vyas y Robert Sapolsky, «Predator Cat Odors Activate Sexual Arousal Pathways in Brains of Toxoplasma Gondii Infected Rats», ed. Georges Chapouthier, *PLoS ONE* 6, n.º 8 (2011), pág. e23277; «Toxo: A Conversation with Robert Sapolsky», The Edge. org, 4 de diciembre, 2009, www.edge.org/3rd_culture/sapolsky09/sapolsky09_index-html (consultado el 19 de agosto, 2012); Jaroslav Flegr, «Effects of Toxoplasma on Human Behavior», *Schizophrenia Bulletin* 33, n.º 3 (2007), http://schizophreniabulletin.oxfordjournals.org/content/33/3/757.full (consultado el 17 de agosto, 2012).

83. *Curiosamente, el toxo también hace que a las ratas hembra les resulten más atractivos los machos infectados:* McAuliffe, «How Your Cat Is Making You Crazy»; «Toxo: a Conversation with Robert Sapolsky»; Flegr, «Effects of Toxoplasma on Human Behavior».

84. *Durante décadas se ha sabido que las mujeres encintas:* «Toxoplasmosis», Centers for Disease Control, www.cdc.gov/parasites/toxoplasmosis/disease.html (consultado el 17 de agosto, 2012).

85. *Descubrió que las personas que habían estado expuestas al parásito:* Flegr, «Effects of Toxoplasma on Human Behavior»; McAuliffe, «How Your Cat Is Making You Crazy»; «Toxo: A Conversation with Robert Sapolsky».

86. *Los efectos psiquiátricos en las personas infectadas:* Vinita J. Ling, David Lester, Preben Bo Mortensen, Patricia W. Langenberg y Teodor T. Postolache, «Toxoplasma Gondii Seropositivity and Suicide Rates in Women», *The Journal of Nervous and Mental Disease* 199, n.º 7 (julio, 2011), págs. 440-444; Yuanfen Zhang, Lil Träskman-Bendz, Shorena Janelidze, Patricia Langenberg, Ahmed Saleh, Niel Constantine, Olaohuwa Okusaga, Cecilie Bay-Richter, Lena Brundin y Teodor T. Postolache, «Toxoplasma Gondii Innmunoglobulin G Antibodies and Nonfatal Suicidal Self-Directed Violence», *The Journal of Clinical Psychiatry* 73, n.º 8 (agosto, 2012), págs.

1.069-1.076; David Lester, «Toxoplasma Gondii and Homicide», *Psychological Reports* 111, n.º 1 (agosto, 2012), págs. 196-197.

87. *Un estudio del 2012 de la Universidad Estatal de Michigan:* «Common Parasite May Trigger Suicide Attempts».

88. *Las nutrias de la costa californiana empezaron a morir en grandes cantidades:* «California Sea Otters Numbers Drop Again», *United States Geological Survey,* 3 de agosto, 2010, www.usg.gov/newsroom/article.asp?ID=2560; Miles Grant, «California Sea Otter Population Declining», National Wildlife Federation, 7 de marzo, 2011, http://blog.nwf.org/2011/03/california-sea-otter-population-declining (consultado el 8 de marzo, 2011); «California Sea Otters Mysteriously Disappearing», CBS News, 3 de marzo, 2011, www.cbsnews.com/news/calif-sea-otters-mysteriously-disappearing (consultado el 4 de mayo, 2011).

89. *Profesora y veterinaria parasitóloga:* «Study Links Parasites in Freshwater Runoff to Sea Otter Deaths», Science Daily, 2 de julio, 2002, www.sciencedaily.com/releases/2002/06/020627004404.htm (consultado el 30 de octubre, 2010); P. A. Conrad, M. A. Miller, C. Kreuder, E. R. James, J. Mazet, H. Dabritz, D. A. Jessup, Frances Gulland y M. E. Grigg, «Transmission of Toxoplasma: Clues From the Study of Sea Otters as Sentinels of Toxoplasma Gondii Flow into the Marine Environment», *International Journal for Parasitology* 35, núms. 11-12 (octubre, 2005); págs. 1.155-1.168; M. A. Miller, W. A. Miller, P. A. Conrad, E. R. James, A. C. Melli, C. M. Leutenegger, H. A. Dabritz et al., «Type X Toxoplasma Gondii in a Wild Mussel and Terrestrial Carnivores from Coastal California: New Linkages between Terrestrial Mammals, Runoff and Toxoplasmosis of Sea Otters», *International Journal for Parasitology* 38, n.º 11 (setiembre, 2008), págs. 1.319-1.328.

90. *Conrad también descubrió que las nutrias:* Paul Rincon, «Cat Parasite "Is Killing Otters"», BBC, 19 de febrero, 2006, http://news.bbc.co.uk/2/hi/science/nature/4729810.stm (consultado el 5 de diciembre, 2012); Mariane B. Melo, Kirk D. C. Jensen y Jeroen P. J. Saeij, «Toxoplasma Gondii Effectors Are Master Regulators of the Inflammatory Response», *Trends in Parasitology* 27, n.º 11 (noviembre, 2011), págs. 487-495.

91. *Un estudio del 2011 realizado con mamíferos marinos en el noroeste del Pacífico:* «Dual Parasitic Infections Deadly to Marine Mammals», Science Daily,

25 de mayo, 2011, www.sciencedaily.com/releases/2011/05/110524171257. htm (consultado el 25 de mayo, 2013).

92. *La mayoría de proliferaciones algales son inocuas:* Astrid Schnetzer et al., «Blooms of Pseudo-Nitzschia and Domoic Acid in the San Pedro Channel and Los Angeles Harbor Areas of the Southern California Bight, 2003-2004», *Harmful Algae* 6, n.º 3 (2007), págs. 372-387; Frances Gulland, *Domoic Acid Toxicity in California Sea Lions (Zalophus californianus) Stranded along the Central California Coast, May-October 1998.* Report to the National Marine Fisheries Service Working Group on Unusual Marine Mammal Mortality Events, December, 2000; «Domoic Acid Toxicity», Marine Mammal Center, www.marinemammalcenter.org/science/top-research-projects/domoic-acid-toxicity.html (consultado el 1 de junio, 2012); «Real Tide», Woods Hole Oceanographic Institute, www.whoi.edu/redtide (consultado el 1 de junio, 2012).

93. *La toxicosis por ácido domoico la diagnosticó por primera vez:* Gulland, *Domoic Acid Toxicity in California Sea Lions (Zalophus californianus) Stranded along the Central California Coast, May-October 1998.*

94. *En los humanos, la exposición a la neurotoxina:* «Amnesic Shellfish Poisoning», Woods Hole Oceanographic Institution, www.whoi.edu/redtide/page.do?pid=9679&tid=523&cid=27686 (consultado el 1 de junio, 2012); D. Baden, L. E. Fleming y J. A. Bean, «Marine Toxins», en *Handbook of Clinical Neurology: Inoxications of the Nervous System, Part II. Natural Toxins and Drugs.* Ed. F. A. de Wolff, Elsevier Press, Ámsterdam, 1995, págs. 141-175.

95. *Dependiendo del lugar donde suelan capturar a sus presas:* Kate Thomas et al., «Movement, Dive Behavior, and Survival of California Sea Lions *(Zalophus californianus)* Posttreatment for Domoic Acid Toxicosis», *Marine Mammal Science* 26, n.º 1 (2010), págs. 36-52; E. M. D. Gulland et al., «Domoic Acid Toxicity in Californian Sea Lions *(Zalophus californianus):* Clinical Signs, Treatment and Survival», *Veterinary Record* 150, n.º 15 (2002), págs. 475-480.

96. *Los investigadores han localizado:* Thomas et al., «Movement, Dive Behavior, and Survival of California Sea Lions *(Zalophus californianus)* Posttreatment for Domoic Acid Toxicosis».

97. *Liberaron a una serie de leones marinos:* comunicación verbal con Lee Jackrel, jefe de equipo, Centro Marino de Mamíferos, noviembre y diciembre, 2010; Thomas et al., «Movement, Dive Behavior, and Survival of California Sea Lions *(Zalopus californianus)* Posttreatment for Domoic Acid Toxicosis».

98. *Manifiestan una conducta extrañamente aguerrida:* Gulland et al., «Domoic Acid Toxicity in Californian Sea Lions *(Zalophus californianus)*»; T. Goldstein et al., «Magnetic Resonance Imaging Quality and Volumes of Brain Structures from Live and Postmortem Imaging of California Sea Lions with Clinical Signs of Domoic Acid Toxicosis», *Diseases of Aquatic Organisms* 91, n.º 3 (2010), págs. 243-256; Thomas et al., «Movement, Dive Behavior, and Survival of California Sea Lions *(Zalophus californianus)* Posttreatment for Domoic Acid Toxicosis».

99. *Otro, apodado* Wilder: Mark Mullen, «Authorities Remove Sleeping Sea Lion», KRON4 News, 16 de diciembre, 2002.

100. *En los humanos, el hipocampo tiene un papel importante:* M. Sala et al., «Stress and Hippocampal Abnormalities in Psychiatric Disorders», *European Neuropsychopharmacology: The Journal of the European College of Neuropsychopharmacology* 14, n.º 5 (2004), págs. 393-405; Sapolsky, «Glucocorticois and Hippocampal Atrophy in Neuropsychiatric Disorders»; Cheryl D. Conrad, «Chronic Stress-Induced Hippocampal Vulnerability: The Glucocorticoid Vulnerability Hypothesis», *Reviews in the Neurosciences* 19, n.º 6 (2008), págs. 395-411.

101. *Según la Organización Mundial de la Salud:* J. A. Patz et al., «Climate Change and Infectious Disease», en *Climate Change and Human Health: Risks and Responses,* ed. A. J. McMichael et al, World Health Organization, Geneva, 2003, págs. 103-132, www.who.int/globalchange/publications/climatechangechap6.pdf, «Climate Change and Harmful Algal Blooms», National Oceanic and Atmospheric Administration, www.cop.noaa.gov/stressors/extremeevents/hab/current/CC_habs.aspx (consultado el 1 de mayo, 2012).

102. *Por la subida de la temperatura del mar:* Patz et al., «Climate Change and Infectious Disease»; «Climate Change and Harmful Algal Blooms»; T. Goldstein et al., «Novel Symptomatology and Changing Epidemiology of Domoic Acid Toxicosis in California Sea Lions *(Zalophus califor-*

nianus): An Increasing Risk to Marine Mammal Health», *Proceedings of the Royal Society B: Biological Sciences* 275, n.° 1632 (2008), págs. 267-276.

103. *Hasta mediados de la década de 1980, los mineros se adentraban en las oscuras galerías de las minas acompañados de canarios:* «1986: Coal Mine Canaries Made Redundant», BBC, 30 de diciembre, 1986; Walter Hines Page y Arthur Wilson Page, *The World's Work*, Doubleday, Page, Nueva York, 1914, pág. 474.

Capítulo 5. Rebelión en la farmacia

1. *Cuando Anna Nicole Smith, la estrella de un programa de telerrealidad:* «Eternal Sunshine», *Guardian*, 13 de mayo, 2007, www.guardian.co.uk/society/2007/may/13/socialcare.medicineandhealth (consultado el 10 de marzo, 2009).

2. Sumo... *un bichón frisé maltés:* Stanley Coren, «The Former French President's Depressed Dog: Jacques Chirac and Sumo», *Psychology Today,* 5 de octubre, 2009, www.psychologytoday.com/blog/canine-corner/200910/the-former-french-president-s-depressed-dog-jacques-chirac-and-sumo (consultado el 5 de abril, 2012); Ian Sparks, «Former French President Chirac Hospitalised after Mauling b His Clinically Depressed Poodle», *Mail Online,* 21 de enero, 2009, www.dailymail.co.uk/news/article-1126136/Former-French-President-Chirac-hospitalised-mauling-clinically-depressed-poodle.html (consultado el 5 de abril, 2012).

3. *La fluoxetina, o el Prozac genérico:* «Fluoxetine (AS HCL): Oral Suspension», Wedgewood Pharmacy, www.wedgewoodpetrx.com/items/fluoxetine-as-hcl-oral-suspension-html (consultado el 6 de abril, 2012).

4. *Hasta principios del siglo veinte, la mayoría de propietarios de animales pequeños:* en las prácticas homeopáticas del siglo diecinueve también se incluía a las mascotas. Los manuales homeopáticos para la salud de las mascotas se publicaron hasta la década del treinta y en las consultas de los médicos homeopáticos se podían adquirir *kits* veterinarios. Katherine C. Grier, *Pets in America: A History,* University of North Carolina Press, Chapel Hill, 2006, págs. 90-96.

5. *En mayo de 1950, Henry Hoyt y Frank Berger:* Andrea Tone, *The Age of Anxiety: A History of America's Turbulent Affair with Tranquilizers,* Basic Books, Nueva York, 2008, págs. 43-51.

6. *Otra compañía también estaba relajando a ratas:* Shorter, *A Historical Dictionary of Psychiatry,* pág. 54.

7. *En 1951, a una compañía farmacéutica:* David Healy, *The Creation of Psychopharmacology,* Harvard University Press, Cambridge, Massachusetts, 2002, pág. 78.

8. *Administraron antihistamínicos a las ratas:* ibíd., págs. 80-81.

9. *La indiferencia de las ratas despertó la curiosidad:* ibíd., págs. 46, 80-81, 84. Los fármacos también se experimentaron en perros dándoles otros usos. El compuesto hacía que los perros con náuseas dejaran de vomitar, incluso en los de un grupo experimental a los que los investigadores balanceaban sin parar en hamacas.

10. *El fármaco también hizo que ciertos pacientes del Hospital de Santa Ana:* ibíd., págs. 90-91.

11. *Un peluquero de Lyon:* ibíd.

12. *En 1954, Rhône-Poulenc vendió la patente estadounidense de la clorpromazina:* Shorter, *A Historical Dictionary of Psychiatry,* pág. 55.

13. *Se comercializó como un medicamento antináuseas:* Healy, *The Creation of Psychopharmacology,* págs. 98-99.

14. *Un artículo de una revista publicado en 1968 resumía el uso veterinario:* J. W. Kakolewski, «Psychopharmacology: Clinical and Experimental Subjects», en *Abnormal Behavior in Animals,* ed. Michael W. Fox, Saunders, Filadelfia, 1968, pág. 527.

15. *«Atacaban salvajemente a los lechones»:* A. F. Fraser, «Behavior Disorders in Domestic Animals», en *Abnormal Behavior in Animals,* ed. Michael W. Fox, Saunders, Filadelfia, 1968, pág. 184.

16. *Al poco tiempo, se usaron otros nuevos medicamentos antipsicóticos:* W. Ferguson, «Abnormal Behavior in Domestic Birds», en *Abnormal Behavior in Animals,* ed. Michael W. Fox, Saunders, Filadelfia, 1968, pág. 195.

17. *Al año de haber adquirido Smith Kline la patente de la clorpromazina:* Tone, *The Age of Anxiety,* págs. 43-52.

18. *Entre tanto los científicos del Departamento Neuropsiquiátrico del Instituto Walter Reed de la Armada:* ibíd., págs. 109-110.

19. *La década de 1950 fue fundamental en cuanto a los nuevos vínculos:* Jonathan Michel Metzl, *Prozac on the Couch: Prescribing Gender in the Era of Wonder Drugs,* Duke University Press, Durham, Nueva York, 2003, págs. 72, 74-75.

20. *Las estrategias comerciales de las compañías farmacéuticas:* Ferdinand Lundberg y Marynia Farnham, *Modern Woman: The Lost Sex,* Harper and Brothers, Nueva York, 1947.

21. *Con la llegada de los tranquilizantes esos peligrosos estados:* Metzl, *Prozac on the Couch,* págs. 81, 159.

22. *Antes de mediados de la década de 1950, era la terapia conversacional y no los medicamentos:* ibíd., págs. 101-102.

23. *El Miltown se sacó al mercado en 1955:* Tone, *The Age of Anxiety,* págs. 109-110.

24. *Los manuales de referencia para los médicos publicados por las compañías farmacéuticas:* Roche Laboratories, *Aspects of Anxiety,* Lippincott, Filadelfia, 1968.

25. *Cuando solo hacía dos años que el Miltown se había lanzado al mercado:* Tone, *The Age of Anxiety,* págs. 57, 108-110, 113.

26. *A los niños se lo administraban:* Metzl, *Prozac on the Couch,* pág. 100; R. Huebner, «Meprobamate in Canine Medicine: A Summary of 77 Cases», *Veterinary Medicine* 51 (octubre, 1956), pág. 488.

27. *Si un fármaco curaba la ansiedad, sostuvo más tarde Berger:* Metzl, *Prozac on the Couch,* pág. 73.

28. *Salió a la luz la naturaleza adictiva del Miltown:* Tone, *The Age of Anxiety,* págs. 144-147.

29. *En 1967 se creó una ley para modificar el Acta de Alimentos, Medicamentos y Cosméticos, que obligaba a controlar la venta y la distribución de esta* *clase de medicamentos:* «Tranquilizer Is Put under U. S. Curbs», *New York Times,* 6 de diciembre, 1967.

30. *El éxito obtenido por la industria:* ibíd., págs. 144-147, David Healy, *Let Them Eat Prozac: The Unhealthy Relationship between the Pharmaceutical Industry and Depression,* New York University Press, Nueva York, 2004.

31. *En aquella época también se estaba experimentando con otros psicofárma-cos:* Tone, *The Age of Anxiety,* pág. 129.

32. *El nuevo medicamento también superó la «prueba del gato»:* ibíd., págs. 129, 135.

33. *Este relajante gatuno-ratonil-humano:* ibíd., págs. 153-156.

34. *En la década de 1960 fue capturado en el Congo:* Rebecca Burns, «11 Years Ago This Month: Willie B's Memorial». Atlantamagazine.com, febrero del 2000, www.altlantamagazine.com/flashback/Story.aspx?id=1353208 (consultado el 20 de julio, 2012); Dorie Turner, «Famed Atlanta Resident Who Ate Bananas Comes to TV», *USA Today,* 5 de agosto, 2008, www.usatoday.com/news/nation/2008-08-05-223872423_x_htm (consultado el 20 de julio, 2012).

35. *Esta clase de fármacos se emplean para ayudar a las aves a superar sus fobias:* Liz Wilson y Andrew Luescher, «Parrots and Fear», en *Manual of Parrot Behavior,* ed. Andrew Luescher, Blackwell, Ames, Iowa, 2006, pág. 227; Peter Holz y James E. F. Barnett, «Long-Acting Tranquilizers: Their Use as a Management Tool in the Confinement of Free-Ranging Red-Necked Wallabies *(Macropus rufogriseus)*», *Journal of Zoo and Wildlife Medicine* 27, n.º 1 (1996), págs. 54-60; Y. Uchida, N. Dodman y D. DeGhetto, «Animal Behavior Case of the Month: A Captive Bear Was Observed to Exhibit Signs of Separation Anxiety», *Journal of the American Veterinary Medical Association* 212, n.º 3 (1998), págs. 354-355; Thomas H. Reidarson, Jim McBain y Judy St. Leger, «Side Effects of Haloperidol (Haldol(r)) to Treat Chronic Regurgitation in California Sea Lions», *IAAAM Conference Proceedings* (2004), págs. 124-125, www.vin.com/Proceedings/Proceedings.plx?&CID=IAAAM2004&PID=pr50067&O=Generic; Leslie M. Dalton y Todd R. Robeck, «Aberrant Behavior in a California Sea Lion *(Zalophus californianus), IAAAM Conference Proceedings* (1997), págs. 145-146, www.vin.com/Proceedings/Proceedings.plx?&CID=IAAAM19

97&PID=pr49310&O=Generic; Larry Gage et al., «Medical and Behavioral Management of Chronic Regurgitation in a Pacific Walrus *(Odobenus rosmarus divergens)*», *IAAAM Conference Proceedings* (2000), págs. 341-342, www.vin.com/Proceedings/Proceedings.plx?&CID=IAAAM2000& PID=pr49633&O=Generic.

36. *En el Zoo de Toledo (en el estado de Ohio) usaron el Haldol:* Jenny Laidman, «Zoos Using Drugs to Help Manage Anxious Animals», *Toledo Blade,* 14 de setiembre, 2005.

37. *Cuando el movimiento antipsiquiátrico:* Healy, *The Creation of Psychopharmacology,* pág. 5; Michel Foucault, *Madness and Civilization: A History of Insanity in the Age of Resaon,* Vintage Books, Nueva York, 1973; Michael E. Staub, *Madness in Civilization: When the Diagnosis Was Social, 1948-1980,* University of Chicago Press, Chicago, 2011, págs. 6, 139-140, 181-183; Roy W. Menninger y John C. Nemiah, eds., *American Psychiatry after World War II, 1944-1994,* American Psychiatric Press, Arlington, Virginia, 2000, págs. 281-289.

38. *Ken Kesey describió los manicomios:* Ken Kesey, *One Flew over the Cuckoo's Nest,* Signet, Nueva York, 1963: [Edicioón en castellano: *Alguien voló sobre el nido del cuco,* Anagrama, Barcelona, 1962].

39. *Como el historiador David Healy señala:* Healy, *The Creation of Psychopharmacology,* págs. 5, 148-156, 162-163.

40. *Sus campañas centradas en los médicos:* ibíd, pág. 237.

41. *Más de treinta años después:* Lorna A. Rhodes, *Total Confinement: Madness and Reason in the Maximum Security Prison,* University of California Press, Berkely, 2004, págs. 126-128. Véase también Laura Calkins, «Detained and Drugged: A Brief Overview of the Use of Pharmaceuticals for the Interrogation of Suspects, Prisoners, Patients, and POWs in the U. S.», *Bioethics* 24, n.º 1 (2010), págs. 27-34; Charles Pillar, «California Prison Behavior Units Aim to Control Troublesome Inmates», *Sacramento Bee,* 10 de mayo, 2010; Kenneth Adams y Joseph Ferrandino, «Managing Mentally Ill Inmates in Prisons», *Criminal Justice and Behavior* 35, n.º 8 (2008), págs. 913-927; David Jones, A. Bernard Ackerman, profesor de Cultura de la Medicina, Universidad de Harvard, y psiquiatra, correspondencia personal, 29 de julio, 2013.

42. *Los antipsicóticos, los antidepresivos y la medicación antiansiedad, por ejemplo:* M. Babette Fontenot et al., «Dose-Finding Study of Fluoxetine and Venlafaxine for the Treatment of Self-Injurious and Stereotypic Behavior in Rhesus Macaques *(Macaca mulatta), Journal of the American Association for Laboratory Animal Science* 48, n.º 2 (2009), págs. 176-184; M. Babette Fontenot et al., «The Effects of Fluoxetine and Buspirone on Self-Injurious and Stereotypic Behavior in Adult Male Rhesus Macaques», *Comparative Medicine* 55, n.º 1 (2005), págs. 67-74; H. W. Murphy y R. Chafel, «The Use of Psychoactive Drugs in Great Apes: Survey Results», *Proceedings of the American Association of Zoo Veterinarians, American Association of Wildlife Veterinarians, Association of Reptile and Amphibian Veterinarians, and National Association of Zoo and Wildlife Veterinarians Joint Conference* (18 de setiembre, 2001), págs. 244-249.

43. *A un gorila macho de Ohio que se alteraba fácilmente:* Laidman, «Zoos Using Drugs to Help Manage Anxious Animals».

44. *En el Zoo de Guadalajara de México:* D. Espinosa-Avilés et al., «Treatment of Acute Self Aggressive Behaviour in a Captive Gorila *(Gorilla gorilla gorilla)*», *Veterinary Record* 154, n.º 13 (2004), págs. 401-402.

45. *Obligaron a la cuidadora y a su gorila a bajar del avión:* Paul Luther, comunicación personal, junio del 2009. Véase también Darrel Glover, «Cranky Ape Puts His Foot Down, So Pilot Boots Him off Jet», *Seatle Post-Intelligencer,* 17 de octubre, 1996; Elizabeth Morell, «Transporting Wild Animals», *Risk Management* (julio, 1998).

46. *A los delfines, ballenas, leones marinos, morsas:* Dalton y Robeck, «Aberrant Behavior in a California Sea Lion *(Zalophus californianus)*», págs. 145-146; Reidarson et al., «Side Effects of Haloperidol (Haldol(r)) to Treat Chronic Regurgitation in California Sea Lions», págs. 124-125; Chen et al., «Diagnosis and Treatment of Abnormal Food Regurgitation in a California Sea Lion *(Zalophus californianus)*».

47. *En este tipo de instalaciones zoológicas los empleados reciben bonificaciones:* Kirby, *Death at SeaWorld,* págs. 317-334.

48. *Entre algunos de los casos comentados en la prensa, había:* William Van Bonn, «Medical Management of Chronic Emesis in a Juvenile White Whale *(Delphinapterus leucas)*» *IAAAM Conference Proceedings* (2006), págs.

150-152, www.vin.com/Proceedings/Proceedings.plx?CID=IAAAM2006 &Category=7556&PID=50364&O=Generic.

49. *La palabra* antidepresivos *la acuñó:* Edward Shorter, *Before Prozac: The Troubled History of Mood Disorders in Psychiatry,* Oxford University Press, Nueva York, 2009, pág. 2.

50. *De 1900 a 1980 aproximadamente:* ibíd., pág. 4.

51. *En Europa, antes de la década de 1950:* Healy, *The Creation of Psychopharmacology,* pág. 57.

52. *Shorter ha sostenido que los casos:* Shorter, *Before Prozac,* pág. 2.

53. *Los antidepresivos, sobre todo el Prozac:* Peter K. Kramer, *Listening to Prozac,* Viking, Nueva York, 1993; Healy, *Let Them Eat Prozac,* pág. 264.

54. *Un psiquiatra le recetó Remeron:* Carla Hall, «Fido's Little Helper», *Los Angeles Times,* 10 de enero, 2007, http://articles.latimes.com/2007/jan/10/local/me-animalmeds10 (consultado el 15 de setiembre, 2010).

55. *A* Johari, *un gorila hembra del Zoo de Toledo:* Laidman, «Zoos Ussing Drugs to Help Manage Anxious Animals».

56. *Cuando... los periódicos sensacionalistas:* Tad Friend, «It's a Jungle in Here», *New York Magazine,* 24 de abril, 1995.

57. *El oso salió en la portada del periódico* Newsday: Will Nixon, «Gus the Neurotic Bear: Polar Bear in New York City Central Park Zoo», *E the Environmental Magazine,* diciembre, 1994.

58. *El trastorno bipolar se puso de moda:* David Healy, «Folie to Folly: The Modern Mania for Bipolar Disorders» en *Medicating Modern America, Prescription Drugs in History,* ed. Andrea Tone y Elizabeth Siegel Watkins, New York University Press, Nueva York, 2007, pág. 43; Emily Martin, *Bipolar Expeditions: Mania and Depression in American Culture,* Princeton University Press, Princeton, Nueva Jersey, 2007, págs. 223-227.

59. *El encargado del departamento de relaciones públicas del zoo:* Friend, «It's a Jungle in Here». En *Bipolar Expeditions,* pág. 225, el libro de Emily Martin que también refleja un sentimiento parecido, ella sugiere que esa bipolaridad se estuvo viendo, al menos durante un tiempo y sobre todo por los neoyorquinos, como un fenómeno de la ciudad de Nueva York, ya que su frenético ritmo de vida probablemente les resultaba atractivo a los bipolares o incitaba la bipolaridad en quienes eran propensos a ella, influyendo en las clases de trastornos que los neoyorquinos reconocían en los animales de sus zoos.

60. *Tras la cobertura periodística:* Friend, «It's a Jungle In Here».

61. A *decir verdad, cuando* Gus *llegó de un zoo de Ohio en 1988:* Nixon, «Gus the Neurotic Bear»; Friend, «It's a Jungle in Here».

62. *Esperando corregir su conducta neurótica:* Ingrid Newkirk, *The PETA Practical Guide to Animal Rights: Simple Acts of Kindness to Help Animals in Trouble,* Macmillan, Nueva York, 2009; Julia Naylor Rodriguez, «Experts Say Prozac for Pets Is a Pretty Depressing Idea», *Forth Worth Star,* 2 de setiembre, 1994; «Dogs Feeling Wuff in the City Getting a Boost from Prozac», *New York Daily News,* 11 de enero, 2007; June Naylor Rodriguez, «Prozac for Fido? Don't Get Too Anxious for It, Vets Say», *Fort Worth Star,* 3 de setiembre, 1994.

63. *El zoo rediseñó su instalación:* N. R. Kleinfeld, «Farewell to Gus, Whose Issues Made Him a Star», *New York Times,* 28 de agosto, 2013, www.nytimes.com/2013/08/29/nyregion/gus-new-yorks-most-famous-polar-bear-dies-at-27.html?_r=0.

64. *En agosto del 2013 lo sacrificaron:* ibíd.

65. *Como es imposible imitar:* E. M. Poulsen et al., «Use of Fluoxetine for the Treatment of Stereotypical Pacing Behavior in a Captive Polar Bear», *Journal of the American Veterinary Medical Association* 209, n.º 8 (1996), págs. 1.470-1.474. El estudio fue subvencionado por Eli Lilly.

66. Abdi *es un oso pardo macho:* Yalcin y N. Aytug, «Use of Fluoxetine to Treat Stereotypical Pacing Behavior in a Brown Bear *(Ursus arctos)*», *Journal of Veterinary Behavior Clinical Applications and Research* 2, n.º 3 (2007), págs. 73-76.

67. Abdi *sigue progresando:* Dr. Prof. Nilufer Aytug, Karacabey Bear Sanctuary, comunicación personal, 5 de febrero, 2012.

68. *Probaron suerte con un último antipsicótico:* H. W. Murphy y M. Mufson, «The Use of Psychopharmaceuticals to Control Aggressive Behaviors

in Captive Gorillas», Proceedings of «The Apes: Challenges for the 21ˢᵗ Century», Brookfield Zoo, Chicago (2000), págs. 157-160.

69. *Lamentablemente estuvo viviendo solo: From Cages to Conservation,* documental WBUR, http://insideout.wbur.org/documentaries/zoos/ (consultado el 1 de diciembre, 2013).

70. *Después de sus experiencias en el Zoo de Boston:* H. W. Murphy y R. Chafel, «The Use of Psychoactive Drugs in Great Apes: Survey Results», *Proceedings of the American Association of Zoo Veterinarians, American Association of Wildlife Veterinarians, Association of Reptile and Amphibian Veterinarians, and National Association of Zoo and Wildlife Veterinarians Joint Conference* (18 de setiembre, 2001), págs. 244-249; Murphy y Mufson, «The Use of Psychopharmaceuticals to Control Aggressive Behaviors in Captive Gorillas».

71. *Realizada entre 2,5 millones de estadounidenses con seguro médico del 2001 al 2010:* «America's State of Mind», Medco, 2011, http://apps.who. int/medicinedocs/documents/s19032en/s19032en.pdf.

72. *Los americanos se gastaron más de 16.000 millones de dólares en antipsicóticos:* Brendan Smith, «Inappropiate Prescribing», *Monitor on Psychology,* American Psychological Association, junio, 2012, vol. 43, n.º 6, pág. 36, www.apa.org/monitor/2012/06/prescribing.aspx.

73. *Según un estudio reciente realizado por los centros para el Control de Enfermedades:* National Ambulatory Medical Care Survey, Factsheet, Psychiatry, CDC, www.cdc.gov/nchs/data/ahcd/NAMCS_Factsheet_ PSY_2009.pdf (consultado el 1 de setiembre, 2010); Laura A. Pratt, Debra J. Brody y Qiuping Gu, «Antidepressant Use in Persons Ages 12 and Over: United States, 2005-2008», CDC, www.cdc.gov/nchs/data/databriefs/ db76.htm (consultado el 1 de setiembre, 2010).

74. *El mercado estadounidense de medicamentos para mascotas:* Matt Wickenheiser, «Vet Biotech Aims at Generic Pet Medicine Market», *Bangalore Daily News,* 3 de febrero, 2012, http://bangordailynews.com/2012/02/03/business/vet-biotech-aims-at-generic-pet-medicine-market/. «Pet Industry Market Size and Ownership Statistics», American Pet Products Manufacturers Association, 2011-2012, National Survey, www.americanpetproducts.org/ press_insturytreras.asp.

75. *Cosechó 2.200 millones de dólares en su oferta pública inicial:* Chris Dietrich, «Zoetis Raises $2.2 Billion in IPO», *Wall Street Journal,* 31 de enero, 2013.

76. *Elanco, una compañía farmacéutica que produce medicamentos para mascotas propiedad de Eli Lilly:* «Eli Lilly: Offsetting Generic Erosion through Janssen's Animal Health Business», *Comment-Wire,* 17 de marzo, 2011.

77. *Las ventas anuales de Pfizer de medicamentos para animales:* Susan Todd, «Retailers Shaking Up Pet Medicines Market, but Consumers Continue to Rely on Vets for Serious Remedies and Care», *Star-Ledger (NJ),* 2 de octubre, 2011, www.nj.com/business/index.ssf/2011/10/retailers_shaking_up_pet_medic.html (consultado el 3 de octubre, 2011).

78. *La industria de medicamentos para mascotas:* KPMG, Bureau of Economic Analysis, Packaged Facts, y William Blair and Co., *Veterinary Economics,* abril, 2008; y Allison Grant, «Veterinarians Scramble as Retailers Jump Into Pet Meds Market», *The Plain Dealer,* 9 de enero, 2012.

79. *Una empresa que realizó recientemente un estudio de mercado afirmó:* David Lummis, «Human/Animal Bond and "Pet Parent" Spending Insulate $53 Billion U. S. Pet Market against Downturn, Forecast to Drie Post-Recession Growth», *Packaged Facts,* 2 de marzo, 2010, www.packagedfacts.com/Pet-Outlook-2553713/.

80. *Se ha comprobado que esto es verdad:* Susan Jones, *Valuing Animals: Veterinarians and Their Patients in Modern America,* Johns Hopkins University Press, Baltimore, 2003, pág. 119; National Ambulatory Medical Care Survey.

81. *Los medicamentos humanos más lucrativos en el 2012:* David Healy, *Pharmageddon,* University of California Press, Berkeley, 2012, págs. 10-11.

82. *La escala de la inversión en el desarrollo:* Adriana Petryna, Andrew Lakoff y Arthur Kleinman, eds., *Global Pharmaceuticals: Ethics, Markets, Practices,* Duke University Press, Durham, Carolina del Norte, 2006, pág. 9; véase también Shorter, *Before Prozac,* págs. 11-33.

83. *Dos decisiones históricas fundamentales:* Healy, *The Creation of Psychopharmacology,* pág. 35.

84. *Una segunda decisión de la FDA tomada en 1997:* Shorter, *Before Prozac,* págs. 194-196.

85. *«La gente solía llamarme, entre otras cosas, el Timothy Leary»:* «Pet Pharm», CBS Documentaries, 10 de setiembre, 2010, www.cbc.ca/documentaries/doczone/2010/petpharmacy/indez.html.

86. *Al igual que Leary, él obraba como una especie de flautista de Hamelín:* véase, por ejemplo, Nicholas H. Dodman y Louis Shuster, eds., *Psychopharmacology of Animal Behaviour Disorders,* Blackwell Science, Malden, Massachusetts, 1998; Dodman et al., «Equine Self-Mutilation Syndrome (57 Cases)»; N. H. Dodman et al., «Investigation into the Use of Narcotic Antagonists in the Treatment of a Stereotypic Behavior Pattern (Crib-Biting) in the Horse», *American Journal of Veterinary Research* 48, n.º 2 (1987), págs. 311-319; N. H. Dodman et al., «Use of Narcotic Antagonists to Modify Stereotypic Self-Licking, Self-Chewing, and Scratching Behavior in Dogs», *Journal of the American Veterinary Medical Association* 193, n.º 7 (1988), págs. 815-819; N. H. Dodman et al., «Use of Fluoxetine to Treat Dominance Aggression in Dogs», *Journal of the American Veterinary Medical Association* 209, n.º 9 (1996), págs. 1.585-1.587; «Dodman to Hold Behavior Workshops in Northern Calif.», *Veterinary Practice News,* 19 de abril, 2011, www.veterinarypracticenews.com/vet-breaking-nes/2011/04/19/dodman-to-hold-behavior-workshops-in-northern-calif.-aspx; Nicholas H. Dodman, «The Well Adjusted Cat-One Day Workshop: Secrets to Understanding Feline Behavior», Pet Docs, www.thepetdocs.com/events.html.

87. *Ha publicado investigaciones:* véase, por ejemplo, Dodman et al., «Use of Narcotic Antagonists to Modify Stereotypic Self-Licking, Self-Chewing, and Scratching Behavior in Dogs»; Dodman et al., «Investigation into the Use of Narcotic Antagonists in the Treatment of a Stereotypic Behavior Pattern (Crib-Biting) in the Horse»; B. L. Hart et al., «Effectiveness of Buspirone on Urine Spraying and Inappropriate Urination in Cats», *Journal of the American Veterinary Medical Association* 203, n.º 2 (1993), págs. 254-258; A. A. Moon-Fanelli y N. H. Dodman, «Description and Development of Compulsive Tail Chasing in Terriers and Response to Clomipramine Treatment», *Journal of the American Veterinary Medical Association* 212, n.º 8 (1998), págs. 1.252-1.257; Raphael Wald, Nicholas Dodman y Louis Shuster, «The Combined Effects of Memantine and Fluoxetine on an Animal Model of Obsessive Compulsive Disorder», *Experimental and Clinical Psychopharmacology* 17, n.º 3 (2009), págs. 191-197; L. S. Sawyer, A. A. Moon-Fanelli, y N. H. Dodman, «Psychogenic Alopecia in Cats: 11

Cases (1993-1996)», *Journal of the American Veterinary Medical Association* 214, n.º 1 (1999), págs. 71-74.

88. *En su libro* The Well-Adjusted Dog: Nicholas H. Dodman, *The Well-Adjusted Dog: Dr. Dodman's Seven Steps to Lifelong Health and Happiness for Your Best Friend,* Houghton Mifflin Harcourt, Boston, 2008, pág. 212.

89. *Dodman receta una amplia variedad de psicofármacos:* el Buspar, otro medicamento que usa, se testó por primera vez a finales de la década de 1980 en perros con fobias a las tormentas. Los que tomaban el fármaco estaban más tranquilos cuando los truenos retumbaban a lo lejos, pero seguían poniéndose muy nerviosos cuando tronaba sobre ellos. También lo ha utilizado para la agresividad debida al miedo y la ansiedad social, y afirma que el medicamento es muy eficaz para tratar a los perros a los que les gusta orinar en casa y para los que se marean en el coche. Dodman, *The Well-Adjusted Dog,* págs. 233-234.

90. *Compartió sus ideas por primera vez:* James Vlahos, «Pill-Popping Pets», *New York Times Magazine,* 13 de julio, 2008.

91. *Dodman recuerda haber oído al antiguo decano de la Facultad de Veterinaria de Tufts:* Dodman, *Well-Adjusted Dog,* pág. 232.

92. *Según la ASPCA, 3,7 millones:* «Animal Shelter Euthanasia», American Humane Association, www.americanhumane.org/animals/stop-animals-abuse/fact-seets/animal-shelter-euthanasia.htm (consultado el 20 de diciembre, 2013).

93. *Dodman sostiene que la gran salvación:* «Pet Pharm».

94. *Los psicofármacos para mascotas pueden ser un útil apeadero:* véase, por ejemplo, D. A. Babcock et al., «Effects of Imipramine, Chlorimipramine, and Fluoxetine on Cataplexy in Dogs», *Pharmacology, Biochemistry, and Behavior* 5, n.º 6 (1976), pág. 599; Sharon L. Crowell-Davis y Thomas Murray, *Veterinary Psychopharmacology* (Wiley-Blackwell, 2005); Hart et al., «Effectiveness of Buspirone on Urine Sprayind and Inappropiate Urination in Cats», págs. 254-258; Charmaine Hugo et al., «Fluoxetine Decreases Stereotypic Behavior in Primates», *Progress in Neuro-Psychopharmacology and Biological Psychiatry* 27, n.º 4 (2003), págs. 639-643; Mami Irimajiri et al., «Randomized, Controlled Clinical Trial of the Efficacy of Fluoxetine for Treatment of Compulsive Disorders in Dogs», *Journal of the American*

Veterinary Medical Association 235, n.º 6 (2009), págs. 705-709; Rapoport et al., «Drug Treatment of Canine Acral Lick» 517; Wald et al., «The Combined Effects of Memantine and Fluoxetine on an Animal Model of Obsessive Compulsive Disorder».

95. *Los humanos que poseen más de 78 millones:* «Pet Industry Market Size and Ownership Statistics», American Pet Products Manufacturers Association, págs. 2011-2012, National Survey, www.americanpetproducts.org/press_industrytrends.asp.

96. *Al mismo tiempo, la compañía publicó los resultados:* «Eli Lilly and Company Introduces Reconcile™ for Separation Anxiety in Dogs», *Medical News Today,* 26 de abril, 2007, www.medicalnewstoday.com/releases/68990.php (consultado el 1 de mayo, 2009).

97. *Un estudio del 2008 estimaba que el 14 por ciento de los perros estadounidenses:* Vlahos, «Pill-Popping Pets».

98. *La página web de Reconcile de Lilly:* www.reconcile.com (consultado el 15 de enero, 2012).

99. *En la versión antigua de la página:* www.reconcile.com/downloads (consultado el 15 de junio, 2009).

100. *Se publicó en la revista* Veterinary Therapeutics *en el 2007:* Barbara Sherman Simpson et al., «Effects of Reconcile (Fluoxetine) Chewable Tablets Plus Behavior Management for Canine Separation Anxiety», *Veterinary Therapeutics: Research in Applied Veterinary Medicine* 8, n.º 1 (2007), págs. 18-31. Otro estudio sobre el medicamento, subvencionado también por Lilly, que se centraba en los efectos de la fluoxetina en la conducta compulsiva de los perros, dio unos resultados muy ambiguos. Irimajiri et al., «Randomized, Controlled Clinical Trial of the Efficacy of Fluoxetine for Treatment of Compulsive Disorders in Dogs», págs. 705-709.

101. *Metieron a veinticuatro ejemplares de beagles en un camión para que viajaran:* Diane Frank, Audrey Gauthier y Renée Bergeron, «Placebo-Controlled Double-Blind Clomipramine Trial for the Treatment of Anxiety or Fear in Beagles during Ground Transport», *Canadian Veterinary Journal* 47, n.º 11 (2006), págs. 1.102-1.108.

102. *El fármaco ha demostrado ser más eficaz:* E. Yalcin, «Comparison of

Clomipramine and Fluoxetine Treatment of Dogs with Tail Chasing», *Tierärztliche Praxis: Ausgabe K. Kleintiere/Heimtiere* 38, n.º 5 (2010), págs. 295-299; Moon-Fanelli y Dodman, «Description and Developopment of Compulsive Tail Chasing in Terriers and Response to Clomipramine Treatment», págs. 1.252-1.257; Seibert et al., «Placebo-Controlled Clomipramine Trial for the Treatment of Feather Picking Disorder in Cockatoos»; Dodman y Shuster, «Animal Models of Obsessive-Compulsive Behavior: A Neurobiological and Ethological Perspective».

103. *Medicar a un perro pequeño cuesta alrededor de:* 1-800PetMeds, www.1800petmeds.com/Clomicalm-prod10439.html (consultado el 4 de febrero, 2012).

104. *Imparte clases de adiestramiento y talleres:* «Dr. Ian Dunbar», Sirius Dog Training, www.siriuspup.com/about_founder-html (consultado el 3 de junio, 2013); «Ian Dunbar Events and Training Courses», www.jamesandkenneth.com/store/show_by_tags/Events (consultado el 3 de junio, 2013).

105. *Los medicamentos simplemente no son necesarios:* «Pet Pharm»; Vlahos, «Pill-Popping Pets»; «About Founder», *Sirius Dog Training*, www.siriuspup.com/about_founder.html (consultado el 3 de junio, 2013); «Ian Dunbar Events and Training Courses», www.jamesandkenneth.com/store/show_by_tags/Events (consultado el 3 de junio, 2013).

106. *Dunbar sostiene que los propietarios de mascotas:* «Pet Pharm».

107. *Debatir si darles a otros animales:* Nigel Rothfels, *Savages and Beasts: The Birth of the Modern Zoo*, Johns Hopkins University Press, Baltimore, 2002, pág. 81.

108. *Demostró la presencia de una variedad:* Chris D. Metcalfe et al., «Antidepressants and Their Metabolites in Municipal Wastewater, and Downstream Exposure in an Urban Watershed», *Environmental Toxicology and Chemistry* 29, n.º 1 (2010), págs. 78-89.

109. *En un experimento, las lubinas expuestas al Prozac:* ibíd.; Janet Raloff, «Environment: Antidepressants Make for Sad Fish. Drugs May Affect Feeding, Swimming and Mate Attracting», *Science News* 174, n.º 13 (2008), pág. 15.

110. *Otro estudio analizó los efectos del Prozac:* Nina Bai, «Prozac Ocean: Fish Absorb Our Drugs, and Suffer for It», Discover Magazine Blog, 2 de diciembre, 2008, http://blog.discovermagazine.com/discoblog/2008/12/02/prozac-ocean-fish-absorb-our-drugs-and-suffer-for-it / (consultado el 2 de marzo, 2009); Yasmin Guler y Alex T. Ford, «Anti-Depressants Make Amphipods See the Light», *Aquatic Toxicology* 99, n.º 3 (2010), págs. 397-404; Metcalfe et al., «Antidepressants and Their Metabolites in Municipal Wastewater, and Downstream Exposure in an Urban Watershed».

111. *Reveló la presencia de una variedad de psicofármacos en las plumas:* D. C. Love et al., «Feather Meal: A Previously Unrecognized Route for Reentry into the Food Supply of Multiple Pharmaceuticals and Personal Care Products (PPCPs)», *Environmental Science and Technology* 46, n.º 7 (2012), págs. 3795-3802; Sarah Parsons, «This is Your Chicken on Drugs: Count the Antibiotics in Your Nuggets», *Good,* 10 de abril, 2012; «Researchers Find Evidence of Banned Antibiotics in Poultry Products», Center for a Livable Future, Johns Hopkins Bloomberg School of Public Health, abril, 2012.

112. *Según el periodista Nicholas Kristof:* Nicholas D. Kristof, «Arsenic in Our Chicken?», *New York Times,* 4 de abril, 2012; Love et al., «Feather Meal: A Previously Unrecognized Route for Reentry into the Food Supply of Multiple Pharmaceuticals and Personal Care Products (PPCPs)»; Sarah Parsons, «This Is Your Chicken on Drugs: Count the Antibiotics in Your Nuggets», *Good,* 10 de abril, 2012; «Researchers Find Evidence of Banned Antibiotics in Poultry Products», Center for a Livable Future, Johns Hopkins Bloomberg School of Public Health, abril, 2012.

Capítulo 6. Terapia familiar

1. *Harriman cuenta la historia de Jefty, un conejo de ocho años:* Marinell Harriman, *House Rabbit Handbook: How to Live with an Urban Rabbit,* 3ª ed. Drollery Press, Alameda, California, 1995, pág. 92.

2. *Un miembro del Club de Fans de las Ratas escribió:* Angela King, «The Case against Single Rats», *The Rat Report,* http://ratfanclub.org/single-html (consultado el 12 de abril, 2013); Angela Horn, «Whay Rats Need Company», National Fancy Rat Society, http://www.nfrs.org/company.

html (consultado el 12 de abril, 2013). Véase también Kathy Lovings, «Caring for Your Fancy Rat», http://www.ratdippityrattery.com/CaringForYourFancyRat.htm (consultado el 1 de abril, 2013).

3. *«Las ratas notan...»:* Monika Lange, *My Rat and Me,* Barron's Educational Series, 2002, pág. 58.

4. **La expresión del idioma inglés *«fastidiarle la cabra»:*** el escritor H. L. Mencken sugirió esta idea. Véase Christine Ammer, *The American Heritage Dictionary of Idioms,* Houghton Mifflin Harcourt, Boston, 1997, pág. 242. El *Oxford English Dictionary* explica cuándo se utilizó por primera vez la frase: www.oed.com/view/Entry79564?rskey=cKiv56&result=2&isAdvanced=false#eid.

5. **Antes de que** Seabiscuit *se convirtiera en un caballo de carreras campeón:* Laura Hillenbrand, *Seabiscuit: An American Legend,* Random House Digital, 2003, págs. 98-100.

6. Miss Edna Jackson, *una yegua de carreras:* «Goat and Race Horse Chums: Filly at Belmont Park Won't Eat If Her Friend Is Away», *New York Times,* 13 de mayo, 1907.

7. *Un caballo llamado* Exterminador*:* Amy Lennard Goehner, «Animal Magnetism: Skittish Racehorses Tend to Calm Down When Given Goats as Pets», *Sports Illustrated,* 21 de febrero, 1994, http://sportsillustrated.cnn.com/vault/article/magazine/MAG1004875/index.htm (consultado el 15 de noviembre, 2009).

8. *Rodear a los caballos de carreras de animales para que les hagan compañía:* los foros de Internet dirigidos a criadores equinos, jinetes, aficionados a las carreras de caballos y a otros internautas interesados en este tipo de temas están repletos de discusiones sobre animales que hacen compañía a los caballos. Véase, por ejemplo, «Companion Animals», Horseinfo, www.horseinfo.com/info/faqs/faqcompanionQ2.html (consultado el 20 de enero, 2012); «Companion Animals for Horses», Franklin Levinson's Horse Help Center, www.waayofthehorse.org/horse-help/companion-animals-for-horses.php; «Readers Respond: Your Tips for Providing Horses with Companions», About.com, http://horses.about.com/u/ua/basiccare/companionridertips.htm (consultado el 20 de enero, 2012); «What Animals with a Horse?», Permies.com, www.permies.com/t9560/critter-care/animals-

horse; «Companion Animals for a Horse», Horse Forum, www.horseforum. com/horse-training/companion-animals-horse-45342/ (consultado el 20 de enero, 2012).

9. *John Veitch, un entrenador del Salón Hípico de la Fama de Estados Unidos:* Goehner, «Animal Magnetism».

10. *Jack Van Berg, que también pertenecía al Salón Hípico de la Fama:* ibíd.

11. *El tipo que se ocupaba de una de las pantallas gigantes:* Graham Parry, comunicación personal, 28 de junio, 2011.

12. *Los cerdos vietnamitas también sirven:* «Stable Goats Help Calm Skitish Thoroughbreds».

13. *La vida de los pulpos gigantes de California:* Devin Murphy, «Brains over Brawn», Smithsonian Zoogoer, marzo, 2011, http://nationalzoo.si-edu/ Publications/Zoogoer/2011/4/Cephalopods.cfm (consultado el 7 de abril, 2011); Ellen Byron, «Big Cats Obsesd over Calvin Klein's "Obsession for Men"» *Wall Street Journal,* 8 de junio, 2010; «Phoenix Zoo Tortoise Enrichment», www.phoenixzoo.org/learn/animals/Giant_tortoise_article_22.pdf (consultado el 10 de junio, 2010).

14. *En su página web se incluye una lista:* The Shape of Enrichment, www. enrichment.org/miniwebfile.php?Region=Video_Library&File=collection. html&File2=collection_sb.html&NotFlag=1 (consultado el 10 de junio, 2010).

15. *Aquel año las enmiendas del Acta del Bienestar Animal:* «Environmental Enrichment and Exercise», USDA, http://awic.nal.usda.gov/research-animals/environmental-enrichment-and-exercise (consultado el 10 de junio, 2010).

16. *Hace poco el Zoo de Wilhelma de Stuttgart (Alemania):* Allan Hall y Wills Robinson, «How about "the Ape Escape"? Bonobos in German Zoo Have New Flat-Screen TV Installed Which Lets Them Pick Their Favourite Movie», *Daily Mail,* 26 de noviembre, 2013, www.dailymail.co.uk/sciencetech/ article-2514113/Bonobos-apes-German-Zoo-flat-screen-TV-installed.html (consultado el 10 de junio, 2010); «Bonobo Apes in Hi-Tech German Zoo Go Bananas for Food, Not TV Porn», NBC News, 26 de noviembre, 2013; http://worldnews.nbcnews.com/_news/2013/11/26/21626507-bonobo-apes-in-hi-tech-german-zoo-go-bananas-for-food-not-tv-porn (consultado el 26 de noviembre, 2010).

17. *James Breheny, director del Zoo del Bronx:* «Zoo Director (O. K. Be That Way)», *New York Times,* 21 de julio, 2009.

18. *Fue la que más deprisa creció en el sector de la venta al por menor:* Carol Tice, «Why Recession-Proof Industry Just Keeps Growing», *Forbes,* 30 de octubre, 2012; «2013/2014 National Pet Owners Survey by American Pet Product Association, American Pet Product Association, diciembre, 2013.

19. *Sin embargo, Donna Haraway, la filósofa de la ciencia:* comunicación personal, Donna Haraway, 17 de febrero, 2014.

20. *La portada de su libro publicado en 1995* Getting in TTouch: al igual que los frenologistas de antaño que creían que los contornos del cráneo reflejaban el carácter de una persona, Tellington ha afirmado que al observar las distintas partes del rostro de un caballo puede ver los rasgos de su personalidad.

21. *Su método patentado TTouches incluye toques con nombres:* Tellington Touch Training, www.ttouch.com/whatisTTouch.shtml (consultado el 5 de febrero, 2012).

22. *Ahora trata a todo tipo de animales:* Tellington-Jones no es la única que lo hace. Hay cursos de titulación para muchas distintas clases de masajes dirigidos a los animales. Véase, por ejemplo, International Association of Animal Massage and Bodywork/Association of Canine Water Therapy, www.iaamb.org/mission-and-goals.php (consultado el 5 de febrero, 2012), o Chandra Beal, *The Relaxed Rabbit: Massage for Your Pet Bunny* (iUniverse, 2004), entre muchos otros.

23. *Una diversidad de estudios sobre los humanos han demostrado el poder del masaje:* el papel del masaje para ayudar a los humanos a manejar la ansiedad se ha evaluado en distintos contextos. Véase Susanne M. Cutshall et al., «Effect of Massage Therapy on Pain, Anxiety, and Tension in Cardiac Surgical Patients: a Pilot Study», *Complementary Therapies in Clinical Practice* 16, n.º 2 (2010), págs. 92-95; Tiffany Field, «Massage Therapy», *Medical Clinics of North America* 86, n.º 1 (2002), págs. 163-171; Melodee Harris y Kathy C. Richards, «The Physiological and Psychological Effects of Slow-Stroke Back Massage and Hand Massage on Relaxation in Older People», *Journal of Clinical Nursing* 19, n.º 7-8 (2010), págs. 917-926; Christopher A. Moyer et al., «Does Massage Therapy Reduce Cortisol? A Comprehensive Quantitative Review», *Journal of Bodywork and Movement Therapies* 15, n.º 1 (2011), págs. 3-14; Wendy Moyle, Amy Nicole Burne Johnston y Siobhan Therese O'Dwyer, «Exploring the Effect of Foot Massage on Agitated Behaviours in Older People with Dementia: A Pilot Study», *Australasian Journal on Ageing* 30, n.º 3 (2011), págs. 159-161.

24. *Los masajes también se han usado en caballos de doma clásica:* Kevin K. Haussler, «The Role of Manual Therapies in Equine Pain Management», *Veterinary Clinics of North America: Equine Practice* 26, n.º 3 (2010), págs. 579-601; Mike Scott y Lee Ann Swenson, «Evaluating the Benefits of Equine Massage Therapy: A Review of the Evidence and Current Practices», *Journal of Equine Veterinary Science* 29, n.º 9 (2009), págs. 687-697; C. M. McGowan, N. C. Stubbs y G. A. Jull, «Equine Physiotherapy: A Comparative View of the Science Underlying the Profession», *Equine Veterinary Journal* 39, n.º 1 (2007), págs. 90-94.

25. *Fotos de hombres y mujeres con chalecos de equitación:* «Benefits of Equine Sports Massage», Equine Sports Massage Association, www.equinemassageassociation.co.uk/benefits_of_equine_sports_massage.html (consultado el 24 de diciembre, 2012).

26. *Frediani cree que el TTouch relaja la tensión muscular:* Mardi Richmond, «The Tellington TTouch for Dogs», *Whole Dog Journal*, agosto, 2010; Jodi Frediani, comunicación personal, 18 de enero, 2011, y 9 de mayo, 2012.

27. Mosha… *pisó una mina:* grupos que no pertenecen al estado también han puesto minas, aunque en una cantidad mucho más reducida. Véase «Burma (Myanmar)», Landmine and Cluster Munition Monitor, el artículo aparece en www.the-monitor.org/.

28. *El investigador más célebre de bonobos:* entre los libros de Frans B. M. de Waal figuran *Good Natured: The Origins of Right and Wrong in Humans and Other Animals,* Harvard University Press, Cambridge, Massachusetts, 1996; [Edición en castellano: *Bien natural: los orígenes del bien y del mal en los humanos y otros animales,* Herder Editorial S. L., Barcelona, 1997]. *The Ape and the Sushi Master: Cultural Reflections by a Primatologist,* Basic Books, Nueva York, 2001; [Edición en castellano: *El simio y el aprendiz de* sushi: reflexiones de un primatólogo sobre la cultura, Paidós, Barcelona, 2002]. Bonobo: The Forgotten Ape, University of California Press, Berkeley, 1997. Y junto con Frans Lanting, The Age of Empathy: Nature's Lessons for a Kinder Society, Crown, Nueva York, 2009; [Edición en castellano: La edad de la empatía: lecciones de la naturaleza para una sociedad más justa y solidaria, Tusquets Editores, Barcelona, 2011].

29. *De Waal cree que deberíamos:* Frans de Waal, «The Bonobo in All of Us» PBS, 1 de enero, 2007, www.pbs.org/wgbh/nova/nature/bonobo-all-us. html; Frans B. M. de Waal, «Bonobo Sex and Society», *Scientific American* 272, n.º 3 (1995); de Waal y Lanting, *Bonobo: The Forgotten Ape.*

30. Brian *«vomitaba treinta, cuarenta o cincuenta veces al día...»: Primate Week,* entrevista con Barbara Bell y Harry Prosen, «Lake Effect with Bonnie North», WUWM Public Radio, 20 de febrero, 2012, www.youtube.com/watch?v_SWOrelLGOs.

31. *La primera vez que Prosen fue a visitarlo al zoo:* «A Party Animal with a Social Phobia», *Times for Higher Education,* 28 de julio, 2000, www.times-highereducation.co.uk/story.asp?storyCode=152816&sectioncode=26 (consultado el 1 de junio, 2010); comunicación personal, Dr. Harry Prosen, 1 de octubre, 2010.

32. *Había vivido en mi consulta algunas situaciones difíciles...:* Harry Prosen y Barbara Bell, «A Psychiatrist Consulting at the Zoo (the Therapy of Brian Bonobo)», en *The Apes: Challenges for the 21st Century. Conference Proceedings,* Brookfield Zoo, 2001, págs. 161-164.

33. Brian *adquirió el hábito de meterse el puño en el ano:* Prosen y Bell, «A Psychiatrist Consulting at the Zoo».

34. *Es famoso por curar a bonobos estresados:* Jo Sandin, *Bonobos: Encounters in Empathy,* Zoological Society of Milwaukee, Milwaukee, 2007, págs. 25-27.

35. *En una ocasión que un macho más joven robó un tubo de cartón:* ibíd., págs. 49-50.

36. *También estaba muy apegado a sus rituales de TOC: Primate Week,* entrevista con Barbara Bell y Harry Prosen, www.youtube.com/watch?v=_SWOrelLGOs.

37. *Pero lo bueno de la terapia farmacológica:* ibíd.

38. *Le impactó la capacidad de los chimpancés:* Kelly Servick, «Psychiatry Tries to Aid Traumatized Chimps in Captivity», *Scientific American,* 2 de abril, 2013, www.scientificamerican.com/article.cfm?id=psychiatry-comes-to-the-aid-of-captive-chimps-with-abnormal-behavior.

39. *«Por eso hemos sido los humanos los que hemos poblado el planeta y no los chimpancés»:* ibíd.; comunicación personal, doctor Harry Prosen, 1 de octubre, 2010.

40. *La opinión de Bell y Prosen sobre los bonobos es, sin embargo, un tanto distinta:* Prosen y Bell, «A Psychiatrist Consulting at the Zoo».

41. *En el 2001, cuatro años después de la llegada de* Brian *al zoo:* Sandin, *Bonobos,* págs. 59-68.

42. *«Aún siguen llevándose bien...», me contó Bell:* Jo Sandin, «Bonobos: Passage of Power», *Alive,* Milwaukee County Zoological Society (Invierno, 2006), www.zoosociety.org/pdf/conserveprojects/WinterAlive06_BonobosPassageofPower-pdf (consultado el 10 de junio, 2010).

43. *Después de que* Lody *muriera:* Paula Brookmire, «Lody the Bonobo: A Big Heart», *Alive Magazine,* Milkwaukee Zoological Society, abril, 2012, pág. 25.

44. *Durante los últimos quince años, tanto Prosen como Bell:* ibíd.; comunicación personal, Dr. Harry Prosen, 1 de octubre, 2010.

45. *Cree que los esfuerzos de Bell:* «Interview with Harry Prosen, M. D., Psychiatric Consultant Bonobo Species Survival Plan», *Milwaukee Renaissance,* 17 de marzo, 2008, www.milwaukeerenaissance.com/Bonobos/HomePage#toc14 (consultado el 19 de octubre, 2010); comunicación personal, Dr. Harry Prosen, 1 de octubre, 2010.

46. *Que en realidad* Lody *y* Kitty: Sandin, *Bonobos,* pág. 53.

Epílogo. El perdón de las diabólicas

1. *Frohoff, la misma investigadora a la que:* T. G. Frohoff, «Conducing Research on Human-Dolphin Interactions: Captive Dolphins, Free-Ranging Dolphins, Solitary Dolphins, and Dolphin Groups», en *Wild Dolphin Swim Program Workshop,* ed. K. M. Dudzinski, T. G. Frohoff y T. R. Spradlin (Maui 1999); T. G. Frohoff y J. Packard, «Human Interactions with Free-Ranging and Captive Bottlenose Dolphins», *Anthrozoos* 8 (1995), págs. 44-53.

2. *Las ballenas grises californianas pasan el verano en el Ártico:* «Gray Whale», American Cetacean Society, http://acsonline.org/fact-sheets/graywhale/; «Gray Whale», Alaska Department of Fish and Game, www.adfg. alaska.gov/static/education/wns/gray_whale_pdf (consultado el 1 de marzo, 2011); «Gray Whale», NOAA Fisheries, www.nmfs.noaa.gov/pr/species/mammals/cetaceans/graywhale.htm; «California Gray Whale», Ocean Institute, www.ocean-institute.org/visitor/gray_whale.html.

3. *Esta congregación estacional de ballenas era un objetivo muy buscado por el preciado aceite:* «California Gra Whale»; «Gray Whale», American Cetacean Society.

4. *Capitanes balleneros como Charles Melville Scammon:* Charles Melville Scammon, *Marine Mammals of the Northwestern Coast of North America: Together with an Account of the American Whales-Fishery,* Heyday, Berkeley, 2007; Charles Siebert, «Watching Whales Watching Us», *New York Times Magazine,* 8 de julio, 2009.

5. *Las ballenas grises luchaban con tanta bravura:* Dick Russell, *Eye of the Whale Epic Passage from Baja to Siberia,* Island Press, 2004, pág. 20; Joan Druett y Ron Druett, *Petticoat Whalers: Whaling Wives at Sea, 1820-1920,* University Press of New England, Lebanon, New Hampshire, 2001, pág. 139.

6. *A principios de la década de 1900 quedaban menos de dos mil:* Marine Mammal Commision, Annual Report for 2002, www.mmc.gov/species/pdf/ar2002graywhale.pdf (consultado el 1 de abril, 2009).

7. *En los años treinta y cuarenta las comenzaron a proteger:* ibíd.

8. *Ranulfo, el hijo de Pachico:* Siebert, «Watching Wales Watching Us».

9. *Cerca del 10 al 15 por ciento de ballenas de las lagunas:* comunicación personal, Jonas Leonardo Meza Otero, 17-18 de marzo, 2010; comunicación personal con Ranulfo Mayoral, 9 de marzo, 2010; comunicación personal con Marcos Sedano, 18 de marzo, 2010.

10. *Lo más desconcertante:* «Gray Whale», NOAA Fisheries.

11. *Tal como han revelado las investigaciones sobre la vida social, la comunicación y la cognición de las ballenas:* Filicity Muth, «Animal Culture Insights from Whales», *Scientific American,* 27 de abril, 2013, http://blogs. Scientificamerican.com/not-bad-science/2013/04/27/animal-culture-insights-from-whales/; Jenny Allen et al., «Network-Based Diffusion Analysis Reveals Cultural Transmission of Lobtail Feedings in Humpback Whales», *Science* 340, n.º 6131 (2013), págs. 485-488; John K. B. Ford, «Vocal Traditions among Resident Killer Whales *(Orcinus orca)* in Coastal Waters of British Columbia», *Canadian Journal of Zoology* 69, n.º 6 (1991), págs. 1.454-1.483; Luke Rendell et al., «Can Genetic Differences Explain Vocal Dialect Variation in Sperm Whales, Physeter Macrocephalus?», *Behavior Genetics,* 42, n.º 2 (2011), págs. 332-343.

12. *Las matanzas masivas de ballenas por parte de los humanos:* la casi total extinción de la población no solo afectó la conducta de las ballenas (lo lejos que tenían que viajar para encontrar una pareja, por ejemplo, y la reducción de sus opciones), sino también su biología (disminuyendo la diversidad genética de la población). Aunque no se sabe cómo les afectó culturalmente.

13. *Adolf Hilter amaba tanto a su perra* Blondi, *un pastor alemán:* envenenarla fue uno de sus últimos actos antes de suicidarse. Gertraud Junge, *Until the Final Hour,* Arcade, 2003, págs. 38, 181; James Serpell, *In the Company of Animals: A Study of Human-Animal Relationships,* Cambridge University Press, Cambridge, Reino Unido, 1996, pág. 26.

14. *Y se dice que Kim Jong-il gastó:* «Nothing's Too Good for Kim Jong-il's Pet Dogs», *Chosunilbo,* 14 de abril, 2011; Peter Foster, «Kim Jong-il Reveals Fondness for Dolphins and Fancy Dogs», Telegraph.co.uk/news/worldnews/asia/northkorea/8869192/kim-jong-il-reveals-fondness-for-dolphins-and-fancy-dogs.html, 4 de noviembre, 2011; Nadia Gilani, «Kim Jong-il Spends £120.000 on Food for His Dogs, as Six Million North Koreans Starve», *Daily Mail Online,* 30 de setiembre, 2011, www.dailymail.co.uk/news/article-2043868/Kim-Jong-II-spends-120-000-food-dogs-million-North-Koreans-starve.html (consultado el 10 de enero, 2012).

Sobre la autora

LAUREL BRAITMAN, doctorada por el MIT en Historia y Antropología de la Ciencia, ha escrito artículos en *Pop-Up Magazine, The New Inquiry, Orion* y otras publicaciones. Actualmente es una artista afiliada al Headlands Center for the Arts y vive en una casa flotante en Sausalito, California. Este es su primer libro.